# GUIDES ◉ VOIR

# BRETAGNE

GUIDES ◉ VOIR

# BRETAGNE

Libre Expression

# Libre Expression

Ce guide Voir a été établi par
Gaëtan du Chatenet, Jean-Philippe Follet,
Jean-Yves Gendillard, Éric Gibory, Renée Grimaud,
Georges Minois

DIRECTION
Cécile Boyer

DIRECTION ÉDITORIALE
Catherine Marquet

ÉDITION
Hélène Gédouin-Hines, Catherine Laussucq,
Camille Marchaut, Paulina Nourissier

DIRECTION ARTISTIQUE
JAD-Hersienne

MISE EN PAGE (PAO)
Maogani

CARTOGRAPHIE
Fabrice Le Goff

**DK**

IMPRIMÉ ET RELIÉ EN ITALIE PAR GRAPHICOM

Aussi soigneusement qu'il ait été établi, ce guide
n'est pas à l'abri des changements de dernière heure.
Faites-nous part de vos remarques, informez-nous
de vos découvertes personnelles : nous accordons
la plus grande attention au courrier de nos lecteurs.

Éditions Libre Expression
2016, rue Saint-Hubert
Montréal (Québec) H2L 3Z5

DÉPÔT LÉGAL : 3ᵉ trimestre 2002
ISBN: 2-89111-982-7

◁ **Festival Brest 2000, passage du Toulinguet**

**Détail de costume, pardon de
Saint-Anne-d'Aurey**

L'estuaire du Jaudy à Plougrescant, Côtes-d'Armor

## LES BONNES ADRESSES

Détail d'un vitrail, cathédrale Saint-Corentin, Quimper

Le château de Traonjoly, Finistère Nord

Le château de Josselin *(p. 192-193)*

# PRÉSENTATION DE LA BRETAGNE

# La Bretagne dans son environnement

Cerné de 2 863 km de côtes, le territoire breton couvre une superficie de 34 000 km², soit 6 % du territoire national. La région regroupe plus de 4 millions d'habitants (7 % de la population métropolitaine), soit une densité de 119 habitants au km². Au cours des 25 dernières années, la démographie a progressé à un rythme supérieur à celui de la moyenne nationale. Pointe extrême du continent européen, la Bretagne est devenue un pôle économique d'envergure international. Sa croissance s'appuie sur une forte identité culturelle.

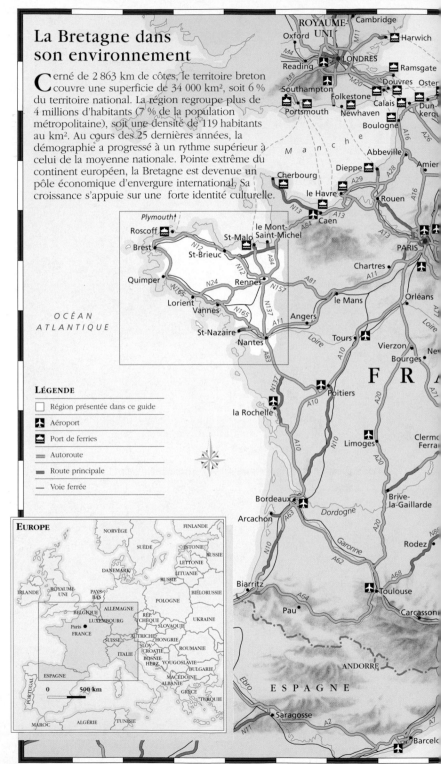

### LÉGENDE

- ☐ Région présentée dans ce guide
- ✈ Aéroport
- ⛴ Port de ferries
- ══ Autoroute
- ── Route principale
- — Voie ferrée

EUROPE

OCÉAN ATLANTIQUE

FRA...

**Vue aérienne de la ville de Quimper**

AMSTERDAM
la Haye
oek van
Holland
Rotterdam
PAYS-BAS
eebrugge
Anvers
Cologne
BRUXELLES
Aix-la-Chapelle
BELGIQUE
Liège
ouai

Hanovre

LUXEMBOURG
LUXEMBOURG
Thionville
Reims
Metz
Nancy
Stuttgart
Strasbourg
ALLEMAGNE
Troyes
Munich
Salzbourg
Mulhouse
Lac de
Contance
Dijon
Bâle
Besançon
Zurich
Innsbruck
AUTRICHE
BERNE
LIECHTENSTEIN
SUISSE
Lac Léman
Genève
Lyon
St-Étienne
Milan
Venise
Grenoble
Turin
ITALIE
Valence
Pô
Bologne
Gênes
la Spezia
Florence
Nîmes
Avignon
Aix-en-
Provence
Nice
Monaco
Montpellier
Livourne
Marseille
Toulon
Piombino
Bastia
Orbetello
CORSE
Civitavecchia
ROME
Ajaccio

MER MÉDITERRANÉE

Rhin
Danube
N C E
Rhône
Seine

0                    200 km

# UNE IMAGE DE LA BRETAGNE

**L**a Bretagne a une physionomie multiple. Son histoire mouvementée, ses paysages variés, son économie diversifiée, l'exceptionnelle richesse de son patrimoine et de sa culture ouvrent des perspectives sans cesse renouvelées. La Bretagne a su préserver ses traditions tout en participant aux révolutions technologiques du troisième millénaire. Visite au pays des menhirs et des microprocesseurs.

Merlin enchante la mythique forêt de Brocéliande qui se dresse au cœur de l'Argoat, pays des forêts, ceinturé de l'Armor, pays de la mer. Falaises, dunes, estuaires, vasières et marais se succèdent sur plus de 2 730 km de côtes. Pointe occidentale de l'Europe, la Bretagne plonge sous la mer par un plateau continental où la profondeur atteint moins de 200 m. Au nord, ce plateau rejoint les îles britanniques et, au sud, se poursuit jusqu'à 200 km des côtes. Depuis des temps immémoriaux, cette zone est exploitée par les pêcheurs. Le poisson abondant constitue encore aujourd'hui l'une des principales res-

**Jeune fille de Fouesnant**

sources du pays. Elle s'enrichit d'une ceinture d'algues exploitées par les industries alimentaires, pharmaceutique et, surtout, cosmétique. Bordée par la Manche et l'océan Atlantique, la Bretagne a toujours regardé au delà des horizons maritimes. Des moines venus en embarcation de fortune de Grande-Bretagne pour évangéliser l'Armorique jusqu'aux stars contemporaines de la voile, en passant par les grands explorateurs et les corsaires, ses marins ont inscrit leur nom sur les plus belles pages de l'histoire maritime européenne. À l'intérieur, l'Argoat a perdu aujourd'hui la plus grande partie de ses

Un magnifique spectacle : la Fête internationale de la Mer et des Marins à Brest

◁ La procession du Grand Pardon à Quimper

Marchande de dentelle bretonne, à Sainte-Anne-d'Auray dans le Morbihan

arbres, exploités par les Romains, les moines, la construction marine et les forges. Seuls 10 % de la surface totale de la forêt primitive ont été épargnés.

### UNE ÉCONOMIE DIVERSIFIÉE

Cependant, la dureté des éléments n'a jamais découragé les Bretons. La grande pêche à Terre-Neuve et en Islande a connu son heure de gloire au XIXe siècle, mais la crise a eu raison de cette pêche hauturière. Désormais, les autres navires-usines arment pour les côtes atlantiques de l'Afrique, du Maroc, de la Mauritanie, du Sénégal et de l'Amérique du Sud. La pêche côtière a

Publicité ancienne, entreprise Béghin-Say

mieux résisté aux aléas économiques. Elle concerne les trois quarts de la flotte bretonne, mais doit affronter les importations, la chute des prix, l'épuisement des ressources, la pollution industrielle, les marées noires successives et la concurrence du poisson d'élevage. Le métier est toutefois en cours de réorganisation. Si la pêche connaît une crise depuis une cinquantaine d'années, l'agriculture et l'industrie agro-alimentaire assurent, avec le tourisme, la santé économique de la région. La Bretagne est le premier producteur laitier en France, fournit le quart de la production animale française et met à l'honneur ses productions maraîchères. La filière agro-alimentaire transforme la production qu'elle commercialise sous des marques dont la notoriété a franchi les frontières : Saupiquet, Béghin-Say, Petit Navire, Paysans Bretons, Père Dodu, Traou Mad, Mamie Nova, le célèbre pâté Hénaff, etc. L'industrie et le secteur tertiaire sont également développés. Un Breton sur trois travaille dans l'industrie et le bâtiment, et un sur deux dans le commerce, les

La plage du Casino (Saint-Quay-Portrieux)

services et l'administration. Les industries high-tech ont essaimé et de nombreuses innovations technologiques sont nées sur le sol breton. En outre, la Bretagne figure au palmarès des régions touristiques les plus fréquentées.

### DU BINIOU
### AU SYNTHÉTISEUR

La musique traditionnelle bretonne a connu un véritable renouveau

Bretonne en costume traditionnel, Festival interceltique de Lorient

dans les années 1960 grâce, entre autres, à Alan Stivell, Kristen Noguès, Gilles Servat, Tri Yann, qui officient au sein des *bagadou*, les formations musicales bretonnes. Depuis quelques années, une seconde vague musicale bretonne surfe dans le classement des meilleures ventes de disques. Fer de lance de cette génération, Denez Prigent enflamme aussi bien les pistes de danse que les *festou-noz*, bals populaires bretons. Cette sensibilité musicale va bien au delà de la musique traditionnelle. Les festivals de rock, des

Plaque de rue à Quimper

Transmusicales de Rennes à la Route du Rock de Saint-Malo en passant par le festival des Vieilles Charrues à Carhaix, séduisent presque autant que le Festival interceltique de Lorient, premier festival français. Avec la renaissance culturelle des années 1960 et 1970, la langue bretonne a connu un véritable regain d'intérêt grâce, notamment, à la création d'écoles bilingues (Diwan). Si ce renouveau concerne encore une minorité de Bretons, la prise de conscience du formidable patrimoine littéraire armoricain concerne l'ensemble de la population. Sur la même terre, centres de recherche high-tech avoisinent menhirs, chapelles romanes, églises gothiques, châteaux forts, citadelles maritimes et manoirs du XVIIIe siècle. L'histoire de Bretagne est inscrite dans ses pierres. Ainsi, la religion imprègne la culture locale depuis les hommes du néolithique et leurs menhirs, cairns, mégalithes et autres allées couvertes. Les églises romanes apparaissent tardivement au XIe et XIIe siècles, mais l'âge d'or de l'architecture religieuse va flamboyer avec le gothique. Si le spirituel a marqué les paysages bretons, le temporel a également laissé ses témoins. Tout au long du Moyen Âge, les seigneurs locaux se sont affrontés entre eux, aux royaumes de France et d'Angleterre et ont érigé forteresses, remparts et citadelles. Avec le mobilier, le textile, les arts de la table et la peinture, ce patrimoine constitue une richesse fabuleuse. Ce n'est pas un hasard si la Bretagne arrive dans le peloton de tête des régions françaises pour le nombre de monuments historiques.

La roche aux Fées, site très fréquenté de l'Ille-et-Vilaine

# Paysages et oiseaux de Bretagne

**Busard cendré
en Bretagne**

L a Bretagne est la région de France qui voit passer ou séjourner sur ses côtes le plus grand nombre d'oiseaux marins. Dès la fin de l'été, les oiseaux qui sont allés nicher dans le Nord de l'Europe repassent en Bretagne. Les uns poursuivent leur voyage vers le sud, mais beaucoup y restent jusqu'au début du printemps et repartent vers les régions septentrionales pour se reproduire, en compagnie des migrateurs venus du sud qui les ont rejoints.

**Couple de petits pingouins**

## CÔTES PLATES ET SABLONNEUSES

La flore des plages et des dunes a la particularité de supporter le sel. On trouve la roquette de mer et plusieurs arroches au niveau des laisses de mer. Les oyats, qui croissent sur les dunes et les fixent, abritent euphorbes, chardons bleus, liserons et giroflées des dunes.

**Le grand gravelot** *recherche sur les plages de sable les vers marins, les puces de mer et les petits mollusques.*

**Le guêpier d'Europe** *est présent en Bretagne d'avril à septembre et hiverne au sud du Sahara.*

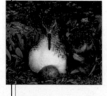

**Les bécasseaux sanderling** *nichant dans les régions boréales arrivent en Bretagne en août pour hiverner ou repartir vers l'Afrique.*

## BAIES ET CÔTES VASEUSES

Les vasières sont couvertes d'une végétation basse et grise : salicornes, soudes et obiones, avec parfois lilas de mer aux fleurs violettes, qui supportent un sol salé et gorgé d'eau en permanence par les marées qui les recouvrent en partie deux fois par jour.

**Les bécasseaux variables** *se déplacent par milliers, en sondant sans cesse la vase avec leur bec.*

**Les goélands cendrés** *nichent au nord de l'Europe et hivernent en Bretagne, où ils arrivent dès le mois d'août.*

**L'huîtrier pie** *se rencontre toute l'année en Bretagne. Il se nourrit surtout de moules, de coques et de bigorneaux.*

### LE GUILLEMOT DE TROÏL

Plongeur marin, noir et blanc, avec le cou court et les ailes étroites, le guillemot de Troïl hiverne sur les côtes de la Manche et de l'Atlantique. Il niche en colonies sur les falaises des caps Fréhel et Sizun, à Camaret et aux Sept-Îles, pondant un seul œuf sur une corniche rocheuse. On le trouve aussi sur les rochers isolés, souvent avec des pingouins et des mouettes tridactyles. À la saison des nids, son cri est bruyant, fait de sons longs et rauques. Le jeune nage vingt jours après son éclosion, mais ne vole qu'à deux mois. Il pêche les poissons, sa nourriture principale, en haute mer, plongeant à plus de 50 mètres de profondeur pour s'en emparer.

**Colonie de guillemots de Troïl**

### CÔTES ROCHEUSES ET FALAISES

Les falaises abritent une flore originale : arméries maritimes et spergulaires à fleurs roses, verges d'or maritimes et choux sauvages à fleurs jaunes, romulées printanières et scilles d'automne, minuscules fougères et nombreux lichens.

### LANDES DE L'INTÉRIEUR

Une grande partie de l'année, les bruyères, cendrées, ciliées, à balai ou tétragones, recouvrent la lande d'un tapis rose qui contraste avec les fleurs jaunes des ajoncs d'Europe. Les fourrés d'argousiers, de ronces et d'églantiers y sont nombreux.

*La pétrel fulmar* vit en haute mer et niche sur les corniches des falaises les plus abruptes.

*Le macareux moine* pêche les poissons en haute mer et creuse au printemps un profond terrier où il dépose un seul œuf blanc.

*Le busard Saint-Martin* chasse en terrain découvert les campagnols et les petits oiseaux.

*Les courlis cendrés* migrent dès juin vers les côtes atlantiques où beaucoup hivernent.

*En France, le puffin des Anglais* ne niche qu'en Bretagne, aux Sept-Îles et dans les archipels d'Ouessant et d'Houat.

*La fauvette pitchou* chasse tout au long de l'année les petits insectes et les araignées.

# L'architecture rurale

**Décor des piliers d'entrée**

Le charme de la campagne bretonne doit beaucoup à ses maisons burinées par le temps, qui offrent un visage très différent selon le relief, les matériaux et les traditions locales. Les maçons de Haute-Bretagne disposaient les habitations en ligne, pignon contre pignon, pour former de longs parallélépipèdes (« longères »). La Basse-Bretagne a privilégié un modèle plus ramassé, le *pennti*, greffé de quelques excroissances perpendiculaires – les crèches et les remises – qui abritaient la cour des vents dominants. Jusqu'au milieu du XIXᵉ siècle, ces modestes maisons étaient basses, couvertes de chaume, peu soucieuses de symétrie, mais très bien intégrées dans le bocage environnant.

***Les fenêtres**, étroites et peu nombreuses, sont généralement encadrées de pierres taillées. Elles étaient autrefois fermées par des volets intérieurs en bois.*

**Les cheminées** sont supportées par le mur pignon.

**Couronnement**, parfois sculpté, des rampants d'un pignon.

***Le linteau**, sur les fenêtres les plus anciennes, est chanfreiné et porte parfois une accolade, héritage du gothique et attribut des manoirs.*

## LES ESCALIERS EXTÉRIEURS

Dans les maisons de la campagne bretonne, on peut rencontrer plusieurs types d'escaliers extérieurs. L'escalier parallèle à la façade et recouvert d'un auvent desservait le grenier de nombreuses maisons léonardes et vannetaises. L'espace disponible sous les marches était parfois occupé par une soue à cochon. Dans les maisons plus modestes, l'escalier, souvent dépourvu d'auvent, était ménagé à l'angle de deux bâtiments.

**Escalier parallèle à la façade**

**Escalier d'angle dépourvu d'auvent**

## AUTOUR DE LA MAISON

Certains éléments sont indissociables de la maison bretonne, bien qu'ils se situent à l'extérieur. Ainsi le four à pain, dont la forme a peu évolué depuis le Moyen Âge, était-il souvent isolé de l'habitation par crainte des incendies. L'auge en granit, quant à elle, accessoire traditionnel des maisons de Basse-Bretagne, était utilisée comme abreuvoir mais aussi comme mortier : on y broyait la lande destinée aux chevaux.

**Auge en granit servant d'abreuvoir ou de mortier**

**Four à pain doté d'une petite niche à cendres**

*Sur le faîte du toit,* le couvreur place parfois un dernier rang d'ardoises ou « lignolet » (en breton kribenn) qu'il découpe de motifs divers : dates, initiales, chats, oiseaux...

## LA MAISON À AVANCÉE

De nombreuses maisons, dans le Finistère, présentent, accolée au mur de façade, une avancée de 4 à 5 m, dite *apoteiz* ou *luz taol* en breton. Dans cette petite aile en retour, on logeait la table, les bancs et parfois un lit clos, ce qui permettait de dégager un peu plus d'espace devant le foyer.

**Les moellons** les plus gros sont utilisés pour les parties basses, les angles et les rampants.

*La porte en granit à linteau constituée de trois claveaux est l'un des modèles de porte les plus répandus dans la région.*

*Les lucarnes ont fait une apparition tardive dans le monde rural : elles n'ont été bâties – généralement à l'aplomb de la façade – qu'à partir des années 1870.*

# L'architecture religieuse

**Détail d'une stalle**

L a Bretagne compte une poignée d'abbayes, neuf cathédrales, une vingtaine de grandes églises, une centaine d'enclos paroissiaux et des milliers de chapelles rurales – un riche héritage qui témoigne de la vitalité de la foi et du savoir-faire des bâtisseurs. L'architecture religieuse connaît un âge d'or aux XVIe et XVIIe siècles, l'ornementation d'édifices est foisonnante. Porches et jubés se parent de motifs sculptés dans le chêne, le calcaire ou le « kersanton », un granit à grain fin qui défie le temps.

**Calvaire de Notre-Dame-de-Tronoën**

## ART PRÉ-ROMAN ET ROMAN (VIe-XIIIe SIÈCLE)

Plus tardif qu'en Anjou et en Normandie, l'art roman s'épanouit ici vers 1100 avec la construction d'abbayes, de prieurés et de modestes églises qui se distinguent par la sculpture fortement stylisée de leurs chapiteaux.

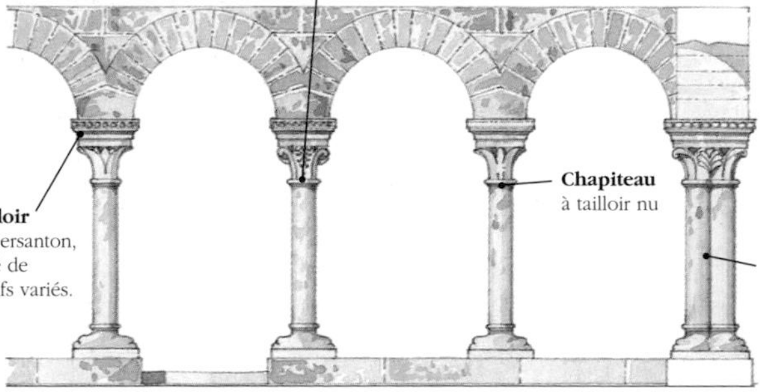

**Crypte de l'église Saint-Mélar à Lanmeur**

**Chapiteau** sculpté de feuillages.

*Le cloître de l'abbaye de Daoulas, restauré en 1880, est l'un des plus beaux exemples d'architecture romane de Bretagne.*

**Tailloir** en kersanton, orné de motifs variés.

**Chapiteau** à tailloir nu

**Colonnettes doubles**

## PREMIER GOTHIQUE (XIIIe-XIVe SIÈCLES)

Alors que plusieurs édifices romans sont encore en chantier, la Bretagne s'essaie au gothique et à l'art du vitrail. Le nouveau style, sobre, pétri d'influences normande et anglaise, s'élabore autour d'un plan rectangulaire (ou en T) et d'un grand clocher-tour.

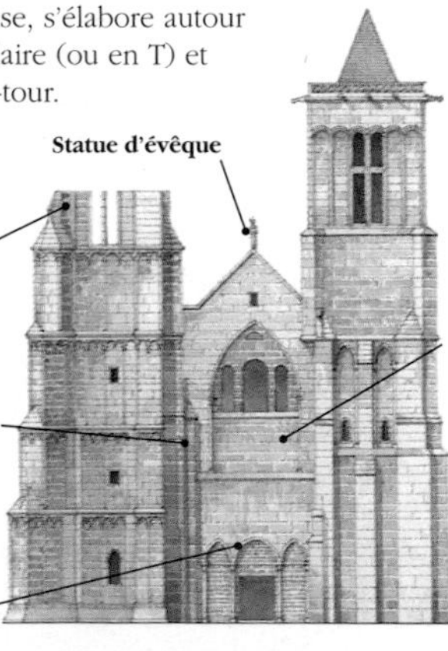

**Statue d'évêque**

**La tour nord** est demeurée inachevée.

**Contreforts**

**Architrave de feuilles**

**Façade ouest du XIIe siècle**

**Vitrail de la cathédrale Saint-Samson à Dol-de-Bretagne**

*La cathédrale de Dol, fleuron du gothique breton, présente quelques similitudes avec les cathédrales de Coutances (Normandie) et de Salisbury (Angleterre).*

## STYLE FLAMBOYANT (XIVᵉ-XVᵉ SIÈCLES)

Pour mieux asseoir leur prestige politique, ducs et nobles bretons encouragent de leurs deniers la décoration des églises gothiques, qui se dotent ainsi d'élégantes chapelles et de clochers-pignons, de portails sculptés, de peintures murales et de fines rosaces.

*Le porche du Peuple de la cathédrale Saint-Tugdual (Tréguier) offre un bel échantillon du répertoire décoratif du XIVᵉ siècle.*

**Trèfle**

**Jubé de la basilique du Folgoët**

**Rose** à quatre feuilles encadrée de deux trèfles.

**Arc** en tiers-point divisé en deux arcs trilobés.

## RENAISSANCE BRETONNE (XVIᵉ SIÈCLE)

Le flamboyant n'a pas dit son dernier mot que, déjà, bâtisseurs, orfèvres et sculpteurs glissent vers une esthétique nouvelle, plus épurée, où se mêlent les modèles de la Loire et les leçons de l'Italie, tandis que la Basse Bretagne se lance dans la mode de l'enclos et du clocher a jour.

**Figures** des douze Apôtres.

**Pilastre** décoré de losanges.

**Voussures** ornées de motifs profanes.

**Buste** de François Iᵉʳ émergeant d'une coquille Saint-Jacques.

*Le portail ouest de la basilique Notre-Dame- du-Bon Secours de Guingamp (1537-1590).*

**Fronton**, déjà baroque, de l'arc triomphal.

**Pierre** de clôture, destinée à empêcher le bétail de pénétrer dans l'enceinte sacrée.

**La porte** empruntée par les baptêmes, les mariages et les enterrements.

**Détail du jubé de l'église de La Roche-Maurice**

*Entrée triomphale de l'un des plus importants enclos paroissiaux du Finistère Nord, l'église Saint-Miliau en Guimiliau.*

## FLORAISON BAROQUE (XVIIᵉ SIÈCLE)

À l'heure de la Contre-Réforme, les ébénistes s'emploient à émerveiller les fidèles en ornant leurs églises d'apôtres, de pietà, de chaires et de somptueux retables baroques à colonnes enrubannées (on en recense encore près de 1 300 dans la région).

**Édicules de couronnement**

**Fronton échancré**

**Colonnes cannelées**

**Statue** de saint Derrien flanquée de deux têtes d'anges.

*Le grand porche (1645-1655) de l'église de Commana, dont le mobilier intérieur est d'un baroque luxuriant, conserve encore de nombreux traits Renaissance.*

# La musique en Bretagne

L a musique bretonne n'en finit pas de voler de succès en succès. Dans les années 1990, plusieurs centaines de milliers de copies de *L'Héritage des Celtes* et d'*Again* d'Alan Stivell se sont écoulées, Dan Ar Braz a remporté une deuxième Victoire de la musique, Denez Prigent a reçu des critiques élogieuses. En Bretagne, la musique baigne la culture populaire. Près de 70 % des musiciens traditionnels français sont Bretons, et 70 % des petits lieux de spectacle français ont ouvert leurs portes en terre bretonne. L'héritage des Celtes n'a pas été dilapidé.

*Affiche de 1932* annonçant un festival de Musique à Brest.

## LA TRADITION INSTRUMENTALE

Le biniou et la bombarde sont les seuls instruments spécifiquement bretons. Si d'autres instruments traditionnels sont utilisés par les sonneurs bretons, le couple biniou-bombarde, acompagné parfois d'un tambour ou tambourin, constitue la formation traditionnelle.

**La bombarde,** *instrument à vent de la famille des hautbois, est fabriquée en ébène ou en bois fruitier.*

**Le biniou,** *cornemuse courte, est de plus en plus délaissé au profit de la cornemuse écossaise* (bagpipe).

**La cornemuse** *est appelée biniou en Bretagne et porte le nom de veuze dans la région de Guérande et dans le marais breton-vendéen.*

**Tambour**

**Flûte traversière irlandaise**

**La harpe celtique,** *instrument sacré des druides et des bardes, a subjugué l'Antiquité et le Moyen Âge à travers l'Occident.*

**L'accordéon diatonique,** *bouëze en pays gallo, a remplacé progressivement la vielle à roue associée au monde rural.*

**Les sonneurs,** *ici ceux de Douarnenez, jouent traditionnellement du biniou et de la cornemuse. Mais au début du xxe siècle, certains apprennent la clarinette – longtemps surnommée « tronc de choux » –, l'accordéon puis le saxophone. Autrefois, les sonneurs vivaient de leur art.*

*Pour le groupe **Tri Yann**, qui a fêté ses 30 ans de carrière en 2001, la création est la première des traditions de la musique bretonne. Pour la 2ᵉ fois depuis la formation du groupe, une femme prend la place d'un des fondateurs.*

***Gilles Servat*** *a donné un nouvel élan à la musique bretonne dans les années 1970.*

***Alan Stivell***, depuis Reflets en 1970, a enregistré plus d'une vingtaine d'albums.

**Bagpipe** ou cornemuse écossaise

***Dan Ar Braz***, *lauréat de deux Victoires de la musique, a représenté la France au concours de l'Eurovision et rassemble aujourd'hui une large audience. Pour évoquer sa musique, le musicien quimpérois préfère parler de musique de Bretagne que de musique traditionnelle bretonne.*

## LES *BAGADOU* BRETONS

Les *bagadou* sont des orchestres bretons qui réunissent bombardes, *bagpipes* et tambours. Grâce à eux, la tradition musicale bretonne a survécu. Parmi les plus célèbres, on peut citer ceux de Landerneau et de Lann Bihoué.

## LA SCÈNE CONTEMPORAINE

La nouvelle génération a compris la nécessité de s'ouvrir à de nouvelles formes musicales pour faire vivre la tradition. Né à Paris, Erik Marchand a appris le chant breton avant de rallier des instrumentistes tsiganes et orientaux à ses expériences. Kristen Nikolas marie les rythmes bretons à la techno. Son groupe Angel IK mêle allègrement guitares sauvages et chant breton. Yann-Fañch Kemener, rompu à la pratique du chant breton, explore des collaborations avec des musiciens de jazz. Denez Prigent, un des talents les plus sûrs de cette génération, s'est aventuré, après la *gwerz* et le *kan ha diskan* sur les chemins de la techno.

**Denez Prigent**

# Littératures de Bretagne

*Emgann Kergidu*

La Bretagne inspire. Est-ce la mélancolie de ses brumes et de son bocage, la lumière si particulière qui balaye ses côtes rudoyées par le vent ? On ne saurait dire, mais il y a là, de toute évidence, une singulière alchimie qui favorise l'imaginaire et le penchant inné de ses habitants pour le mystique et le merveilleux. Tous les Bretons qui se sont illustrés dans l'histoire des lettres, qu'elles soient françaises ou bretonnes, l'ont démontré : vivre au bout du monde n'est pas sans donner une certaine couleur à l'encre de leur plume.

*La Vie de sainte Nonne* est un mystère breton à sujet religieux

## LETTRES EN LANGUE BRETONNE

On connaît mal la production littéraire de la Bretagne médiévale. Hormis quelques mots glissés dans des cartulaires d'abbaye et un feuillet d'un obscur traité de médecine daté de la fin du VIIIᵉ siècle, aucun texte breton n'est parvenu jusqu'à nous. Tout porte à croire, néanmoins, que les poètes d'Armorique jouissaient d'un certain prestige dans les cours seigneuriales et que leurs chansons (« lais »), récitées sur fond de harpe, ont joué un rôle non négligeable dans la formation des épopées chevaleresques du Moyen Âge : c'est dans cette « matière de Bretagne », en effet, que les trouvères de culture française auraient puisé les prouesses de Lancelot, les aventures de Merlin et autres merveilles de la forêt de Paimpont *(p.62)*, la mythique Brocéliande.

Couverture du *Barzhaz Breizh*

## LES MYSTÈRES

Les premières traces manuscrites d'une véritable littérature remontent au XVᵉ siècle. Ce sont des « mystères », des pièces

mettant en scène des sujets religieux, comme *Buez santez Nonn* qui relate la vie d'une sainte. Ces représentations théâtrales, que l'on donnait en plein air, ont connu un grand succès, dans le Trégor notamment, où les « acteurs », sabotiers ou tisserands de leur état, savaient par cœur des pans entiers des pièces les plus dramatiques, tel *Ar pevar mab Hemon (Les Quatre Fils Aymon)* qui se jouait encore vers 1880. Les historiens ont retrouvé, à côté de ce répertoire populaire, une poignée de longs poèmes savants, truffés de rimes internes assez sophistiquées, et toute une littérature de piété (missels, livres d'heures, etc.) que le clergé rédigeait dans un breton assez indigent, mais qui constitua longtemps l'unique lecture des plus humbles.

## CONTES ET LÉGENDES

Il est pourtant un genre littéraire dans lequel les Bretons ont excellé : le conte. Durant les longues veillées d'hiver et les réunions champêtres, bûcherons, mendiants et fileuses à la quenouille racontaient des histoires remplies de princesses et de châteaux de cristal habités par douze géants. C'est auprès de ces conteurs à l'imagination infatigable que Théodore Hersart de la Villemarqué (*Kervarker*, 1815-1895) et François-Marie Luzel (*Fañch An Uhel*, 1821-1895) ont collecté les plus belles pages de la littérature bretonne. Trop belles, sans doute, pour être honnêtes... On sait aujourd'hui qu'ils ne se sont pas contentés de recueillir ces ballades : ils les ont aussi améliorées et complétées. À la fin du XIXᵉ siècle, Lan Inizan (1826-1891) publie *Emgann Kergidu*, une

**Théodore Hersart de la Villemarqué fut un grand conteur du XIXᵉ siècle**

Jean Guéhenno eut très tôt la notion de « lutte des classes »

chronique des événements survenus dans le Léon pendant la Terreur. De son côté, Anatole Le Braz (1859-1926) explore le champ des légendes qui touchent à la mort.

## LES CLASSIQUES BRETONS

Dans les années 1930, trois romanciers de talent – Youenn Drezen, Yeun ar Gow, Jakez Riou – apportent la preuve que la littérature en langue bretonne ne se résume pas à la simple évocation de la vie paysanne d'autrefois. Leurs livres ne touchent, qu'un public restreint. Tanguy Malmanche bénéficiera d'une audience un peu plus large. Deux poètes, aussi, réussiront à faire entendre leur voix : le Vannetais Yann-Ber Kalloc'h (1888-1917), grâce à son émouvant *Ar en deulin* (*À genoux*), et la Trégorroise Anjela Duval (1905-1981). Le plus lu reste Per-Jakez Hélias : il s'est fait connaître du grand public en 1975 par *Le Cheval d'orgueil*, traduit en vingt langues.

## LETTRES EN LANGUE FRANÇAISE

Même s'ils ne se réclamaient pas d'une littérature bretonne à proprement parler, trois des plus grands écrivains français

### L'AVENIR INCERTAIN DU BRETON

Le *brezoneg*, vieille langue celtique cousine du gallois, est parlé à l'ouest d'une ligne Plouha-Vannes. Si cette frontière linguistique n'a guère varié depuis le XII<sup>e</sup> siècle, sa pratique a subi, ces dernières générations, un recul vertigineux. La population, qui était encore bretonnante à 90 % en 1914, a dû faire le choix, après 1945, d'élever ses enfants en français, « facteur de promotion sociale ». L'usage du breton ayant été interdit à l'école de 1897 à 1951, sa transmission a été interrompue. Aujourd'hui, alors qu'elle est de moins en moins parlée (seuls 240 000 Bretons de plus de 60 ans en auraient une bonne connaissance), on assiste enfin à un regain d'intérêt – illustré par le succès des écoles bilingues Diwan, la création d'un office de la langue bretonne, le lancement d'une chaîne câblée (TV Breizh)... – et à une amorce de réhabilitation.

Livres de breton utilisés à l'école Diwan

La *Vie de Jésus* d'Ernest Renan a marqué par son style

du XIX<sup>e</sup> siècle n'en étaient pas moins bretons : l'homme politique, voyageur et mémorialiste François René de Chateaubriand (p. 69), à qui l'on doit le *Génie du Christianisme* et les *Mémoires d'Outre-Tombe*, aimait rappeler son attachement à la région : « C'est dans les bois de Combourg que je suis devenu ce que je suis ». Un autre Malouin, Félicité de Lamennais, qui rêvait d'allier progrès social et tradition chrétienne, réunissait dans son manoir de Saint-Pierre-de-Plesguen, près de Dinan,

un véritable cénacle de disciples. Ernest Renan, auteur d'une célèbre *Vie de Jésus*, revenait souvent dans son Trégor natal où, disait il, « on sent vivre une forte protestation pour tout ce qui est plat et banal ».

Au XX<sup>e</sup> siècle aussi, la terre bretonne a donné le jour à de nombreux écrivains de renom : les poètes René-Guy Cadou, Eugène Guillevic et Xavier Grall, l'essayiste Jean Guéhenno, originaire de Fougères, ou le romancier briochin Louis Guilloux dont *Le Sang noir* (1935) fut salué par la critique comme une œuvre capitale.

Louis Guilloux, auteur du *Sang noir*, fut un anarchiste actif

# Les traditions maritimes

Extrémité occidentale de l'Europe, la Bretagne ouvre sur la mer par plus de 2 700 km de côtes. Dès les XI^e et XII^e siècles, les marins bretons se distinguent sur les océans. Leur hégémonie va s'affirmer avec éclat au XV^e et XVI^e siècles. Les échanges commerciaux assurent la prospérité de la région. Au XVII^e siècle, le tiers des équipages de la marine nationale et de la flotte de commerce est composé de Bretons. La vocation bretonne s'incarne également au travers des professionnels de la pêche. Aujourd'hui, à Brest ou à Douarnenez, dundees, goélettes, bisquines et autres bateaux de travail rejoignent les anciens vaisseaux de guerre au cours de vastes rassemblements.

**Almanach du marin breton**
**exemplaire de 1899**

**Les pêcheurs,** chaudement vêtus, demeurent à poste fixe dans des tonneaux arrimés sur l'extérieur du bastingage.

### LA PÊCHE À LA MORUE

Au XIX^e siècle, âge d'or de la pêche à la morue, des centaines de bateaux quittent les côtes du Nord de la Bretagne pour Terre-Neuve ou l'Islande. Pendant 6 mois, les marins pêcheurs vivent dans des conditions précaires sur les trois-mâts goélettes. Mis à part les armements malouins, la grande pêche a disparu après la seconde guerre mondiale.

*En 1534, Jacques Cartier embarque de Saint-Malo, sa ville natale, vers Terre-Neuve et le Labrador et découvre l'estuaire du Saint-Laurent. L'année suivante, il explore le fleuve et découvre le Canada. Grâce à lui, la Nouvelle-France voit le jour.*

### CORSAIRES ET PIRATES

Saint-Malo, « nid de guêpes et de pirates », s'affirme au XVII^e et XVIII^e siècles comme capitale de la guerre de course. En novembre 1693, les Anglais tentent de prendre la ville avec une machine infernale, un navire bourré de poudre, de bombes et de grenades. En vain… La ville malouine demeure la cité corsaire, celle des Duguay-Trouin, Surcouf et autre La Moinerie-Trochon. Capitaine à 18 ans, Duguay-Trouin (1673-1736) s'illustre en ravageant la mer d'Islande avant d'être pris par les Anglais. La prise de Rio de Janeiro en 1711 le rend célèbre. Surcouf (1773-1827), après avoir remporté de nombreuses victoires sur les mers, devient le plus riche armateur de Saint-Malo où il termine sa vie au début du XVIII^e siècle.

**Le corsaire Surcouf à l'abordage du Kent**

**Pour conjurer les dangers** de la grande pêche, pardons et processions se multipliaient. Le Pardon des Terre-Neuvas de Paul Signac (1928) en témoigne.

**Les exploits de Duguay-Trouin** lui vaudront d'être anobli par Louis XIV avec cette devise : « Le courage lui a donné la noblesse ». Ici, le Malouin, secondé par le chevalier Forbin, emporte la victoire sur 5 vaisseaux de guerre anglais.

**Les matelots** portent le bonnet fourré ou le chapeau de cuir verni, typique des pêcheurs du XIXᵉ siècle.

**Le corps des marins pompiers**, est un corps sédentaire de la marine dont la formation est assurée par la compagnie des marins pompiers de Brest.

**Brest 2000** a rassemblé 2 500 bateaux traditionnels et 20 000 marins venus de 20 pays et de 620 ports d'attache différents. Tous les 4 ans, Brest est bien la capitale mondiale de la marine de tradition.

**La bisquine**, utilisée pour la pêche côtière, était fabriquée au XIXᵉ siècle et au début du XXᵉ siècle à Cancale et Granville.

**Michel Desjoyaux**, vainqueur du dernier Vendée Globe, s'inscrit dans la longue lignée de la voile bretonne. Fils d'un des fondateurs de l'école des Glénans, l'équipier d'Éric Tabarly de 1984 à 1986, prend ensuite son envol et va inscrire son nom au palmarès des plus grandes courses.

**La personnalité médiatique d'Olivier de Kersauson**, coureur d'océans au palmarès éloquent, ne doit pas éclipser sa science maritime. Sous le brocardeur aux bons mots se cache un marin exigeant.

# Les costumes traditionnels bretons

Soixante-six types de costumes traditionnels et près de 1 200 variantes ! La mode bretonne différait d'un terroir à l'autre. Au XIX<sup>e</sup> siècle, on devinait à la seule vue de son gilet l'origine géographique d'un paysan. Les couleurs révélaient l'âge et le statut : à Plougastel-Daoulas, la jeune fille portait un fichu à fleurs, la femme mariée un fichu à carreaux, la veuve un fichu blanc et une coiffe aux ailes déployées lorsque le défunt était un proche parent. Les célibataires arboraient des gilets verts, les hommes mariés des vestes bleues...

Charles Cottet, *Femmes de Plougastel au pardon de Sainte-Anne* (1903)

## LE COSTUME BIGOUDEN

Dans la région de Pont-l'Abbé, le costume présente une grande unité. Au début du XX<sup>e</sup> siècle, il était encore porté quotidiennement par les femmes qui arboraient, suivant leur fortune, de somptueux corselets superposés ou de simples revers de manche brodés.

Chupenn, chapeau d'homme

Chemise

Gilet brodé

Manche brodée

Gants de dentelle

Bonnet d'enfant

*Les bijoux les plus populaires, en Cornouaille et dans le pays pagan, étaient les « épingles de pardon » en argent, cuivre et verre soufflé.*

## DENTELLES ET BRODERIES

Tabliers de fête, corsages de femmes et gilets d'hommes se distinguent aussi par la richesse de leurs broderies de soie, de fil métallique, de perles d'acier ou de verre, exécutées au point de chaînette, pour former des motifs floraux (palmettes, fleurs de lis), souvent stylisés (soleils, roues...) mais toujours éclatants, telles les *plum paon* oranges et jaunes du pays bigouden.

Dentellières de Tréboul dans le Finistère

Broderie de Pont-l'Abbé           Broderie de Quimper          Détails d'un costume glazik

*Les nouveau-nés*, représentés ici par des poupées, portaient tous bonnet, robe et tablier. Ce n'est qu'à l'âge de cinq ou six ans que le garçon quittait son costume d'enfant pour endosser un habit d'homme. Les fillettes prenaient la coiffe à l'occasion de leur communion.

## COIFFES ET CHAPEAUX

Grâce à l'ethnologue René-Yves Creston (1898-1964), qui les a inventoriées avant qu'elles ne disparaissent du quotidien, on mesure aujourd'hui la formidable diversité des coiffes bretonnes : ici, des ailes rejetées en arrière, là, des brides pendantes nouées sous le menton, ailleurs, des coiffes en « aéroplane » ou en queue de homard. Beaucoup de femmes avaient deux *koef*, une petite en résille de dentelle, posée sur les cheveux, et une grande, réservée aux cérémonies, qu'elles plaçaient sur la petite. Les plus spectaculaires sont les coiffes du pays bigouden qui, depuis les années 1950, mesurent près de 33 cm de hauteur et que les femmes âgées portent encore le dimanche. Les chapeaux des hommes, eux, sont ornés de longs rubans de velours et parfois d'une boucle ovale.

**Petite coiffe en résille de dentelle**

**Coiffe de femme**

**Tablier**

**Broche**

**Chaîne**

*Boucles de ceinture* d'homme en forme de cœur. Le gilet et le pantalon – qui a détrôné la traditionnelle culotte bouffante à partir du milieu du XIXᵉ siècle – sont serrés à la taille par une ceinture de cuir, de flanelle ou de toile.

*Les gilets d'homme* n'avaient rien d'austère : les jeunes gens de Plougastel portaient un gilet vert sous une veste mauve, les adultes un gilet bleu plus ou moins foncé selon leur âge, les mariés un gilet violet le jour de leur mariage et du baptême de leur premier enfant.

*Le dos du gilet* : on pouvait juger, à la taille des fleurs qui le décorent, du rang de la femme qui le portait. Celui de la mariée était garni de fils d'or, de paillettes et de clinquant.

*Le tablier*, à l'origine, n'était pas orné puisqu'il servait à protéger la jupe. C'était un vêtement de travail ample, coupé dans une étoffe simple et noué par un ruban, qui s'accompagnait d'ordinaire, à la hauteur de la poitrine, d'un rectangle de tissu plus ou moins large : le « devantier ».

# LA BRETAGNE AU JOUR LE JOUR

En Bretagne, chaque saison recèle ses richesses. Au printemps, villes et villages sortent de leur engourdissement : festivals, fêtes patronales et populaires annoncent la renaissance. Le soleil apparaît par intermittence et illumine landes et bocage. En été, la saison touristique bat son plein, chaque commune organise

**Musicienne, Festival interceltique de Lorient**

son *fest-noz* ou son pardon. Le point d'orgue de ces manifestations reste le Festival interceltique de Lorient, le plus important en France. En automne, la vague touristique reflue et le rythme des festivités ralentit. En hiver, les Bretons conjurent les éléments par des rassemblements dans les bistrots ou lors de manifestations comme les Transmusicales de Rennes.

## PRINTEMPS

Le printemps est synonyme de gaieté en Bretagne. Dès le mois de mars, l'ajonc s'épanouit sous les averses tièdes. La terre se couvre d'un tapis jaune d'or. En mai, les genêts prennent le relais égayant les paysages d'un jaune encore plus clair. Fruits et légumes envahissent les étals des marchés, tels les célèbres artichauts. La région renaît et fête le retour de la belle saison.

## AVRIL

**Salon du Livre** *(mi-avril),* Bécherel (Ille-et-Vilaine). Devenue le paradis des bibliophiles, la cité médiévale fête le livre ancien. Relieurs, libraires et bouquinistes ouvrent grand leurs portes.

## MAI

**Festival En Arwen** *(début mai),* Cléguérec (Morbihan). Chaque année, la commune réunit musiciens et amateurs de musiques bretonnes.

**Les champs d'ajoncs s'épanouissent dès le mois de mars**

**Affiche du festival Étonnants Voyageurs de Saint-Malo**

**Festival Étonnants Voyageurs** *(1re quinzaine de mai)* à Saint-Malo. Créé par une poignée de passionnés, avec Michel Le Bris comme chef de file, le festival du livre de voyages et d'aventures est devenu un véritable phénomène culturel et s'exporte désormais à l'étranger. Expositions, débats, séances de dédicaces investissent les murs de la cité corsaire.

## ÉTÉ

La Bretagne, qui est l'une des toutes premières régions touristiques françaises, voit sa population augmenter fortement pendant les mois d'été : les stations balnéaires ne désemplissent pas ; les bars et les discothèques fonctionnent à plein régime. Après la plage, la randonnée ou l'excursion en mer, les occasions de sortir ne manquent pas.

## JUIN

**Festival Art Rock** *(mi-juin),* Saint-Brieuc (Côtes-d'Armor). Concerts, expositions, spectacles, danses contemporaines sont au programme.

## JUILLET

**Festival Tombées de la Nuit** *(début juillet),* Rennes (Ille-et-Vilaine). Venus du monde entier, musiciens, comédiens, mimes et conteurs font de la capitale bretonne une gigantesque scène de théâtre.
**Contes et légendes de Bretagne** *(juillet-août),* Carnac (Morbihan). Tous les mercredis, un conteur fait revivre les plus belles légendes celtiques au pied du géant du Manio.
**Art dans les chapelles** *(début juillet à mi-septembre),* Pontivy et alentour (Morbihan). Chaque année, une quinzaine de chapelles des XVe et XVIe siècles de la région de Pontivy ouvrent leurs portes à l'art contemporain.

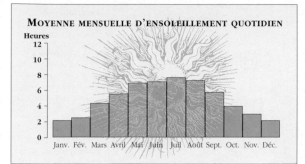

## Moyenne mensuelle d'ensoleillement quotidien

Heures
12
10
8
6
4
2
0

Janv. Fév. Mars Avril Mai Juin Juil Août Sept. Oct. Nov. Déc.

### Ensoleillement

*Subissant l'influence de l'anticyclone des Açores, le Sud affiche plus de 2 200 heures d'ensoleillement par an contre 1 700 pour le littoral nord. Les côtes, moins arrosées que l'intérieur des terres, connaissent des risques de sécheresse pendant la saison estivale.*

Photos, sculptures et peintures contemporaines sont exposées.

**Troménie** *(2º dimanche de juillet)*, Locronan (Finistère Sud). Considéré comme l'un des plus importants pardons de Bretagne.

**Festival médiéval** *(14 juillet)*, Josselin (Morbihan). Autour du marché médiéval, saltimbanques et troubadours ressuscitent une journée de fête au temps du Moyen Âge.

**Festival des Vieilles Charrues** *(mi-juillet)*, Carhaix-Plouguer (Finistère Sud). Des stars internationales et des formations locales se succèdent sur scène : James Brown, Massive Attack et bien d'autres y ont déjà déchaîné les foules.

**Fête internationale de la Mer et des Marins** *(mi-juillet tous les quatre ans)*, Brest (Finistère Nord). Depuis 1992, la ville accueille le plus grand rassemblement mondial de bateaux traditionnels.

**Fête de la Crêpe** *(3º week-end de juillet)*, Tronjoly-Gourin (Finistère Sud). Les amateurs dégustent ou s'initient à la fabrication des crêpes dans le parc de Tronjoly.

**Fête des Remparts** *(3º week-end de juillet)*, Dinan (Côtes-d'Armor). Tous les deux ans, reconstitutions historiques, farces, danses, jeux, concerts, tournois et défilé costumé.

**Grand pardon** *(26 juillet)*, Sainte-Anne-d'Auray (Morbihan). C'est le plus important pèlerinage breton ; un million de fidèles s'y rend chaque année.

**Festival de Jazz** *(dernière semaine de juillet)*, Vannes (Morbihan). Blues, jazz professionnel ou amateur constituent les ingrédients principaux du festival.

## Août

**Fête des Fleurs d'ajoncs** *(1er dimanche d'août)*, Pont-Aven (Finistère Sud). Depuis 1905, procession pittoresque en costumes régionaux.

**Festival interceltique** *(1re quinzaine d'août)*, Lorient (Morbihan). Musiciens et artistes venus d'Écosse, d'Irlande, de l'île de Man, du pays de Galles, de Cornouaille, de Galice, des Asturies et de Bretagne se retrouvent pour le plus grand rendez-vous mondial

**Fête internationale de la Mer et des Marins à Brest**

de l'expression celtique.

**Route du Rock** *(mi-août)*, Saint-Malo (Ille-et-Vilaine). Tous les ans, le fort de Saint-Père accueille ce festival de rock à la programmation affûtée.

**Festival des Hortensias** *(mi-août)*, Perros-Guirec (Côtes-d'Armor). La terre acide de Bretagne est propice à la floraison des hortensias. La ville célèbre sa fleur bleue intense au son de la musique traditionnelle.

**Fête des Filets bleus** *(mi-août)*, Concarneau (Finistère Sud). Cercles et bagadous défilent dans la ville en costumes traditionnels et une reine de la fête est élue. Concerts, spectacles et concours de pêche sont au programme.

**Fête de l'Andouille** *(4º dimanche d'août)*, Guéméné-sur-Scorff (Morbihan). La confrérie des Goustiers de l'Andouille célèbre ce fleuron de la gastronomie bretonne.

**Groupe rock au festival des Vieilles Charrues de Carhaix-Plouguer**

## MOYENNE MENSUELLE DES PRÉCIPITATIONS

Mm
120
100
80
60
40
20
0

Janv. Fév. Mars Avril Mai Juin Juil. Août Sept. Oct. Nov. Déc.

**Précipitations**
*Les terres les plus hautes reçoivent jusqu'à 1 200 mm de précipitations répartis sur plus de 200 jours, tandis que les plateaux de la Basse-Bretagne enregistrent plus de 800 mm de pluies par an. Les pluies tombent essentiellement en automne et en hiver.*

## AUTOMNE

Les romantiques en mal d'espace apprécieront cette saison qui offre de belles journées. L'équinoxe du 23 septembre inaugure les grandes marées. L'estran découvre alors des fonds rarement exposés au soleil. La météo capricieuse et la variation du niveau de la mer dessinent des paysages différents d'heure en heure. Dans le bocage, les arbres rougeoient et filtrent la lumière au gré des éclaircies. Les touristes se faisant plus rares, les Bretons retrouvent leur rythme naturel avant d'entrer dans l'hiver.

## SEPTEMBRE

**Championnat de Bretagne de musique traditionnelle**
*(1er week-end de septembre)*, Gourin (Finistère Sud). Les meilleurs sonneurs s'affrontent chaque année au domaine de Tronjoly. Les épreuves de marche, mélodie et danse se disputent en deux catégories : les *kozh* (binious et bombardes) et les *bras* (cornemuses écossaises et bombardes). Bien entendu, un *fest-noz* accompagne le championnat.

## OCTOBRE

**Festival du Film britannique** *(début octobre)*, Dinard (Ille-et-Vilaine). Il accueille 15 000 spectateurs chaque année, sans compter les producteurs et les distributeurs qui s'y donnent rendez-vous pour promouvoir en France le cinéma anglais.
**Festival de Lanvallec**
*(2e quinzaine d'octobre)* dans le Trégor (Côtes-d'Armor). Les plus grands interprètes de la musique baroque viennent se produire dans différentes églises de la région et notamment à Lanvallec, qui possède un des plus anciens orgues de Bretagne.
**Fête du Marron** *(fin octobre)*, Redon (Ille-et-Vilaine). La ville fête la châtaigne au travers d'une foire traditionnelle, avec dégustations et surtout le plus grand fest-noz du pays gallo. Dans la matinée, un concours de sonneurs, la Bogue d'Or, rassemble les meilleurs musiciens bretons. Les vainqueurs se produisent le soir avec d'autres orchestres de musique traditionnelle.
**Quai des Bulles** *(dern. week-end d'octobre)*, Saint-Malo (Ille-et-Vilaine). Ce festival de bande dessinée a fêté ses 20 ans en l'an 2000. Tous les grands auteurs de la BD sont venus lui rendre visite. Chaque année, plus d'une centaine de dessinateurs et scénaristes rencontrent les amateurs. Films d'animation et expositions complètent la manifestation.

## NOVEMBRE

**Festival des Chanteurs de rue et foire Saint-Martin** *(début novembre)*, Quintin (Côtes-d'Armor). Depuis 1993, la foire Saint-Martin, célébrée depuis le XVe siècle, coïncide avec le festival des Chanteurs de rue. Camelots, bonimenteurs et comédiens recréent la vie traditionnelle d'autrefois et des chanteurs interprètent des chansons immortelles reprises en chœur par l'assistance. L'occasion aussi de déguster des plats bretons.

Séance de dédicace lors de Quai des Bulles à Saint-Malo

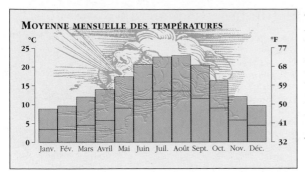

### MOYENNE MENSUELLE DES TEMPÉRATURES

(Janv. Fév. Mars Avril Mai Juin Juil. Août Sept. Oct. Nov. Déc.)

**Températures**

*L'atmosphère hivernale est fraîche, mais le thermomètre descend rarement au-dessous de zéro. Les températures moyennes oscillent entre 6 ° et 8 °C. Les températures moyennes en été y atteignent 16 à 18 °C.*

## HIVER

Les perturbations se succèdent et se font chaque fois plus fortes. L'air humide, d'origine tropicale, peut faire grimper le thermomètre jusqu'à 12 °C en plein mois de janvier. Les camélias bénéficient de pluies tièdes pour éclore à l'abri des tempêtes. Le vent tourne et s'établit au nord-ouest. Frais et violent, il souffle par rafales au passage des grains. Pour oublier les intempéries, les fins de semaine sont l'occasion de fêtes chaleureuses.

### DÉCEMBRE

**Les Transmusicales** *(début décembre),* Rennes (Ille-et-Vilaine). L'effervescence de la scène rock rennaise a donné naissance à des artistes comme Étienne Daho, Niagara, Marquis de Sade et à une kyrielle de groupes de renommée nationale. Depuis presque 25 ans, ce festival de

Paisible paysage d'hiver en Bretagne

référence a servi de tremplin à de nombreux groupes anglo-saxons ou étrangers comme l'Islandaise Björk, accueillie en France dès ses débuts.

**Villages de Lumières** *(mi-décembre),* Quessoy (Côtes-d'Armor). Marché de Noël, promenades en calèche, visites de crèches… la ville s'illumine de décorations et de lumières. Plus de 50 000 visiteurs viennent rêver dans cet univers féerique.

### FÉVRIER

**Panoramas** *(mi-février),* Morlaix (Finistère Nord). Un festival qui a pour objectif de faire découvrir au public les nouveaux talents du rap, de la musique électronique et de la chanson. Quelques valeurs sûres accompagnent les révélations.

### JOURS FÉRIÉS

**Jour de l'an** (1er jan.)
**Dimanche et lundi de Pâques**
**Ascension** (6e jeudi après Pâques)
**Pentecôte** (2e lundi après l'Ascension)
**Fête du Travail** (1er mai)
**Fête de la Victoire** (8 mai)
**14 juillet**
**Assomption** (15 août)
**Toussaint** (1er nov.)
**Armistice** (11 nov.)
**Noël** (25 déc.)

Scène de marché de Noël à Brest

# Pardons et festou-noz

Le terme pardon remonte à l'époque où les papes accordaient des indulgences aux fidèles qui se rendaient dans les églises pour y dire dévotement leurs prières. Aujourd'hui, les grands pèlerinages continuent d'attirer des milliers de pèlerins. Dans les campagnes, où l'on vénérait une kyrielle de saints, les petits pardons sont devenus au fil des siècles l'un des temps forts de la vie communautaire, car, après la grand-messe, la confession des pénitents et la procession des bannières sonne l'heure des *festou-noz*.

**Les cercles celtiques**, qui exercent leurs talents à l'occasion des pardons, dansent encore dans le respect du style du terroir.

**Un bagad** est un groupe d'instrumentistes (bombardes, biniou et tambours) qui donne l'« aubade » dans les rues et accompagne la fête profane de ses airs à danser.

*Gwenn ha du, le drapeau breton*

**Les sonneurs** de biniou et de bombarde ont toujours été de la fête. Montés sur une table ou sur une barrique, ils se relayaient pour égayer de mélodies populaires les danses mais aussi le solide repas champêtre qui suivait traditionnellement le pardon.

## GOUEL AN EOST

Dans plusieurs paroisses, le pardon est aussi l'occasion pour les anciens de revivre l'ambiance des moissons d'autrefois. La fête se double d'un battage traditionnel : engreneurs, porteurs de bottes et lanceurs de gerbes installent le hache-paille et le tarare, qui sépare les grains de la balle par ventilation, attellent les chevaux au manège et retrouvent les gestes d'antan. Un buffet campagnard vient clore cette *gouel an eost*.

**Fête de la Moisson**

**Gavotte, dérobée, quadrille...** *Paroissiens et estivants ne se contentent pas d'assister aux prestations des cercles celtiques : ils entrent eux aussi dans la ronde, d'un pas bref mais maîtrisé, au rythme des sonneurs et des chanteurs de* kan ha diskan.

**Bannière** *portée en procession à l'occasion du pardon de la chapelle Notre-Dame de Lambader (Haut-Léon). Chaque paroisse a son propre étendard en soie brodée, derrière lequel elle se rallie lors des pèlerinages.*

**La bannière** arbore sur une face le saint de la paroisse.

**La Troménie** *(p. 153) de Locronan est un grand pèlerinage mais aussi une épreuve physique pour les porte-enseignes, vêtus de costumes traditionnels, qui doivent gravir la « montagne » cinq heures durant, sous le soleil de juillet, en brandissant bannières, statues et reliques.*

## LE TRO BREIZ

Institué en l'honneur des sept saints fondateurs du christianisme en Bretagne (Samson, Malo, Brieuc, Paul Aurélien, Patern, Corentin et Tugdual), le *Tro Breiz* n'est pas un petit pardon paroissial mais un long pèlerinage de 600 km à travers les sept évêchés bretons, qui a mobilisé, de 1994 à 2000, des pèlerins du monde entier.

**Bannière moderne**, placée sous le vocable d'un célèbre prédicateur, Mikael an Nobletz *(p. 127)*.

**Bénédiction de la mer** *dans le golfe du Morbihan. Dans les bourgs du littoral, il est d'usage, depuis le XIXe siècle, qu'au jour du pardon, le clergé embarque à bord d'un navire et bénisse tous les bateaux du port.*

**Le pardon de Sainte-Anne-d'Auray** *(p. 181) a pris au fil des siècles une extension spectaculaire, avec son long cortège de prêtres et de pèlerins qui, après la grand-messe, entonnent avec ferveur Ave Maria et cantiques bretons.*

# HISTOIRE DE LA BRETAGNE

L'histoire, mais aussi la géographie, ont fait de la Bretagne l'une des régions les plus originales de France, dotée d'une solide identité culturelle. À la pointe occidentale du vieux continent, elle a profité de sa position exceptionnelle au cœur de l'« arc atlantique » européen, entre terre et mer, entre France et Grande-Bretagne.

Les limites de la Bretagne ont longtemps été fluctuantes. Les côtes, à l'époque préhistorique, étaient très différentes de leur tracé actuel. De nombreux sites d'occupation humaine, remontant parfois à 500 000 ans, ont été retrouvés dans des zones actuellement recouvertes par la mer. En effet, pendant les périodes glaciaires du début de l'ère quaternaire, le niveau de l'océan se situait à environ 100 mètres en-dessous du niveau actuel. La fonte des grands glaciers, il y a environ 10 000 ans, a provoqué un relèvement du niveau marin, qui a submergé de vastes zones, créant les rivages actuels, découpés en rias ou abers, anciennes vallées fluviales envahies par la mer. C'est peut-être un vague souvenir de cette catastrophe qui a donné naissance au mythe des cités englouties, comme celui de la ville d'Ys.

**Parure en callaïs, roche verte rare (v. 4000-3500 av. J.-C.)**

### LA CIVILISATION MÉGALITHIQUE

Les traces d'occupation humaine se multiplient vers 5000 av. J.-C., lorsque les populations, maîtrisant l'agriculture, se sédentarisent : c'est le début du néolithique. Elles exploitent le granit, fabriquant des haches polies, exportées jusque dans la vallée du Rhône et dans les îles britanniques. Dès cette époque, une organisation sociale en communautés stables édifie de spectaculaires monuments mégalithiques. Des chambres funéraires en couloir, les dolmens, formés d'énormes blocs et recouverts d'un monticule de terre, le tumulus, abritent squelettes et céramiques. Le plus ancien et le plus imposant, à Barnenez, date de 4600 av. J.-C. *(p. 119)*. Non moins spectaculaires sont les menhirs, ou pierres dressées, probablement liés à un culte astronomique. Isolés ou groupés en alignements, dont les plus importants sont ceux de Carnac *(p. 178-179)*, ils peuvent atteindre jusqu'à 20 m de haut, comme le géant de Locmariaquer *(p. 180)*.

### LES CELTES

Vers 500 av. J.-C., la péninsule, alors appelée Armorique ou pays de la mer, subit les invasions celtiques, qui se traduisent par l'installation de cinq peuples : Osismes (dans le Finistère actuel), Vénètes (Morbihan), Coriosolits (Côtes-d'Armor), Riedones (Ille-et-

## CHRONOLOGIE

*Hache polie en jadéite*

**10000 av. J.-C.** Début de la remontée de la mer, sites engloutis

**4000 av. J.-C. à 2000 av. J.-C.** Ateliers de haches polies (à Plussulien)

| 10000 av. J.-C. | 5000 av. J.-C. | 4000 av. J.-C. | 3000 av. J.-C. | 2000 av. J.-C. | 1000 av. J.-C. |
|---|---|---|---|---|---|

**5000 av. J.-C.** Début du néolithique, des grandes sépultures mégalithiques (dolmens) et des menhirs

**4600 av. J.-C.** Grand tumulus de Barnenez

◁ **Les origines mystiques du royaume d'Armorique, tirées des *Chroniques de Bretagne* de Le Baud (1480-1482)**

Vilaine), Namnètes (Loire-Atlantique). Ces peuples, habitant villages et sites fortifiés, sont des cultivateurs qui maîtrisent la métallurgie du fer, battent monnaie et font du commerce maritime. À leur tête, une aristocratie guerrière et une caste de prêtres devins, les druides, organisateurs d'une religion dont les divinités sont des représentations des forces naturelles. Les aventures des héros sont colportées par les bardes, poètes musiciens. L'Armorique, peu à peu, émerge dans l'histoire écrite. Des marins méditerranéens l'abordent, tel le Carthaginois Himilcon (v. 500 av. J.-C.) ou le Massaliote Pythéas (v. 320 av. J.-C.).

**Statuette de bœuf en bronze (villa romaine, Carnac)**

### L'ARMORIQUE ROMAINE
En 57 av. J.-C., les Romains occupent l'Armorique en même temps que le reste de la Gaule. Mais en 56 av. J.-C., les Vénètes se soulèvent et les mettent en échec en se fortifiant sur des promontoires rocheux de la côte atlantique. Il faut toute l'énergie de César pour les vaincre dans une bataille navale devant le golfe du Morbihan. Pendant quatre siècles, l'Armorique est sous domination romaine, au sein de la province de Lugdunaise. Découpée en cinq *pagi,* ou pays, correspondant aux peuples celtes, elle est dotée d'un réseau routier et de quelques petites villes, instruments de romanisation, telles

**Vénus romaine (Crucuny, Carnac)**

Condate (Rennes), Fanum Martis (Corseul), Condevincum (Nantes), Darioritum (Vannes). Thermes, théâtres, villas témoignent de l'influence de la civilisation romaine, tandis que les dieux celtes et latins fusionnent. Les campagnes, en revanche, sont peu touchées. À partir de 250-300, avec l'affaiblissement de l'Empire, l'insécurité croît. Les raids des pirates francs et saxons provoquent un repli des villes. La défense des côtes est difficilement assurée à partir de postes fortifiés, comme Alet (près de Saint-Malo) ou Le Yaudet (en Ploulec'h). Au début du v<sup>e</sup> siècle, l'Armorique est abandonnée à elle-même.

### L'IMMIGRATION BRETONNE
Au cours du vi<sup>e</sup> siècle, l'Armorique devient la Bretagne, en raison de l'installation massive de Bretons venus de Grande-Bretagne. Cette migration, originaire du pays de Galles et de la Cornouaille anglaise, est pacifique et dure plus de deux siècles. Parmi les nouveaux venus, de nombreux moines chrétiens implantent dans la péninsule un christianisme celtique différent du modèle romain : importance des ermitages isolés sur les îlots côtiers, monastères dirigés par un abbé jouant aussi le rôle d'évêque itinérant, comme Brieuc, Malo, Tugdual (à Tréguier), Samson (à Dol). Avec Gildas, Guénolé, Méen, Jacut et d'autres, dont les vies et les miracles seront racontés dans des récits hagiographiques à partir du viii<sup>e</sup> siècle, ils sont à la base des traditions religieuses transmises jusqu'à nos jours, que commémorent pèlerinages et pardons, comme la Troménie de Locronan.

## CHRONOLOGIE

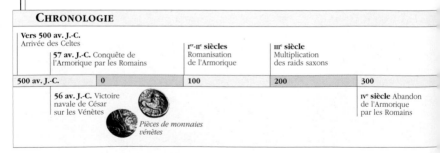

| Vers 500 av. J.-C. Arrivée des Celtes | | | |
|---|---|---|---|
| | **57 av. J.-C.** Conquête de l'Armorique par les Romains | **I<sup>er</sup>-II<sup>e</sup> siècles** Romanisation de l'Armorique | **III<sup>e</sup> siècle** Multiplication des raids saxons |
| **500 av. J.-C.** | **0** | **100** | **200** / **300** |
| | **56 av. J.-C.** Victoire navale de César sur les Vénètes | | **IV<sup>e</sup> siècle** Abandon de l'Armorique par les Romains |

*Pièces de monnaies vénètes*

Saint Corentin pose la première pierre de la
cathédrale de Quimper en présence du roi Gradlon

Les immigrants bretons sont à l'origine de la toponymie particulière de la péninsule : fréquence des noms en *plou* et de leurs dérivés en *plo, plu, plé,* suivis d'un nom propre ou commun (*Plougastel, Ploufragan*). Le *plou,* dérivé du latin *plebs,* désigne une communauté de fidèles. Le *lan* désigne un monastère (*Lannion, Lannilis*) ; le *tré* vient du britonnique *treb,* et désigne un lieu habité (*Trégastel*). La densité de ces racines à l'ouest, tandis qu'à l'est prédominent les noms en *ac,* dérivés du latin *acum* (*Trignac, Sévignac*), est le signe d'une dualité culturelle confirmée par l'opposition de deux langues : francophone, dérivée du latin à l'est d'une ligne La Baule-Plouha, et bretonne à l'ouest.

### LE ROYAUME BRETON

Du VIᵉ au Xᵉ siècle, la péninsule, appelée Britannia, doit faire face aux tentatives de domination du royaume franc installé en Gaule. À plusieurs reprises, les rois mérovingiens l'envahissent et lui imposent un tribut, mais cela ne dure pas. Dirigés par de turbulents chefs locaux ou par de petits souverains régionaux, les Bretons gardent une indépendance de fait.

La puissante dynastie carolingienne doit se contenter d'établir une zone tampon, allant de la baie du Mont-Saint-Michel à l'estuaire de la Loire, la Marche de Bretagne, dirigée vers 770 par le comte Roland, « neveu » de Charlemagne. Au IXᵉ siècle, les Bretons parviennent même à fonder un royaume indépendant dont les limites atteignent Angers, Laval et Cherbourg. Le fondateur en est Nominoë, vainqueur de Charles le Chauve à la bataille de Ballon, près de Redon, en 845. Son fils Erispoë lui succède avant d'être assassiné en 857 par son cousin Salomon, dont le règne, jusqu'en 874, marque l'apogée de l'éphémère monarchie bretonne.

Les cadres religieux renforcent l'indépendance politique, avec neuf diocèses qui tentent d'échapper à la métropole ecclésiastique de Tours. C'est la grande époque des abbayes bénédictines, prospères foyers de culture : à Landévennec, on calligraphie et on enlumine de splendides manuscrits dans le style irlandais *(p. 147),* à Redon, le cartulaire est un véritable monument du patrimoine breton.

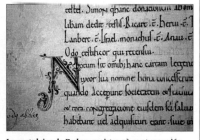

Le cartulaire de Redon, registre où sont recopiés
les actes de fondation depuis le IXᵉ siècle

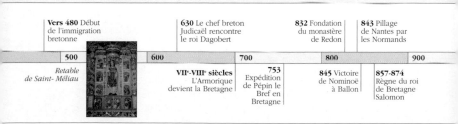

| Vers 480 Début de l'immigration bretonne | 630 Le chef breton Judicaël rencontre le roi Dagobert | 832 Fondation du monastère de Redon | 843 Pillage de Nantes par les Normands |
|---|---|---|---|
| **500** | **600** | **700** | **800** | **900** |
| *Retable de Saint-Méliau* | VIIᵉ-VIIIᵉ siècles L'Armorique devient la Bretagne | 753 Expédition de Pépin le Bref en Bretagne | 845 Victoire de Nominoë à Ballon | 857-874 Règne du roi de Bretagne Salomon |

**Guillaume et les Normands s'emparent de Dinan**

### LES INVASIONS NORMANDES

Mais les expéditions de pillage menées depuis la fin du VIII<sup>e</sup> siècle par les Normands, venus de Scandinavie, se multiplient. Remontant les rias et les estuaires, ils dévastent villes et monastères, sèment la terreur. Nantes est pillée en 843. Des communautés monastiques entières fuient vers l'est, emportant les reliques des saints pour les protéger. Après l'assassinat de Salomon (874), la Bretagne s'enfonce dans le chaos. Vers 930-940, un semblant d'ordre est rétabli, avec Alain Barbetorte qui s'empare de Nantes en 937 et bat les Normands à Trans en 939. Stabilisés dans la Normandie voisine, ces derniers cessent peu à peu leurs pillages, mais restent de dangereux voisins.

### LA BRETAGNE FÉODALE

Du milieu du X<sup>e</sup> siècle jusqu'au milieu du XIV<sup>e</sup> siècle, la Bretagne se constitue peu à peu en véritable État féodal, comté, puis duché à

partir de 1297, affirmant difficilement son indépendance entre ses voisins, les rois de France et d'Angleterre, qui la convoitent tous deux.

Au XII<sup>e</sup> siècle, le comté breton évite de peu d'être absorbé dans le conglomérat anglo-angevin des Plantagenêts. Depuis 1066, Guillaume le Conquérant a uni Normandie et Angleterre. Son descendant, Henri II Plantagenêt est aussi comte d'Anjou. En 1156, il impose sa tutelle au comte de Bretagne Conan IV, dont la fille, Constance, doit épouser le fils du roi d'Angleterre, Geoffroy, frère de Richard Cœur de Lion et de Jean sans Terre. En 1203, ce dernier assassine le fils de Geoffroy, Arthur, et la Bretagne passe sous le contrôle du roi d'Angleterre. Le roi de France, Philippe Auguste, oblige alors la demi-sœur d'Arthur, Alix, à épouser un prince français, Pierre de Dreux, dit Pierre Mauclerc : la Bretagne passe directement sous

**Henri II Plantagenêt**

## CHRONOLOGIE

| **Vers 900** Invasion normande. Émigration des moines | **Vers 1000** Mise en place du système féodal | **1066** De nombreux Bretons participent à la conquête de l'Angleterre avec Guillaume le Conquérant |
|---|---|---|
| 900     950 | 1000 | 1050 |
| **937** Alain Barbetorte reconquiert la Bretagne sur les Normands | **XI<sup>e</sup> siècle** Multiplication des châteaux et des bourgs | |

*Château de Vitré*

la dépendance de la monarchie française, comme fief de la couronne. Le comte de Bretagne prête hommage au roi de France, c'est-à-dire qu'il lui promet fidélité et aide.

Au travers de ces vicissitudes, un État breton s'élabore. En 1297, Philippe le Bel, roi de France, accorde à ce fief le titre de duché-pairie. Un gouvernement ducal se met en place. Bien que lié au roi de France par son statut de vassal, le comte (puis duc) de Bretagne est assez fort au XIIIe siècle pour mener une politique indépendante. Comme il possède aussi en Angleterre le comté de Richmond (Yorkshire), il est vassal du roi Plantagenêt, et peut mener une politique de bascule entre les deux souverains.

En Bretagne, son autorité est cependant limitée par la puissance de ses vassaux, à la tête d'énormes fiefs et à l'abri de redoutables châteaux forts : les barons de Vitré et de Fougères sur la frontière normande, le vicomte de Porhoët, qui règne sur 140 paroisses et 400 000 hectares de son château de Josselin, ou encore le vicomte de Léon, qui contrôle une partie de la côte nord, avec le comte de Penthièvre, autour de Lamballe.

### LES VILLES ET CAMPAGNES AU MOYEN ÂGE

Les paysans bretons semblent relativement moins pressurés que leurs confrères français. À l'ouest de la péninsule existe un type de tenure original, qui dure jusqu'à la Révolution, le domaine congéable, associant, dans chaque exploitation, deux propriétaires. L'un possède la terre et l'autre bâtiments et végétation. On ne peut l'expulser qu'en lui remboursant la valeur. Les villes, petites, ne bénéficient d'aucune autonomie administra-

**Les sept saints fondateurs des évêchés bretons**

tive. Presque toutes fortifiées, souvent à l'amont d'une ria, elles vivent d'un petit commerce de toiles.

Une vie religieuse intense anime la Bretagne féodale. Le réseau des paroisses est dense où la croissance démographique provoque l'apparition de nouveaux hameaux, en *loc* (*Locmaria*), et en *ker* (*Kermaria*). D'anciennes croyances païennes se mêlent au culte des vieux saints bretons, dont les reliques font l'objet de pardons et de pèlerinages. Le plus célèbre est le *Tro Breiz*, ou tour de Bretagne, circuit pieux de plus de 500 km qui joint les sanctuaires de Saint-Malo, Dol, Vannes, Quimper, Saint Pol, Tréguier et Saint-Brieuc.

### SAINT YVES

Né au manoir de Kermartin, près de Tréguier, en 1248, il devient official, c'est-à-dire juge du tribunal de l'évêque, à Rennes, puis à Tréguier, en même temps que curé de Trédrez puis

**Saint Yves entre le riche et le pauvre**

de Louannec, dans le Trégor. Il prêche, mène une vie ascétique, rend une justice favorable aux pauvres, ce qui lui vaut une grande réputation. Mort en 1303, canonisé en 1347, il est devenu patron des Bretons et des avocats. Son crâne est promené en procession tous les ans à Tréguier *(p. 100-101)* le 19 mai.

| | 1166 La Bretagne sous contrôle anglais : Henri II Plantagenêt | 1203 Assassinat du comte Arthur par Jean sans Terre | Vers 1250 Création des couvents dominicains et franciscains | 1297 La Bretagne devient un duché-pairie |
|---|---|---|---|---|
| Guillaume Ier Conquérant | | | | |
| | 1150 | 1200 | 1250 | 1300 |
| XIIe siècle Création des abbayes cisterciennes | 1185 Organisation de l'administration locale par Geoffroy Plantagenêt | 1203 La Bretagne passe sous l'influence française (Pierre de Dreux) | 1270 Jean Ier à la croisade avec Saint Louis | 1303 Mort de saint Yves |

*Saint Louis*

Trente Bretons, dirigés par Beaumanoir, battent
trente Anglais, au combat des Trente, en 1351

### LA GUERRE DE SUCCESSION
### DE BRETAGNE

De 1341 à 1364, la Bretagne est ravagée
par l'affrontement de deux familles prétendant au titre ducal. Celui-ci se greffe
sur la guerre de Cent Ans qui met aux
prises les rois de France et d'Angleterre.
Le premier soutient Charles de Blois et
son épouse Jeanne de Penthièvre ; le
second aide Jean de Montfort et sa
femme Jeanne de Flandre. Une guerre
dans laquelle les deux Jeanne rivalisent
d'énergie donne lieu à des exploits
isolés, comme le combat des Trente,
en 1351. Cette guerre se termine par la
victoire des Montfort et de leurs alliés
anglais : en 1364, à la bataille d'Auray,
Charles de Blois est tué ; du Guesclin,
qui combat à ses côtés, est pris. Le traité
de Guérande consacre la victoire de
Jean IV de Montfort. Pendant plus d'un
siècle, sa dynastie règne sur une
Bretagne presque indépendante, qui
peut compter sur le soutien anglais pour
déjouer les ambitions du roi de France.

### L'APOGÉE DE L'ÉTAT BRETON

Le XVe siècle marque l'apogée de l'É-
tat breton. Le duc, véritable souverain,
couronné dans la cathédrale de
Rennes, réside le plus souvent à
Nantes. Avec sa cour, il mène grand
train, pratique le mécénat, encourage
une historiographie qui exalte la culture bretonne. Les organes du gouvernement (Conseil, Chancellerie,
Chambre des comptes, Parlement ou
Cour de justice) se répartissent entre
Nantes, Vannes et Rennes. Chaque
année, les États de Bretagne se réunissent et votent les impôts. Ces derniers,
complexes et très lourds, ne suffisent
pas à satisfaire les charges croissantes
des dépenses somptuaires, de l'entre-
tien des forteresses et de l'armée. Le
duc bat monnaie et prête au roi de
France un hommage peu contraignant.
À partir du long règne de Jean V (1399-
1442), la Bretagne parvient à sauvegarder une relative neutralité dans
la guerre de Cent Ans, ce qui lui
permet de jouir d'une certaine prospérité : le commerce maritime se développe, les marins bretons jouant le

La bataille d'Auray, en 1364, consacre la victoire
des Montfort et de leurs alliés anglais

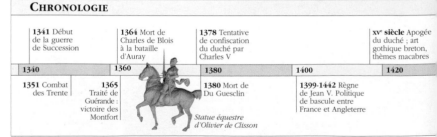

## CHRONOLOGIE

| | | | |
|---|---|---|---|
| **1341** Début de la guerre de Succession | **1364** Mort de Charles de Blois à la bataille d'Auray | **1378** Tentative de confiscation du duché par Charles V | **XVe siècle** Apogée du duché ; art gothique breton, thèmes macabres |
| **1340** | **1360** | **1380** | **1400** | **1420** |
| **1351** Combat des Trente | **1365** Traité de Guérande : victoire des Montfort | **1380** Mort de Du Guesclin | **1399-1442** Règne de Jean V. Politique de bascule entre France et Angleterre | |

*Statue équestre
d'Olivier de Clisson*

rôle d'intermédiaires entre le Bordelais et l'Angleterre, exportant du sel de Guérande, des toiles de Vitré, de Locronan, du Léon. La population, moins touchée qu'en France par les grandes épidémies, atteint 800 000 habitants. Des réfugiés normands s'installent à l'est, tandis que de nombreux petits nobles pauvres vont chercher fortune en France. Les mercenaires bretons s'illustrent pendant la guerre de Cent Ans, des deux côtés. Trois d'entre eux, Bertrand du Guesclin, Olivier de Clisson et Arthur de Richemont, deviennent connétables de France.

La noblesse fait agrandir ses châteaux, qui deviennent des résidences imposantes, mais les mœurs sont rudes. Le trouble moral atteint son paroxysme avec Gilles de Rais (ou de Retz), compagnon de Jeanne d'Arc, dont les débauches pédophiles meurtrières, d'une incroyable cruauté, mêlées à la sorcellerie et à des cultes sataniques, ont lieu au château de Tiffauges, près de Nantes. Il est exécuté en 1440.

Au XVᵉ siècle, s'affirme un art typiquement breton qui allie la dextérité

### BERTRAND DU GUESCLIN

*Du Guesclin agenouillé devant Charles V*

Petit noble né vers 1320 près de Broons, il révèle ses talents de guerrier pendant la guerre de Succession de Bretagne, et remporte tournois et duels fameux, comme celui de Dinan contre Thomas de Canterbury. Au service de Charles V, il reconquiert une partie de la France sur les Anglais, et bat le roi de Navarre à Cocherel en 1364. Il emmène en Espagne les Grandes Compagnies de mercenaires qui infestaient le royaume. Battu et fait prisonnier en 1367 à Najera par le Prince Noir, il reprend ensuite la guerre, est fait connétable, et meurt en 1380 lors d'un siège en Lozère.

du gothique flamboyant à l'austérité du granit. Les premiers textes en breton naissent. Lorsque l'imprimerie fait son apparition, en 1484, l'un des premiers ouvrages imprimés est le *Catholicon*, dictionnaire trilingue breton français-latin. En 1460, une université est créée à Nantes.

### LA FIN DE L'INDÉPENDANCE

Le duc François II (1458-1488), incapable et débauché, assiste impuissant à l'affirmation de la puissance royale en France, où Louis XI élimine les derniers grands vassaux en 1477. Le rusé souverain concentre alors tous ses efforts sur la Bretagne, seul grand fief insoumis. François II est contraint à la guerre. Son armée est écrasée le 28 juillet 1488 à Saint-Aubin-du-Cormier. La Bretagne est occupée, et, par le traité du Verger, le duc doit s'en remettre à la volonté royale pour sa succession. Il meurt peu après. Sa fille et héritière, Anne de Bretagne, n'a même pas douze ans.

**Exécution de Gilles de Rais**

| | 1460 Université de Nantes | | 1488 Bataille de Saint-Aubin-du-Cormier. Traité du Verger | | 1514 Mort d'Anne de Bretagne |
|---|---|---|---|---|---|
| *Danse des morts fin du XVᵉ s).* | | | | | |
| **1440** | **1460** | **1480** | | **1500** | **1520** |
| 1440 Exécution de Gilles de Rais | | 1491 Mariage d'Anne de Bretagne et de Charles VIII | | 1499 Mariage d'Anne de Bretagne et de Louis XII | |

*Anne de Bretagne*

# Anne de Bretagne

**Anne
de Bretagne**

**P**ersonnage central de l'histoire bretonne, elle incarne à la fois l'indépendance du duché et son intégration à la France par ses mariages successifs avec les rois Charles VIII et Louis XII. Très populaire en raison des péripéties romantiques d'une vie courte et mouvementée – duchesse à onze ans, reine à quinze ans, mère à seize ans, veuve à vingt-et-un ans, morte à trente-sept ans après le décès de sept de ses neuf enfants –, elle est toujours l'objet d'un véritable culte chez certains Bretons. Mécène, elle a contribué à développer la culture bretonne en patronnant des chroniqueurs.

**Le blason d'Anne de Bretagne**
*associant l'hermine, la cordelière,
et la devise* À ma vie.

**Jean de Rely**, évêque d'Angers.

## LE MARIAGE DE CHARLES VIII ET D'ANNE DE BRETAGNE

À la mort du duc François II, le jeune roi de France Charles VIII reprend la guerre contre son héritière Anne et la force à l'épouser le 6 décembre 1491, à Langeais. Ce tableau du début du XIXe siècle montre l'échange des consentements.

**Pierre de Baud**, *chanoine de Vitré, est l'auteur en 1505 de la première* Histoire de Bretagne, *commandée par Anne pour donner une base historique à l'identité de bretonne.*

**Anne de Bretagne** âgée de 15 ans.

## LES RÉSIDENCES D'ANNE DE BRETAGNE

Le château de Nantes *(p. 208-209)* a été la résidence principale d'Anne de Bretagne. Elle y est née, dans la partie dite « logis vieux », et elle a poursuivi les travaux qui lui donnent son aspect actuel. Dans sa jeunesse, elle a aussi séjourné régulièrement à Vannes (dans le château de l'Hermine et dans le manoir de Plaisance, aujourd'hui disparu), dans les châteaux de Suscinio (Morbihan) et de Clisson (Loire-Atlantique). À Rennes, elle a résidé dans le « logis des Ducs », dans la vieille ville. Au cours de son tour de Bretagne en 1505, elle a séjourné dans des maisons particulières, souvent difficiles à identifier aujourd'hui. À Hennebont, Quimper, Locronan, Morlaix, Guingamp, Saint-Brieuc, Dinan, des « maisons de la duchesse Anne » revendiquent pieusement le souvenir de son passage. Elle s'est aussi arrêtée quelques jours dans les châteaux de la Hunaudaye, Vitré et Blain.

**Le château des Ducs de Bretagne à
Nantes, résidence d'Anne de Bretagne**

**Louis XII** *succède à son cousin Charles VIII et épouse Anne de Bretagne conformément au contrat de mariage de son prédécesseur.*

Charles VIII

**La duchesse mécène** *Anne, princesse de la Renaissance, encourage artistes et écrivains. Le dominicain Antoine Dufour lui présente ici sa* Vie des femmes illustres.

**Claude de Bretagne**
*Née en 1499, la fille d'Anne épouse François d'Angoulême, futur François Ier. Devenu roi, il obtient d'elle la donation du duché. Leur fils deviendra duc de Bretagne sous le nom de François III.*

**Les funérailles d'Anne de Bretagne.** *Elle meurt au château de Blois, le 9 janvier 1514. Elle a trente-sept ans.*

**Reliquaire en or du cœur d'Anne de Bretagne**
*Selon la dernière volonté d'Anne de Bretagne, son cœur fut rapporté en Bretagne, « lieu qu'elle avait aimé le plus qu'autre du monde, pour y être enseveli ». Il fut déposé dans le tombeau qu'elle avait fait édifier pour ses parents à Nantes.*

Carte de la Bretagne en 1595, à l'époque des
guerres de la Ligue

### LA BRETAGNE DANS
### LE ROYAUME DE FRANCE

L'intégration de la Bretagne dans le
royaume ne change pas fondamenta-
lement la vie des Bretons. Le traité
d'Union de 1532 garantit le respect de leurs « droits, libertés
et privilèges ». La province
est dirigée au nom du roi
par un gouverneur, le
plus souvent lié aux
grandes familles locales.
Les intérêts de la popu-
lation sont défendus par
les États de Bretagne,
assemblée peu représen-
tative, puisque le monde
paysan n'y a aucun délégué.
Noblesse et haut clergé
y jouent le rôle prin-
cipal. Chaque année,

les États discutent avec les représen-
tants du roi du montant que devra
acquitter la province. La Bretagne paye
plutôt moins d'impôts que le reste
du royaume ; elle est exempte de la
gabelle, impôt sur le sel.

Pour la justice, un parlement est recréé
en 1554, dans un somptueux bâtiment
construit à Rennes de 1618 à 1655
*(p. 60-61)*. Le parlement est la cour
suprême pour les justiciables bretons,
ainsi qu'une cour d'enregistrement des
lois royales ; il peut ainsi veiller au maintien des particularismes locaux.

Au XVIᵉ siècle, la Bretagne est peu
touchée par les guerres de Religion.
Massivement catholique, elle ne compte
que quelques calvinistes. Sous le règne
d'Henri IV, le gouverneur, l'ambitieux
Philippe-Emmanuel de Lorraine, duc
de Mercœur, un des piliers de la Sainte
Ligue – groupement des catholiques
extrémistes – tente d'exploiter la fidélité des Bretons à l'égard de Rome, pour
les entraîner contre le roi hérétique,
en leur faisant miroiter l'indépendance.
À l'issue d'une dizaine d'années de
guerre, de 1589 à 1598, Mercœur doit
se soumettre. C'est à Nantes que le roi
Henri IV signe le fameux édit de tolé-
rance qui met fin aux guerres de
Religion.

### LA RÉSISTANCE
### À LA MONARCHIE

Au XVIIᵉ siècle, le pou-
voir royal devient absolu,
et la monarchie déve-
loppe en France la cen-
tralisation. Libertés et
autonomies locales sont
restreintes ; les impôts
augmentent. De nouvelles
taxes sur le tabac et le
papier timbré provo-
quent une révolte en

François d'Argouges, premier président
au Parlement de Bretagne en 1669

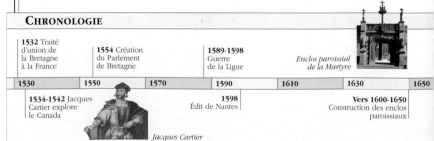

**CHRONOLOGIE**

| | | | |
|---|---|---|---|
| **1532** Traité d'union de la Bretagne à la France | **1554** Création du Parlement de Bretagne | **1589-1598** Guerre de la Ligue | *Enclos paroissial de la Martyre* |

| 1530 | 1550 | 1570 | 1590 | 1610 | 1630 | 1650 |
|---|---|---|---|---|---|---|

| | | | |
|---|---|---|---|
| **1534-1542** Jacques Cartier explore le Canada | **1598** Édit de Nantes | **Vers 1600-1650** Construction des enclos paroissiaux |

*Jacques Cartier*

Basse-Bretagne en 1675 *(p.156-157)* dont la répression impitoyable a été racontée par Madame de Sévigné *(p. 67)*.

Pour faire appliquer ses décisions plus efficacement, Louis XIV nomme à partir de 1689 à la tête de la province un intendant qui doit faire respecter l'ordre et rentrer les impôts. Face à ces mesures et jusqu'à la fin de l'Ancien Régime, on assiste à une résurgence du sentiment autonomiste, surtout dans la petite noblesse.

Beaucoup plus gênante pour le pouvoir royal est l'opposition légale menée par les États et par le parlement de Bretagne face à l'intendant et au gouverneur. Les premiers prétendent défendre les libertés locales, alors qu'en fait ils représentent uniquement les intérêts de la noblesse. De 1759 à 1770, la tension est extrême, incarnée par l'opposition entre Louis-René de Caraduec de La Chalotais, procureur général du parlement de Bretagne, ambitieux et populaire, et le duc d'Aiguillon, Commandant en chef en Bretagne, autoritaire et efficace : c'est l'« affaire de Bretagne » qui met la province en

Henri IV en campagne contre les partisans de la Sainte Ligue, catholique extrémistes, en Bretagne, en 1598

ébullition et ne s'apaise qu'à la mort de Louis XV, en 1774.

## LA VOCATION MARITIME

Sous l'Ancien Régime, la Bretagne connaît un essor économique indéniable. Le trafic maritime bénéficie de l'intégration dans l'ensemble français et de l'ouverture du monde atlantique. Les Bretons participent aux découvertes, avec par exemple les voyages du Malouin Jacques Cartier au Canada, de 1534 à 1542. Plus de 130 ports sont recensés, mais trois d'entre eux concentrent l'essentiel de l'activité : Saint-Malo, Nantes et Lorient, créé en 1666 pour installer la Compagnie des Indes Orientales. Les guerres de la monarchie viennent perturber la vie économique côtière, avec les attaques anglaises sur Saint-Malo, Belle-Isle, Saint-Cast. Mais la guerre maritime est aussi à l'origine de la création de l'arsenal de Brest par Colbert (vers 1680), tandis que Vauban multiplie les fortifications côtières.

Saint-Malo, premier port de France à la fin du xviie siècle combine le commerce et l'armement de navires corsaires

### La Révolution et les chouans

Pendant la Révolution, la Bretagne se coupe en deux : les « bleus », favorables aux idées nouvelles, et les « blancs », partisans de l'Ancien Régime. Les premiers se composent de la bourgeoisie libérale et des paysans de certains cantons anticléricaux et anti-nobles de Basse-Bretagne ; les « blancs », encadrés par la noblesse et les prêtres insoumis, dominent à l'est et au sud.

Jean Cottereau, dit Jean Chouan

Quelques aristocrates menés par La Rouërie montent, en 1792, un complot contre-révolutionnaire qui échoue. Mais en 1793, lorsque la Convention décrète une levée de 300 000 hommes pour la guerre, Loire-Atlantique, Morbihan et Ille-et-Vilaine se soulèvent. Les chouans, dirigés par Cadoudal, Guillemot, Boishardy, Jean Chouan, mènent une guérilla dans le bocage. Les républicains répliquent par la Terreur : à Nantes, le représentant en mission Carrier fait décapiter et noyer 10 000 personnes.

Les blancs sont tenus en échec : l'« armée catholique et royale » est battue à Savenay en 1793 ; les tentatives de débarquement de nobles émigrés, aidés par les Anglais, sont repoussées. Celle de Quiberon, en juin 1795, est un désastre : 6 000 nobles sont capturés par l'armée républicaine de Hoche, et 750 exécutés.

Le calme ne revient qu'avec Bonaparte, qui réconcilie Église et État, met en place des préfets, assure un contrôle militaire en ouvrant des routes et en créant des villes de garnison, comme Napoléonville à Pontivy. Mais en raison des guerres de l'Empire, pendant lesquelles les Anglais sont maîtres des océans, les affaires périclitent, en dépit des exploits des corsaires, comme le Malouin Robert Surcouf.

### Le XIXᵉ siècle

Au XIXᵉ siècle et jusqu'aux années 1950, loin des centres de la révolution industrielle, la péninsule fait figure de bout du monde rural, dominé par des notables conservateurs. La pêche vers l'Islande et vers Terre-Neuve complète les activités.

La Bretagne voit se développer une mode celtisante, tandis que poètes, ethnologues, folkloristes recueillent les traditions et contes ancestraux. La langue bretonne, combattue dans

À Nantes, Jean-Baptiste Carrier ordonne des noyades massives dans la Loire

### CHRONOLOGIE

| | | |
|---|---|---|
| **1789** Émeutes à Rennes | *Attaque de Nantes par les Vendéens* **1793-1802** La chouannerie | **1865** Achèvement du Paris-Brest ferroviaire     **1886** Gauguin à Pont-Aven    **1898** Création de l'URB |
| 1780    1800    1820    1840    1860    1880 | | |
| **1792** Complot de La Rouërie   **1795** Échec du débarquement des émigrés à Quiberon | **1839** Le *Barzaz Breiz* de la Villemarqué   **1848** F. de Lamennais élu représentant du peuple à l'Assemblée constituante | **1896** La Borderie commence son *Histoire de Bretagne* |

*De Lamennais*

les écoles laïques de la III^e République, trouve d'ardents défenseurs dans le clergé, tandis que l'histoire locale connaît un essor culminant avec la monumentale *Histoire de Bretagne* de La Borderie. Le régionalisme culturel s'affirme vers 1900, avec l'Union régionaliste bretonne (URB), et connaîtra des dérives indépendantistes au XX^e siècle avec le Parti national breton (PNB), encouragé par les occupants allemands de 1940-1944.

Au XIX^e siècle, la persistance d'une forte natalité et la faiblesse de l'industrialisation provoquent un immense exode rural vers Paris où se forme une très forte communauté bretonne. Les Bretons s'illustrent désormais sur le plan national, de Chateaubriand, politicien et écrivain romantique, à René Pléven, compagnon de Charles de Gaulle, ministre sous la IV^e République, en passant par Félicité de Lamennais, un des pères du catholicisme social, et Ernest Renan, apôtre du scientisme. Dès la seconde moitié du XIX^e siècle, avec la construction des chemins de fer, la Bretagne attire écrivains et artistes par la beauté sauvage de ses paysages et l'exotisme de ses coutumes celtiques.

Les deux guerres mondiales la touchent durement : en 1914-1918, la proportion de soldats bretons tués est le double de la moyenne nationale. En 1939-1945, la région est occupée, et plusieurs ports, comme Saint-Nazaire, Lorient, Brest, Saint-Malo, sont rasés dans les combats de la Libération.

Inauguration du chemin de fer Paris-Brest

### IDENTITÉ ET MODERNITÉ

Le redressement est remarquable. Dès 1950, le Comité d'étude et de liaison des intérêts bretons (CELIB) attire investissements et entreprises décentralisées (Citroën à Rennes, télécommunications à Lannion) ; le désenclavement est assuré par des voies express gratuites, le TGV en 1989 et le développement d'aéroports. Les liaisons maritimes trans-Manche et l'équipement hôtelier ont permis d'en faire la deuxième région touristique de France. L'agriculture situe la Bretagne au premier rang français, avec le modèle productiviste, qui se traduit dans la production par des chiffres records : 54 % des porcs élevés en France, 48 % des poulets. Ces succès ont leurs revers : une paysannerie endettée par des équipements coûteux, et des sols gorgés de nitrate. Une prise de conscience s'opère désormais : la nécessité de préserver les sites et l'environnement, tout en renforçant les liens avec les pays celtiques de l'Arc atlantique européen.

Les chantiers de Saint-Nazaire, reconvertis dans la construction de bateaux de croisière

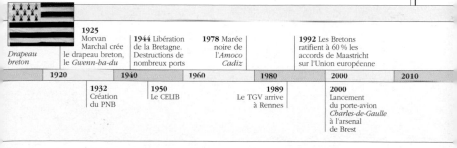

Drapeau breton

| | 1925 Morvan Marchal crée le drapeau breton, le *Gwenn-ha-du* | 1944 Libération de la Bretagne. Destructions de nombreux ports | 1978 Marée noire de l'*Amoco Cadiz* | | 1992 Les Bretons ratifient à 60 % les accords de Maastricht sur l'Union européenne | |
|---|---|---|---|---|---|---|
| 1920 | | 1940 | 1960 | 1980 | 2000 | 2010 |
| | 1932 Création du PNB | 1950 Le CELIB | 1989 Le TGV arrive à Rennes | | 2000 Lancement du porte-avion *Charles-de-Gaulle* à l'arsenal de Brest | |

# La Bretagne
## Région
## par Région

# La Bretagne d'un coup d'œil

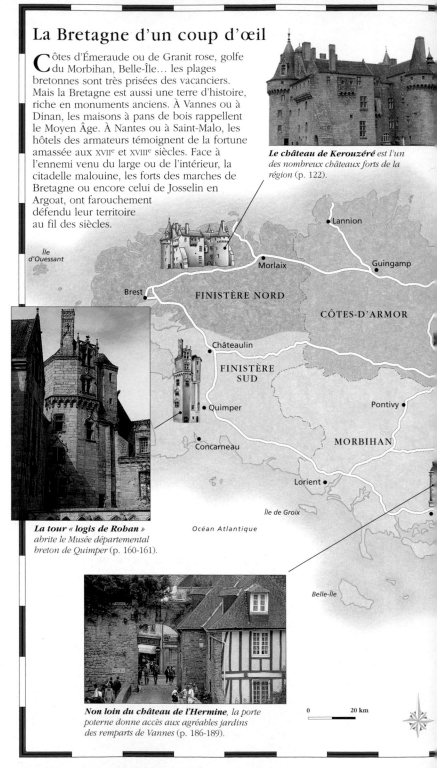

Côtes d'Émeraude ou de Granit rose, golfe du Morbihan, Belle-Île… les plages bretonnes sont très prisées des vacanciers. Mais la Bretagne est aussi une terre d'histoire, riche en monuments anciens. À Vannes ou à Dinan, les maisons à pans de bois rappellent le Moyen Âge. À Nantes ou à Saint-Malo, les hôtels des armateurs témoignent de la fortune amassée aux XVIIᵉ et XVIIIᵉ siècles. Face à l'ennemi venu du large ou de l'intérieur, la citadelle malouine, les forts des marches de Bretagne ou encore celui de Josselin en Argoat, ont farouchement défendu leur territoire au fil des siècles.

*Le château de Kerouzéré* est l'un des nombreux châteaux forts de la région (p. 122).

Île d'Ouessant

Lannion

Morlaix

Guingamp

Brest

**FINISTÈRE NORD**

**CÔTES-D'ARMOR**

Châteaulin

**FINISTÈRE SUD**

Pontivy

Quimper

**MORBIHAN**

Concarneau

Lorient

Île de Groix

Océan Atlantique

*La tour « logis de Roban »* abrite le Musée départemental breton de Quimper (p. 160-161).

Belle-Île

*Non loin du château de l'Hermine*, la porte poterne donne accès aux agréables jardins des remparts de Vannes (p. 186-189).

0     20 km

◁ **Festival Brest 2000, passage du Toulinguet**

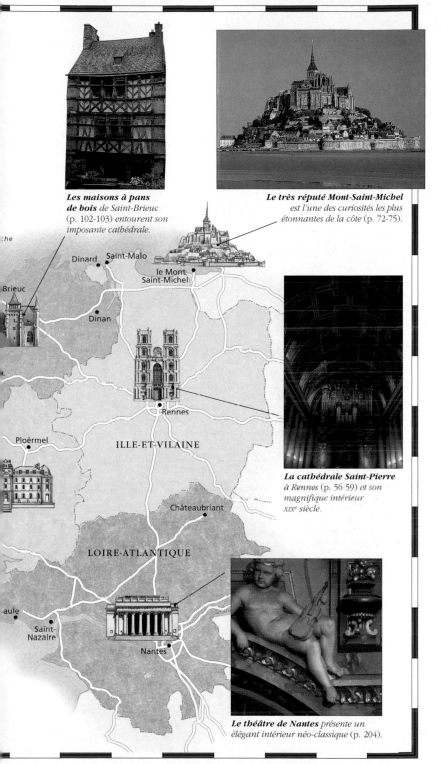

**Les maisons à pans de bois** de Saint-Brieuc (p. 102-103) entourent son imposante cathédrale.

**Le très réputé Mont-Saint-Michel** est l'une des curiosités les plus étonnantes de la côte (p. 72-75).

Dinard  Saint-Malo
le Mont Saint-Michel

Brieuc

Dinan

Ploërmel

Rennes

ILLE-ET-VILAINE

Châteaubriant

LOIRE-ATLANTIQUE

aule

Saint-Nazaire

Nantes

**La cathédrale Saint-Pierre** à Rennes (p. 56 59) et son magnifique intérieur XIXᵉ siècle.

**Le théâtre de Nantes** présente un élégant intérieur néo-classique (p. 204).

# L'ILLE-ET-VILAINE

*A*u nord, la Côte d'Émeraude et Le Mont-Saint-Michel, inscrit au Patrimoine mondial de l'Unesco, ouvrent le département sur la Manche. Plus au sud, au confluent de l'Ille et de la Vilaine, Rennes affiche son statut de capitale avec son élégant parlement, dû à Salomon de la Brosse. À l'est, les fières forteresses des marches de Bretagne, qui protégeaient jadis le duché, narguent désormais la Mayenne.

Les plages de la Côte d'Émeraude égrènent leur chapelet de stations balnéaires au charme suranné. Mais, bien avant les touristes, Renoir, Signac et d'autres artistes ont été conquis par la beauté des lieux en plantant leur chevalet à Saint-Briac. Qu'il s'agisse du site mégalithique de La Roche-aux-Fées ou du château fort de Fougères, les amoureux de vieilles pierres n'auront que l'embarras du choix. Côté mer, la chrétienté a laissé l'un de ses plus beaux joyaux gothiques au Mont-Saint-Michel, tandis qu'à Saint-Malo, la citadelle protège derrière ses remparts des hôtels cossus. À l'intérieur des terres, la noblesse a fait construire une multitude de manoirs pour affirmer son rang au cours des XVIe et XVIIe siècles. Les villes ont vu l'émergence d'une bourgeoisie prospère et influente ; les maisons médiévales de Vitré et de Dol ou encore les hôtels rennais témoignent de cette opulence. Faisant vœu de piété, des corporations de marchands ont fait appel à des artistes de Laval pour parer les autels de retables à l'ornementation foisonnante. De la mythologie celte au romantisme français, l'Ille-et-Vilaine compte aussi deux sites emblématiques du patrimoine littéraire breton : la légendaire forêt de Brocéliande, où Merlin fut ensorcelé par la fée Viviane, revit au travers de la forêt de Paimpont ; le lugubre château de Combourg reste à tout jamais hanté par le fantôme de Chateaubriand.

Le château de La Bourbansais, aux environs de Tinténiac

◁ La promenade des Onze-Écluses à Hédé

# À la découverte de l'Ille-et-Vilaine

L e département, d'une superficie de 6 758 km², doit son nom aux cours d'eau qui le baignent : l'Ille et la Vilaine. Au nord, une région de collines, matérialisée par le mont Dol, surplombe la frange littorale. À l'est de Cancale, les marais de Dol ont été aménagés en polders. La côte s'adoucit ensuite en une baie d'où surgit Le Mont-Saint-Michel. À partir de la pointe du Grouin, la Côte d'Émeraude est une alternance de falaises déchiquetées et de plages de sable fin. Au centre, Rennes est la capitale administrative. Placées sur la frontière orientale, les forteresses de Fougères et Vitré font face à la Mayenne. Aux confins du Morbihan et de l'Ille-et-Vilaine, la forêt de Paimpont est un vestige de l'Argoat, pays de bois qui recouvrait jadis toute la Bretagne intérieure.

## LA RÉGION
### D'UN COUP D'ŒIL

SENTIER DES DOUANIERS **20**   **22** POINTE DU GROUIN

**21** CANCALE

SAINT-LUNAIRE **26**   **25**   **23** SAINT-MALO
SAINT-BRIAC **27**   DINARD
**24** CHÂTEAU DU BOS

CHÂTEAUNEUF-D'ILLE-ET-VILAINE ●   MONT-DOL **17**   N 176 E

Dinan ←   DOL-DE-BRETAGNE **15**   **16**
MENHIR DU CHAMP-DOLENT

Dinan ←   COMBOURG **14**

**13** TINTÉNIAC   **11** HÉDÉ d'Ille

BÉCHEREL **12**

Saint-Brieuc

Loudéac   MONTAUBAN-DE-BRETAGNE   N 12 E 50

RENNES **1**

FORÊT DE PAIMPONT **3**

PAIMPONT **2**   N 24

PLÉLAN-LE-GRAND

Ploërmel Vannes

PIPRIAC   BAIN-BRETA

GRAND-FOUGERAY **6**

**5** LANGON   Nantes

**4** REDON

0 ——— 20 km

BAIE
MONT-SAINT-MICHEL **18**

**19**

# LE MONT-SAINT-MICHEL

← Caen

**Paysages aux alentours de Bain-de-Bretagne**

## CIRCULER

L'autoroute venant de Paris arrive à Rennes par la N157-E50. Deux routes nationales parcourent l'Ille-et-Vilaine. La N137 relie Saint-Malo à Rennes, et se prolonge vers Nantes. Au départ de Rennes, la N24 rejoint Lorient en passant par Ploërmel.

Pour rejoindre Saint Brieuc depuis la capitale bretonne, il faut emprunter la N12-E50.

Pour visiter les marches de Bretagne, plusieurs départementales longent la frontière bretonne : la D177 de Redon à Pipriac, la D772, de Pipriac à Bain-de-Bretagne, la D777 de Bain-de-Bretagne à Vitré, la D178 de Châteaubriant à Fougères.

Le train et un service de car desservent les principales villes du département au départ de Rennes.

## LÉGENDE

▬▬ Autoroute

▬▬ Route principale

═══ Route secondaire

**Maisons à pans de bois de la place des Lices à Rennes**

# Rennes pas à pas ❶

**A**utour de la cathédrale, les ruelles serpentent entre des maisons à pans de bois derrière lesquelles s'ouvrent des cours secrètes. La place des Lices déploie ses étals multicolores lors du marché du samedi, l'un des plus vivants de Bretagne. En semaine, les étudiants assurent l'animation en prenant d'assaut les nombreux bars et restaurants du quartier. Les monuments classiques de l'architecte Jacques Gabriel encadrent la place de la Mairie où naît la rue Le-Bastard, zone piétonne et axe de circulation reliant la Vilaine au nord de la ville.

**★ Place du Champ-Jacquet**
*De hautes maisons à pans de bois du XVIIe siècle s'adossent à l'ancien rempart de la ville.*

Hôtel de Robien

**★ Hôtel de Blossac**
*L'un des plus beaux hôtels particuliers de Rennes. Ce bâtiment classique porte la marque d'un architecte de l'entourage de Jacques Gabriel.*

Hôtel Hayo de Tizé

Église
Saint-Sauveur

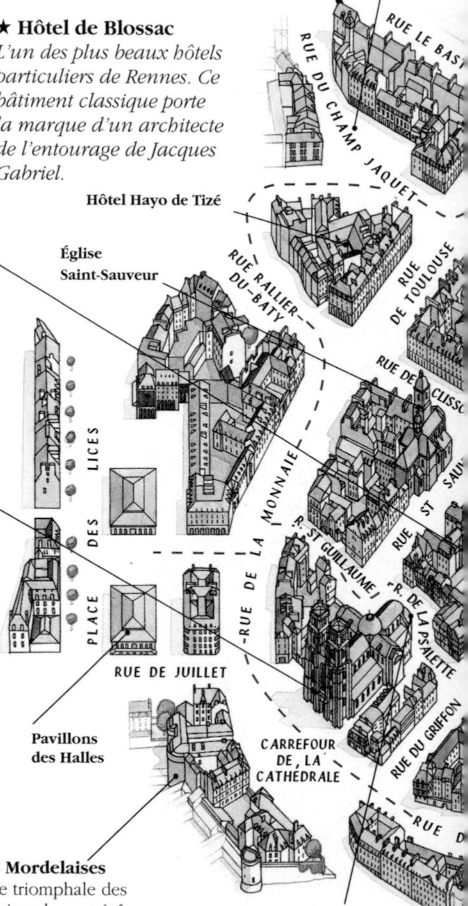

RUE LE BAS
RUE DU CHAMP JAQUET
RUE RALLIER DU-BATY
RUE DE TOULOUSE
RUE DE CLISS
DES LICES
RUE DE LA MONNAIE
RUE ST GUILLAUME
R. ST SAU
R. DE LA PSALETTE
PLACE
RUE DE JUILLET
RUE DU GRIFFON
RUE D

**★ Cathédrale Saint-Pierre**
*À l'emplacement du lieu de culte de la cité antique et derrière une façade du XVIe siècle, le sanctuaire est entièrement reconstruit à partir de 1784.*

Pavillons
des Halles

CARREFOUR
DE LA
CATHÉDRALE

## À NE PAS MANQUER

**★ Place du
Champ-Jacquet**

**★ Hôtel de Blossac**

**★ Cathédrale
Saint-Pierre**

**Portes Mordelaises**
L'entrée triomphale des
souverains, ducs et évêques.

**La rue de la Psalette**
forme une place bordée
de façades médiévales.

**LÉGENDE**

– – – Itinéraire conseillé

0                              100 m

**Parlement**

*Il abrite aujourd'hui le palais de justice. Ses décors somptueux et ses peintures signées Noël Coypel ont retrouvé leur éclat après l'incendie de 1994.*

### MODE D'EMPLOI

**Carte routière** E3. 🔼 *197 536.*
🚉 🚌 ✈ *Saint-Jacques-de-la-Lande.* 🚢 *sam. matin pl. des Lices.* ℹ *11, rue Saint-Yves (02 99 67 11 11).* 🎭 *Les Tombées de la Nuit (théâtre, concerts, juil.), Transmusicales (rock, 1re semaine de déc.), festival de cinéma (jan.)*
🔲 *www.ville-rennes.fr*

**Église Saint-Germain**
L'opulence de la paroisse des merciers du XVIe siècle.

**Théâtre**

*Architecte du théâtre et des immeubles voisins, Millardet a voulu en faire un espace de rencontre et de commerce. Péristyle en rotonde, arcades et passages couverts témoignent de la réussite du projet.*

**Hôtel de ville**

*Construit après le grand incendie de 1720, l'hôtel de ville de Jacques Gabriel étire ses façades en contrebas de la tour de l'horloge et de son campanile à l'italienne. Sur la porte principale, des sculptures de Jacques Verberckt.*

La chapelle Saint-Yves abrite l'office du tourisme.

*Tête d'ange de Botticelli,*
collection de Robien

## LE CABINET DE ROBIEN

Construit au début du XVIIe siècle, l'hôtel de Robien est acquis en 1699 par Christophe Paul de Robien, et devient un véritable cabinet de curiosités, qui rassemble tableaux, statues, mais aussi plantes et minéraux. En 1792, les Révolutionnaires confisquent la collection qu'il avait léguée à son fils en 1756. Les œuvres sont alors entreposées à l'église de la Visitation, puis au couvent des Carmélites. La collection de Robien contribue aujourd'hui à la richesse du musée des Beaux-Arts de Rennes.

# À la découverte de Rennes

Malgré l'incendie de 1720, Rennes a conservé de belles maisons médiévales. Les quartiers reconstruits au XVIIIe siècle lui ont légué sa physionomie un peu austère. De son rôle de capitale administrative, elle a gardé de ravissants hôtels particuliers et un remarquable palais du XVIIe siècle. Universitaire, Rennes est animée par une vie estudiantine active. Dès l'époque romaine, la cité devient un carrefour stratégique. Au Xe siècle, la ville résiste aux envahisseurs normands et devient un symbole de la résistance bretonne. Au XVe siècle, de nouvelles fortifications renforcent les enceintes gallo-romaines. Le rattachement à la France en 1532 puis la création du parlement *(p. 60-61)* consacrent Rennes au rang de capitale. En 1720, un incendie dévaste le centre-ville ; une cité classique aux rues tirées au cordeau est bâtie sur ses cendres.

**Maisons à pans de bois autour de la place des Lices**

## 🚩 Vieille ville

Le centre médiéval multiplie ses maisons à pans de bois, entre les quais de la Vilaine au sud et la place des Lices au nord. Cette dernière doit son nom aux tournois où le valeureux du Guesclin fit ses premières armes. Autour de cette place, les hôtels du Molant, de la Noue et Racapée de la Feuillée, érigés après l'incendie de 1720, symbolisent la puissance de la noblesse parlementaire bretonne. À l'extrémité de la rue de la Monnaie, les **portes Mordelaises** servaient d'entrée principale aux souverains. Derrière la cathédrale Saint-Pierre, dans la rue du Chapitre, les hôtels de Brie et de Blossac à l'escalier monumental figurent parmi les plus belles demeures parlementaires. On rejoint la place de la Mairie, vaste ouvrage classique dû au talent de Jacques Gabriel. L'**hôtel de ville** se signale par la tour de l'Horloge qui a remplacé l'ancien beffroi. Les sculptures des portes de la mairie sont l'œuvre de J. Verberckt, décorateur pour Louis XV à Versailles. En face, le **théâtre** et les immeubles en arcades ont été dessinés par Millardet en 1836.

**Sculpture en bois, impasse de La Psalette**

Rue de Clisson, la **basilique Saint-Sauveur**, édifiée aux XVIIe et XVIIIe siècles, conserve le souvenir de Gabriel Fauré qui a été son organiste. La rue Saint-Georges aux logis anciens permet de gagner l'**église Saint-Germain** dont le transept illustre la maîtrise de l'architecture romane bretonne. Derrière l'église Notre-Dame, se tient le **jardin du Thabor**, chef-d'œuvre des frères Bülher.

## 🔒 Cathédrale Saint-Pierre

*Entre les portes Mordelaises et la rue de la Poterne.*

Elle occupe l'emplacement du sanctuaire antique devant lequel un trésor gallo-romain a été mis au jour. Commencée au XVe siècle, la façade a été achevée en 1560 ; le reste a été reconstruit à partir de 1784 sur les plans de l'architecte Crucy. À l'intérieur, les stucs et les ors (XIXe siècle) donnent à l'ensemble une magnificence digne des basiliques romaines. Le retable en bois doré (1520) de l'école flamande est particulièrement remarquable.

**Marine bleue** (G. Lacombe), musée des Beaux-Arts

## LES FRÈRES BÜLHER

Méconnus, Denis (1811-1890) et Eugène (1822-1907) Bülher ont révolutionné l'art du jardin. Laissant libre cours à la fantaisie, leur conception chahute les lignes droites de l'ordonnancement classique à la française. Les frères Bülher ont créé une centaine de jardins, dont une vingtaine en Bretagne, parmi lesquels

Le jardin du Thabor dessiné par les frères Bülher

figurent celui du château de Kervenez à Saint-Pol-de-Léon et celui de la Briantais à Saint-Malo. Mais c'est à Rennes que le tandem signe sa plus belle réalisation. Dans le goût des parcs du XIXᵉ siècle, le jardin du Thabor épouse les reliefs et s'agrémente de bâtiments (serres, kiosque, volière). Les arbres, exotiques ou indigènes, sont utilisés pour encadrer une perspective agréable.

### 🏛 Musée des Beaux-Arts

20, quai Émile-Zola. 📞 02 99 28 55 85. ⬤ mar. et jours fériés. 🈺

Les œuvres exposées couvrent les principales périodes de l'histoire de l'art. Le cabinet de Robien (p. 57) réunit des dessins de Léonard de Vinci, Botticelli, Donatello et Dürer. Outre les primitifs italiens, la collection de peinture suscite l'admiration avec la section du XVIIᵉ siècle, qui rassemble Le Brun, Philippe de Champaigne, la *Chasse au tigre* de Rubens et le *Nouveau-né* de Georges de La Tour, pièce maîtresse du musée. L'art moderne est représenté par des peintres comme Lacombe, Corot, Gauguin, Sisley, Denis et Caillebotte. Une des *Baigneuses* de Picasso, exécutée à Dinard, côtoie des toiles de Kupka et Juan Gris. Le département contemporain comprend des œuvres de Poliakoff, Nicolas de Staël, Raymond Hains ou encore Dufrêne.

### 🏛 Écomusée de la Bintinais

Route de Châtillon-sur-Seiche par la D82, à 4 km au sud de Rennes. 📞 02 99 51 38 15. ⬤ mar. et jours fériés. 🈺

La ferme de la Bintinais est longtemps restée une grosse exploitation du pays rennais. Aujourd'hui, elle a été convertie en musée vivant, qui retrace l'histoire du monde rural au travers de la vie quotidienne, l'habitat, les costumes. Des champs ont été remis en culture pour présenter les différentes pratiques agricoles, un verger-conservatoire a été créé pour sauvegarder des variétés de pommes à cidre menacées. Les races locales en voie de disparition sont élevées sur le domaine

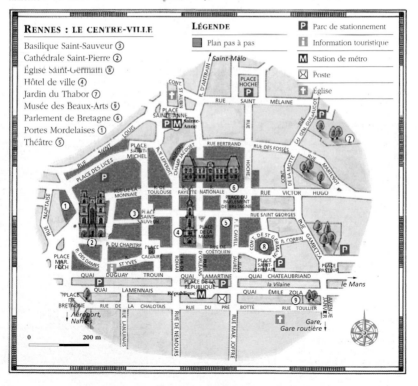

**RENNES : LE CENTRE-VILLE**

Basilique Saint-Sauveur ③
Cathédrale Saint-Pierre ②
Église Saint-Germain ⑧
Hôtel de ville ④
Jardin du Thabor ⑦
Musée des Beaux-Arts ⑨
Parlement de Bretagne ⑥
Portes Mordelaises ①
Théâtre ⑤

**LÉGENDE**

■ Plan pas à pas
🅿 Parc de stationnement
ℹ Information touristique
Ⓜ Station de métro
✉ Poste
✝ Église

0        200 m

# Parlement de Bretagne

Bâti de 1618 à 1655, le parlement de Bretagne est un édifice majeur du paysage rennais. Salomon de la Brosse, architecte du palais du Luxembourg à Paris, a conçu la façade dans le goût italien, tandis que la cour intérieure, en brique et de pierre, suit la tradition française. À l'intérieur, les décors soulignent l'importance accordée au pouvoir breton : la salle des Pas-Perdus, ornée des armes de Bretagne et de France, le plafond de la Grand'Chambre, créé par le premier peintre de Louis XIV, l'illustrent somptueusement. Le 5 février 1994, un incendie embrase le parlement. Il faudra cinq ans de travaux pour lui rendre son éclat d'antan.

**★ Salle des Assises**
*L'ensemble du mobilier des salles d'audience (tables, bancs) est réalisé en chêne, l'éclairage assuré par des lustres classiques et contemporains.*

**Ancienne salle du Conseil de la Chambre criminelle**

**★ Salle des Pas-Perdus**
*La porte percée d'ouvertures ornées de ferronneries mène à une salle où des caissons à moulures saillantes forment la voûte en bois sculpté.*

**Salle Jobbé-Duval**
*En 1866, Félix Jobbé-Duval signe les derniers décors peints du parlement : des allégories dont on peut admirer l'Éloquence ici.*

**Fronton**

**Salle des Piliers**
*L'intérieur du parlement marie pierre et brique. Cette tradition française vient en contrepoint de la façade au style italianisant voulue par Gabriel. Au rez-de-chaussée, le palais ouvre sur la salle des Piliers.*

---

**À NE PAS MANQUER**

---

**★ Salle des Pas-Perdus**

---

**★ Salles des Assises**

---

**★ Grand'Chambre**

**Galerie supérieure**
*Les salles d'audience du niveau supérieur, l'étage noble, sont distribuées par des galeries qui ceinturent la cour.*

**MODE D'EMPLOI**

Place du Parlement-de-Bretagne. 02 99 67 11 11. www. parlement-bretagne.com et www.france-ouest.com/parlement. obligatoire, se renseigner à l'office de tourisme.

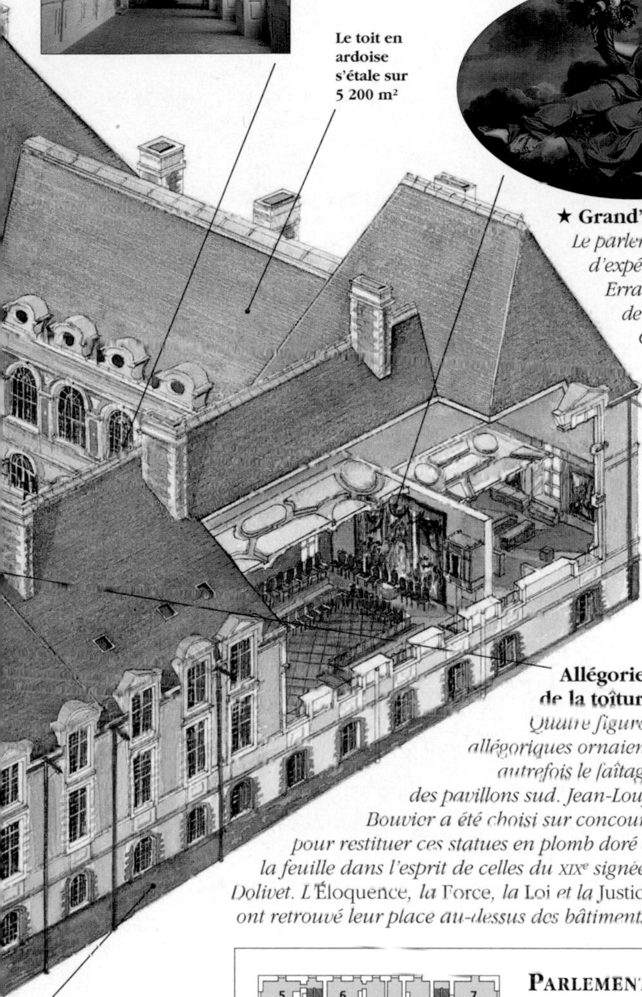

**Le toit en ardoise s'étale sur 5 200 m²**

**★ Grand'Chambre**
*Le parlement sert de terrain d'expérimentation à Errard pour les décors de Versailles. Pour la Grand'Chambre, il fait appel à son élève favori, Noël Coypel, et, pour la Première Chambre civile, à Jean-Baptiste Jouvenet. Les deux peintres signent des tableaux allégoriques.*

**Allégories de la toiture**
*Quatre figures allégoriques ornaient autrefois le faîtage des pavillons sud. Jean-Loup Bouvier a été choisi sur concours pour restituer ces statues en plomb doré à la feuille dans l'esprit de celles du XIXᵉ signées Dolivet. L'Éloquence, la Force, la Loi et la Justice ont retrouvé leur place au-dessus des bâtiments.*

**Les bâtiments** de la partie basse étaient réservés à un usage cérémoniel ou religieux.

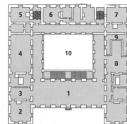

**PARLEMENT DE BRETAGNE**

1 Salle des Pas-Perdus
2 Salle Jobbé-Duval
3 Chapelle
4 Salle des Assises
5 Bureau du Premier président
6 Deuxième Chambre
7 Première Chambre
8 Grand'Chambre
9 Bibliothèque
10 Cour et galeries

Le château de Trécesson, construit à la fin du XVIᵉ siècle, est entièrement entouré d'eau

## Paimpont ❷

**Carte routière** E3. À 30 km au sud de Rennes par la N24 puis par la D38. 🚍 *Rennes.* ⛪ *1 385.* ℹ️ *Pays de Brocéliande, 37, av. de la Libération, Plélan-le-Grand (02 99 06 86 07).* 🎪 *pardon (Pentecôte).*

Le village s'est développé autour d'une abbaye fondée au VIIᵉ siècle. Seuls un bâtiment du XVIIᵉ siècle, actuelle mairie, et l'abbatiale du XIIIᵉ siècle ont survécu. Celle-ci renferme des éléments romans, une rosace gothique et de remarquables boiseries du XVIIᵉ siècle. Le site offre de nombreuses randonnées à travers la forêt de Brocéliande.

**AUX ENVIRONS :** les bâtiments industriels des **Forges-de-Paimpont**, à 5,5 km de

**La forêt de Paimpont, vestige de la forêt de Brocéliande**

Paimpont par la D773, évoquent le passé sidérurgique du village. Les premières forges s'installent en 1663. Mais l'essor des bassins sidérurgiques du Nord et de l'Est de la France marque leur déclin.

## Forêt de Paimpont ❸

**Carte routière** E3. De part et d'autre du bourg de Paimpont. ℹ️ *Pays de Brocéliande, 37, av. de la Libération, Plélan-le-Grand (02 99 06 86 07).*

La forêt, mythique Brocéliande des légendes celtes, fait référence à l'immense forêt qui recouvrait presque toute la Bretagne intérieure. Aujourd'hui, le massif de Paimpont en demeure l'unique vestige et est jalonné de sites qui ont nourri les légendes arthuriennes. Résidence de la fée Viviane, le **château de Comper** abrite le **centre de l'Imaginaire arthurien** qui organise expositions, spectacles et randonnées. Le bâtiment, reconstruit au XVIIIᵉ siècle dans le style Renaissance, a conservé trois tours du XIVᵉ siècle.
En suivant la D31 vers le nord-est, on croise le **tombeau de Merlin** et la **fontaine de Jouvence**. L'arbre qui ombrage le tombeau est envahi de curieux ex-voto.

Depuis le hameau de Folle-Pensée, on gagne à pied la **fontaine de Barenton** où, jadis, les jeunes filles jetaient une épingle pour trouver un mari. Les druides, dit-on, y soignaient les malades atteints de « folles pensées ».

**AUX ENVIRONS : Coëtquidan** est le siège de l'école de Saint-Cyr. Un **musée de l'Armée** y est installé et présente notamment les dons d'anciens saint-cyriens comme le général de Gaulle, par exemple. C'est ici que Merlin aurait rencontré la fée Viviane. À l'ouest, l'étonnante **chapelle de Tréhorenteuc** renferme des mosaïques et des vitraux sur le roman de la Table Ronde. Ici démarre la **promenade du Val-sans-Retour**, domaine de la fée Morgane, demi-sœur d'Arthur, qui y attirait les hommes infidèles. On longe l'**étang du Miroir- aux-Fées** pour grimper sur la lande puis s'enfoncer dans la vallée. Plus au sud, le **château de Trécesson** en schiste rouge date du XVᵉ siècle.

⚜️ **Centre de l'Imaginaire arthurien**
*Château de Comper.* 📞 *02 97 22 79 96.* ⬛ *avr.- oct. : t.l.j. sauf mar. Animations en juil.-août le dim.*
⚜️ **Château de Trécesson**
⬛ *au public.*
🏛️ **Musée de l'Armée**
*Coëtquidan.* 📞 *02 97 73 52 99.* ⬛ *t.l.j. sauf lun.* ⬛ *janv.*

# Les romans de la Table Ronde

**Le chevalier Tristan enlève la reine Iseult**

De très nombreux romans composent le cycle de la littérature arthurienne : de Chrétien de Troyes (XIIᵉ siècle) à Sir Thomas Malory (XVᵉ siècle), on dénombre près de cent ouvrages racontant, d'abord en vers, puis en prose, tantôt en français, en anglais ou en saxon, les aventures de Gauvain, les amours de Tristan et Iseult aux blanches mains, l'irrésistible ascension d'Arthur, le destin tragique de Merlin, l'institution de la Table Ronde, les enchantements de la terre de Bretagne, la quête du Saint Graal ou encore l'épique bataille de Salesbières. Au carrefour de plusieurs idéologies, cette littérature opère un véritable brassage entre survivances païennes celtiques, indo-européennes, et dialectique chrétienne, témoignant de la construction culturelle du haut Moyen Âge. Longtemps ignorée, la matière arthurienne fut redécouverte en France au début du XXᵉ siècle (grâce au travail remarquable du médiéviste Joseph Bédier) et inspira non seulement la littérature, mais également la musique (*Parsifal*, de Wagner), et le cinéma (*Excalibur*, de John Borman).

*La conception de Merlin, fils du diable et d'une pieuse mortelle.*

**Des anges** portent le Graal, témoins de la récupération chrétienne du mythe.

**Le Graal** renouvelle le mystère de l'Eucharistie.

**Galaad** le Pur sera victorieux dans la quête.

## LE GRAAL
apparaît aux chevaliers de la Table Ronde dans *La Queste del Saint Graal*. Flottant dans les airs, il dispense une nourriture divine aux convives tandis qu'une voix céleste les invite à entreprendre sa quête.

*Fresque de Viollet-le-Duc representant Le Roi Arthur et les chevaliers de la Table Ronde qui portent leurs couleurs habituelles.*

*Les amours malheureuses de Merlin et de Viviane Aveuglé par sa passion, l'enchanteur enseigna à son élève les secrets qui le conduisirent malheureusement à sa perte.*

Le très beau cloître de Saint-Sauveur à Redon date du xviie siècle

# Redon ❹

**Carte routière** E3. 🏠 *10 500.*
🚉 🛈 *pl. de la République*
*(02 99 71 06 04).* 🗓 *lun. ven.
et sam.* 🎵 *Nocturiales (musique
baroque et celtique) en juil.-août.*

Cette ville-frontière située aux confins des départements de l'Ille-et-Vilaine, de la Loire-Atlantique et du Morbihan, était célèbre dès le IXe siècle en raison de son abbaye bénédictine, la plus influente de Bretagne. Le premier texte important de l'histoire bretonne, le cartulaire de Redon *(p. 37)* y a été rédigé. Ce précieux cartulaire décrit la vie économique et sociale à l'époque du roi Nominoë. Nœud routier, ferroviaire et fluvial, la ville a su diversifier ses activités et devenir un pôle industriel, avec l'installation de plusieurs entreprises au xxe siècle.
Le centre historique déploie ses maisons à pans de bois des xve, xvie et xviie siècles autour de la **Grande-Rue**.
Sur le port, des demeures à encorbellement voisinent avec les hôtels d'armateurs des xviie et xviiie siècles.
D'anciens greniers à sel du xviie siècle ont été restaurés aux nos 32, 36 et 40 de la **rue du Port**. Quai Jean-Bart, le **musée de la Batellerie** retrace l'histoire de la navigation fluviale en Bretagne au travers de documents et de maquettes.

L'**abbaye Saint-Sauveur**, la plus importante de Bretagne au Moyen Âge rappelle la puissance de son ordre. Isolé du reste, son clocher roman en grès et en granit, pourvu de trois étages percés d'ouvertures, est unique en Bretagne. À l'intérieur, la nef romane à voûte de bois contraste avec le chœur, aux piliers en quatre-feuilles, et les chapelles gothiques. Le cloître a été reconstruit au xviie siècle.

**AUX ENVIRONS :** à 10 km au nord, la marque Yves Rocher et le Muséum national d'Histoire naturelle se sont associés pour créer le **Végétarium de La Gacilly,** qui présente le monde végétal au travers de ses différents usages (plantes aromatiques et médicinales) et milieux (désert, forêt tropicale).
À 20 km à l'est, **Saint-Just** possède un important site mégalithique - découvert suite à un incendie en 1989 disséminé sur l'allée couverte de **Tréal** et les **landes de Coujoux**, crête étroite de mégalithes sur plusieurs kilomètres. Encore plus au nord, à Lohéac, le **manoir de l'Automobile** expose plus de 200 voitures de collection : Rolls-Royce, Ferrari, Lamborghini, Cadillac, voitures d'avant-guerre… Un circuit de kart complète les installations.

Le manoir de l'Automobile à Lohéac

🏛 **Musée de la Batellerie**
Quai Jean-Bart. 📞 *02 99 72 30 95.*
◯ *t.l.j. de mi juin à mi-sept.* 📷
🛈 **Abbaye de Saint-Sauveur**
Place Saint-Sauveur. 📞 *02 99 71 06
04.* 📅 *8 juil.-août le lun. et le mer.*
🌿 **Végétarium de La Gacilly**
La Croix-des-Archers
📞 *02 99 08 35 84.* ◯ *de fin avr.
à mi-juin et de mi-sept. à mi-oct. :
week-end et jours fériés ; de mi-juin
à fin sept : t.l.j.* ⬤ *nov.-mars.* 📷
🏠 **Site de Tréal
et landes de Coujoux**
◯ *toute l'année.* 📞 *02 99 72 61 02.*
📅 *de fin juin à mi-sept.*
🏛 **Manoir de l'Automobile**
Lohéac, sur la D177.
📞 *02 99 34 02 32.* ◯ *t.l.j. en juil.-
août.* ⬤ *lun. le reste de l'année.*

---

## LES ÉGLISES À RETABLES

En réaction à l'austérité protestante, la Contre-Réforme bretonne a exalté la foi catholique par la magnificence ornementale. Qu'ils soient en bois ou en pierre, les retables embrasent les autels d'ornements baroques surabondants. La Guerche-de-Bretagne se situe au cœur d'une région où les artistes lavallois ont excellé dans ce domaine. Houdault, Corbineau et Langlois ont donné vie au marbre de Laval et du Mans ainsi qu'au tuffeau de la Loire créant des consoles, des pyramides, des angelots, des rinceaux de feuilles et des guirlandes de fruits.

Détail du retable de Domalain

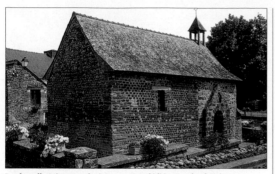

La chapelle Sainte-Agathe à Langon est dédiée au culte de Vénus

## Langon ❺

**Carte routière** E3. À 20 km au nord-est de Redon par la D177 puis la D55. 🏠 1 261.

L e bourg est séparé de la Vilaine par le marais de l'Étier. Rare monument gallo-romain, la **chapelle Sainte-Agathe**, dédiée au culte de Vénus, comporte, derrière son autel, une fresque représentant Vénus sortant des eaux et Éros chevauchant un dauphin. L'église Saint-Pierre mérite une halte pour son clocher original environné de douze clochetons. Sur la lande du Moulin, se dresse un alignement de menhirs baptisé « **Demoiselles de Langon** ». On raconte que des jeunes filles ayant préféré danser dans la lande plutôt que d'assister aux vêpres, auraient été pétrifiées en guise de châtiment.

## Grand-Fougeray ❻

**Carte routière** E3. À 30 km au nord-est de Redon, par la D177 puis la D54. 🏠 4 123.

L a tour Du Guesclin demeure l'unique vestige du château médiéval du Grand-Fougeray. La forteresse appartenait aux Rieux, alliés du duc de Bretagne Jean IV contre le connétable Olivier de Clisson. En 1350, un capitaine anglais occupe les lieux. Du Guesclin (p. 41) et ses hommes prennent d'assaut le château qui redevient français. Il porte depuis le nom de son libérateur.

## La Guerche-de-Bretagne ❼

**Carte routière** F3. À 20 km au sud de Vitré par la D178. 🏠 4 090. 🛈 pl. Charles-de-Gaulle (02 99 96 30 78). 🛒 mar.

À la lisière de la Mayenne, La Guerche fait partie de ces places fortes des marches de Bretagne. Profitant de sa situation géographique, le bourg devient très tôt un centre d'échanges, réputé notamment pour le commerce des toiles de lin ( p.104). L'actuel marché, qui s'est tenu pour la première fois en 1121, est l'un des plus anciens de France. Autour de la place principale, sont regroupées des maisons à pans de bois (XVIe siècle et XVIIe siècles). Les pignons multiples de la **collégiale Notre-Dame** illustrent à merveille le gothique flamboyant (p. 19) de Haute-Bretagne. Édifiée

aux XVe et XVIe siècle, l'église possède d'exceptionnelles stalles Renaissance (1525) dont les sculptures symbolisent les sept péchés capitaux. Sa voûte en berceau bleu nuit et ses vitraux du XVe siècle retiennent aussi l'attention.

**AUX ENVIRONS :** à 15 km à l'ouest de La Guerche, se dresse **La Roche-aux-Fées**, l'un des plus importants dolmens à portique de France, érigé au cours du IIIe millénaire av. J.-C. Ses 41 blocs de pierre, dont certains pèsent 45 t, courent sur 19,50 m et atteignent 4 m de hauteur. L'intérieur est formé de quatre chambres. Les scientifiques s'interrogent toujours sur son utilité et la méthode employée pour sa construction.

À 15 km au sud de La Roche-aux-Fées, les étangs et les bois autour de **Martigné-Ferchaud** font l'objet d'un vaste programme de protection pour l'accueil des oiseaux migrateurs. Autour de l'**étang de la Forge**, canards, foulques et petits échassiers s'abritent près des anciens bâtiments de la forge (1672).

🏛 **Collégiale Notre-Dame** Pl. Charles-de-Gaulle. 📞 02 99 96 30 78. ⏰ t.l.j. 🎥 lun. au ven. l'été ; sur demande hors saison.

🏛 **La Roche-aux-Fées** De La Guerche, prendre la D178 vers Chateaubriant puis la D47 vers Retiers et la D41 vers Janzé, le site est à 2 km de Retiers, ⏰ t.l.j. Visite libre.

La Roche-aux-Fées, monument mégalithique de 19,50 m de longueur

## Vitré ❽

**Carte routière** F3. 🏛 *15 910.* 🚉
ℹ *pl. Saint-Yves (02 99 75 04 46).*
🛍 *lun. et sam.*

Étonnamment préservée,
cette ville fortifiée aux
pittoresques demeures s'est
enrichie jusqu'à la fin du
XVIIᵉ siècle grâce au
commerce des toiles qui
s'exportaient à travers l'Europe
et jusqu'en Amérique du Sud.
En 1472, la confrérie de
l'Annonciation regroupe ces
marchands internationaux.
Laval, Montmorency,
Montfort, les puissants
seigneurs qui se sont succédé
ici ont joué un rôle
prépondérant dans l'histoire
de la région. Au XVIᵉ siècle,
une véritable cour s'installe
à Vitré autour de Guy XVI.
Formidable forteresse des
marches de Bretagne, le
**château**, juché sur un éperon
rocheux, a été agrandi à partir
du XIIIᵉ siècle. L'entrée est
défendue par un châtelet
flanqué de tours à
mâchicoulis. Une enceinte
triangulaire renforcée de tours
protège l'ensemble. Le **musée**
abrite un remarquable
triptyque du XVIᵉ siècle orné
de 32 émaux de Limoges ainsi
que des sculptures médiévales
et Renaissance, des tapisseries
des XVIᵉ et XVIIᵉ siècles et des
peintures bretonnes.
Du haut de la tour
Montafilant, s'offre
un superbe
panorama sur
la ville.

Dans la rue du même
nom, l'**église Notre-
Dame**, reconstruite
de 1420 à 1550, est de
style gothique flamboyant,
comme l'illustre sa façade
sud hérissée de pignons.
À l'intérieur se trouvent
des retables *(p. 64)* et un
beau vitrail Renaissance.
Une plaque rappelle
l'existence de Gilles de
Rais *(p. 41)*, seigneur de
Vitré et maréchal de France.
Ce compagnon de
Jeanne d'Arc fut pourtant
exécuté pour avoir égorgé
des enfants. Autour de
l'église, la rue d'Embas,
la rue Baudrairie, la rue
Saint-Louis et la rue de
Paris réunissent les plus
belles demeures médiévales
et Renaissance de la ville.

**AUX ENVIRONS :** à 9 km
à l'ouest, la **collégiale
de Champeaux** (XVᵉ siècle)
témoigne de la puissance
passée des seigneurs
d'Espinay. Elle renferme
des stalles Renaissance
à baldaquin aux
remarquables sculptures,
ainsi qu'une verrière due
au flamand Jehan Adrian
(XVIᵉ siècle).

🏰 **Château de Vitré
et musée**
Pl. du Château. 📞 *02 99 75 04 54.*
⭕ *t.l.j. d'avr. à sept.* ● *mar. d'oct.
à mars et les sam., dim. et lun.
matins.* 🎫
🛐 **Collégiale de Champeaux**
Sur la D29. 📞 *02 99 49 82 99 (rens.
mairie).* ⭕ *t.l.j.*

**Les armes de Bretagne,
église Notre-Dame à Vitré**

## Château des Rochers-Sévigné ❾

**Carte routière** F3. À 8 km au
sud-est de Vitré par la D88.
📞 *02 99 75 04 54.* ⭕ *t.l.j. d'avr.
à sept.* ● *mar. d'oct. à mars et
les sam., dim. et lun. matins.* 🎫

À 8 km au sud-est de Vitré,
ce château du XVᵉ siècle,
remanié par la suite,
s'organise autour d'un plan
à deux ailes en équerre.
À l'angle, une tourelle
polygonale abrite l'escalier.
À l'opposé, la tour circulaire
est antérieure au XVᵉ siècle.
La chapelle (XVIIᵉ siècle) est
coiffée d'un toit en forme
de carène à lanternon.
Au rez-de-chaussée de la
tour nord, une salle montre
le plan du château tel qu'il
était en 1763. À l'étage,
on pourra voir le portrait
de Madame de Sévigné.
Le château ouvre sur un
élégant **jardin à la française**
créé au XVIIᵉ siècle par Charles
de Sévigné,
fils de
l'épistolière.

**Le château de Vitré abrite un riche musée**

Maisons à pans de bois du quartier du Marchix à Fougères

# Fougères ❿

**Carte routière** F2. 🏯 22 800. 🚉 🚌 *pl. de la République.* ℹ️ *pl. Aristide-Briand (02 99 94 12 20).* 🅿️ *sam. ; marché aux bovins le ven. matin de 5 h à 9 h.* 🎭 *Voir des pays (musique bretonne et d'ailleurs) en juil. Fêtes des Angevines (début sept.).*

Implantée sur les marches de Bretagne, Fougères est passée de mains en mains au cours des siècles. L'invasion française de 1488 *(p. 41)* a déferlé par la ville, et la défaite des Bretons à la bataille de Saint-Aubin du Cormier a sonné le glas de leur indépendance.

Chef-d'œuvre de l'architecture militaire médiévale, le **château** présente une stature imposante. Édifiée entre le XIIᵉ et le XVᵉ siècle, son enceinte flanquée de treize tours défend une surface de 2 ha. Le plan affirme le caractère distinctif des forteresses du XIIᵉ siècle : ses lignes dessinent un cercle concentrique. Au XVᵉ siècle, avec l'apparition de l'artillerie, les murs sont renforcés et des embrasures aménagées pour laisser passer la gueule des canons. De cette époque datent les tours du châtelet de l'Avancée, de Coëtlogon, du Cadran, de Guibé et de Coigny. Le chemin de ronde offre un beau point de vue sur la ville.

L'**église Saint-Sulpice**, au clocher élancé, a été bâtie entre le XVᵉ et le XVIIIᵉ siècle dans le style gothique flamboyant. Dans le transept, les deux retables de granit du XVᵉ siècle contrastent avec le retable monumental du chœur (XVIIIᵉ siècle). On admirera aussi une belle *Vierge à l'Enfant* (XIVᵉ siècle) en calcaire polychrome.

Au pied du château, le bourg Vieil possède de vieilles maisons à pans de bois, notamment **place du Marchix** et rue de Lusignan. Incendié plusieurs fois, le bourg Neuf, qui surplombe le château, a été reconstruit au XVIIIᵉ siècle sur le modèle de Rennes. Rue Nationale, le **musée Emmanuel-de-La-Villéon** occupe une maison à porche typique de la Haute-Bretagne des XVᵉ-XVIᵉ siècles avec pans de bois et encorbellement. Outre 70 toiles des XVIIᵉ et XVIIIᵉ siècles, le musée expose 18 compositions d'Emmanuel de La Villéon (1858-1944), impressionniste né à Fougères, dont l'œuvre puise dans les paysages et les scènes quotidiennes en Bretagne.

Le château de Fougères, chef-d'œuvre d'architecture militaire

**AUX ENVIRONS :** à 20 km au nord-ouest, le **parc floral de Haute-Bretagne** a été créé au XIXᵉ siècle dans l'esprit des parcs paysagers à l'anglaise.

⚜️ **Château de Fougères**
Pl. Pierre-Symon. 📞 02 99 44 79 59.
⏰ *t.l.j.* ⬤ *janv.*
🏛️ **Musée Emmanuel-de-La-Villéon**
Rue Nationale. ⏰ *mi-juin à mi-sept. t.l.j. ; hors saison de mer. à dim.* ⬤ *janv.*
🌸 **Parc floral de Haute-Bretagne**
La Foltière, Le Châtellier.
📞 02 99 55 48 32. ⏰ *mars-nov. : t.l.j.* ⬤ *nov.-mars.* ♿

---

## LES LETTRES DE LA MARQUISE DE SÉVIGNÉ

Le verbe si bien tourné de Madame de Sévigné imprègne encore les murs du château des Rochers-Sévigné. Marie de Rabutin-Chantal épouse en 1644 le marquis Henri de Sévigné, libertin et dépensier. Après la mort en duel de ce dernier, la marquise se retire pour de longs séjours aux Rochers. Elle occupe ses journées en écrivant de longues et fréquentes lettres à sa fille – elle en écrira près de 300 –, la comtesse de Grignan, partie vivre dans la Drôme. La vivacité de cette correspondance a traversé les siècles et éveille encore l'émotion des lecteurs.

**Marie de Rabutin-Chantal, marquise de Sévigné**

**Les écluses d'Hédé fonctionnent toujours à la main**

# Hédé ⓫

**Carte routière** E2. À 14 km au sud de Combourg par la D795. 🏛 *1 930.* 🚉 *02 99 45 46 18.* 🚢 *mar. et dim.*

« **G**rande, belle et riche, une vue immense de verdure et d'arbres », telle est la vision de Flaubert lorsqu'il dépeint la vallée d'Hédé. Le château n'a gardé qu'une partie de son enceinte et un pan de donjon. L'église du XIᵉ siècle, remaniée au XIIᵉ siècle, a conservé un style roman archaïque. À 1 km au nord, au lieu-dit La Madeleine, la **promenade des Onze-Écluses** qui suit le canal d'Ille-et-Rance, est délicieusement bucolique. Les onze écluses permettent aux bateaux de franchir un dénivelé de 27 m.

# Bécherel ⓬

**Carte routière** E2. À 17 km au nord de Monfort par la D72, la D70 et la D20. 🏛 *660.* 🚉 *9, rue Alexandre-Jehanin (02 99 66 75 23).* 🎭 *fête du Livre ancien (week-end de Pâques).*

**C**ité du livre ancien investie par les bouquinistes, les relieurs et les libraires, Bécherel a gardé un cachet médiéval. Son château, érigé en 1124 et aujourd'hui en ruines, fut arraché aux mains des Anglais par le vaillant du Guesclin en 1374 après un siège de quinze mois. Le commerce du lin et du chanvre dont les toiles fines se vendaient dans toute l'Europe a fait la

richesse de la ville aux XVIIᵉ et XVIIIᵉ siècles. Pour s'en convaincre, il suffit d'admirer l'ensemble homogène que forment ses vieilles maisons bourgeoises en granit.

**AUX ENVIRONS :** à 1 km à l'ouest de Bécherel, le **château de Caradeuc** (XVIIIᵉ siècle), à l'élégante façade Régence, a appartenu au procureur général du parlement de Bretagne La Chalotais (1701-1785), symbole de la résistance bretonne pour avoir tenu tête au pouvoir central. Un magnifique **parc** sert d'écrin à l'édifice. À 6 km à l'est de Bécherel, la commune des **Iffs** porte le nom des arbres centenaires de son enclos paroissial. L'**église** (XVᵉ-XVIᵉ siècles), de style gothique flamboyant, possède 9 admirables verrières (XVIᵉ siècle) réalisées par le Rennais Michel Bayonne.

Au nord, la **fontaine Saint-Fiacre** (XVᵉ siècle) est la seule fontaine close du département.

Sur la route de Tinténiac, le **château de Montmuran** conserve le souvenir de du Guesclin qui a été armé chevalier dans sa chapelle en 1354. Un châtelet du XIVᵉ siècle dont le pont-levis a conservé sa herse précède le corps de logis (XVIIIᵉ siècle), flanqué de tours du XIIIᵉ siècle.

**Sabots du musée de l'Outil et des Métiers, Tinténiac**

🏯 **Château de Caradeuc**
📞 *02 99 66 77 76.* ☐ *parc uniquement : avr.-oct. : t.l.j. ; nov.-mars : le week-end apr.-midi seul.*
🏯 **Château de Montmuran**
📞 *02 99 45 88 88.* ☐ *t.l.j. pour les groupes sur r.-v.* ☐ *tous les apr.-midi de juin à sept. (sauf sam.).*

# Tinténiac ⓭

**Carte routière** E2. À 30 km au nord de Rennes par la N137 puis la D20. 🏛 *2 434.* 🚢 *mer.*

**L**e bourg s'est notamment illustré avec le chevalier de Tinténiac qui combattit aux côtés des chouans.

Au bord du canal, le **musée de l'Outil et des Métiers** présente les outils associés aux métiers ruraux d'autrefois (cordier, bourrelier, maréchal-ferrant, tonnelier…). L'église a été entièrement reconstruite dans le style byzantin au début du XXᵉ siècle.

**AUX ENVIRONS :** à 12 km au nord, le **château de La Motte-Beaumanoir**, maintes fois remanié, abrite aujourd'hui un hôtel. La façade sur cour donne une idée de l'aspect qu'il avait au XVᵉ siècle : un corps de logis rectangulaire à deux étages pourvu d'une tour d'angle abritant l'escalier. En 1776, Jean Thomas de Lorgeril, capitaine de vaisseau enrichi par la guerre de

**La librairie « Le Seanachi », dans la cité du livre de Bécherel**

Le château de Combourg est habité par une descendante du frère aîné de Chateaubriand

course, achète le manoir et lui adjoint deux ailes.

À une dizaine de kilomètres en direction de Dinan, le **château de la Bourbansais**, bâti au XVIe siècle, a été agrandi au XVIIIe siècle. Au rez-de-chaussée, on verra du mobilier du XVIIIe siècle, des tapisseries d'Aubusson et des porcelaines de la Compagnie des Indes. Le parc à la française a été converti en **jardin zoologique**.

🏛 **Musée de l'Outil et des Métiers**
Quai de la Donac. 📞 02 99 23 09 30.
⬜ juil.-sept. : t.l.j. sauf dim. mat.
⚓ **Château et zoo de la Bourbansais**
Pleugueneuc. 📞 02 99 69 40 07.

**Parc** ⬜ d'avr. à sept. t.l.j. ; d'oct. à mars : tous les apr.-midi. **Château** 📷 d'avr. à sept. : t.l.j., d'oct. à mars : week-end et jours fériés. 📷

## Combourg ⑭

**Carte routière** E2. 🚶 4 843. 🔲 🔳
Maison de la Lanterne, pl. Albert-Parent (02 99 73 13 93). 📅 lun. 📷
foire de l'Angevine, 1er lun. de sept.

La cité de Combourg reste étroitement associée à l'écrivain romantique français Chateaubriand qui vécut dans son puissant **château** hérissé de tours en poivrière. L'édifice actuel, de style néo-gothique, remonte aux XIVe et XVe siècles. En 1761,

il passe entre les mains du père de Chateaubriand, alors riche armateur de Saint-Malo. L'enfant y passe de longs séjours qu'il décrira dans les Mémoires d'outre-tombe. À l'intérieur, dans la salle des archives, on verra la table de travail, le fauteuil et le lit de mort de l'écrivain, ainsi qu'un buste réalisé par David d'Angers. Sinon, l'aménagement intérieur, qui suit les préceptes de Viollet-le-Duc, a été restauré en 1075. Le **parc** à l'anglaise est l'œuvre des frères Bülher (p. 59).

AUX ENVIRONS : à 15 km au nord-est de Combourg, le **château de Landal**, ceinturé de remparts, occupe un très beau site. Le fort a appartenu aux plus grandes familles de Bretagne avant d'être acheté par Joseph de France en 1696. Deux de ses tours d'angle datent du XVe siècle. Un spectacle de fauconnerie très impressionnant est organisé dans la cour du château.

⚓ **Château de Combourg**
📞 02 99 73 22 95. **Parc** ⬜ t.l.j. en juil.-août ; avr.-juin et sept. : t.l.j. sauf mar. **Château** ⬜ juil.-août : t.l.j. ; avr.-juin et sept. : apr.-midi. sauf mardi. ⬤ de fin nov. à fév.
⚓ **Château de Landal**
À 3 km au nord de Broualan, chemin « Aigles de Bretagne ». 📞 02 99 80 10 15. ⬜ d'avr. à nov. : t.l.j. sauf mar.

### FRANÇOIS RENÉ DE CHATEAUBRIAND

« C'est dans les bois de Combourg que je suis devenu ce que je suis », confesse Chateaubriand dans ses Mémoires d'outre-tombe (1830-1841). Né à Saint-Malo en 1768, le maître du romantisme séjourne au château familial avant de quitter les terres de son enfance en 1786. Étudiant à Dol, Rennes puis Dinan, il réside régulièrement chez ses sœurs à Fougères jusqu'en 1791. Atala lui apporte la gloire en 1801 et le Génie du Christianisme consacre son talent. Journal de sa vie, les Mémoires d'outre-tombe sont considérées comme son chef-d'œuvre.

**François René de Chateaubriand**

## Dol-de-Bretagne ⓯

**Carte routière** E2. 🐏 *5 020.*
🚉 🚶 *3, Grande-Rue-des-Stuarts*
*(02 99 48 15 37).* 🌅 *sam.* 🎭 *Fête
folklorique (dernier dim. de juil.) ;
marché de Noël.*

Ancienne capitale
religieuse du roi breton
Nominoë, Dol doit son
rayonnement à sa cathédrale,
fleuron de l'art gothique.
Vers 548, saint Samson, l'un
des sept moines fondateurs
de la Bretagne, débarque ici
et fonde un monastère.
Malgré les assauts répétés
de la Normandie anglaise et
de la couronne de France,
la ville se développe et jouit
d'un grand prestige jusqu'à
la suppression de son évêché
en 1801. En 1793, elle fut
le théâtre de combats
sanglants entre chouans et
républicains *(p. 46).*
La **cathédrale Saint-
Samson**, qui a succédé à
une église romane incendiée
par Jean sans Terre en 1203,
est un joyau du gothique en
terre bretonne. À l'extérieur,
côté sud, le grand porche
(xive siècle) présente une
remarquable ornementation
qui contraste avec le flanc
nord tourné vers la
campagne et aux allures de
forteresse. À l'intérieur, les
proportions du vaisseau
impressionnent : 93 m de
long, soit sept travées à trois
étages (grandes arcades,
triforiums, fenêtres hautes),
et une voûte culminant à
20 m de haut. La forme des
piliers, les arcades et les
motifs stylisés suivent
l'influence anglo-normande
et rappellent plus
particulièrement la
cathédrale de

Salisbury. Dans le bas-côté
nord, on pourra admirer un
*Christ aux outrages* très
expressif. Le splendide
tombeau de Thomas James,
évêque de Dol de 1482 à
1504 occupe le croisillon
nord. Cette œuvre du
xvie siècle, dont les figures
sculptées s'inspirent de
l'Antiquité, constitue le
premier témoignage de la
Renaissance en Bretagne.
Elle provient de l'atelier du
Florentin Jean Juste, auteur
du tombeau de Louis XII
conservé à la basilique Saint-
Denis près de Paris. Dans le
chœur, les 77 stalles
(xive siècle) sont éclairées
par une exceptionnelle
verrière à médaillons du
xiiie siècle. Certains vitraux
comptent parmi les plus
anciens de Bretagne.
Sur la place de la cathédrale,
le **cathédraloscope** est
installé dans l'ancien palais
épiscopal. Au moyen d'une
scénographie moderne,
l'histoire des cathédrales y
est retracée. Plusieurs thèmes
sont abordés : les techniques
de construction, les
différents corps de métier,
la symbolique de l'élévation,
l'art des vitraux.
Derrière le chevet de la
cathédrale, la **promenade
des Douves** longe les
remparts nord où la vue
s'étend sur les marais
et le mont Dol. La **Grande-
Rue-des-Stuart** où s'alignent
les maisons à porche et à
piliers, offre un aperçu de la
ville au Moyen Âge.
Au no 17, la **maison des
Petits-Palets**, aux arcades
romanes ouvragées constitue
l'un des rares exemples
d'architecture civile
du xiie siècle en

France. En face, un porche
s'ouvre sur la **cour aux
Chartiers** qui date du
xve siècle.
Au no 18, le logis de
la Croix verte est une
ancienne auberge des
Templiers (xiie siècle).
Au no 27, des colonnes
polygonales à chapiteaux
sculptés soutiennent le
porche de la **maison de
la Guillotière**.

🔒 **Cathédrale
Saint-Samson**
Pl. de la cathédrale. 🎫 *en juil.-août
t.l.j. sauf dim. ; hors saison sur r.-v.*
**Concerts** *le jeu. soir en juil.-août.*
🏛 **Cathédraloscope**
Pl. de la cathédrale. 📞 *02 99 48 35
30.* ⭕ *t.l.j.* ⬤ *janv.*

**Le menhir du Champ-Dolent
atteint 9,5 m de haut**

## Menhir du Champ-Dolent ⓰

**Carte routière** E2. À environ 2 km au
sud de Dol-de-Bretagne par la D795.
⭕ *t.l.j. Visite libre.*

Formée d'un seul bloc de
granit, la plus haute
– certains disent aussi la plus
belle – des pierres levées de
Bretagne atteint 9,5 m de
hauteur. Selon la légende,
elle serait tombée du ciel pour
séparer deux frères ennemis
qui s'affrontaient dans une
lutte sans merci. L'appellation
« Champ Dolent », ou champ
de douleur, se réfère à cette
légende.

**Les chars à voile fleurissent sur les plages de Cherrueix**

La côte s'allonge en une vaste plaine de sable d'où émerge, presque féerique, Le Mont-Saint-Michel. Les milles nuances de sa silhouette autorisent des prévisions météorologiques qui seraient, paraît-il, aussi précises que le bulletin officiel. Seuls des pieux de chêne, les bouchots, piquent l'horizon. Plantés en mer, ils servent aux mytiliculteurs à élever les moules. Le quart de la production nationale (10 000 t) est originaire de la baie.

Moulins à vent, maisons basses au toit de chaume jalonnent la côte jusqu'à Cancale. Au Vivier-sur-Mer, la **maison de la Baie** présente une exposition permanente sur la mytiliculture, la flore et la faune locale. Des sorties à pied ou en tracteur sont organisées pour découvrir les bouchots dont l'origine remonterait au XIIIe siècle. À Cherrueix, un centre d'entraînement permet de s'initier au char à voile.

**🍴 Maison de la Baie**
Le Vivier-sur-Mer. 📞 02 99 48 84 38.
⬤ Pâques-Toussaint : t.l.j.
⬤ Toussaint-Pâques : le dim.

## Mont-Dol ⑰

**Carte routière** E2. À 2 km au nord de Dol-de-Bretagne par la D155.

Ce rocher granitique de 65 m de haut offre un beau panorama sur la plaine des polders. Tout comme Le Mont-Saint-Michel et le mont Tombelaine voisins, le mont Dol correspond en fait à une ancienne île. À l'époque paléolithique, la région était recouverte de steppes et de marécages. Les chasseurs se nourrissaient de viande de renne, de mammouth, de lion, de rhinocéros, de cheval, d'auroch, d'ours, d'éléphant et de loup, comme en témoignent les ossements d'animaux et les outils de classe mis au jour. Par la suite, le site fut un lieu de culte célébré par les druides. Une légende raconte que saint Michel et le diable auraient livré combat sur le mont Dol, des traces sont encore visibles sur la roche : griffes de Satan, trou du diable creusé par l'archange, empreinte de saint Michel quand celui-ci s'élança pour sauter jusqu'au Mont-Saint-Michel. Au sud du mont Dol, se tient la petite cité du même nom. Dans la nef de l'église, des fresques des XIIe et XIVe siècles retraçant la vie du Christ, ont été découvertes.

## Baie du Mont-Saint Michel ⑲

**Carte routière** E-F1. 🛈 Dol-de-Bretagne (02 99 48 34 53). Prendre garde à la marée montante ainsi qu'aux sables mouvants. 📅 fête des Moules (juil.) ; pardon de Sainte-Anne à Saint-Broladre (juil.) ; pardon du Mouton à Roz-sur-Couesnon (août).

### LES POLDERS

8 000 ans avant notre ère, la mer était à 10 m au-dessous de son niveau actuel. Avec la fonte des glaces due au réchauffement de la planète, la mer s'est engouffrée jusqu'à Saint-Broladre. Par la suite, le marais de Dol a été gagné sur la mer. Les premiers travaux ont débuté au Moyen Âge par la construction de digues, puis les fleuves de la côte ont été détournés et canalisés. Les terres, très fertiles, produisent céréales et légumes. Mais depuis la construction d'un barrage, les cours d'eau ne peuvent plus rejeter les sédiments vers le large à marée descendante et la baie souffre d'envasement à tel point que l'on envisage de rendre le mont à la mer en détruisant une partie de la digue.

**Cultures sur polders dans la baie du Mont-Saint-Michel**

# Le Mont-Saint-Michel

L'abbaye au
X<sup>e</sup> siècle

Saint Michel

Ceint d'une écharpe de brume et cerné par les flots, Le Mont-Saint-Michel, l'une des curiosités les plus étonnantes de la côte française, se dresse fièrement dans le scintillement de la baie, entre Normandie et Bretagne, à l'embouchure du Couesnon. L'ancien Mont-Tombe, doté au VIII<sup>e</sup> siècle d'un modeste oratoire, fut couronné du X<sup>e</sup> au XVI<sup>e</sup> siècle d'une abbaye monumentale, plusieurs fois remaniée, qui double pratiquement sa hauteur. Lieu de pèlerinage particulièrement fréquenté au XII<sup>e</sup> et au XIII<sup>e</sup> siècles, Le Mont continua longtemps d'être pris d'assaut par les « miquelots », venus parfois de très loin pour honorer saint Michel. Le « Mont-Michel », Révolution oblige, fut transformé en prison, avant que sa rénovation ne soit confiée, en 1874, aux Monuments historiques. Il est relié au continent par une digue carrossable depuis 1879.

L'abbaye au
XI<sup>e</sup> siècle

L'abbaye au
milieu du
XVIII<sup>e</sup> siècle

**La chapelle Saint-Aubert**
*Édifié sur le rocher
au XV<sup>e</sup> siècle, l'oratoire
est consacré au fondateur
du Mont-Saint-Michel.*

**Tour Gabriel**

★ **Les remparts**
*La ville a été fortifiée
pendant la guerre de
Cent Ans pour résister
aux assauts des Anglais.*

**Entrée**

## CHRONOLOGIE

| | | | | |
|---|---|---|---|---|
| **966** Fondation d'une abbaye bénédictine | **1211-1228** Construction de la Merveille | **1434** Dernière attaque des Anglais. La ville est ceinte de remparts | **1789** À la Révolution, Le Mont devient prison politique | **1874** La sauvegarde de l'abbaye est confiée aux Monuments historiques |
| | | | | **1922** Restauration du culte dans l'abbatiale |

| **700** | **1000** | **1300** | **1600** | **1900** |
|---|---|---|---|---|

| | | | | |
|---|---|---|---|---|
| **1017** Début des travaux de l'abbaye | **1516** Déclin de l'abbaye | | **1877-1879** Construction de la digue | **1895-1897** Addition de la tour, de la flèche et de la statue de l'Archange |
| **708** Saint Aubert fait construire un oratoire sur Le Mont-Tombe | **1067-1070** Le Mont-Saint-Michel est représenté sur la tapisserie de Bayeux | | | **1969** Retour d'une communauté bénédictine |

*Détail de la tapisserie de Bayeux*

### Les marées

*Les marées sont d'une amplitude exceptionnelle dans la baie. Les sables mouvants n'opposent aucune résistance à la montée des eaux, dont la vitesse peut atteindre 10 km/h aux marées d'équinoxe.*

## MODE D'EMPLOI

🚂 *jusqu'à Pontorson, puis autobus.* 🛈 *bd de l'Avancée (02 33 60 14 30).* 🎉 *Saint-Michel de Printemps (mai).*
**Abbaye** 📞 *02 33 89 80 00.*
⭕ *t.l.j. de 9 h 30 à 16 h 30 d'oct. à fin avr. ; de 9 h 00 à 17 h 30 de mai à fin sept. ; vac. scol. (1ᵉʳ oct. au 30 avr.) : de 9 h 30 à 17 h 00.*
⚫ *les 1ᵉʳ janv., 1ᵉʳ mai, 1ᵉʳ et 11 nov., 25 déc.* 🎫 ✝ *12 h 15 t.l.j.* 📷 ♿ 🚫

### ★ L'abbaye

*Protégées par de hautes murailles, l'abbaye et son église occupent une position imprenable.*

**Le saut Gauthier**
*Situé au sommet du Grand Degré, on y jouit d'une vue magnifique sur le sud de la baie.*

**Église Saint-Pierre**

**Tour de la Liberté**

**Tour du Roi**

**La tour de l'Arcade**, où logeaient les gardes.

## À NE PAS MANQUER

★ L'abbaye

★ Les remparts

★ La Grande-Rue

### ★ La Grande-Rue

*L'ancien itinéraire des pèlerins jusqu'aux portes de l'abbaye, aujourd'hui envahi de touristes et de boutiques de souvenirs, longe l'église Saint-Pierre.*

# L'abbaye du Mont-Saint-Michel

**L**'histoire du Mont-Saint-Michel est sensible au travers de son architecture même. L'abbaye qui le domine connut des affectations diverses, passant du monastère bénédictin à la prison politique. C'est en 1017 que fut construite une première église abbatiale, qui prenait appui sur un édifice préroman du X⁰ siècle, la chapelle Notre-Dame-sous-Terre. Au tout début du XIII⁰ siècle, un imposant monastère à trois niveaux, la Merveille, est adjoint au nord de l'abbatiale, à flanc de rocher.

**Croix dans le chœur**

**★ Église abbatiale**
*La nef ne comprend plus que quatre travées. Les trois autres ont été abattues en 1776.*

**★ Merveille**
*Il n'a fallu que 16 ans pour construire ce chef-d'œuvre de l'art gothique.*

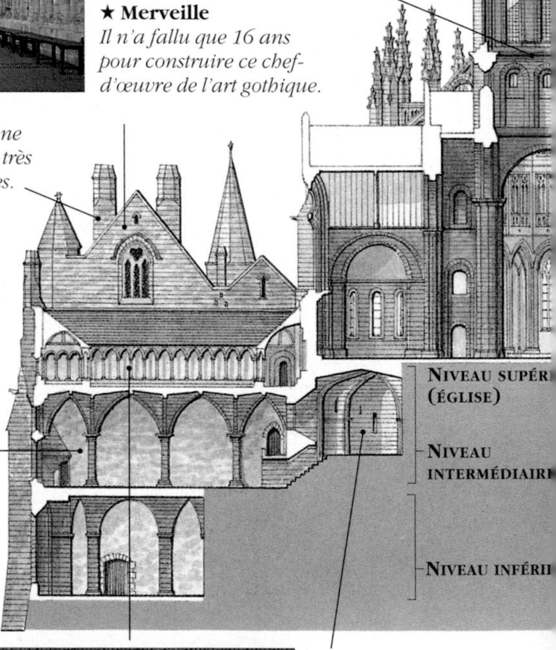

**Réfectoire des moines**
*La grande salle est baignée d'une lumière douce, diffusée par de très étroites et très hautes ouvertures.*

**Salle des Chevaliers**
*Les voûtes et les chapiteaux sont typiquement gothiques.*

**Niveau supér (église)**

**Niveau intermédiair**

**Niveau inféri**

**Notre-Dame-des-Trente-Cierges**
C'est l'une des deux cryptes qui supportent le transept.

**★ Cloître**
*Avec ses colonnettes de poudingue disposées en quinconce, c'est une parfaite illustration du style anglo-normand.*

## VISITE DE L'ABBAYE

*Les trois niveaux de l'abbaye reflétaient l a hiérarchie monastique. Les moines logeaient à l'étage supérieur, où se situaient l'église, le cloître et le réfectoire. Les hôtes de marque étaient reçus par l'abbé à l'étage intermédiaire. À l'étage inférieur étaient hébergés les gardes, ainsi que les pèlerins de modeste condition. Le circuit habituel allait de la terrasse de l'Ouest à l'aumônerie, où les pauvres recevaient l'aumône, transformée aujourd'hui en comptoir de vente.*

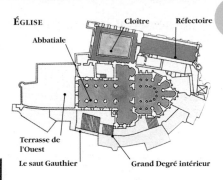

**ÉGLISE**

Abbatiale — Cloître — Réfectoire

Terrasse de l'Ouest

Le saut Gauthier — Grand Degré intérieur

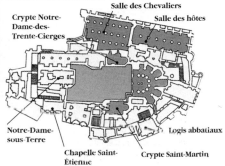

**NIVEAU INTERMÉDIAIRE**

Crypte Notre-Dame-des-Trente-Cierges — Salle des Chevaliers — Salle des hôtes

Notre-Dame-sous-Terre

Chapelle Saint-Étienne — Logis abbatiaux — Crypte Saint-Martin

### Intérieur de l'église

*Le chœur gothique flamboyant, soutenu par des arcs-boutants, fut construit entre 1446 et 1521.*

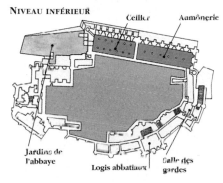

**NIVEAU INFÉRIEUR**

Cellier — Aumônerie

Jardins de l'abbaye — Logis abbatiaux — Salle des gardes

**Crypte Saint-Martin**
Cette chapelle, avec sa voûte en berceau, témoigne de l'austérité de la première abbatiale.

**Les logis abbatiaux**, proches du parvis, permettaient au père abbé de recevoir dignement les hôtes de marque. Les pèlerins plus modestes étaient accueillis à l'aumônerie.

### Les bénédictins
*Une petite communauté de moines bénédictins est de nouveau installée dans l'abbaye, perpétuant ainsi une tradition religieuse vieille de dix siècles.*

**À NE PAS MANQUER**

★ **Église abbatiale**

★ **Merveille**

★ **Cloître**

# Le sentier des douaniers 20

Cette portion du GR34 qui part de Cancale en passant par la pointe du Grouin pour terminer au site des Daules, domine la Manche par des falaises abruptes hautes de 40 m. Le sentier longe la mer d'un côté et une zone résidentielle aux belles maisons modernes de l'autre.

**Port-Mer** 5
Port de plaisance des Cancalais, on y loue dériveurs et planches à voile.

**Pointe du Grouin** 6
À l'est, la vue plonge sur la baie du Mont Saint-Michel ; à l'ouest, le panorama embrasse une enfilade de rivages et de pointes jusqu'au cap Fréhel.

**Chapelle Notre-Dame** 7
Elle domine l'anse du Verger. Dédiée à la Vierge pour la protection des marins, ses murs sont tapissés d'ex-voto.

**Port-Pican** 4
Petite grève de sable fin, idéale pour s'allonger au soleil, surtout le matin, car on est à l'abri des vents d'ouest.

**Port-Briac** 3
Grève de galets où de nombreux Cancalais aiment à pêcher les bigorneaux.

**Site des Daules** 8
On peut entrer librement dans cette ancienne maison de douaniers en pierre.

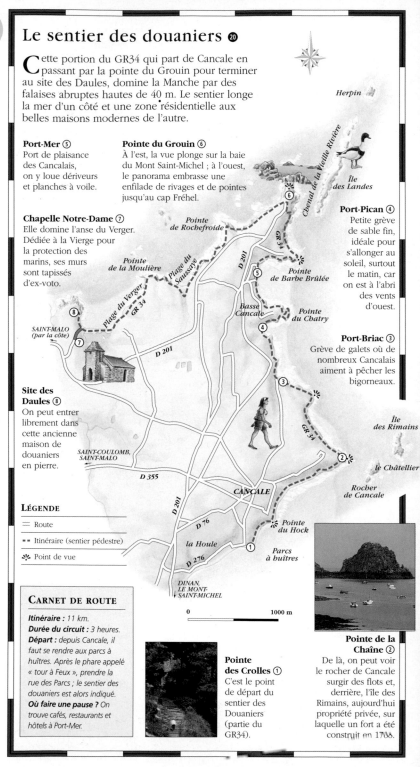

*Herpin*

*Île des Landes*

*Chenal de la Vieille Rivière*

*Pointe de Rochefroide*

*Pointe de la Moulière*

*Pointe de Barbe Brûlée*

*Plage du Saussaye*

*GR 34*

*D 201*

*Plage du Verger*

*GR 34*

*SAINT-MALO (par la côte)*

*Basse Cancale*

*Pointe du Chatry*

*Île des Rimains*

*GR 34*

*le Châtellier*

*Rocher de Cancale*

*SAINT-COULOMB, SAINT-MALO*

*D 355*

*CANCALE*

*D 201*

*D 76*

*la Houle*

*Pointe du Hock*

*Parcs à huîtres*

*D 276*

*DINAN, LE MONT-SAINT-MICHEL*

## LÉGENDE

= Route

▪▪ Itinéraire (sentier pédestre)

⚓ Point de vue

0       1000 m

## CARNET DE ROUTE

**Itinéraire :** 11 km.
**Durée du circuit :** 3 heures.
**Départ :** depuis Cancale, il faut se rendre aux parcs à huîtres. Après le phare appelé « tour à Feux », prendre la rue des Parcs ; le sentier des douaniers est alors indiqué.
**Où faire une pause ?** On trouve cafés, restaurants et hôtels à Port-Mer.

**Pointe des Crolles** 1
C'est le point de départ du sentier des Douaniers (partie du GR34).

**Pointe de la Chaîne** 2
De là, on peut voir le rocher de Cancale surgir des flots et, derrière, l'île des Rimains, aujourd'hui propriété privée, sur laquelle un fort a été construit en 1788.

# Cancale ㉑

**Carte routière** E1. 🗺 5 350. 🚊
ℹ 44, rue du Port (02 99 89 63 72).
🚣 Voile-Aviron, rassemblement
de bateaux traditionnels (juin) ;
fêtes des Reposoirs (15 août) ; fête de
la Confrérie des huîtres (3ᵉ sam. de
sept.). 🚤 dim.

Ce centre ostréicole a
gardé une forte identité.
Aujourd'hui, les huîtres plates
de Cancale sont renommées
pour leur gros calibre. Le long
du port de La Houle, les
maisons de pêcheurs abritent
restaurants, cafés et
boutiques. Les Cancalais ont
été les premiers à ressusciter
leur bateau de travail, la
bisquine qui sert à draguer les
huîtres dans la baie. Il est
possible de faire une
excursion en mer à bord de
l'une d'elles, *La Cancalaise*.
Installé dans l'ancienne église
Saint-Méen (XVIIIᵉ siècle), le
**musée des Arts et
Traditions populaires**
évoque l'ostréiculture, la vie
des marins qui partaient pour
Terre-Neuve pêcher la morue
et celle de leurs épouses dont
le légendaire franc-parler
remonte à l'époque où elles
« criaient » le poisson.

**AUX ENVIRONS :** quartier
résidentiel de Cancale, **Port-
Mer** abrite une excellente
école de voile. Au-dessus de
la plage, des terrasses incitent
à une pause avant de gagner
la pointe du Grouin par le
sentier des douaniers *(voir
ci-contre).*

🏛 **Musée des Arts et
Traditions populaires**
2, rue Vaujoyeux. 📞 02 99 89 71 26.
🕐 t.l.j. juil.-août sauf lun, matin ;
en juin et sept. : du jeu au dim.
l'apr.-midi. 📷
🚤 **Bisquine** *La Cancalaise*
Balades en mer. 📞 02 99 89 77 87.
🕐 t.l.j. d'avr. à oct. 📷

## LA RÉSERVE ORNITHOLOGIQUE DE L'ÎLE DES LANDES

Réserve naturelle depuis 1961, l'île des Landes est séparée
de la pointe du Groin par le chenal de la Vieille Rivière.
Elle abrite la plus grande colonie de grands cormorans en
Bretagne. D'autres espèces se partagent le terrain : le
cormoran huppé, le goéland argenté, le goéland brun, le
goéland marin et l'huîtrier-pie. La réserve accueille
également l'unique canard marin de Bretagne, le tadorne
de Belon. D'août à octobre,
puffins, labbes, fous et autres
oiseaux pélagiques fréquentent
l'île. Une longue-vue est installée
sur place pour observer les
oiseaux de l'île et des sorties
« nature » sont proposées chaque
jour en été par Bretagne Vivante.

**Huitriers-pies sur l'île
des Landes**

**Le début du sentier des douaniers
à la pointe du Grouin**

# Pointe du Grouin ㉒

**Carte routière** E1. 📞 02 98 49 07
18. **Animation** en juil.-août du mar.
au dim. au blockhaus.

Promontoire rocheux le
plus avancé d'Ille-et-
Vilaine, la pointe du Grouin
appartient aujourd'hui au
département. Caractéristiques
du littoral rocheux breton, les
21 ha de landes et de
pelouses littorales du Grouin
sont désormais protégés à la
suite de dégradations
provoquées par l'affluence
anarchique des visiteurs.

Érosion du sol, disparition de
la pelouse calcaire et
piétinement d'espèces
végétales protégées ont
décidé le conseil général à
délimiter un cheminement et
à aménager des zones de
« recolonisation » végétale. Ce
plan a porté ses fruits, mais le
site doit continuer à être
respecté. Lors de la seconde
guerre mondiale, l'armée
allemande a construit un
important réseau de
blockhaus pour exploiter la
position stratégique de la
pointe. La plupart conservent
leur aspect d'alors et l'un
d'eux est devenu un pôle
d'accueil et d'information du
public. Le grand rhinolophe,
espèce de chauve-souris
inscrite au livre rouge des
espèces menacées en France,
niche dans les blockhaus
laissés en l'état. À l'ouest de la
pointe, le sémaphore datant
de 1861 a été modernisé en
1972 et désarmé en 1999.

**AUX ENVIRONS :** maintes fois
détruite, la **chapelle du
Verger** s'abrite dans une
anse dite du « Cul-du-Chien ».
Son clocher sous lequel
s'abritent de nombreux
ex-voto veille sur la plus
grande plage de sable fin
de Cancale.

**Ces bateaux à fond plat naviguent au milieu des parcs à huîtres de la baie de Cancale**

# Saint-Malo intra-muros pas à pas ❷❸

À la fin du XVIIᵉ siècle, Saint-Malo devient le premier port français. En obtenant le monopole du trafic avec les Indes Orientales, les armateurs amassent des fortunes colossales. Après les attaques anglaises de 1693 et 1695, on envisage d'édifier une nouvelle ville fortifiée. Le projet de Siméon de Garangeau l'emporte sur celui de Vauban. De 1708 à 1742, Saint-Malo se développe de façon spectaculaire et gagne le tiers de sa surface. Hélas, au cours des combats d'août 1944, 80 % des bâtiments sont anéantis. La reconstruction respecte l'harmonie antérieure : le granit recouvre le béton, et, dès l'hiver 1944, les monuments sont réhabilités avec des pierres d'origine.

**Depuis Dinard, les promeneurs découvrent le plus belles vues de Saint-Malo**

**La Grande Porte**
À l'intérieur, une niche abrite une statue de Notre-Dame-de-Bon-Secours (XVᵉ siècle).

**La cathédrale Saint-Vincent**

**Porte Saint-Vincent**
*Le principal accès de la ville est percé à travers des murs de granit de 7 m d'épaisseur. Sous les voûtes, un escalier mène au chemin de ronde aménagé au sommet des remparts.*

**Les quatre tours du château** furent construites par François II et Anne de Bretagne.

QUAI SAINT VINCENT

ESPLANADE SAINT VINCENT

PLACE DU POIDS DU ROI

GRANDE RUE

RUE SAINT VINCENT

PORC DE BARBI

RUE CHÂTEAUBRIAND

PLACE CHÂTEAUBRIAND

RUE SAINT THOMAS

RUE SAINTE BARBE

CORNE DU CERF

RUE

RUE DU COLLÈGE

R. DU PÉLICOT

RUE TOUILLER

R. DE LA VICTOIRE

L'ÉVENTAIL

PLACE VAUBAN

CHÂT

RUE DU CHÂTEAU GAILLARD

PLAGE MALO

**La rue du Pélicot**

★ **Château**
*Construit par le duc Jean V et agrandi par la duchesse Anne, le château abrite aujourd'hui les bureaux de la municipalité et les musées de la ville (musée d'Histoire de Saint-Malo et musée du Pays malouin).*

**L'église Saint-Benoît**
*Le portail de l'ancienne église Saint-Benoît a été construit en 1705 par l'architecte Jean Poulier d'après des plans de Garangeau. Deux colonnes de granit supportent un fronton cintré.*

## ★ Hôtel d'Asfeld

*L'ancien hôtel particulier d'Auguste
Magon de La Lande, directeur de
la Compagnie des Indes en 1715,
ouvre par une cour et un portail.
Transformé en prison pendant
la Révolution, l'édifice aurait servi
à interner la mère
de Chateaubriand.*

### MODE D'EMPLOI

**Carte routière** E1. 🏠 48 057.
✈ Dinard-Pleurtuit-Saint-Malo.
🚢 02 23 18 15 15. 🚌 sq. Jean-
Coquelin. 🚉 esplanade Saint-
Vincent (02 99 56 64 48).
🛒 t.l.j. intra-muros sauf dim.
🎭 Étonnants Voyageurs (salon
du Livre, Pentecôte) ; Folklore
du monde (juil.) ; festival de
Musique sacrée (juil.-mi-août) ;
Route du Rock (mi-août), Quai
des Bulles (BD, oct.), Route du
Rhum (course transatlantique,
tous les 4 ans en nov.).
🌐 www.ville-saint-malo.fr

Hôtel André-Désilles

QUAI DE DINAN
CHARTRES
RUE D'ASFELD
RUE DE
FEYDEAU D'ORLÉANS
RUE TOULOUSE
RUE DES FOSSE
RUE DES VIEUX REMPARTS
RUE DE LA FORGEURS
RUE DE L'ORME
R. DE L'ORME
PLACE BREVET
RUE DINAN DE TOULOUSE
RUE D'ESTRÉES
RUE SAINT PHILIPPE
BOREL
RUE GUY LOUVEL
VAU
MÔLE DES NOIRES

Porte de Dinan

Bastion Saint-Philippe

RUE BROUSSAIS
RUE DE LA PIE QUI BOIT
RUE SAINT SAUVEUR
PLAGE DU MÔLE
PLACE FRÈRES LAMENNAIS
RUE DU BOYER
RUE DE LA FOSSE
RUE DU BON SECOURS
PLAGE DU BON SECOURS

Statue de Jacques Cartier

### L'église Saint-Sauveur

*Achevée en 1743 par
l'architecte Michel Marion
sur les plans de Garangeau,
l'église Saint-Sauveur abrite
aujourd'hui des expositions
temporaires. Elle ouvre sur
la rue par une façade sobre,
à la limite de l'austérité.*

0 —————————— 100 m

### LÉGENDE

– – – Itinéraire conseillé

### À NE PAS MANQUER

★ Château

★ Hôtel d'Asfeld

★ Remparts

## ★ Remparts

*La promenade permet
d'appréhender les
différentes étapes de
construction de la ville.
Parmi les plus anciennes
parties, le cavalier des
Champs-Vauverts et la tour
Bidouanne abritaient
l'arsenal construit à la fin
du XVIᵉ siècle.*

# À la découverte de Saint-Malo

**B**attue par les vents, la ville, à l'abri de ses remparts, a cultivé un farouche esprit d'indépendance tout au long de son histoire. Sa devise n'est-elle pas : « Malouin d'abord, Breton peut-être, Français s'il en reste » ? Irréductibles, ses marins ont couru les océans à la recherche de terres inconnues et de précieuses marchandises monnayables au prix fort. Corsaires et armateurs y ont gagné des fortunes. Les rois de France, et *a fortiori* la cité malouine elle-même, en ont largement tiré les bénéfices aux XVIIe et XVIIIe siècles. Les hôtels particuliers et les malouinières de Saint-Malo témoignent encore aujourd'hui de cette fabuleuse aventure économique.

## Une riche histoire

Gargouille de Saint-Vincent

Dès 1308, les Malouins se distinguent en créant la première commune bretonne. En 1395, les habitants rebelles au duc de Bretagne obtiennent de ne répondre qu'à la souveraineté du roi de France Charles VI. Saint-Malo y gagne une franchise portuaire qui trois siècles durant contribuera à son essor. En 1415, le duc Jean V tente de restaurer ses droits sur la cité et entreprend la construction du château. En 1436, les Anglais dépeignent les marins malouins en ces termes : « Les gens de Saint-Malo sont les plus grands voleurs […] qui aient existé sur la mer […] Ces pillards qui naviguent sous de fausses couleurs […] n'ont pas d'obéissance pour leurs ducs. » Ni pour la France d'ailleurs, puisqu'en, 1590, les Malouins se constituent en république indépendante contre l'autorité d'Henri IV. À la fin du XVe siècle, le commerce et la pêche à Terre-Neuve donnent au port une envergure internationale. Entre 1698 et 1720, les navires de Saint-Malo exportent en Amérique des toiles, des dentelles et d'autres produits d'usage courant et reviennent chargés d'or et de pierres précieuses. Immensément riches, les armateurs sont « invités » à prêter au roi la moitié des cargaisons de leurs navires : les Malouins sauveront ainsi la France de la banqueroute.

### ♟ Saint-Malo intra-muros

Place de Châtillon, la **cathédrale Saint-Vincent** a été commencée au XIIe siècle et achevée au XVIIIe siècle. À l'extérieur, des gargouilles grimaçantes jaillissent des murs. Élancé, le chœur gothique contraste avec la nef romane d'inspiration angevine. Il illustre l'influence de l'architecture anglo-normande sur les sanctuaires religieux de la Bretagne Nord. On pourra admirer la grande rosace ornée de vitraux modernes aux couleurs éclatantes. Dans la chapelle nord repose l'explorateur Jacques Cartier (1491-1557). Près de la rue Chateaubriand, au n° 3 cour de la Houssaye, la **maison de la duchesse Anne**, flanquée d'une tourelle, représente l'archétype du manoir urbain breton de la fin du Moyen Âge. Détruite

### GARANGEAU

Architecte et ingénieur de la marine, Garangeau (1647-1741) travaille à Marseille puis à Brest avant de diriger les fortifications de la cité malouine. Son fort marin de la Conchée est considéré par Vauban comme le meilleur ouvrage du royaume. Son génie influence aussi l'architecture civile. La cité corsaire lui doit pour une large part son aspect architectural unique.

**Fortifications de Saint-Malo**

**Les quais Saint-Louis et Saint-Vincent à Saint-Malo**

pendant la dernière guerre, elle a été reconstruite à l'identique d'après des gravures. On rejoint la **rue du Pélicot**, qui offre une architecture singulière du fait de ses « maisons de verre », demeures en bois surmontées de galeries vitrées datant du début du XVIᵉ siècle. Au bout de la rue Mac-Law, au sommet du rocher, la **chapelle Saint-Aaron** (1621) fait face au palais de justice. Le moine évangélisateur Aaron, premier habitant de Saint-Malo, aurait établi son ermitage à cet endroit.
Vers la **porte de Dinan**, la promenade des remparts surplombe plusieurs hôtels d'armateurs du début du XVIIIᵉ siècle, épargnés par la guerre ou reconstruits à l'identique. Unité de style, sobriété assurent leur noblesse. Outre le placement financier qu'elles représentaient, ces demeures devaient refléter le prestige social de leurs propriétaires et permettre la pratique de diverses activités commerciales.

### 🏛 Hôtel d'Asfeld

5, rue d'Asfeld. 📞 02 99 56 09 40. 🕐 juil.-août t.l.j. ; fév.-juin et sept.-nov. t.l.j. sf lun. ● déc.-janv. 📷
Parmi les hôtels particuliers, celui d'Auguste Magon de La Lande, un des armateurs les plus riches de la ville, qui fut directeur de la Compagnie des Indes orientales en 1715, est ouvert au public. L'occasion de voir l'intérieur de ces maisons cossues. Belles caves voûtées.
En direction du château, la **porte Saint-Vincent** (1709) constitue l'entrée principale de Saint-Malo ; elle a été percée à travers des murs de granit de 7 m d'épaisseur. Sous le passage piéton, un plan de la ville retrace les principales étapes de sa construction et

**La maison de la duchesse Anne, un manoir urbain typique**

localise les monuments principaux. Un escalier conduit au chemin de ronde, où la vue est grandiose.
Vers la place du Poids-du-Roi, la **Grande Porte**, aux tours à mâchicoulis, remonte au XVᵉ siècle.

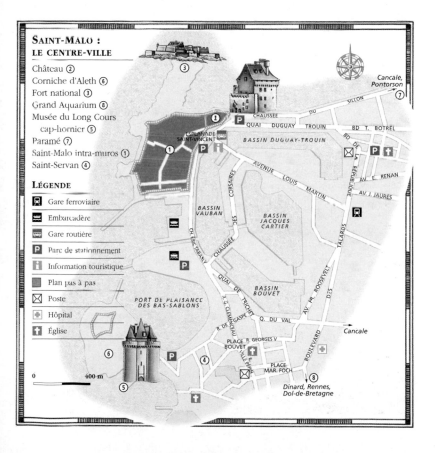

**SAINT-MALO :**
**LE CENTRE-VILLE**

Château ②
Corniche d'Aleth ⑥
Fort national ③
Grand Aquarium ⑧
Musée du Long Cours
   cap-hornier ⑤
Paramé ⑦
Saint-Malo intra-muros ①
Saint-Servan ④

**LÉGENDE**

🚉   Gare ferroviaire
🚢   Embarcadère
🚌   Gare routière
🅿   Parc de stationnement
ℹ️   Information touristique
⬛   Plan pas à pas
⊠   Poste
✚   Hôpital
✝   Église

0     400 m

Cancale, Pontorson ⑦
CHAUSSÉE DU SILLON
QUAI DUGUAY TROUIN
ESPLANADE SAINT-VINCENT
BASSIN DUGUAY-TROUIN
BD T. BOTREL
BD DE LA RÉPUBLIQUE
AV. E. RENAN
AVENUE LOUIS MARTIN
AV. J. JAURÈS
RUE DES CORSAIRES
BASSIN VAUBAN
BASSIN JACQUES CARTIER
CH. ERIC TABARLY
CHAUSSÉE DES
TALARDS
AV. R. ROOSEVELT
QUAI DE TRICHET
BASSIN BOUVET
PORT DE PLAISANCE DES BAS-SABLONS
R. DE CLEMENCEAU
R. DE GASPÉ
Q. DU VAL
BD DES
PLACE R. GEORGES V BOUVET
VILLE PÉPIN
BOULEVARD
PLACE MAR. FOCH
Cancale
Dinard, Rennes, Dol-de-Bretagne

### ♣ Château

Place Chateaubriand, près du port
de plaisance.

Il a été construit aux XVᵉ et
XVIᵉ siècles. Pour le duc de
Bretagne Jean V (1399-1442),
le château devait servir
principalement à surveiller les
Malouins réputés rebelles. Sa
fille Anne, reine de France
par son mariage avec
Charles VIII, agrandit l'édifice
dans le même esprit.
Connaissant le caractère
malouin, elle fait graver dans
la pierre d'une tour située
dans l'aile gauche : « Ainsi
sera, quic en groigne, tel est
mon bon plaisir ». Par défi,
les Malouins l'ont baptisée
« Quic-en-Groigne ».

### ⌂ Musée d'Histoire de Saint-Malo

Dans le grand donjon du château.
📞 02 99 40 71 57. ○ t.l.j. d'avr.
à sept. ● lun. et jours fériés de nov.
à mars. 📷

Le musée de la ville a investi
le donjon qui défend l'entrée
du château, un cadre
somptueux aux murs de
granit et hautes cheminées.
La collection réunit tableaux,
sculptures, figures de proue,
maquettes de navire et plans-
reliefs retraçant le passé
maritime et historique de la
cité corsaire et rendant
hommage aux grands Malouins
comme Surcouf, Chateaubriand,
Lamennais ou Jacques Cartier.

### ⌂ Musée du Pays malouin

Dans la tour La Générale du château.
○ mêmes horaires que le musée
d'Histoire. 📷

Installé lui aussi au château, il
complète le musée précédent

en présentant la vie
quotidienne, l'économie
– en particulier la grande
pêche à Terre-Neuve – et les
événements marquants du
pays malouin. On y verra
notamment des instruments
de navigation, des coiffes,
des costumes, du mobilier et
des tableaux.

### ♣ Fort national

Au nord-est du château. 📞
ℹ 02 99 56 64 48. Accès à pied
à marée basse. Quand le drapeau
français flotte au-dessus du fort,
celui-ci est ouvert à la visite. 📷
le week-end de juin à sept. 📷

Au XVIIIᵉ siècle, cinq forts
marins défendent la baie de

Saint-Malo : la Varde, le
Petit-Bé, la Conchée,
Harbourg et le Fort national.
Ce dernier a été dessiné
par Vauban et construit par
Garangeau sur le rocher
de l'Islet où les criminels
étaient exécutés. Vue
splendide sur les remparts,
l'estuaire de la Rance et les
îles Chausey.

### ⛪ Saint-Servan

Ce quartier résidentiel, situé
au sud de Saint-Malo
intra-muros, abrite de belles
propriétés. Le port des
Bas-Sablons, d'une capacité
d'accueil de 800 places,
attire de nombreux voiliers.
De là, une route permet
d'accéder à l'ancienne cité
d'Aleth.

### ⌂ Musée du Long Cours cap-hornier

Dans la tour Solidor. 📞 02 99 40 71
58. ○ t.l.j. d'avr. à sept. ● lun. et
jours fériés de nov. à mars. 📷

Ce donjon de 30 m de haut
environ a été élevé à
l'initiative du duc Jean IV
entre 1364 et 1382. La tour
Solidor (du breton *steir dor*,
porte de la rivière) abrite
aujourd'hui un musée
consacré à la grande aventure
des cap-horniers aux XIXᵉ et
XXᵉ siècles. On y verra entre

**Le Fort national, dessiné par Vauban et construit par Garangeau**

L'oratoire Notre-Dame-des-Flots, près de Rothéneuf

autres des instruments de navigation, des maquettes de navires, des voiles, des dents de cachalot et des pagaies de Nouvelle-Calédonie. Le chemin de ronde offre une belle vue sur l'estuaire.

### ✷ La corniche d'Aleth

Aleth a le privilège de l'ancienneté sur Saint-Malo puisque dès 80-70 av. J.-C., un peuplement celte est attesté. Vers 270, Aleth est ceinturée d'une muraille. Vers 350, un *castellum* est érigé à l'emplacement actuel du jardin du château de Solidor. Trente ans plus tard, Aleth devient la capitale du territoire coriosolite (peuple de la Gaule établi dans la région correspondant aux Côtes-d'Armor), puis capitale religieuse. Il faut attendre le milieu du XIIe siècle, pour que l'évêché soit transféré sur l'île de Saint-Malo entérinant ainsi le déclin de la cité. Sur ordre de Saint Louis, l'enceinte, la cathédrale et le château sont rasés. Seules quelques ruines subsistent encore. La promenade le long de la corniche ménage un extraordinaire panorama sur Saint-Malo intra-muros, l'île du Petit-Bé et celle du Grand-Bé, où repose François René de Chateaubriand *(p. 69)*.

### Paramé

À la sortie nord de Saint-Malo. Paramé et Rothéneuf sont rattachées à Saint-Malo depuis 1967. La station balnéaire de Paramé voit le jour à la fin du XIXe siècle grâce à des promoteurs qui construisent la digue et des villas de plaisance au style éclectique. Deux plages s'étendent sur 2 km : la plage du Casino et celle de Rochebonne.

### Rothéneuf

Au nord-est de Paramé, par la D201. Ce paisible village a conservé son atmosphère familiale. De la pointe de la Varde, où la vue embrasse la baie de Saint-Malo jusqu'au cap Fréhel *(p. 107)*, un chemin de randonnée, le GR34, longe la côte jusqu'à Rothéneuf.

### ➤ Grand Aquarium

La Ville-Jouan, avenue du Général-Patton. ☎ 02 99 21 19 00. ◗ t.l.j. Incontournable, cet aquarium aux installations modernes présente de façon très vivante la faune des mers froides et chaudes, soit au total près de 500 espèces animales. Le parcours suit l'itinéraire des grands navigateurs depuis l'Atlantique Nord jusqu'à la mer des Caraïbes. L'anneau des requins, la grande salle tropicale, le bassin tactile où l'on peut caresser les poissons, l'épave d'un galion reconstituée... autant d'attractions qui séduiront petits et grands.

### ✷ Havre du Lupin

À la sortie nord de Rothéneuf. Baptisée aussi havre de Rothéneuf, cette anse préservée, qui se transforme en lac salé à marée haute, et en plaine sablonneuse à marée basse, ouvre sur la mer par un détroit de 300 m entre la côte et la presqu'île Benard.

### ✷ Rochers sculptés

Chemin des Rochers-Sculptés. De Saint-Malo intra-muros, longer le sillon et prendre la direction de Rothéneuf. ☎ 02 99 56 23 95. ◗ t.l.j. Visite libre.

Entre 1870 et 1895, l'abbé Fourré, curé de campagne hémiplégique, a réalisé un chef-d'œuvre d'art naïf. Il a sculpté près de 300 personnages dans le granit : monstres grimaçants, animaux ou humains. Depuis cet univers chimérique, un sentier rejoint l'**oratoire Notre-Dame-des-Flots**, aménagé dans une ancienne cabane de garde-côte. La modestie de la chapelle surplombant la falaise face à l'horizon maritime donne à l'endroit une atmosphère singulière.

Les rochers sculptés, réalisés par l'abbé Fourré

### 🏛 Musée Jacques-Cartier

Manoir du Limoëlou. Accès par la rue David-Mac-Donald-Stewart. ☎ 02 99 40 97 73. ◗ t.l.j. en juil.-août. ◗ week-end et jours fériés en mai, juin, sept. et oct.

Ce musée est installé dans le manoir du Limoëlou, une grosse ferme des XVe et XVIe siècles, agrandie au XIXe siècle. Il évoque le souvenir de celui qui découvrit le Canada en 1534, et présente les conditions de vie des habitants de la région au XVIe siècle.

Le musée Jacques-Cartier est situé dans le manoir de Limoëlou

Le château du Bos, non loin de Saint-Malo, a été construit en 1717

## Château du Bos ②

**Carte routière** E1-2. À 5 km au sud de Saint-Malo par la N137, puis prendre à droite la route de la Passagère, Quelmer. **☎** 02 99 81 40 11. **☑** juil.-août l'apr.-midi.

Cette malouinière marque l'aboutissement de l'architecture de plaisance dans la région de Saint-Malo. Elle a été construite en 1717 pour la famille Magon, grande famille d'armateurs, comme l'atteste le dicton d'alors : « À Paris, les Bourbons, à Saint-Malo les Magon… » Par ses dimensions, le château tend à s'affranchir du modèle de villégiature où les armateurs séjournaient occasionnellement tout en résidant principalement dans leurs hôtels de la cité corsaire.

Bulet de Chamblain, architecte du château de Champ-sur-Marne, de la cour de France puis de celle de Suède, aurait dessiné les plans du château, tout comme ceux de la Chipaudière. Côté jardin, la façade arbore un corps central en demi-cercle. Construite en granit de Chausey, cette avancée abrite la pièce principale. Les fenêtres donnent sur un parc à la française animé de bustes italiens en marbre blanc qui descend en pente douce vers la Rance. À l'intérieur, le salon ovale, les boiseries et le décor déclinent le répertoire ornemental en vogue sous Louis XVI. La salle à manger et ses boiseries Régence suivent les modèles des hôtels particuliers de Saint-Malo intra-muros *(p. 78-81)*.

### LES MALOUINIÈRES

Façade d'une malouinière du Puits-Sauvage

Résidences secondaires édifiées par les riches armateurs de Saint-Malo, les malouinières apparaissent aux XVIIe et XVIIIe siècles, époque où la cité corsaire s'agrandit. Influencées par l'architecture militaire, elles se caractérisent par des lignes simples, d'harmonieuses proportions et une certaine austérité. Des toits à pente raide jaillissent de hautes cheminées ainsi que des pots à feu en plomb ou en terre cuite, emblèmes de la nouvelle élite. Les bandeaux, les encadrements de fenêtres, ainsi que les angles sont soulignés par du granit taillé de Chausey. Le souci de la symétrie et des perspectives suit la tradition classique de l'époque.

## Dinard ㉕

**Carte routière** E1. **🏠** 11 000. **✈** Dinard-Pleurtuit-Saint-Malo (02 99 46 18 46). **🚢** Emeraude Lines (02 99 46 10 45). **🚇 🚌 ℹ** 2, bd Féart (02 99 46 94 12). **🛒** mar., jeu et sam. **🎭** salon des Bateaux de caractère (mai) ; festival de Musique classique (août) ; festival du Film britannique (fin sept.-début oct.).

Station mondaine au charme suranné, Dinard n'était au début du XIXe siècle qu'un modeste village de pêcheurs, avant que la mode des villégiatures balnéaires ne soit lancée par une poignée d'Anglais et d'Américains. En 1873, le comte libanais Joseph Rochaïd Dahda achète des terrains à construire. Des manoirs anglais sortent de terre aux côtés de châteaux Louis XIII, de maisons coloniales ou encore de villas néo-bretonnes. La colonie britannique et l'ensemble de l'aristocratie européenne se pressent dans les palaces de la ville. Aujourd'hui, le charme un brin désuet opère toujours et les jeunes gens chic continuent de fréquenter les lieux.

Dinard fut une **élégante ville mondaine de la Belle-Époque**

En longeant la côte depuis la digue, deux promenades permettent de découvrir les villas qui rivalisent d'extravagance : à l'ouest, la **promenade de la Malouine**, à l'est, la **promenade Robert-Surcouf**, qui contourne la pointe du Moulinet d'où la vue est grandiose. Avenue Georges-V,

**aquarium** présente la flore et la faune marines de la région. Juste à côté, le **musée de la Mer** est consacré aux expéditions polaires du commandant Charcot. Non loin de la plage du Prieuré, le **musée du Site balnéaire** occupe la villa construite pour l'impératrice Eugénie en 1867. Il retrace la vie mondaine de la station à l'époque de la colonie anglaise, qui a vu se construire plus de 400 villas classées au travers de photos, maquettes, maillots de bain ou sculptures.

**AUX ENVIRONS :** l'**usine marémotrice de la Rance** se trouve sur le pont de l'estuaire de la Rance, du côté de Dinard. La seule force des marées (amplitude de 13,5 m – parmi les plus fortes du monde) permet à l'usine de la Rance de produire l'équivalent d'un an d'électricité pour une ville de 250 000 habitants, soit le quart d'une centrale nucléaire. Différence de taille : elle ne produit aucun déchet. Conçue sur le modèle des moulins à marée, cette gigantesque réalisation a vu le jour en 1966, après 25 ans d'études et 6 ans de travaux. Elle comprend un barrage, une écluse, une digue, ainsi que l'usine aménagée à l'intérieur de celle-ci.

**Aquarium et musée de la Mer**
17, av. Georges-V. 📞 02 99 46 13 90. ● en travaux.
**Musée du Site balnéaire**
Villa Eugénie, 12, rue des Français-Libres. 📞 02 99 46 81 05. 🕐 t.l.j. de Pâques à la Toussaint. ● en travaux.

Le port de Saint-Briac a inspiré de nombreux peintres du XIX^e siècle

## Saint-Lunaire ㉖

**Carte routière** E1. À 2 km à l'ouest de Dinard, par la D786. 👥 2 163. 🚉 ℹ *pl. de la République* (02 99 71 06 04).

Cette petite station, née elle aussi à la fin du XIX^e siècle, doit son nom à un moine irlandais venu vivre ici au VI^e siècle. Son **église** du XI^e siècle est l'une des plus anciennes de Bretagne. Elle a conservé sa nef romane et abrite le tombeau de saint Lunaire, que recouvre un gisant du XIV^e siècle. La **pointe du Décollé** mérite le détour car elle offre un magnifique panorama sur la Côte d'Émeraude. La pointe n'est rattachée au continent que par un pont naturel qui permet de franchir une faille appelée « trou du Chat ».

La vieille église de Saint-Lunaire (XI^e siècle), simple et dépouillée

## Saint-Briac ㉗

**Carte routière** E1. À 5 km au sud-ouest de Dinard, par la D786. 👥 1 825. 🚉 ℹ *49, Grande-Rue* (02 99 88 32 47).

Tout comme Pont-Aven dans le Finistère, cet ancien port de pêche bordant la rive droite du Frémur, a attiré de nombreux peintres à la fin du XIX^e siècle. Auguste Renoir, Henri Rivière, Émile Bernard et Paul Signac y ont posé leurs chevalets. Au départ du bourg, un ancien chemin de douanier, le « chemin des Peintres », a été spécialement aménagé pour les amateurs de peinture. Le parcours est jalonné de reproductions de tableaux installées à l'endroit où les artistes ont fixé les paysages sur la toile.

Dans l'église (XIX^e siècle), les vitraux retracent la vie de saint Briac qui, d'après la tradition, soignait les « insensés ». Jusqu'à une époque récente, la station accueillait certains membres des Habsbourg et des Hohenzollern. Le grand-duc de Russie lui-même, prétendant au trône des tsars y résidait dans sa propriété familiale.

# LES CÔTES-D'ARMOR

*Les Côtes-d'Armor abritent la Bretagne éternelle : non seulement celle d'une profonde piété qui s'exprime par d'étonnants chefs-d'œuvre blottis dans les hameaux, mais aussi celle de l'opulence liée à la toile bretonne, fleuron de la toilerie française, celle d'un bocage riant et des terres cultivées, celle des ports de pêche et des nids à corsaires convertis aujourd'hui en stations estivales.*

Sur la Côte d'Émeraude, le cap Fréhel signale avec majesté l'entrée dans le département des Côtes-d'Armor. Les falaises de grès rose et les landes battues par le vent offrent un spectacle grandiose. Entre deux pointes rocheuses, les plages se succèdent. Autour de Lamballe, ancienne capitale du duché de Penthièvre, ennemi de la maison de Bretagne durant la guerre de Succession, les forteresses se multiplièrent. L'arrière-pays briochin marque la frontière entre pays gallo et pays bretonnant. Quintin et Moncontour doivent leur riche patrimoine à la fabrication des toiles de lin aux XVIIᵉ et XVIIIᵉ siècles. Sur la côte du Goëlo, Paimpol est passée à la postérité grâce à ses marins courageux qui partaient pêcher en Islande : 2000 Paimpolais l'ont payé de leur vie.

Pour les amoureux de la nature, l'île de Bréhat, presque méditerranéenne, livre ses chemins creux aux randonneurs, tandis que l'archipel des Sept-Îles permet d'observer quinze espèces d'oiseaux marins. Sur la Côte de Granit Rose, l'érosion a sculpté d'extraordinaires blocs de granit aux chaudes tonalités. La beauté des sites et le grand nombre de plages assurent le succès aux stations comme Perros-Guirec ou Trégastel qui affichent complet l'été. Vers l'intérieur, les landes du Trégor laissent la place aux champs et aux profondeurs boisées de l'ancien Argoat. Des siècles de foi ont vu s'élever ici églises, chapelles et calvaires. Capitale religieuse, Tréguier avec sa cathédrale gothique à la dentelle de pierre, rayonne à travers toute la Bretagne.

Le Yaudet est l'un des plus beaux sites naturels de Bretagne

◁ La pointe de Squewel à Ploumanac'h

# À la découverte des Côtes-d'Armor

Les Côtes-d'Armor appartiennent au Massif armoricain. Leur nom, pléonasme signifiant « côtes du pays de la mer », provient de leurs rivages formés de rias où alternent saillants, comme le Trégor, et rentrants, comme la baie de Saint-Brieuc. L'altitude culmine dans les monts d'Arrée et les landes du Méné au sud. Bien entendu, les stations balnéaires, comme celles de Val-André, de Saint-Cast ou de Perros-Guirec, constituent les principaux attraits touristiques du département. Les ports de pêche et les îles (archipel des Sept-Îles, Bréhat) ne doivent pas occulter les richesses du pays intérieur avec ses villes médiévales (Dinan, Quintin, Moncontour…) et ses monuments religieux, dont la cathédrale de Tréguier reste le joyau.

Le cloître Saint-Tugdual à Tréguier

## VOIR AUSSI

- **Hébergement** p. 220-221
- **Restaurants** p. 234-235

## LA RÉGION D'UN COUP D'ŒIL

## CIRCULER

La route nationale N12 parcourt les Côtes-d'Armor d'ouest en est. Saint-Brieuc constitue le nœud routier du département : la D786 dessert la Côte de Granit Rose jusqu'à Plestin. Vers le sud, la D790 et la D700 rejoignent le cœur de la région. Au départ de Rennes, la N12 mène à Montauban où la N164 dessert Loudéac, Mûr-de-Bretagne, Gouarec et Rostrenen. De Saint-Brieuc, un car conduit à Vannes toutes les deux heures.

De Guingamp, cinq trains par jour permettent d'aller jusqu'à Carhaix, et cinq autres jusqu'à Paimpol.

**Le sentier des douaniers entre Perros-Guirec et Ploumanac'h**

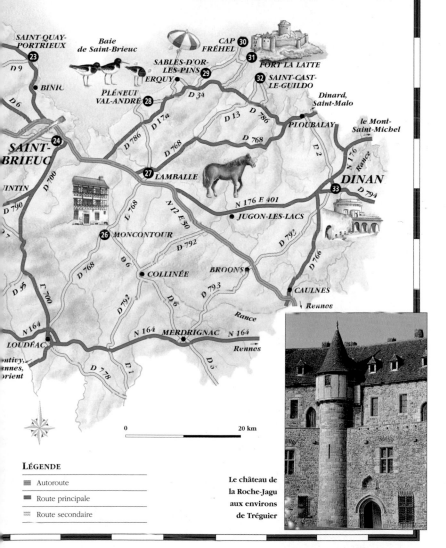

**Le château de la Roche-Jagu aux environs de Tréguier**

SAINT-QUAY-PORTRIEUX
23
D 9
BINIC
Baie de Saint-Brieuc
D 6
PLÉNEUF VAL-ANDRÉ 28
SABLES-D'OR-LES-PINS
ERQUY
29
CAP FRÉHEL 30
31
FORT LA LATTE
32 SAINT-CAST-LE-GUILDO
Dinard, Saint-Malo
D 34
D 17a
D 786
D 13
D 786
PLOUBALAY
le Mont-Saint-Michel
SAINT-BRIEUC 24
D 700
D 786
D 768
D 768
D 2
N 176 Rance
D 794
QUINTIN
27 LAMBALLE
DINAN 33
D 790
L 768
N 12 E 50
N 176 E 401
JUGON-LES-LACS
26 MONCONTOUR
D 792
D 6
COLLINÉE
D 768
D 792
BROONS
D 793
D 792
D 766
CAULNES
D 5
L 700
Rance
Rennes
N 164
LOUDÉAC
N 164 MERDRIGNAC N 164
Rennes
Pontivy, Rennes, Lorient
D 778
D 1
D 3

0          20 km

### LÉGENDE

≡ Autoroute

▬ Route principale

= Route secondaire

## Mûr-de-Bretagne ❶

**Carte routière** D2. À 17 km à l'ouest de Loudéac par la N164. 🚶 *2 140*. 🛈 *pl. de l'église (02 96 28 51 41)*. 🚌 *juil.-août : ven.* 🎭 *festival des Arts traditionnels (juil.)*.

**M**ûr constitue le cœur de la Bretagne et marque la frontière linguistique entre pays gallo et pays breton. Les menhirs, notamment ceux de Botrain et de Boconnaire datés du néolithique, et les *tumuli,* attestent une occupation précoce de l'homme dans la région. Au nord du bourg, la chapelle Sainte-Suzanne, entourée de chênes, a inspiré le peintre Corot. Le vicomte de Rohan finança sa construction en 1496, mais le chœur (1694) et le clocher (1752-1764) sont plus récents.

## Lac de Guerlédan et forêt de Quénécan ❷

**Carte routière** D2. À 22 km à l'ouest de Loudéac par la N164. **Base nautique** 📞 *02 96 67 12 22*. **Village de vacances** 📞 *02 96 28 50 01*. 🛈 *02 96 28 51 41*. 🎭 *fête du Lac (15 août)*.

**À** l'ouest de Mûr-de-Bretagne, le lac artificiel de Guerlédan s'étend sur 12 km. Il occupe une ancienne vallée inondée en 1930 après la construction du barrage hydroélectrique. Une base nautique, un camping et un village de vacances y accueillent les amateurs de

tourisme vert. En suivant le Blavet, une vue imprenable s'offre sur le **barrage de Guerlédan**, que l'on peut visiter, ainsi que l'usine hydroélectrique. Tout près, le **musée de l'Électricité** fait découvrir l'histoire de l'électricité, son passé et ses applications. Au sud-ouest du lac, la forêt de Quénécan, plantée de hêtres, d'épicéas et de pins sur plus de 3 000 ha, est un vestige de la forêt de Brocéliande avec celle de Paimpont *(p. 62)*.

🎣 **Barrage de Guerlédan**
🕐 *en été.* 📞 *02 96 28 51 41*.
🏛 **Musée de l'Électricité**
Saint-Aignan. 📞 *02 96 28 51 41*.
🕐 *toute l'année.* ● *mar.* 🎦

## Gorges de Daoulas ❸

**Carte routière** C2. À 30 km à l'ouest de Loudéac par la N164.

**L**es hauts escarpements et la flore des gorges de Daoulas s'apparentent à un col alpestre. La rivière a creusé son lit dans le schiste et gronde entre deux falaises à la beauté sauvage. Non loin de la N164, l'**abbaye de Bon-Repos**, partiellement en ruines, a été fondée au XIIᵉ siècle. On visite tour à tour les bâtiments conventuels et le cloître, tous deux du XVIIIᵉ siècle. Une galerie de minéraux occupe le moulin.

**L'abbaye de Bon-Repos, fondée au XIIᵉ siècle, est partiellement en ruines**

🔒 **Abbaye de Bon-Repos**
Saint-Gelven. Par la N164. 📞 *02 96 24 80 41*. 🕐 *mi-juin-mi-sept. : t.l.j. ; le reste de l'année : mer.-ven., sam.-dim. après-midi.* **Spectacle son et lumière** *(2ᵉ week-end d'août).*

## Guingamp ❹

**Carte routière** C2. 🚶 *8 830*.
🛈 *2, pl. du Champ-au-Roy (02 96 43 73 89)*. 🚉 🚌 *Saint-Brieuc.* 🚌 *ven.* 🎭 *Bugale Vreizh (danses bretonnes et pardon de Notre-Dame, déb. juil.) ; fête de la Saint-Loup (15 août)*.

**V**ille-carrefour jadis fortifiée, Guingamp a gardé de jolies maisons anciennes à pans de bois, notamment place du Centre. Rue Notre-Dame, la **basilique Notre-Dame**, dont la construction s'est échelonnée du XIIIᵉ au XVIᵉ siècle, juxtapose plusieurs styles. Les piliers de la croisée du transept, ornés de grotesques, sont typiques du roman ; le portail ouest illustre magistralement la Renaissance de même que le triforium. Quant au chevet plat et à l'abside, ils s'apparentent au répertoire gothique.
Place Verdun, l'**hôtel de ville** occupe l'ancien monastère des Hospitalières (début du XVIIIᵉ siècle). La chapelle baroque abrite quelques toiles de l'école de Pont-Aven *(p. 169)*. L'ancien château féodal, démantelé en 1626, se dresse place du Petit-Vally.

**AUX ENVIRONS :** à 10 km à l'ouest, la « **montagne sacrée** » de **Menez-Bré** (302 m) domine le Trégor et prodigue un somptueux panorama. Sa chapelle (XVIIᵉ siècle) est placée sous la protection de saint Hervé, guérisseur, exorciste et patron des bardes. Ce dernier aurait

**Le lac de Guerlédan permet de nombreux loisirs**

fait jaillir une source miraculeuse à 300 m du sanctuaire où l'on avait coutume de plonger les enfants malades en vue d'une guérison.

À 13 km à l'est de Guingamp par la N12-E50 puis la D7, **Châtelaudren** vaut assurément le détour pour sa chapelle Notre-Dame-du-Tertre qui renferme 132 panneaux peints du XV$^e$ siècle. À mi-chemin entre l'enluminure et l'art naïf, ces fresques évoquent l'Ancien et le Nouveau Testament.

À Guingamp, la basilique Notre-Dame juxtapose plusieurs styles

## Bulat-Pestivien ❺

**Carte routière** C2. À 18 km au sud-ouest de Guingamp par la D787 puis la D31. 👥 440. 🎺 pardon (déb. sept.).

Sur la D31, ce modeste village qui se consacre à l'élevage de l'épagneul breton brille par sa magnifique église du XIV$^e$ siècle dotée d'une tour qui constitue le premier exemple d'architecture Renaissance en Bretagne. Tout comme à Loc-Envel, les murs extérieurs sont parcourus de gargouilles, monstres et *ankous* grimaçants. On ne manquera pas d'admirer le porche à la décoration foisonnante ainsi que le portail principal. Selon la légende, le sanctuaire aurait été construit par un seigneur pour remercier la Vierge de lui avoir rendu son fils enlevé par un singe. La scène figure dans la

sacristie. À 1 km au nord, se tient un charmant enclos dont le calvaire date de 1550.

**AUX ENVIRONS :** au sud de la forêt de Duault, les **gorges du Corong**, environnées de fougères, offrent une beauté sauvage qui n'a rien à envier aux falaises de la côte nord. D'après la légende, les rochers énormes sous lesquels passe la rivière seraient les cailloux que Boudedé, géant breton, aurait vidé de ses sabots.

## Belle-Isle-en-Terre ❻

**Carte routière** C2. À 18 km à l'ouest de Guingamp par la N12. 👥 1 110. ℹ️ 15, rue du Chrec'h-Ugen (02 96 43 01 71). 🚌 Guingamp. 📅 mer. 🎺 pardon (mi-juil.).

Belle-Isle couvre une étendue de terre enserrée par les eaux du Guer et du Guic qui se rejoignent pour former le Léguer jusqu'à la baie de Lannion. Autour du bourg, prairies et bois invitent à maintes promenades. Le château du village abrite le **Centre régional d'Initiation à la rivière** dont l'aquarium se visite. Il est la propriété d'une fille du pays, qui, après avoir épousé l'industriel Robert Mond, à la tête de la Nickel Mond Co, est devenue en 1922 lady Mond (« la reine du Nickel »).

### 🏛 Centre régional d'Initiation à la rivière
Belle-Isle-en-Terre. 📞 02 96 43 08 39. 🕐 t.l.j. sauf lun.

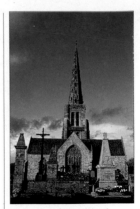

L'église de Bulat-Pestivien, à l'architecture Renaissance

**AUX ENVIRONS :** au sud-ouest de Belle-Isle par la D33, à l'orée de la **forêt de Coat-an-Noz**, le village de **Loc-Envel** mérite absolument une halte pour son église du XVI$^e$ siècle. À l'extérieur, le clocher-mur et ses gargouilles se rattachent au gothique mais c'est surtout l'intérieur qui subjugue : le jubé flamboyant, richement ornementé, et surtout la voûte de la nef, où grouillent des monstres sculptés dans le bois polychrome, sont exceptionnels. La forêt elle-même que l'on s'attarde sous ses branches centenaires auxquelles s'accrochent harmonieusement mousses, lichens et fougères. Son relief très accentué en fait un domaine privilégié des randonneurs où les sentiers serpentent entre les boisements de buis d'origine romaine.

Le jubé flamboyant de l'église de Loc-Envel

**Le château de Rosanbo appartient à la même famille depuis 600 ans**

# Plestin-les-Grèves ❼

**Carte routière** C1. À 15 km au sud-ouest de Lannion par la D786. 🚗 3 237. 🚆 Morlaix, Lannion ou Plouaret. 🛈 place de la Mairie (02 96 35 61 93). 🚍 dim.

Le pays de Plestin *(Plistin)* a trouvé dans la **Lieue de Grève** un atout de maître : cette longue plage de sable fin qui se découvre sur des kilomètres à marée basse a d'ailleurs séduit de nombreux vacanciers dès les années 1930, comme en témoignent les villas Trenkler (« maison de l'aigle ») et Lady Mond à Saint-Efflam. Hélas, depuis 1970, ce petit coin de littoral est régulièrement envahi par une algue verte aussi prolifique que nauséabonde : l'ulve. À défaut de prendre un bon bol d'air, on peut grimper au Grand Rocher qui domine le site de ses 80 m de hauteur, flâner sur la corniche de l'Armorique (D42) pour admirer la baie de Locquirec *(p. 119)*. On peut y observer les quelques espèces

d'oiseaux attirées par les vasières : le tadorne de Belon et le bécasseau maubèche.

**AUX ENVIRONS :** le **château de Rosanbo**, propriété de la même famille depuis 600 ans, n'est situé qu'à 6 km. C'est un édifice remarquable, restauré dans le goût néo-gothique en 1895. Le paysagiste Duchêne, à qui l'on doit les jardins de Vaux-le-Vicomte, a dessiné, au beau milieu du bocage trégorrois, un parc à la française sillonné de charmilles, tandis que l'architecte Lafargue, qui a travaillé à Chenonceau, a aménagé une bibliothèque pour accueillir les 8 000 livres de Claude Le Pelletier, successeur de Colbert au ministère des Finances de Louis XIV. La salle à manger a été reconstituée d'après les inventaires du XVIIIe siècle. À voir aussi, dans le bourg de **Lanvellec**, l'**église Saint-Brandan** pour son orgue signé Robert Dallam (1653).

**Château de Rosanbo**
Lanvellec (D22). 📞 02 96 35 18 77. 🕐 avr.-août : t.l.j. ; sept.-oct. : dim. 🏛

# Ploubezre ❽

**Carte routière** C1. À 3 km au sud de Lannion par la D11. 🚗 2 700. 🛈 mairie (02 96 47 15 51).

Il est toujours surprenant de découvrir, dans un lieu aussi retiré, une chapelle d'une telle élégance. **Notre-Dame de Kerfons**, qui dut bénéficier de la protection d'un puissant seigneur, compte en effet parmi les joyaux de l'architecture religieuse bretonne. Ses maçons ont pris soin d'utiliser des pierres de même provenance pour mieux marier le gothique flamboyant avec le style qui était en vogue à l'époque de la reconstruction : le goût Renaissance.

**Le retable de la chapelle de Notre-Dame de Kerfons**

Très fouillée, l'ornementation culmine, à l'intérieur, avec les dentelles en bois polychrome et doré du jubé, œuvre d'un atelier morlaisien (1485). Les figures en bas-relief représenteraient le Christ, les douze Apôtres, sainte Barbe et sainte Madeleine.

Le **château de Kergrist**, bâti en 1537 par Jean de Kergrist et remanié à deux reprises aux XVIIe et XVIIIe siècles, donne un bon aperçu des grands manoirs Renaissance de l'aristocratie bretonne. La famille Huon de Penanster, propriétaire depuis 1860, permet de visiter les jardins et l'un des trois corps de bâtiment qui délimitent la cour d'honneur. Le décor ne manque pas d'intérêt : mobilier traditionnel, dont une armoire malouine (armoire venant de Saint-Malo) ornée de guillochis, dessus-de-porte en tapisserie.

🏰 **Notre-Dame de Kerfons**
Kerfons (D31b). 🕐 mi-juin-mi-sept. : t.l.j. 🏛
⛪ **Château de Kergrist**
Ploubezre (D11). 📞 02 96 38 91 44. 🕐 avr.-mai et week-end : l'apr.-midi, juin-sept. : t.l.j. 🏛 ♿ jardin et rez-de-chaussée seul.

**Lieue de Grève, longue plage de sable fin du pays de Plestin**

Le château de Tonquédec fut édifié au xiii° siècle

**AUX ENVIRONS :** du château de Kergist, on gagne les ruines de l'imposant **château de Tonquédec,** édifié au xiii° siècle par les seigneurs de Tonquédec. Richelieu le fit démolir en 1626 parce qu'il était devenu, du temps des guerres de la Ligue, un repaire de huguenots. L'ingénieux ensemble fortifié est constitué de onze tours et d'une basse-cour, dans laquelle les assaillants risquaient de se retrouver piégés. Du chemin de ronde, on a un large panorama du vallon boisé du Léguer.

♠ **Château de Tonquédec**
Tonquédec (D31b). 📞 02 96 47 18 63 ou 02 96 47 18 47. ⬜ avr.-sept. : t.l.j. 📷

# Lannion ❾

**Carte routière** C1. 🚂 19 350. 🚶 🚌 ℹ️ quai d'Aiguillon (02 96 46 41 00). 🎵 festival d'Orgue et de Musique en Trégor (juil.-août) ; estivales de la Photographie (juil.-sept.). 🍽️ jeu.

L annion *(Lannuon)* est une ville très active, qui a tiré un grand profit de l'implantation, en 1960, du Centre national d'Études des télécommunications, et qui est aujourd'hui desservie par le TGV. Véritable plaque tournante entre la station de Pleumeur-Bodou *(p. 94)* et le nouveau pôle d'industries optiques, elle attire des milliers de chercheurs et d'élèves ingénieurs, passionnés par les technologies de pointe.

Ce dynamisme aurait pu altérer son identité ou son caractère pittoresque. Il n'en est rien : on parle encore breton sur la place du marché, entre les étals de lard et de spécialités fromagères. Le cœur de la cité conserve des venelles pavées et de ravissantes maisons à pans de bois, granit et torchis, comme les n° 1-3 de la rue des Chapeliers, qui ont échappé aux guerres de Religion (1591), ou les n° 29-31 de la place du Général-Leclerc, reconstruites après 1630. Ornées de personnages, d'animaux, de croix ou de losanges, elles sont habillées d'ardoises et garnies, pour certaines d'entre elles, de fenêtres en encorbellement.

De tous les édifices religieux de Lannion, le plus séduisant est l'**église de Brélévenez**. On y accède par un escalier bordé de jolies maisonnettes arborant des statues de saints protecteurs ou des frises en céramique. Elle aurait été fondée par une branche de l'ordre du Temple, les trinitaires de

**Maisons à colombages dans le vieux Lannion**

Saint-Jean (xii° siècle). La noblesse des matériaux prouve assez l'importance du sanctuaire : granit rose et jaune pour le porche sud, gros moellons pour le chevet, marbre noir et tuffeau pour le maître-autel, bois peint pour le retable un peu macabre du croisillon gauche, datant de 1630, qui rappelle aux fidèles l'heure du Jugement dernier. Des concerts y sont programmés chaque été, notamment dans le cadre du festival d'Orgue et de Musique en Trégor.

🏠 **Église de Brélévenez**
⬜ juil.-août : lun.-sam. 📷

Le Yaudet est l'un des plus beaux sites naturels du Trégor

**AUX ENVIRONS :** à 3 km à l'ouest, sur la rive gauche du Léguer, l'**enclos paroissial de Loguivy-lès-Lannion** *(Logivi),* est doté d'un portail à accolade et d'une fontaine Renaissance. À l'intérieur, le retable en bois de chêne arbore de nombreuses sculptures. La route en corniche continue vers le hameau du **Yaudet** *(Ar Yeoded),* l'un des plus beaux sites naturels du Trégor. Une campagne de fouilles, menée par des archéologues de Brest et d'Oxford, a révélé au pied de ce promontoire la présence d'un port de pêche gallo-romain. La vue de l'estuaire du Léguer est imprenable. Les maisons en granit accrochées à la colline forment le petit village de caractère du Yaudet. Fait unique en Bretagne, la chapelle du village abrite une *Vierge couchée* au côté du Christ.

🌾 **Site du Yaudet**
Le Yaudet (D88). 📞 02 96 48 35 98. 📷 lun. et ven. 📷

**La plage de Trébeurden, station balnéaire très fréquentée**

## Trébeurden ❿

**Carte routière** C1. À 7 km au nord-ouest de Lannion par la D65. 🚉 Lannion. 🚌 3 540. 🛈 pl. de Crec'h-Héry (02 96 23 51 64). 🚢 mar. 🎭 fête des Battages avec fest-noz (août), concerts ( mer. en été).

Autre station balnéaire très fréquentée, Trébeurden compte de jolies plages de part et d'autre du Castel, où s'amassent des rochers de granit rose. En face, l'**île Milliau**, accessible à marée basse, réunit plus de 270 espèces végétales. Elle fut habitée dès le Vᵉ millénaire av. J.-C. Les hommes du néolithique nous ont laissé l'**allée couverte de Prajou-Menhir** de 14 m de long et dont les dalles sont gravées. Derrière la plage de Goas-Trez, le **marais du Kellen** accueille bécassines, sarcelles, grèbes et castagneux.

## Pleumeur-Bodou ⓫

**Carte routière** C1. À 6 km au nord-ouest de Lannion par la D65 puis la D21. 🚉 Lannion. 🚌 3 821. 🛈 11, rue des Chardons (02 96 23 91 47). 🚢 sam.

Hérissé de paraboles géantes qui communiquent avec les cinq continents, le site doit sa célébrité au centre des télécommunications qui a mis en œuvre, en 1962, la première liaison satellite entre les États-Unis et l'Europe. On visite le radôme, gigantesque ballon de 50 m de haut, destiné à protéger l'antenne-

cornet de 340 t, le **musée**, qui retrace 150 ans d'histoire des télécommunications depuis le télégraphe de Chappe jusqu'à Internet, et le **planétarium**, dont l'écran mesure 600 m². Face à ce dernier, le **village de Meem le Gaulois** a été reconstitué. L'ensemble a été réuni sous le nom de **Cosmopolis**.

### 🏛 Musée des Télécommunications
☎ 02 96 46 63 80. ☉ mai-août : t.l.j. ; avr. et sept. : dim.-ven. ; oct.-mars : lun.-ven.

### 🏛 Planétarium
☎ 02 96 15 80 30. ☉ avr.-sept. et vacances scolaires : t.l.j. ⬤ oct.-mars : mer. et sam. ; fermeture éventuelle en janv. : se renseigner.

### 🏛 Village de Meem le Gaulois
☎ 02 96 91 83 95. 🌐 www.levillagegaulois.asso.fr ☉ juil.-août : t.l.j. ; de Pâques à juin et sept. : dim.-ven.

**AUX ENVIRONS :** au nord de Trébeurden, l'**île Grande** est accessible par un pont sur la D788. Plages, sentiers de randonnée et station d'ornithologie combleront les visiteurs. La Ligue pour la protection des oiseaux a créé une maison qui présente les richesses naturelles de l'archipel des Sept-Îles et organise des excursions. Non loin de Penvern, le **menhir de Saint-Uzec**, de plus de 8 m de haut, est

considéré comme l'un des plus beaux de Bretagne. Il a été christianisé au XVIIᵉ siècle, comme le montre sa croix et le bas-relief de la Passion du Christ.

### 🦅 Maison LPO
Île Grande. ☎ 02 96 91 91 40. ☉ juin à août : t.l.j. ; vacances scolaires : tous les apr.-midi ; le reste de l'année : le week-end apr.-midi.

## Trégastel-Plage ⓬

**Carte routière** C1. À 6 km à l'ouest de Perros-Guirec par la D788. 🚉 Lannion. 🚌 2 290. 🛈 pl. Sainte-Anne (02 96 15 38 38). 🚢 lun. 🎭 fest-noz (juin) ; 24 h de la voile (mi-août).

Les blocs de granit rose qui se dressent au-dessus des plages du Coz-Pors et de la Grève-Blanche ont fait la renommée de la station. Installé dans une grotte, l'**aquarium marin** présente la faune des mers bretonnes. Entre les deux plages principales, une table d'orientation prodigue un splendide panorama sur la côte et l'arrière-pays. Sur la D788 en direction de Trébeurden, l'allée couverte et le dolmen de Kerguntuil témoignent de l'occupation du site au néolithique.

**L'aquarium de Trégastel**

### 🐟 Aquarium marin
Boulevard de Coz-Pors. ☎ 02 96 23 48 58. ☉ avr.-Toussaint : t.l.j. ; vacances scolaires : tous les apr.-midi.

**Le village de Meem le Gaulois reconstitué à Pleumeur-Bodou**

## Ploumanac'h ⓭

Rattaché à Perros-Guirec, cet ancien hameau de pêcheurs est devenu un haut lieu touristique en raison de ses spectaculaires chaos rocheux. Au départ de Saint-Guirec, le chemin des douaniers rejoint en une heure la **pointe de Squewel** où les géants de granit (tortue, lapin, chapeau de Napoléon) peuvent atteindre jusqu'à 25 m de haut. Au niveau du **phare**, la **Maison du littoral** informe les visiteurs sur la formation des rochers, la faune et la flore. À mi-chemin entre Ploumanac'h et Perros, la **chapelle Notre-Dame-de-la-Clarté** (1445) fait l'objet d'un pardon très vivace. L'extérieur se distingue par un remarquable porche orné de bas-reliefs. À l'intérieur, on trouve un bénitier décoré de têtes de Maures et un chemin de croix (1931), dû au talent de Maurice Denis, chef de file des nabis.

La plage de Trestraou à Perros-Guirec

## Perros-Guirec ⓮

Carte routière C1. 🚉 Lannion. 🚌 7 890. 🛈 21, pl. de l'Hôtel-de-Ville (02 96 23 21 15) ; en saison : ven. et dim. 🎫 festival de la Bande dessinée (avr.) ; fête des Hortensias et régate de Ploumanac'h (août) ; pardon de Notre-Dame-de-la-Clarté (15 août).

Cette station balnéaire, qui compte une douzaine de plages, de nombreux hôtels et des paysages extraordinaires sculptés par l'érosion, attire beaucoup de visiteurs en été. Le chemin des douaniers, qui relie en 6 km la plage de Trestraou aux rochers de Ploumanac'h, est un enchantement pour les yeux.

**AUX ENVIRONS :** Perros est le point d'embarquement pour l'**archipel des Sept-Îles**, un des sites les plus importants pour l'observation des oiseaux de mer (voir ci-dessous). Parmi ceux-ci, l'**île aux Moines** doit son nom aux frères cordeliers qui s'y étaient installés au Moyen Âge. Au cours de l'escale, on visite le phare (57 m de haut) et un fortin bâti par Garangeau, maître-d'œuvre des fortifications de Saint-Malo (p. 78-83).

### 🚢 Embarcadère des Sept-Îles

Plage de Trestraou. 📞 02 96 91 10 00 🕐 avr.-sept. et vacances scol. : t.l.j. ; le reste de l'année sur demande.

La pointe de Squewell, un haut lieu touristique de Bretagne

De Ploumanac'h à Trégastel, la **vallée des Traouïéros** s'étend au milieu des blocs granitiques et d'une végétation exubérante ; l'ancien moulin à marée qui a été restauré date du XIVe siècle.

### ⚒ Maison du littoral

Face au phare. 📞 02 96 91 62 77. 🕐 mi-juin-mi-sept. : t.l.j. ; vacances scolaires : tous les apr.-midi sauf lun.

## LA RÉSERVE DES SEPT-ÎLES

Domaine protégé, l'archipel des Sept-Îles, dont la mascotte est le macareux moine, abrite 20 000 couples d'oiseaux marins tels que les pétrels fumars, les mouettes tridactyles, les huîtriers-pies, les goélands, les cormorans huppés ou les puffins des Anglais. Seule l'île aux Moines est accessible au public ; pour les autres, on observe les oiseaux depuis les vedettes. Dans l'île de Roizic, 15 130 couples de fous de Bassan et 248 couples de macareux moines ont trouvé asile dans les anfractuosités des rochers. En contrebas des falaises, une dizaine de phoques gris occupe les criques.

Macareux moine, mascotte de la réserve des Sept-Îles

**Vitrail de l'église Sainte-Catherine à La Roche-Derrien**

## La Roche-Derrien **⑮**

**Carte routière** C1. À 15 km au nord-est de Lannion par la D786 puis la D6. 🚂 *Guingamp ou Lannion.* 🏠 *1 012.* 🛈 *Pays du Trégor-Goëlo, 9 pl. de l'Église (02 96 91 50 22).* 🛍 *ven.*

La Roche Derrien, *Ker Roc'h* en breton (« ville de la roche »), offre d'agréables promenades sur les rives du Jaudy. Le bourg fut une place forte très convoitée au Moyen Âge. Surplombant la vallée, la forteresse fut assiégée à plusieurs reprises au cours de la guerre de succession qui opposa Anglais, Français et Bretons. Du Guesclin en devint le châtelain et y séjourna avec sa femme. Le connétable aurait d'ailleurs planté l'if encore visible dans l'enclos de la chapelle de Notre-Dame-de-la-Pitié (XVIIIᵉ siècle), sur la route de Kermezen. La place du Martray réunit plusieurs maisons à colombages dont une à encorbellement. L'église Sainte-Catherine (XIIᵉ et XVᵉ siècles) abrite un retable du XVIIᵉ siècle au décor sculpté foisonnant. Dans le transept, un vitrail moderne retrace la bataille entre les partisans de Charles de Blois et les Anglais.

**Retable de la chapelle de Confort**

**Aux environs :** à 13 km au sud-ouest par la D33, la **chapelle de Confort** (XVIᵉ siècle) conjugue les styles gothique flamboyant et Renaissance. Son clocher-mur d'influence lannionnaise intègre une tourelle d'escalier. La chapelle renferme un retable sur lequel la Vierge apparaît sous les traits de la duchesse Anne et l'ange Gabriel sous ceux du roi de France, Louis XII.
Au sud-est de La Roche-Derrien sur la D8, l'**église de Runan** (XIVᵉ-XVIᵉ siècles) fut la propriété des Templiers, puis des Hospitaliers de Saint-Jean de Jérusalem. Elle arbore une façade richement ornementée. Le porche sud en arc brisé est remarquable par ses bas-reliefs. Sur le linteau, figure l'Annonciation et une **pietà** ; la voussure comporte maints personnages sculptés dont quatre tirent la langue au spectateur. Devant l'église, on note une rare chaire à prêcher (XVᵉ siècle) extérieure.

## Port-Blanc **⑯**

**Carte routière** C1. À 8 km au nord-ouest de Tréguier par la D70 a, la D70 puis la D74. 🚂 *Lannion.* 🏠 *2 700.* 🛈 *12, pl. de l'Église, Penvenan.* 📞 *02 96 92 81 09.* 🛍 *sam.* 🎉 *pardons (Pentecôte et 15 août).*

À l'ouest de Plougrescant, ce petit port protégé par une barrière de dunes est une agréable station estivale. Émergeant des rochers, sa **chapelle** (XVIᵉ siècle), pittoresque à souhait, constitue l'âme du village. Curieusement, son toit descend jusqu'à terre. Dans l'enclos, le calvaire du XVIIᵉ siècle représente saint Yves, saint Joachim, saint Pierre et saint François. À l'intérieur de la chapelle, on verra aussi plusieurs statues anciennes, dont le groupe traditionnel de saint Yves entre le riche et le pauvre. Des sorties en mer sont organisées sur un ancien bateau de pêche à la sardine, *L'Ausquémé.* Le sentier des douaniers de Port-Blanc à Buguélès ménage de beaux panoramas.

🚤 *L'Ausquémé*
📞 *02 96 92 00 65.* ⏱ *juil.-août :* t.l.j. ; le reste de l'année sur demande.

**La chapelle de Port-Blanc date du XVIᵉ siècle**

Le sillon de Talbert est une langue naturelle longue de 3 km

## Plougrescant ⑰

**Carte routière** C1. À 6 km au nord de Tréguier par la D8. 🚉 Guingamp ou Lannion, 🚌 1430. 🛈 Pays du Trégor-Goëlo, 9 pl. de l'Église, La Roche-Derrien (02 96 91 50 22).

Située à l'entrée du village, la chapelle Saint-Gonery se signale par son clocher penché (1612). L'église comprend deux parties d'époques différentes, une partie romane (Xe siècle), d'où émerge la tour du clocher, et la nef, du XVe siècle. L'intérêt de la chapelle réside principalement dans les fresques (XVe siècle) exceptionnelles qui décorent la voûte de la nef en forme de carène de navire renversé. Celles-ci s'inspirent librement de l'Ancien et du Nouveau Testament. Sur un fond ocre parsemé d'étoiles, les scènes se succèdent dans un style naïf.

Les contrastes entre les couleurs, le noir et le blanc valorisent le tracé et accentuent la perspective. Étonnant par sa richesse, le mobilier comprend, entre autres, un mausolée de Guillaume du Halgouët, évêque de Tréguier (XVIe siècle), une Vierge en albâtre du XVIe siècle et une armoire à reliques dont les panneaux sont admirablement sculptés. Des sorties offrant de splendides balades sur un vieux gréement, **La Marie-Georgette**, sont proposées en saison.

🚢 **La Marie-Georgette**
📞 02 96 92 51 03 ou 02 96 92 58 83. ⏰ juil.-août : t.l.j. ; le reste de l'année sur demande.

## Sillon de Talbert ⑱

C'est à la pointe de la presqu'île sauvage que cette langue naturelle, longue de 3 km, formée de galets et de sable, a été façonnée par les courants opposés du Trieux et du Jaudy. Elle fait l'objet d'un plan de sauvegarde, un syndicat intercommunal s'est constitué, car sa disparition livrerait le chenal de Paimpol et de Bréhat à la houle du large. Tous les étés, en juillet, un festival de Cerfs-volants se tient sur le sillon. Au large, on aperçoit le phare de Héaux (45 m de haut).

---

### DES CÉLÉBRITÉS À PORT-BLANC

**Théodore Botrel**

Port-Blanc a séduit hommes de lettres, chansonniers, scientifiques et pionniers de l'aviation. En 1890, Anatole Le Braz acheta la propriété de Kerstellic. L'écrivain collecta légendes et contes auprès des Trégorrois. Son livre, *La Légende de la mort* (1893), est considéré comme son chef d'œuvre par les Bretons armoricains. Le chantre de la Bretagne a eu pour voisin et ami Ernest Renan dont la maison occupe un terrain à Rosmapamon. Après avoir écrit *La Paimpolaise* et écumé les cabarets de Montmartre, Théodore Botrel avait acquis un terrain à Port-Blanc et baptisé sa maison *Ty chansonniou*, la « maison des chansons ». Il la quitta ensuite pour Pont-Aven. Dix ans après avoir obtenu le prix Nobel de médecine, Alexis Carrel acheta l'île Saint-Gildas où il repose aujourd'hui. Charles Lindbergh lui rendait souvent visite. Après avoir traversé l'Atlantique en avion, ce dernier acquit l'île d'Illiec en 1938 et s'y installa pour un an avant de repartir aux États-Unis.

# Île de Bréhat ⑲

**P**aradis des randonneurs, refuge des artistes, l'île a beaucoup d'inconditionnels. La douceur du climat, propice à une végétation luxuriante, lui vaut son surnom d'« île aux fleurs ». Bréhat se compose en fait de deux grandes îles que relie un pont édifié par Vauban. Au nord, la lande prédomine et la côte déchiquetée évoque l'Irlande. Au sud, le paysage se fait plus riant : pinèdes, plages de galets roses, flore méridionale. À Bréhat, le moteur est banni : on circule aisément à pied ou à vélo à travers les chemins creux.

**Phare du Paon** ④
Détruit par les Allemands, il a été reconstruit en porphyre rouge en 1947. Un escalier mène à la plate-forme et ouvre la vue sur le large.

**Chapelle Saint-Michel** ⑥
Juchée sur une éminence haute de 26 m, la chapelle Saint-Michel ouvre la vue sur l'ensemble de l'île. Reconstruite en 1852, elle sert d'amer à la navigation. Le chemin descend tout droit vers un ancien moulin à marée.

**Phare du Rosedo** ⑤
Construit au XIXe siècle, il surplombe les landes au nord-ouest de l'île. Ernest Renan (*p. 101*) venait y méditer.

**Le Goareva** ⑦
La citadelle offre un bel exemple d'architecture militaire du XVIIIe siècle.

**Port-Clos** ①
En 1770, Charles Cornic a aménagé ce port où débarquent les bateaux venus du continent.

**Chaussée Vauban** ③
Un pont construit par Vauban permet de rejoindre le Nord de l'île. À gauche, en contrebas, le havre de l'anse de la Corderie est l'ancien port de Bréhat.

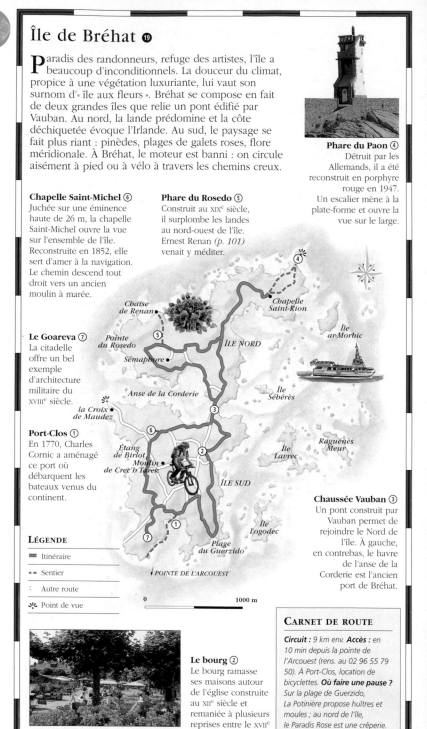

Carte : Phare du Paon ④, Chapelle Saint-Rion, Île ar-Morbic, Chaise de Renan, Pointe du Rosedo ⑤, ÎLE NORD, Sémaphore, Anse de la Corderie, Île Sébérès, la Croix de Maudez, Étang de Birlot, Moulin de Crec'h Tarek ⑥ ② Île Lavrec, Raguènès Meur, ÎLE SUD, ⑦ ①, Plage du Guerzido, Île Logodec, POINTE DE L'ARCOUEST, 0 — 1000 m

**LÉGENDE**

- ▬ Itinéraire
- ▬ ▬ Sentier
- ⁼ Autre route
- ✺ Point de vue

**Le bourg** ②
Le bourg ramasse ses maisons autour de l'église construite au XIIe siècle et remaniée à plusieurs reprises entre le XVIIe et le XIXe siècle.

**Le bourg fleuri de Bréhat**

**CARNET DE ROUTE**

*Circuit :* 9 km env. *Accès :* en 10 min depuis la pointe de l'Arcouest (rens. au 02 96 55 79 50). À Port-Clos, location de bicyclettes. *Où faire une pause ?* Sur la plage de Guerzido, La Potinière propose huîtres et moules ; au nord de l'île, le Paradis Rose est une crêperie.

# Paimpol ⑳

**Carte routière** D1. 🏠 8 420.
🚉 av. Général-de-Gaulle. 🚌
ℹ pl. de la République. (02 96 20 83
16). ⚓ mar. 🎉 fête des Terre-Neuvas
et des Islandais (3ᵉ dim. de juil.) ;
chants de la mer (août) ; concerts de
musique celtique (14 août) ; fest-noz
(Toussaint).

S i les bateaux de plaisance
ont désormais remplacé les
goélettes d'antan, le port de
Paimpol demeure le cœur de
la ville. Sabliers, caboteurs et
chalutiers animent toujours
les quais. Immortalisée par
Pierre Loti dans son roman
*Pêcheurs d'Islande*, Paimpol
a payé un lourd tribut à la
mer : 100 goélettes perdues et
2 000 hommes disparus. La
première campagne islandaise
est organisée en 1852.
En 1895, 82 goélettes de
400 tonneaux appareillèrent
pour la mer du Nord. Leur
équipage était composé d'une
vingtaine de marins qui
allaient, six mois durant,
affronter le froid, la fatigue, la
promiscuité… Leurs femmes,
les célèbres Paimpolaises
chantées par Théodore Botrel
(1868-1925), guettaient le
retour des bateaux à la croix
des Veuves-en-Ploubazlanec,
au nord de la ville. Au bout
de l'attente : la joie des
retrouvailles ou le chagrin du
deuil. En 1935, les derniers
bateaux partirent pour
l'ultime campagne en Islande.
Au centre, la place du
Martray est bordée de
demeures du XVIᵉ siècle.
À l'angle de la rue de l'Église,
la maison d'armateur
Renaissance flanquée d'une
tourelle servait de rendez-
vous de chasse aux Rohan.
Rue Pellier, le **musée du**

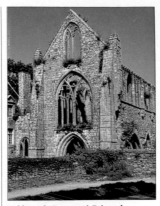

L'abbaye de Beauport à Paimpol,
aujourd'hui en ruines, date du XIIIᵉ siècle

**Costume** expose une
collection de coiffes et de
costumes du Trégor et du
Goëlo. Installé dans une
ancienne sécherie de morues,
le **musée de la Mer** évoque
le souvenir des campagnes de
pêche à Terre-Neuve et en
Islande au travers de
photographies, maquettes,
journaux de bord, cordages et
ex-voto. Paimpol offre deux
possibilités d'excursions : une
**excursion en mer** sur un
vieux gréement et une
escapade **en train à vapeur**
qui remonte la vallée du
Trieux jusqu'à Pontrieux.

🏛 **Musée du Costume**
Rue Raymond-Pellier. 🕐 juil.-août : t.l.j.
🏛 **Musée de la Mer**
Rue Labenne. 📞 02 96 22 02 19.
🕐 Pâques-sept et juin-mi-sept : t.l.j. ;
mai : le week-end.

🚢 **Excursion en mer**
📞 02 96 20 59 30.
🕐 juil.-août : t.l.j. ; le reste
de l'année : le week-end.
réserv. obligatoire.
**Excursion en train
à vapeur** 📞 02 96 20 52
06. 🕐 mi-juin-fin sept. : t.l.j.

**AUX ENVIRONS :** à 2 km au
sud de Paimpol par la
D786, l'**abbaye de
Beauport**, aujourd'hui
en ruines, fut un
important foyer spirituel
et passe pour avoir été la
plus belle de Bretagne.
Les bâtiments de style
anglo-normand ont été
construits par l'ordre des
Prémontrés au début du
XIIIᵉ siècle. On visite la salle
capitulaire, le cloître, le
réfectoire et le cellier. De
l'abbaye, une route mène à la
**chapelle Sainte-Barbe** d'où
part un sentier côtier.
La **pointe de l'Arcouest**
constitue le principal
embarcadère pour l'île de
Bréhat.
**Loguivy-de-la-Mer** est un
des plus anciens ports
bretons, réputé pour ses
langoustes, homards et
tourteaux. Chalutiers,
caseyeurs et mareyeurs y
perpétuent la vocation de
pêche.

🏠 **Abbaye de Beauport**
Sur la D786. 📞 02 96 55 18 58.
🕐 mi-juin-mi-sept. : t.l.j.
🚢 **Pointe de l'Arcouest**
juil.-août : départ toutes les heures.
📞 02 96 55 79 50.

---

## DES ARTISTES À BRÉHAT

À la fin du XIXᵉ et au début du XXᵉ siècle, de nombreux
artistes, écrivains et peintres adoptent Bréhat. Renan, les
frères Goncourt, Loti, Botrel mais aussi Henri Rivière,
Gauguin, Matisse, Foujita, Dabadie et bien d'autres
s'inspirent des paysages et fréquentent les cabarets du
bourg, dont celui de Mme Guéré. La patronne au caractère
trempé menace de couper la
tête de l'un de ses clients si
celui-ci ne règle pas son
« ardoise ». Le peintre la prend
alors au mot et peint son
visage sur le verre. À partir de
cette date, les artistes ont pris
l'habitude de peindre leurs
visages sur les verres du café
des Pêcheurs. La collection
des « Décapités » compte
aujourd'hui 200 verres.

*Une Rue à Bréhat*, tableau
d'Henri Dabadie

**Train à vapeur passant en gare de
Pontrieux**

# Tréguier ㉑

**Bestiaire médiéval**

Ancien siège épiscopal, la capitale du Trégor est une paisible cité que la cathédrale pare des plus beaux attraits. Autour, les ruelles sont bordées de maisons à pans de bois et de demeures en granit. Rue Renan, la maison à colombages (XVIe siècle) qui a vu naître le philosophe, a été convertie en musée. On y verra notamment sa chambre d'enfant, son cabinet de travail et un portrait de Bonnat. Joyau de l'architecture religieuse bretonne, la cathédrale Saint-Tugdual domine Tréguier de son style gothique flamboyant. Le pardon de Saint-Yves célèbre le patron des avocats et de la cathédrale chaque année en mai.

**MODE D'EMPLOI**

**Carte routière** C1. 🚌 *Paimpol ou Lannion.* 🏘 *2950.* ℹ *1, pl. du Général-Leclerc (02 96 92 22 33).* 🛒 *mer.* 🎉 *pardon de Saint-Yves (3e dim. mai) ; festival en Trégor (concerts, juil.-août).*

## 🔒 Cathédrale Saint-Tugdual

Pl. du Martray. ⬭ *juil.-août : t.l.j. 9 h 30-19 h ; le reste de l'année : 9 h 30-12 h, 14 h-18 h 30.* ⬤ *durant les offices.*

Chef-d'œuvre gothique de l'art religieux breton, elle a été élevée entre le XIVe et le XVe siècle. La tour Hastings (XIIe siècle) constitue l'unique vestige du sanctuaire roman qui l'a précédée. Sur la façade sud, le gothique se déploie en une dentelle de pierre. Le porche des Cloches, surmonté d'une verrière flamboyante,

### CATHÉDRALE SAINT-TUGDUAL

Le cloître est constitué de 48 arcades de style flamboyant. On le louait jadis aux marchands lors de la foire.

**La tour Hastings,** aux arcatures romanes, est la plus ancienne de l'édifice.

**Le cloître** était jadis loué aux marchands lors de la foire.

**La flèche** de 72 m de haut est parcourue de symboles de jeux de cartes, les Loteries de Paris ayant participé à sa reconstruction.

**La tour gothique** du Sanctus comprenait jadis une cloche.

**La chapelle au Duc** renferme le gisant du duc Jean V de Bretagne.

**La nef**

**Contreforts**

**Le porche ouest** possède une voûte recouverte d'une terrasse.

**Le porche du peuple** est un arc brisé divisé par une colonne surmontée d'une rosace.

**Le porche des Cloches** est surmonté d'une verrière flamboyante.

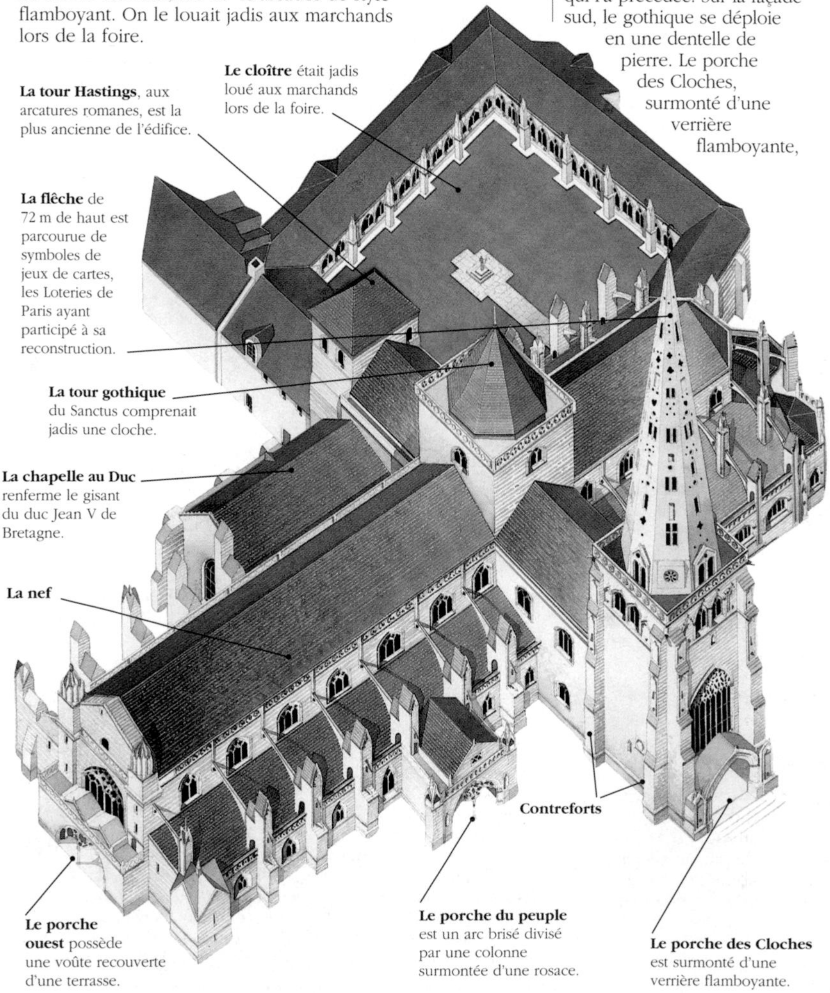

couronné d'une flèche (XVIIIe siècle) de 63 m de haut. À l'intérieur, les trois étages s'élèvent à 18 m au-dessus de la nef. Ici et là, des grotesques animent les retombées d'ogives. Le chœur de conception anglo-normande s'orne de 46 stalles Renaissance dont le décor très réaliste est admirable. On verra aussi le gisant maniériste de Jean V, le tombeau de saint Yves (1890), qui fait l'objet d'un pèlerinage, et son reliquaire. Au nord du chœur, le cloître gothique flamboyant (XVe siècle) est le mieux conservé de Bretagne.

**⌂ Maison Ernest-Renan**
20, rue Ernest-Renan. 📞 *02 96 92 45 63.* ⏱ *juil.-août : t.l.j. ; avr.-juin et sept. : mer.-dim.* ⬤ *le reste de l'année.*

**AUX ENVIRONS :** à 1 km au sud, **Minihy-Tréguier** doit sa célébrité à Yves Helory de Kermartin (1253-1303), canonisé en 1347. Ce

### ERNEST RENAN

Né à Tréguier, Ernest Renan (1823-1892) se destine d'abord à la prêtrise, mais la lecture de Hegel le détourne de sa vocation. Philologue, spécialiste des langues sémitiques, il publie des ouvrages jugés scandaleux parce qu'ils prônent un christianisme rationnel et critique. Sa *Vie de Jésus*, notamment, connaît un grand retentissement. En 1903, la police doit intervenir pour protéger du saccage la statue de l'écrivain lors de son inauguration.

**Ernest Renan, natif de Tréguier**

protecteur des pauvres issu de famille noble fit du village une « terre d'asile » *(minihy)*. Chaque année, il fait l'objet d'un pardon *(3e dim. de mai)*. L'église (XVe siècle) abrite de belles statues en bois polychrome représentant saint Yves qui s'interpose entre le riche et le pauvre. Au nord de Guingamp, le **château de La Roche-Jagu,**

fut édifié au XVe siècle. Il occupe l'emplacement de l'une des dix forteresses du XIe siècle qui défendaient la vallée du Trieux.

**♣ Château de La Roche-Jagu**
À 21 km au nord de Guingamp par la D787. 📞 *02 96 95 62 35. Parc* ⬤ *toute l'année. Château* ⏱ *fév.-Toussaint : t.l.j. ; le reste de l'année sur demande.* ▨

---

**Fresque de la *Danse macabre* de la chapelle de Kermaria-an-Iskuit**

## Chapelle Kermaria-an-Iskuit ㉒

**Carte routière** D1. À 11 km au nord-ouest de Saint-Quay-Portrieux par la D786 puis la D21. ▨ *pardon (3e dim. de sept.).*

À 3 km de Plouha par la D21, cette « chapelle de Marie qui sauve », fondée au XIIIe siècle par un ancien croisé, abrite des fresques rarissimes – on en recense sept en France –, dont la *Danse macabre* (1501). Celle-ci traduit l'angoisse devant la mort qui se

développe en Europe à la fin du Moyen Âge. Pape, roi, chevalier, paysan… l'*Ankou* entraîne les hommes, quelle que soit leur condition, dans une sarabande infernale.

## Saint-Quay-Portrieux ㉓

**Carte routière** D1. 🚉 *Saint-Brieuc..* 🚌 *3430.* ⛴ *Vedettes pour l'île de Bréhat de mi-juin à mi-sept.* ℹ *17 bis, rue Jeanne-d'Arc (02 96 70 40 64).* 🎪 *lun. et ven.*

Au nord de Saint-Brieuc, Saint-Quay est une plaisante station balnéaire qui vivait jadis de la pêche à

Terre-Neuve. Unique en son genre, son port, aménagé en eaux profondes, peut accueillir 1 000 bateaux. Un sentier des douaniers rejoint le sémaphore.

**AUX ENVIRONS :** premier port de France au XIXe siècle, **Binic** est désormais une station balnéaire prisée le week-end. Un **musée d'Arts et Traditions populaires** évoque le passé de la région, notamment la pêche à Terre-Neuve. Une belle collection de coiffes est à découvrir.

**⌂ Musée d'Arts et Traditions populaires**
Av. du Général-de-Gaulle, Binic. 📞 *02 96 73 37 95.* ⏱ *juil.-août : tous les apr.-midi ; mi-avr.-fin sept. : mer.-lun.*

**La baie de Saint-Quay-Portrieux, plaisante station balnéaire**

# À la découverte de Saint-Brieuc ❷④

**Personnages sculptés, rue Fardel**

L'histoire de Saint-Brieuc suit les méandres de sa vie spirituelle. Au Ve siècle, un moine gallois, Brieuc, fonda un oratoire à l'emplacement de l'actuelle fontaine Saint-Brieuc, située rue Notre-Dame. Saccagée lors des guerres de la Ligue *(p. 44)*, Saint-Brieuc renoua avec la stabilité aux XVIIe et XVIIIe siècles. Entre les vallées du Gouédic et du Gouët, la capitale des Côtes-d'Armor est une ville agréable dont le dynamisme culturel a favorisé l'émergence d'associations et de manifestations telles que le festival Art Rock *(p. 28)*. Plusieurs grands noms littéraires sont liés à la ville : Villiers de L'Isle-Adam, Louis Guilloux, Georges Palante et Jean Grenier.

**Maison à pans de bois, rue Fardel, dans la vieille ville**

**La cathédrale Saint-Étienne ressemble à une forteresse**

**🏯 La vieille ville**
Place du Martray, la **cathédrale Saint-Étienne** (XIVe et XVe siècles) offre l'aspect d'une véritable forteresse avec son porche central flanqué de deux tours puissantes : la tour Brieuc (28 m, XIVe siècle) et la tour Marie (33 m, XVe siècle), percée d'ouvertures pour permettre l'utilisation des machines de guerre. La grande chapelle de l'Annonciation (XVe siècle) abrite un remarquable retable exécuté par Yves Corlaix en 1745. Le décor rocaille, la polychromie rehaussée d'or, le jeu de courbes et de contre-courbes en font un chef-d'œuvre de l'art baroque. Dans le chœur, on note quelques chapiteaux sculptés de grotesques ou de feuillage. Les orgues portent la signature de Cavaillé-Coll, tout comme ceux de l'église Saint-Sulpice à Paris.

Aux alentours de la cathédrale, les rues Pohel, **Fardel** et Quinquaine multiplient les maisons à pans de bois des XVe et XVIe siècles.

Rue Fardel, la **maison dite Le Ribault** (XVe siècle) est la plus ancienne maison de Saint-Brieuc. Il faut voir aussi l'hôtel des Ducs de Bretagne (1572) qui présente une élégante façade Renaissance, rythmée de mascarons (masques d'aspect fantastique ou grotesque) et de personnages sculptés.
Place du Chai, les bâtiments modernes s'harmonisent avec les anciens chais rénovés. De la place, un passage couvert rejoint la rue Houvenagle, où les demeures anciennes arborent pilastres, encorbellements et colombages. Les rues piétonnes Saint-Gouéno, Charbonnerie et Saint-Guillaume, l'artère commerçante de Saint-Brieuc, méritent également d'être parcourues. Cette dernière aurait même donné naissance à l'expression « faire la Saint-Gui ».

**🏛 Musée d'Art et d'Histoire**
Rue des Lycéens-Martyrs.
📞 02 96 62 55 20. ⏱ mar.-sam. et dim. apr.-midi.
Maquettes, tableaux, objets de la vie domestique, films et diaporamas retracent l'histoire du département depuis sa création au XVIIIe siècle jusqu'au XXe siècle, au travers de plusieurs thèmes : la pêche, la construction navale, les filatures, l'agriculture et le défrichement, les traditions populaires.

## LITTÉRATURE À SAINT-BRIEUC

**Jean Grenier**

Lors de leur jeunesse passée à Saint-Brieuc au début du XXe siècle, une solide amitié se noue entre Jean Grenier et Louis Guilloux. Alors que Louis Guilloux passera sa vie dans la capitale des Côtes-d'Armor, Jean Grenier part en 1930 au lycée d'Alger où il a pour élève un certain Albert Camus. Par son enseignement, Grenier va influencer son œuvre future. L'auteur de *L'Homme révolté*, qui obtiendra le prix Nobel en 1957, se nourrit en effet des écrits de celui-ci mais aussi de Guilloux et de Georges Palante, autre philosophe briochin. Quant à Guilloux, il gagne l'estime de Gaston Gallimard et décroche le prix Renaudot avec *Le Jeu de patience* (1949). Son roman *Le Sang noir* est salué par Gide et Malraux comme une œuvre capitale.

**La baie d'Yffiniac vue depuis la Maison de la Baie**

### 🌿 Les Grandes Promenades

À l'est de la rue Saint-Guillaume, le jardin public parsemé de sculptures suit le tracé des anciens remparts. A droite du palais de justice, se trouvent le buste de Villiers de l'Isle-Adam, dû à Elie Le Goff, et *La Forme se dégageant de la matière* de Paul Le Goff. Le long du boulevard de La Chalotais, un monument exécuté par Brozec rend hommage à Paul Le Goff.

### 🐚 La baie de Saint-Brieuc

Saint-Brieuc s'ouvre sur la mer par le **port du Légué**, qui donne sur l'embouchure du Gouët. Les maisons d'armateurs rappellent l'époque de la grande pêche à la morue du XIXe siècle à Terre-Neuve, supplantée par la coquille Saint-Jacques.

Un sentier pédestre suit la pointe du Roselier qui surplombe la mer à plus de 70 m de haut : la vue embrasse l'ensemble de la baie depuis le cap d'Erquy à l'est jusqu'à l'île de Bréhat au nord-ouest. On y aperçoit les villas classiques de la plage des Rosaires. Le GR34 rejoint ensuite Martin-Plage après avoir dépassé le fort à boulets du XVIIIe siècle. Au fond de la baie, l'anse d'Yffiniac, qui s'étend sur des milliers d'hectares, est un site protégé pour la sauvegarde des oiseaux de milieu marin : 50 000 oiseaux de différentes espèces viennent y nicher. À la fin de l'été, ils quittent le Nord de l'Europe pour s'installer dans la baie. La majorité d'entre eux y reste jusqu'à l'arrivée du printemps. Au nord d'Hillion, la **Maison de la Baie** présente les richesses naturelles de la baie et son économie maritime. Près d'Hillion, de longs sentiers au cœur des dunes de Bon-Abri permettent d'observer la flore de ce site classé.

**MODE D'EMPLOI**

**Carte routière** D2. 🚌 bd Charner. 🚗 6, rue du Combat-des-Trente. 👥 48 900. ℹ️ 7, rue Saint-Gouénon (02 96 33 32 50) ; comité départemental, 29, rue des Promenades (02 96 62 72 00). 🍽️ mer. et sam. 🎭 Art Rock (Pentecôte) ; L'Été en fête (théâtre, danse, concerts, mi-juil.-mi-sept.). 🌐 www.mairie-saint-brieuc.fr

## LE CENTRE DE SAINT-BRIEUC

Cathédrale Saint-Étienne ①
Grandes Promenades ④
Maison Ribault ②
Musée d'Art et d'Histoire ③

**LÉGENDE**

🚌 Gare routière
🅿️ Parc de stationnement
ℹ️ Information touristique
✉️ Poste
✝️ Église

0    200 m

L'élégant château de Quintin date du XIIIᵉ siècle

# Quintin ㉕

**Carte routière** C2. À 18 km au sud-ouest de Saint-Brieuc par la D700, la D790 et la D7. 🚉 Saint-Brieuc. 👥 2 930. 🛈 6 pl. 1830 (02 96 74 01 51). 📷 juil.-août : tous les jeu. apr.-midi. 🍽 mar. 🎭 pardon de Notre-Dame (2ᵉ dim. de mai) ; Saint-Jean (son et lumière, juin) ; fête des Tisserands (déb. août).

Quintin fut un centre important de fabrication de toiles de lin aux XVIIᵉ et XVIIIᵉ siècles. De cet âge d'or, la ville a hérité d'un **château**, de logis à colombages et d'hôtels en granit qui sont regroupés autour des places 1830 et du Martray ainsi que dans la Grande Rue. Rue des Degrés, le **musée des Toiles** évoque cette époque. Dans la rue de la Basilique, la basilique Notre-Dame (XIXᵉ siècle), de style néo-gothique, est dédiée à la patronne des filandières. Elle renferme depuis le XVᵉ siècle les reliques de la ceinture de la Vierge, particulièrement vénérées par les femmes enceintes pour accoucher sans douleur. Face à l'office du tourisme, le **château** (XVIIᵉ-XVIIIᵉ siècles) abrite un **musée** qui retrace l'histoire de la cité.

⚓ **Château de Quintin**
Entrée place 1830. ☎ 02 96 74 94 79. ⏰ mi-juin-mi-sept. : t.l.j. ; Toussaint et Pâques tous les apr.-midi ; le reste de l'année sam. et dim. apr.-midi.

🏛 **Musée-atelier des Toiles de Quintin**
Rue des Degrés. ☎ 02 96 74 01 51. ⏰ juin-sept. : mar.-dim.

# Moncontour ㉖

**Carte routière** D2. À 15 km au sud-ouest de Lamballe par la D768. 🚉 Lamballe. 👥 1 000. 🛈 4, pl. de la Carrière (02 96 73 49 57 l'été ; 02 96 73 44 92 hors saison). 🎭 pardon de Saint-Mathurin (Pentecôte) ; FFmédiévale (2ᵉ quinzaine d'août) ; festival de Musique (sept.).

Au confluent de deux vallées, cette cité médiévale couronne un promontoire. À l'intérieur des remparts, hôtels particuliers du XVIᵉ au XVIIIᵉ siècle et maisons à colombages bordent la **rue des Dames** et la **place de Penthièvre**, ancien marché aux toiles. L'**église Saint-Mathurin** (XVIᵉ siècle-XVIIIᵉ siècle) mérite absolument une visite pour ses verrières du XVIᵉ siècle. Les vitraux de la vie de saint Yves, à gauche de la nef, révèlent une influence flamande.

*Pietà de l'église Saint-Mathurin*

# Lamballe ㉗

**Carte routière** D2. 🚉 bd Jobert. 👥 11 200. 🛈 Maison du Bourreau, pl. du Martray (02 96 31 05 38). 🍽 jeu. 🎭 foire des Potiers (juin) ; festival des Ajoncs d'or (déb. août) ; battage à l'ancienne (mi-août) ; pardon de Notre-Dame (6 sept.).

Fondée au VIᵉ siècle, Lamballe se développa à partir du XIᵉ siècle, quand elle devint la capitale du duché de Penthièvre, rival de la Maison de Bretagne qu'il affronta à plusieurs reprises jusqu'au début du XVIIIᵉ siècle.

Sur la place du Martray, le **musée d'Art populaire du pays de Lamballe** est installé dans une ravissante demeure à colombages qui abrite l'office du tourisme. Les collections évoquent la vie quotidienne aux travers de vestiges préhistoriques, costumes, coiffes et outils... Au 1ᵉʳ étage, le **musée Mathurin-Méheut** possède un fond très riche sur le peintre régionaliste *(voir encadré ci-contre)* qui fut aussi le chef de file de l'Art nouveau. Ses 4 000 œuvres sont présentées par roulement autour d'un thème qui change chaque année. Rue Notre-Dame, la **collégiale Notre-Dame-de-Grande-Puissance** a des allures d'église fortifiée et mêle à la fois architectures romane et gothique. Sur la face nord, on admire le portail (XIIᵉ siècle) aux

### LES TOILES DE LIN

L'industrie des toiles de lin a permis à la Bretagne de s'enrichir aux XVIIᵉ et XVIIIᵉ siècles. Saint-Brieuc, Quintin, Uzel, Loudéac, Moncontour – qui ne compte pas moins de 8 000 tisserands – constituent les principaux centres de production. En 1676, un règlement vient définir les normes de qualité des toiles de lin de l'Ouest. Les « Bretagnes » deviennent alors le fleuron de la toilerie française. Elles s'exportent dans le monde entier à partir des ports de Saint-Malo et de Nantes.

Un métier à tisser les toiles de lin

## MATHURIN MÉHEUT

Peintre, décorateur, illustrateur, créateur de bijoux ou de papiers peints… le génie de Mathurin Méheut (1888-1958) s'exprime dans de multiples domaines qui dépassent largement celui du folklore. Pionnier de l'Art nouveau, l'artiste est sollicité pour la décoration de vingt-sept paquebots dont quatre toiles pour le *Normandie*. Après-guerre, il est nommé peintre de la marine et réalise maintes scènes de pêche. En 1923, San Francisco lui consacre une exposition en saluant son travail.

**Mathurin Méheut, artiste pionnier de l'Art nouveau**

chapiteaux ornés de feuillages. Dans la nef, les piliers massifs et les motifs floraux révèlent une influence normande tandis que le jubé flamboyant (1415) s'intègre parfaitement au buffet d'orgue Louis XIII de 1741. Autour de la collégiale, une promenade a été aménagée à l'emplacement du château détruit définitivement en 1626.

Place du Champ-de-Foire, à l'ouest de la ville, le **Haras national** (1825) est le deuxième de France avec une capacité d'accueil de 400 chevaux : postier breton, pur-sang, connemara. Important au début du XXe siècle, le haras de Lamballe l'est toujours aujourd'hui. Il s'occupe de la reproduction d'étalons et de chevaux de sang, perpétuant ainsi l'élevage de ces espèces.

**Haras national**
Place du Champ-de-Foire.
02 96 50 06 98.
mi-juin-mi-sept. : t.l.j. ; vacances scolaires . tous les apr.-midi ; le reste de l'année . mer., sam , dim. apr.-midi.

**AUX ENVIRONS** : au nord-est de Lamballe, non loin de Pléven, se dressent les ruines du **château de La Hunaudaye**. Des visites animées par des comédiens en costume sont proposées l'été. On y verra notamment le donjon (XVe siècle) protégé par des canonnières, le logis seigneurial au bel escalier Renaissance et deux tours du XIIIe siècle.

**La maison du Bourrreau, à Lamballe, abrite deux musées et l'office du tourisme**

**Château de La Hunaudaye**
Sur la D28. 02 96 34 82 10.
avr.-juin et sept. : dim. et jours fériés apr.-midi ; juil.-août : t.l.j sauf dim. matin.

**Musée d'Art populaire du pays de Lamballe**
Maison du Bourreau. 02 96 31 05 30. juil.-août : t.l.j. sauf dim. apr. midi. jan. ; le reste de l'année . dim.

**Musée Mathurin-Méheut**
Maison du Bourreau. 02 96 31 19 99. juin-sept. et vacances de printemps : t l j sauf dim. ; le reste de l'année : mar., ven. et sam. apr.-midis. jan.

**Collégiale Notre-Dame-de-Grande-Puissance**
Rue Notre-Dame. mi-juin-mi-sept. : t.l.j. sauf dim.

**Le ravissant village médiéval de Moncontour, situé au confluent de deux vallées**

Le château de Bien-Assis à Pléneuf-Val-André

# Pléneuf-Val-André 🔞

**Carte routière** D2. 🚗 🚆 *Lamballe.*
🚶 *3 770.* ℹ️ *Cours Winston-Churchill (02 96 72 20 55).* 🕯️ *mar.
à Pléneuf ; ven. à Val-André.* 🎉 *fête
du Nautisme et regate (mai) ; jazz
(juil.-août : tous les mar.) ; pardon
de Notre-Dame-de-la-Garde (août) ;
fête de la Mer (mi-août).*

Pléneuf vivait modestement
jusqu'à la fin du
XIXe siècle, époque où un
ingénieur la propulse au rang
des villégiatures mondaines.
La station, qui peut
s'enorgueillir d'une splendide
plage de 2 km, connaît
rapidement le succès. Les
pêcheurs du port de **Dahouët**
ont armé pour la pêche à la
morue à Terre-Neuve dès le
XVIe siècle. En ce temps-là, les
capitaines faisaient le tour des
auberges pour enrôler les
marins dont l'ivresse
garantissait une signature
facile. Après Terre-Neuve,
c'est l'Islande qui fut leur lieu
de pêche jusqu'au début du
XXe siècle.
Deux promenades méritent
d'être parcourues : la pointe
de la Guette et la pointe de
Pléneuf. Face à cette dernière,
l'**îlot du Verdelet** est une
réserve ornithologique,
accessible à marée basse.
Des balades en mer sur le
gréement *La Pauline* sont
proposées en saison.

### 🚤 La Pauline
*Port de Dahouët.* 📞 *02 96 63 10 99.*
⭕ *juin-sept. : t.l.j. ; le reste de
l'année : sur demande.*

**AUX ENVIRONS :** à 4 km de
Val-André, le **château de
Bien-Assis**, entouré d'un
beau jardin à la française, a
subi bien des remaniements
depuis sa construction
en 1400. De cette époque,
seule subsiste une tour située
à l'arrière du bâtiment. Détruit
pendant la Ligue, l'édifice fut
reconstruit au XVIIe siècle et
on peut voir notamment un
corps de logis encadré de
deux tours. L'intérieur abrite
de jolis meubles Renaissance
bretons et un monumental
escalier en grès rose.

### ♣ Château de Bien-Assis
*Sur la D786.* 📞 *02 96 72 22 03.*
🕯️ *mi-juin-mi-sept. : t.l.j. sauf dim.
matin ; le reste de l'année : sur
demande.* 📷

Le port de pêche d'Erquy possède de
nombreux chalutiers

# Sables-d'Or-les-Pins 🔞

**Carte routière** E1. À 8 km au sud-
ouest du cap Fréhel par la D34a.
🚶 *2100.* 🚗 🚆 *Lamballe.* ℹ️ *La
Grande Abbaye, Fréhel (02 96 41 53
81 toute l'année ; 02 96 41 51 97
en été).* 🕯️ *mar.*

Cette station balnéaire aux
villas cossues néo-
normandes a été créée au
début des années 1920 pour
concurrencer Deauville. Sa
plage de sable fin de 3 km et
ses dunes plantées de
400 000 pins sont appréciées
des vacanciers.

**AUX ENVIRONS :** plus à l'ouest,
sur la D786, **Erquy** est le
premier port de pêche pour
la praire et la coquille Saint-
Jacques et possède une
importante flotte de chalutiers
pour la pêche en haute mer.
Parmi ses plages, celle de
Caroual est sans conteste la
plus belle. L'office du
tourisme propose en été des
balades en mer à l'île de
Bréhat (*p. 98*) et dans la baie
de Saint-Brieuc (*p. 103*). En
1795, des émigrés royalistes
quittèrent Jersey pour
débarquer à Quiberon avec
l'aide des troupes de chouans
(*p. 46*). Ils accostèrent par
erreur à Erquy où ils furent
pris par les républicains.
Moins connu que le cap
Fréhel, le **cap d'Erquy**
est pourtant un des
plus beaux de
Bretagne. De nombreux
sentiers balisés
sillonnent la lande
fleurie et longent les
falaises déchiquetées
aux somptueux
panoramas. L'un d'eux
passe notamment par
un *oppidum* (camp dit
de César), dont les
fortifications
remonteraient à l'âge
du fer. Ce site a été
classé en 1978 et
racheté par la
commune en 1982 afin
de le protéger des
motos. En été, le
**syndicat des caps**
(*02 96 41 50 83*)
organise chaque jour
des randonnées.

Le fort La Latte, édifié au XIII<sup>e</sup> siècle, domine la mer de plus de 60 m

## Cap Fréhel ③⓪

**Carte routière** E1. Syndicat des caps, rue Notre-Dame, Plévenon (02 96 41 50 83). mi-juin-mi-sept. : t.l.j. ; vacances scolaires hors saison : t.l.j. Emeraude Line Dinard (02 99 46 10 45). Emeraude Line Saint-Malo (02 23 18 11 81).

Le site spectaculaire du cap Fréhel offre un des plus beaux paysages de Bretagne : des landes de bruyères et d'ajoncs qui s'étendent à perte de vue, des falaises de grès rose tombant dans la mer en un à-pic vertigineux de 70 m. Le panorama embrasse la pointe du Groin à l'est jusqu'à l'île de Bréhat à l'ouest. Par temps clair, on peut même apercevoir les îles Anglo-Normandes. Dans les recoins de la côte et sur les îlots voisins nichent des oiseaux marins (pétrels fulmars, mouettes tridactyles, cormorans huppés, guillemots de troïl, huîtriers-pies…). Deux phares gardent l'endroit : l'un construit au XVII<sup>e</sup> siècle par Vauban, l'autre en 1950. Ce dernier se visite, et ceux qui auront eu le courage de grimper jusqu'en haut seront récompensés par la vue. Le syndicat des caps organise des randonnées pédestres tous les jours l'été. Depuis Dinard et Saint-Malo, des vedettes permettent de voir le cap depuis la mer.

### ⌂ Phare
02 96 41 40 03. juil.-août : t.l.j. ; le reste de l'année : sur r.-v.

## Fort La Latte ③①

**Carte routière** E1. À 4 km au sud-ouest du cap Fréhel par la D16. 02 96 41 40 31. avr.-sept. : t.l.j. ; oct.-fév. : tous les w.-e. et vacances scolaires d'hiver : tous les apr.-midi. Emeraude Line Dinard (02 99 46 10 45). Emeraude Line Saint-Malo (02 23 18 11 81).

Cette formidable forteresse domine la mer de plus de 60 m de haut. Édifiée au XIII<sup>e</sup> siècle par la puissante famille de Goyon-Matignon, elle fut prise par du Guesclin en 1379, assiégée en vain par les Anglais en 1490, puis par les Ligueurs en 1597. Au XVII<sup>e</sup> siècle, Vauban en confia la restauration à Garangeau. On pourra voir notamment le donjon et un four à rougir les boulets. Du chemin de ronde, la vue sur la Côte d'Émeraude est sublime. Le port est abandonné au cours du XIX<sup>e</sup> siècle. Il est vendu à des particuliers en 1892, puis il est enfin classé monument historique en 1931.

Le spectaculaire site du cap Fréhel est constitué de falaises hautes de 70 m

## Saint-Cast-Le Guildo ③②

**Carte routière** E1. Lamballe. 3290. pl. Charles-de-Gaulle (02 96 41 81 52). en saison : lun. ; toute l'année : ven. concerts (juil.-août).

Saint-Cast-Le Guildo est devenue une station balnéaire réputée, qui ne compte pas moins de sept plages, et dont la population est multipliée par dix l'été. C'est à la fin du XIX<sup>e</sup> siècle qu'elle connait un développement significatif, grâce au peintre Marinier qui achète la pointe et l'aménage. Les ruines du château du Guildo, encore visibles sur la commune de Créhen, gardent le souvenir de la lutte fratricide qui opposa Gilles de Bretagne, fils du duc Jean V, affilié à la cour d'Angleterre, et son frère, le duc François I<sup>er</sup> de Bretagne, partisan français. Assassiné par ce dernier, Gilles demanda à Dieu que son frère ne lui survivât que de 40 jours ; François s'éteignit effectivement 40 jours plus tard. Il faudra attendre 1758 pour que les Anglais vaincus à Saint-Cast renonçassent définitivement à envahir les côtes bretonnes.

Deux promenades du GR34 s'imposent au visiteur : la pointe de la Garde au sud, qui offre un beau panorama sur l'archipel des Ebihens et la presqu'île Saint-Jacut ; la pointe de Saint-Cast au nord qui prodigue une belle vue sur le fort La Latte et le cap Frehel. Au départ de Saint-Cast, un vieux gréement, *Le Dragous*, permet d'approcher ces deux sites grandioses. Dans le bourg, l'église abrite un bénitier roman du XII<sup>e</sup> siècle orné de grotesques. La statue de Saint-Cast, nom du moine qui fonda ici un ermitage au VI<sup>e</sup> siècle, y est également érigée.

### *Le Dragous*
Port de Saint-Cast. 02 96 41 86 42. juil.-août : t.l.j. ; de Pâques à la Toussaint : sur demande.

# Dinan pas à pas ㉝

Victor Hugo s'était déjà extasié sur Dinan, juchée « en surplomb sur un précipice… comme un nid d'hirondelle ». Du XIVe au XVIIIe siècle, le commerce florissant des toiles, des cuirs, du bois et des céréales, qui transitaient par son port aménagé sur la Rance, donne naissance à un exceptionnel patrimoine architectural. La vieille ville a ainsi conservé d'admirables maisons bourgeoises à pans de bois. Les remparts qui la ceinturent sur 3 km comptent parmi les plus vastes et les plus anciens de Bretagne. Le donjon à mâchicoulis du château de la duchesse Anne, érigé au XIVe siècle, ainsi que la basilique Saint-Sauveur, dotée d'un magnifique porche roman, complètent les attraits de cette ville au cachet médiéval.

★ **Basilique Saint-Sauveur**
*Elle possède une architecture sous l'influence mêlée des arts byzantin, perse et roman.*

**Tour Sainte-Catherine**
*La plus ancienne tour des remparts du XIIIe siècle offre un splendide panorama sur le port et la vallée de la Rance.*

★ **Rue de Jerzual**
*Jusqu'en 1783, date de construction du viaduc, les voyageurs accédaient à Dinan par cette rue, ancien chemin escarpé.*

**Tour du Gouverneur**

**Porte de Saint-Malo**

**Couvent des Cordeliers**
*Ancien monastère franciscain construit au XIIIe siècle, le couvent des Cordeliers est occupé aujourd'hui par un collège privé.*

### ★ Château et remparts

*Le château réunit le donjon, la tour de Coëtquen et la porte du Guichet. Construit au XIVe siècle ; le donjon abrite le Musée historique du pays de Dinan.*

## À NE PAS MANQUER

- ★ Château et remparts
- ★ Rue du Jerzual
- ★ Place des Merciers
- ★ Basilique Saint-Sauveur

LÉGENDE

– – – Itinéraire conseillé

0                  100 m

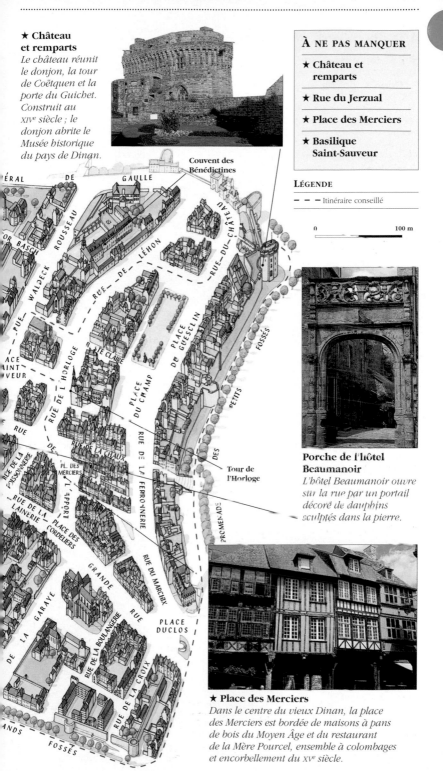

Couvent des Bénédictines

ÉRAL — DE — GAULLE

OR BASCH

RUE WALDECK ROUSSEAU

RUE DE LÉHON

RUE-DU-CHÂTEAU

PLACE GUESCLIN

PLACE SAINT-SAUVEUR

RUE CLAIRE

RUE DE L'HORLOGE

PLACE DU CHAMP

RUE DE

RUE LA VILLAUX

RUE DE LA FERRONNERIE

RUE DE LA POISSONNERIE

PL. DES MERCIERS

L'APPORT

RUE DE LA LAINERIE

PLACE DES CORDELIERS

GRANDE

RUE

RUE DU MARCHIX

DE LA GARAYE

RUE DE LA BOULANGERIE

PLACE DUCLOS

RUE DE LA CROIX

ANDS — FOSSÉS

PETITS FOSSÉS

DES

PROMENADE

Tour de l'Horloge

**Porche de l'hôtel Beaumanoir**

*L'hôtel Beaumanoir ouvre sur la rue par un portail décoré de dauphins sculptés dans la pierre.*

### ★ Place des Merciers

*Dans le centre du vieux Dinan, la place des Merciers est bordée de maisons à pans de bois du Moyen Âge et du restaurant de la Mère Pourcel, ensemble à colombages et encorbellement du XVe siècle.*

# À la découverte de Dinan

L e destin de la ville épouse les soubresauts de l'histoire bretonne. Vers l'an 1000, des seigneurs – les Dinan – prirent possession des lieux. En 1238, la ville passa sous la tutelle du duc de Bretagne. Elle connut une première période prospère grâce au trafic portuaire avec les Flandres et l'Angleterre et au commerce des draps et de la toile. Toutefois, les guerres de Succession (XIVe siècle), au cours desquelles elle épousa le parti français, mirent fin à son développement. À partir du XVIe siècle, Dinan renoue avec la prospérité et connaît une nouvel un âge d'or aux XVIIe et XVIIIe siècles, comme on peut le lire sur les façades de ses demeures à pans de bois. Dans le même temps, de nombreux ordres religieux multiplient les fondations, installant de vastes couvents et des nouvelles églises.

La vieille ville, son port et le cercle nautique, qui témoigne du succès de la navigation de plaisance à Dinan

### La vieille ville et son port

Sur le port, l'activité marchande qui fit jadis la richesse de Dinan a laissé place désormais à la navigation de plaisance. C'est l'occasion d'une promenade bucolique le long de la Rance.

### 🏛 Maison d'artiste de la Grande-Vigne

103, rue du Quai. 📞 02 96 87 90 80. 🕐 juin-sept. : t.l.j.
C'est ici que résidait l'artiste Yvonne Jean-Haffen, élève et amie de Mathurin Méheut (p. 105). Parmi les 4 000 œuvres qu'elle a léguées à la ville, figurent des gravures, des céramiques et des gouaches sur la Bretagne d'antan. Celles-ci sont présentées par roulement autour d'une exposition thématique.
On gagne ensuite la **rue du Petit-Fort**. Au n° 24, on ne

manquera pas la **maison du Gouverneur**, belle demeure du XVe siècle. Avant la construction du viaduc en 1783, les voyageurs accédaient à Dinan par la **porte du Jerzual** (XIVe siècle) aux arcades en plein cintre de style gothique et empruntant la **rue du Jerzual**, bordée de maisons à pans de bois des XVe et XVIe siècle. Aujourd'hui, des artisans souffleurs de verre, ébénistes et doreurs sur bois, ont délogé les marchands d'autrefois. On rejoint la place des Cordeliers où se tient l'ancien **couvent des Cordeliers**, élevé au XIIIe siècle par un croisé entré dans les ordres. Plusieurs bâtiments du XVe siècle ont survécu : le cloître gothique, la cour d'honneur et la salle capitulaire, convertie par le collège en réfectoire.
Dans la Grande-Rue, l'**église Saint-Malo**, coiffée d'un

clocheton d'ardoise, a été commencée au XVe siècle et achevée quatre siècles plus tard. L'extérieur est remarquable par son portail Renaissance. Pillé à la Révolution, l'intérieur est plutôt dépouillé, hormis le mobilier moderne, tel le maître-autel (1955) en granit sculpté par Gallé et une série de vitraux (1927) due à Merklen, qui représente différents quartiers de Dinan (le Jerzual, la place des Cordeliers, etc.).
En direction de l'office du tourisme, la **rue de l'Apport** réunit un ensemble de maisons bien restaurées. On aboutit à la **place des Merciers** qui offre aussi d'admirables demeures en encorbellement et porches de bois. Au n° 6 de la **rue de l'Horloge**, l'office du tourisme occupe un hôtel du XVIe siècle aux piliers de granit : l'**hôtel de Keratry.**

### 🕐 Tour de l'Horloge

Rue de l'Horloge. 🕐 avr.-sept. : t.l.j.
Sa cloche a été offerte à la ville en 1507 par la duchesse Anne. Du sommet, on jouit d'un beau panorama sur Dinan.
Place Saint-Sauveur, la **basilique Saint-Sauveur**, qui marie à la fois les styles roman et byzantin, est unique en Bretagne. On la doit à un chevalier qui revint sain et sauf d'une croisade contre les Sarrasins. Débutée au

Rue du Petit-Fort, pourvue de belles demeures du XVe siècle

**La relique de Saint Magloire**

## Une naissance de légende

En 850, des moines en guenilles rencontrèrent le roi et lui demandèrent de l'aide. Celui-ci accepta à condition qu'on lui présentât des reliques. Démunis, les religieux s'embarquèrent pour l'île de Sercq, île anglo-normande voisine de Guernesey, où ils subtilisèrent le corps de saint Magloire. À leur retour, Nominoë se prosterna devant la relique et fonda le prieuré de Saint-Magloire-de-Lehon.

## Mode d'emploi

**Carte routière** E2. 🏠 15 000.
ℹ 6, rue de l'Horloge
(02 96 87 69 76). 📅 avr.-juin et
sept. : tous les sam. ; juil.-août. :
t.l.j. 🚗 🅿 pl. du 11-Novembre-
1918. 🚆 jeu. 🎵 festival
de Harpe celtique (1re semaine
de juil.) ; fête des Remparts
(3e week-end de juil.) ; fête
de la Pomme (1er week-end
de nov.).

XIIe siècle, sa construction a pris fin au XVIe siècle. La façade se distingue par un exceptionnel portail roman où sont sculptés les vices et monstruosités dont il faut se détourner (sirènes, têtes humaines sur corps de serpents, crapaud suspendu au sein d'une femme). L'intérieur juxtapose le roman et le gothique flamboyant. Dans l'une des chapelles, le tombeau de du Guesclin renferme le cœur du connétable. On verra également de beaux vitraux anciens et modernes. L'ancien cimetière est aujourd'hui un jardin à l'anglaise d'où l'on peut admirer la vallée de la Rance. Les bustes de l'explorateur Auguste Pavie et de Néel de la Vigne, maire de Dinan sous la révolution, leur rendent hommage. Longs de 3 km, les **remparts**, érigés au XIIIe siècle puis renforcés au XVe siècle par le duc François, ont été modernisés au XVIIe siècle par Garangeau (p. 80) sur ordre de Vauban. L'enceinte compte quatre portes et six tours dont la plus impressionnante reste la tour Beaumanoir. Au niveau de la porte Saint-Louis, la rue Lehon mène à l'**ancien couvent des Bénédictines** (XVIIe et XVIIIe siècles), actuel Collège Secondaire où Chateaubriand (p. 69) étudia. Les promenades de la Duchesse-Anne et des Grands-Fossés ménagent de belles vues sur la ville et la Rance.

### ♟ Château et musée
Rue du Château. ☎ 02 96 39 45 20.
Le château comprend le donjon de la duchesse Anne (XIVe siècle), la porte du Guichet (XIIIe siècle) et la tour de Coëtquen. Fortifié par Mercœur, chef des Ligueurs, l'ensemble devait résister aux assauts des troupes protestantes mais Henri IV, aidé par les Dinannais, parvint à franchir la porte de Saint-Malo. Le donjon, haut de 34 m et édifié en 1380 est merveilleusement conservé. Il devait servir aussi bien de forteresse que de résidence, car judas et salles de guet côtoient fenêtres à meneaux et cheminées monumentales. À son sommet, une plate-forme offre une magnifique vue sur les faubourgs et les environs de Dinan. Comme le donjon, la tour Coëtquen, qui abrite la remarquable salle des gisants, porte la marque d'Estienne

**Statue du château**

**La tour de l'Horloge offre un beau panorama sur Dinan**

Le Fur, architecte de la tour Solidor (p. 82-83) à Saint-Servan (au Sud de Saint-Malo). Installé dans le donjon, le **musée** retrace l'histoire de la région depuis l'époque préhistorique jusqu'à nos jours, au travers d'une collection constituée de pièces archéologiques, des coiffes, tableaux et sculptures.

**La tour de Coëtquen est due à l'architecte Estienne Le Fur**

# LE FINISTÈRE NORD

*Le Finistère Nord cache deux entités géographiques et historiques à la personnalité bien marquée : à l'ouest de la rivière de Morlaix, le territoire de l'ancien évêché du Léon, qui avait Saint-Pol pour capitale religieuse et économique, et à l'est, un petit pan du diocèse voisin, le Trégor, annexé au lendemain de la Révolution...*

Le Trégor finistérien est une contrée attachante, cloisonnée, tout en vallons et chemins creux. Le Léon, quant à lui, est un large plateau qui a sacrifié ses arbres et ses talus dans les années 1960 pour mieux jouer la carte de l'agriculture intensive – surtout le Haut-Léon, terre bénie de l'artichaut et du chou-fleur, qui s'est même dotée d'une compagnie maritime (Brittany Ferries) pour assurer l'exportation de ses primeurs. Mais ce Haut-Léon dynamique et si profondément religieux – ne le surnomme-t-on pas « la terre des prêtres » ? – peut s'enorgueillir de posséder aussi quelques-uns des joyaux architecturaux de la Bretagne : les enclos paroissiaux *(p. 138-139)*, édifiés avec le soutien financier de paysans enrichis grâce au commerce de la toile dès le XIIIe siècle.

Bordé sur trois côtés par la mer (les abers, l'Iroise et la rade de Brest), le Bas-Léon a d'autres atouts : il cultive l'art du contraste en faisant alterner longues grèves sauvages et criques secrètes, estuaires bucoliques et falaises hérissées de phares, cordons de dunes et pointes balayées par les vents, tandis qu'à l'extrême ouest, bravant l'océan Atlantique, émergent Ouessant, « proue de l'Ancien Monde », et les îles rases de l'archipel de Molène, qui font partie du parc régional d'Armorique, à l'instar des monts d'Arrée et de la forêt presque magique d'Huelgoat *(p. 140)*.

Tous ces terroirs, qui se prêtent à merveille à la pratique de la randonnée, constituent un généreux concentré de nature et une région idéale pour se ressourcer.

**Les drisses et les haubans sont mis à sécher après la pêche**

◁ **Le parc du Menez Meur dans les monts d'Arrée**

# À la découverte du Finistère Nord

À quoi tient le charme de ce « bout du monde » ? À ses sites naturels protégés, tels la baie de Morlaix, les landes des monts d'Arrée *(p. 140-141)*, les dunes de Keremma, la côte burinée des abers *(p. 126-127)* ou encore l'archipel d'Ouessant, qui devrait combler tous les amateurs d'iode et de grand vent. Comme les distances entre ces différents sites ne sont guère importantes, on peut aisément les explorer tout en visitant sur le parcours les quelques châteaux, manoirs et enclos paroissiaux qui font la richesse monumentale de l'ancien évêché du Léon (autour de Landerneau et Landivisiau notamment). C'est en alliant ainsi mer et bocage que l'on pourra entrevoir les multiples facettes d'un pays rude où la lumière est d'une singulière beauté.

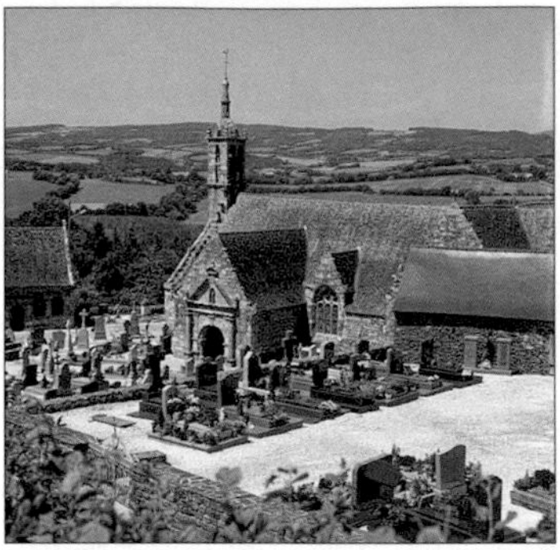

L'église de Lannédern

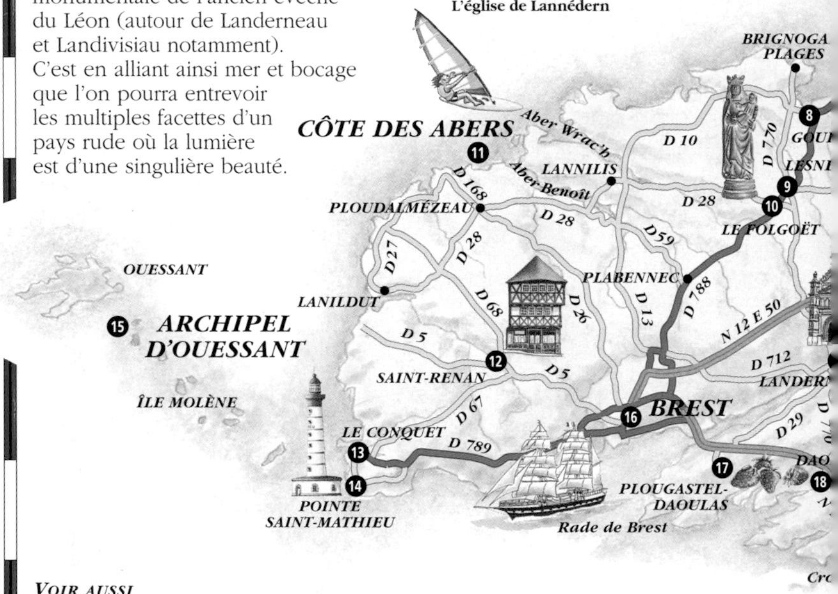

CÔTE DES ABERS

ARCHIPEL D'OUESSANT

OUESSANT

ÎLE MOLÈNE

LANILDUT

SAINT-RENAN

LE CONQUET

POINTE SAINT-MATHIEU

PLOUDALMÉZEAU

LANNILIS

Aber Wrac'h

Aber-Benoît

PLABENNEC

BREST

PLOUGASTEL-DAOULAS

Rade de Brest

BRIGNOGA PLAGES

LE FOLGOËT

LESNI

GOUI

LANDER

DAO

**VOIR AUSSI**

- *Hébergement* p. 221-223
- *Restaurants* p. 236-237

0            20 km

## LE FINISTÈRE NORD D'UN COUP D'ŒIL

**LÉGENDE**

▰ Autoroute

▰ Route principale

▰ Route secondaire

Île de Batz, le bourg

**CIRCULER**

Les deux principales agglomérations du Finistère Nord, Morlaix et Brest, sont reliées par la voie express N12 et par le TGV (45 min). Le port de Roscoff, terminal des ferries d'Irlande et de Grande-Bretagne, est desservi par les cars et les trains « TER » de la SNCF. Plusieurs compagnies de cars (Bihan, CAT, Saint-Mathieu, Douguet, Kreisker, Leroux…) assurent des liaisons régulières entre les différentes villes du Léon. Pour apprécier les charmes de la région, les routes côtières D73 (Morlaix-Carantec), D76 (Plouézoc'h-Térénez), D127 (Portsall-Argenton) et celles qui suivent les abers, les rives de l'Élorn (D712 et D30) et du Queffleuth (D769) sont particulièrement agréables.

Bocages aux alentours de Saint-Rivoal

# Morlaix pas à pas ❶

Ville-charnière, située à la jonction du Léon et du Trégor, de la mer et des monts d'Arrée, Morlaix *(Montroulez)* comptait autrefois parmi les ports les plus importants de la Manche. Très tôt, en effet, armateurs, corsaires et négociants avaient su tirer parti de cette position géographique : la vie s'organisait autour du bassin d'où l'on expédiait vers l'Espagne les fines toiles de lin blanc tissées dans l'arrière-pays, et vers la Hollande le sel de Guérande, le plomb des mines du Huelgoat, les cuirs tannés et les vins de Bordeaux.
Au XIXe siècle, les bateaux pouvaient encore remonter l'estuaire jusqu'à l'actuel hôtel de ville. Les quais, bordés de maisons à arcades et d'entrepôts, étaient aussi animés qu'une bourse de commerce.

**Le viaduc de Morlaix comporte deux étages, le 1er est accessible aux piétons**

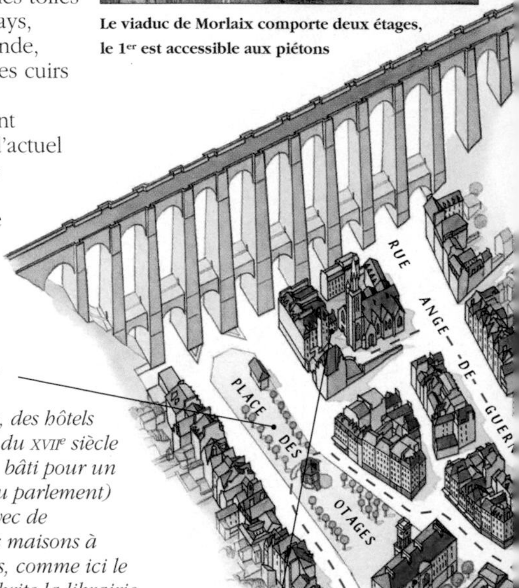

**★ La place des Otages**
*Sur la place, des hôtels particuliers du XVIIe siècle (tel le n°15, bâti pour un conseiller au parlement) voisinent avec de charmantes maisons à pans de bois, comme ici le n° 35 qui abrite la librairie* La nuit bleu marine.

**Église Saint-Melaine avec le viaduc derrière**
*L'imposant viaduc qui enjambe le vieux Morlaix fut conçu par l'ingénieur Victor Fenoux (1861) pour permettre l'aménagement de la ligne de chemin de fer Paris-Brest. L'église est dédiée à l'abbé Melaine (462-530), qui était chancelier d'un roi breton (Hoel II) et conseiller d'un roi franc (Clovis).*

**L'hôtel de ville de Morlaix** date de 1841.

RUE ANGE-DE-GUERN
PLACE DES OTAGES
RUE
PLACE ÉMILE SOUVESTRE

**À NE PAS MANQUER**

**★ La place des Otages**

**★ Le 9, Grand'Rue**

0          100 m

**Les vieilles murailles,** vestiges de la cité médiévale.

**La rue Ange-de-Guernisac,** avec ses façades recouvertes d'ardoises.

**★ Le 9, Grand'Rue**
*Dans la Grand Rue,
où se tenait jadis
le marché de la toile,
la maison n° 9 conserve
un escalier caractéristique
de l'architecture
morlaisienne
(le pondalez), des fenêtres
à volets coulissants
et des poutres peintes
du XVII° siècle.*

---

### Mode d'emploi

**Carte routière** C 1. 🏠 *17 606.*
🚉 *rue Armand-Rousseau
(commune de Saint-Martin-des-
Champs).* ℹ️ *place des Otages
(02 98 62 14 94).* 🛒 *sam.*
🎭 *festival des Arts dans la rue
(mi-juil.-mi-août).*
🌐 *www.morlaix.fr*

---

**Maison de la
Duchesse Anne**
*Elle fait partie de ces
belles demeures qui
ont été bâties au XV° et
XVI° siècles pour
les nobles de Morlaix
et les riches courtiers
en toiles de lin.*

**Musée des Jacobins**
*Une salle du musée réunit plusieurs
exemples de* gwele kloz *(lits clos)
traditionnels, en chêne ou en merisier,
datant des XVIII° et XIX° siècles. On peut
aussi y découvrir de jolis vitraux.*

**La place
des Jacobins,**
devant le Musée
municipal.

**Église
Saint-Mathieu**
*Elle a perdu le
dôme qui
couronnait le
sommet de sa tour
(1548), mais elle
possède l'une des
rares « statues
ouvrantes » qui
subsistent encore
en France.*

PLACE
DE VIARMES

RUE AU FIL

D'AIGUILLON

GRAND RUE

PLACE
DES
JACOBINS

RUE DE PARIS

PLACE
SALVADOR
ALLENDE

DU

MUR

PLACE
DU
DOSSEN

VENELLE
DES ARCHERS

RUE
BASSE

RUE
HAUTE

**Place Allende,**
ancienne place
des halles.

**Les nouvelles
halles**

**Les vieilles
maisons**

### Légende

– – – Itinéraire conseillé

# À la découverte de Morlaix

**M**orlaix a perdu beaucoup de son charme en 1897, lorsque le bassin à flot fut recouvert par la place des Otages et la place Cornic. La municipalité s'efforce aujourd'hui de la rendre plus pimpante et de mettre en valeur les quelques monuments légués par les négociants qui s'étaient établis le long des quais : hôtels à lucarnes, maisons à *pondalez*, venelle pavées… Seuls les bateaux de plaisance fréquentent aujourd'hui le port, les bâtiments de la manufacture de tabac ayant quitté les lieux suite à la fermeture de celle-ci. La suppression des 2 000 emplois qui en a résulté a contraint la troisième ville du Finistère à se chercher une nouvelle vocation.

**Vitrail du chœur de l'église Saint-Mathieu**

**Maisons à pans de bois de Morlaix**

### 🔒 Église Saint-Melaine
Rue Ange-de-Guernisac.
📞 *02 98 88 45 19.*
Édifiée en style gothique flamboyant par les Beaumanoir, Saint-Melaine est la plus vieille église de Morlaix (1489). À l'intérieur : orgue de Thomas Dallam (1682, restauré par Heyer en 1870), statues de saints en bois polychrome et belles sablières du XVIe siècle sculptées de motifs végétaux, d'animaux, d'anges, d'hermines et de… caricatures de notables de l'époque.

### 🏛 Musée des Jacobins
Place des Jacobins. 📞 *02 98 88 68 88.*
⭕ *juin-sept.* ⬤ *mar. et sam. matin.*
Logé dans un ancien couvent du XIIIe siècle, le musée de Morlaix a plusieurs centres d'intérêt : l'histoire locale, l'ethnographie, la peinture d'inspiration bretonne et l'art contemporain.

On retiendra plus particulièrement la statuaire religieuse du XVe au XVIIIe siècle, avec la figure de l'*Ankou,* et le beau mobilier traditionnel : coffres à grain, armoires à toiles de lin et lits clos léonards.

### 🔒 Église Saint-Mathieu
À l'est de la rue de Paris.
📞 *02 98 88 45 19.*
Cette église, reconstruite en 1824, vaut surtout pour sa tour (c'est l'un des tous premiers témoins de la Renaissance en Bretagne) et sa « statue ouvrante » exécutée vers 1390 par un atelier de Westphalie. Ce chef-d'œuvre est d'autant plus précieux que les représentations de ce type, pour la plupart, ont été détruites après le concile de Trente (1563) : d'après les théologiens, elles risquaient de susciter l'idée que la Vierge aurait pu engendrer la Sainte Trinité.

**Mobilier, musée des Jacobins**

### 🏚 Maison de la duchesse Anne
33, rue du Mur. 📞 *02 98 88 23 26.*
⭕ *juil.-août : t.l.j.* ⬤ *dim. et j. fériés : le matin.* 📷
Cette maison présente une particularité architecturale que l'on désigne sous le nom breton de *pondalez*. Elle est constituée de trois parties : un corps de logis côté rue, un corps de logis à l'arrière et une pièce centrale, chauffée par une cheminée monumentale, se développant sur toute la hauteur de la maison. Le *pondalez* est l'escalier à vis qui dessert, à l'instar d'une passerelle, les appartements des deux corps de logis.

**Fenêtres de la maison de la duchesse Anne**

### 🏚 9, Grand'Rue
📞 *02 98 88 03 57.* ⭕ *en hiver : mer., ven. et sam. ; en été : mar.-sam.* 📷
Restaurée en 1997, le « 9, Grand'Rue » est un autre échantillon des maisons à *pondalez* du XVIe siècle dont la façade à pans de bois pouvait être ornée de l'effigie d'un saint patron ou de personnages pittoresques. Remarquez la haute poutre en chêne richement sculptée qui, d'un seul tenant, soutient le *pondalez*, et les fenêtres conçues pour permettre aux courtiers d'exposer leurs marchandises.

## « CAPLAN & CO »

C'est l'un des cafés les plus attachants de la région. L'ancienne épicerie, qui surplombe la plage de Poul-Rodou (sur la corniche Locquirec-Guimaëc), s'est convertie en 1993 en café-librairie. On y trouve une terrasse avec quelques tables et, à l'abri des embruns, toutes sortes de bons livres, de Paul Auster à Hermann Hesse, dans un décor de salle de classe.

**Le bistrot Caplan & Co est l'un des plus célèbres de la région**

**AUX ENVIRONS :** le **Trégor finistérien** – c'est le nom que l'on donne à ce petit pays qui déploie ses landes et ses bocages entre Morlaix et Locquirec – vous réserve d'agréables surprises, quelques curiosités archéologiques et une belle palette de paysages marins. A commencer par la D76 qui longe l'estuaire jusqu'au Dourduff-en-Mer.

### 🏠 Cairn de Barnenez

Presqu'île de Barnenez, Plouézoc'h. ☎ 02 98 67 24 73. ◐ avr.-sept. : t.l.j. ● en hiver : lun.
Un monument mégalithique, bâti vers 4 500 avant J.-C., se profile au sommet de la presqu'île de Barnenez : il s'agit du plus grand et du plus vieux cairn que l'on ait découvert à ce jour en Europe. Il regroupe 11 dolmens. Les fouilles ont révélé la présence de onze dolmens à couloirs, de quelques poteries, d'ossements et de motifs gravés. Depuis la pointe, on a une superbe vue sur le château du Taureau (p. 120), l'île Stérec et le petit port de Térénez.

### 🏖 Plages de Plougasnou

Les plages qui se cachent entre Térénez et Saint-Jean-du-Doigt sont les plus belles et les plus pittoresques de la région : Samson, Guerzit, Port-Blanc (desservies par la D46A2) ou Primel-Trégastel (D46). Les randonneurs ne manqueront pas l'ancien chemin des douaniers qui contourne la pointe du Diben, hérissée de rochers zoomorphes (dromadaire, sphinx, etc.), ni la pointe de Trégastel : elle offre, du haut de l'ancien corps de garde, un large panorama sur la Manche, de l'île de Batz à l'île Grande.

### Saint-Jean-du-Doigt

A 16 km au nord-nord-est par la D46. 🚌 depuis Morlaix.
Ce petit bourg, dont le pardon attirait encore à la fin du XIXᵉ siècle jusqu'à 12 000 fidèles, a bénéficié des largesses d'Anne de Bretagne : la duchesse, qui souffrait de l'œil gauche, avait fait un crochet par *Sant Yann ar Biz* afin de toucher la fameuse relique qui avait la vertu de rendre la vue. Guérie, elle finança la construction de l'église dont la flèche et les trois clochetons seront foudroyés en 1925. On peut voir une élégante fontaine décorée de statuettes de plomb.

### 🏛 Musée des Vieux Outils

Le Prajou, Guimaec, à 12,5 km au nord-est de Morlaix. ☎ 02 98 67 54 77. ◐ En été : tous les après-midi.
Sur la route qui relie le bourg de Guimaec à la côte sauvage de Beg an Fry, une modeste grange réunit près de 2 500 objets domestiques et outils traditionnels du Trégor : fléaux, marteaux à piler l'ajonc, peignes à carder le lin, écrémeuses, vieux alambics…

**Fontaine de Saint-Jean-du-Doigt est ornée de statuettes en plomb**

### Locquirec

**Carte routière** C1. À 19 km au nord-est de Morlaix par la D786 puis la D64. 🏛 1 242. 🚌 et 🚆 depuis Morlaix. ℹ place du Port (02 98 67 40 83). 🦪 mer. matin.
C'est dans ce petit port situé à la lisière des Côtes-d'Armor que l'on extrayait jadis la fameuse et très lourde « ardoise de Locquirec » qui couvrait la plupart des toitures. Désormais, *Lokireg* exploite ses atouts balnéaires : neuf plages, un grand Hôtel des Bains et un sentier côtier qui ménage de beaux points de vue sur la baie. L'église, avec son clocher Beaumanoir (1634), est à l'image de la station : intime et coquette. À l'intérieur, on trouve un lambris peint et une charmante statue de Notre-Dame de Bon-Secours. La **chapelle Notre-Dame-des-Joies** (5 km au sud) conserve un chancel en chêne du XVIᵉ siècle, ajouré de fruits, de fleurs et de chimères, et une *Vierge à l'enfant*.

**Le cairn de Barnenez, le plus important d'Europe**

La plage de Carantec, élégante station balnéaire

# Carantec ❷

**Carte routière** B1. 🏘 *2 650.*
🚌 *depuis Morlaix.* 🛈 *4, rue Pasteur
(02 98 67 00 43).* 🛒 *jeu. matin.*
🎭 *pardon de Notre-Dame-de-Callot
(dimanche qui suit le 15 août).*

L'histoire de Carantec
*(Karanteg)* a pris, dans
les années 1870-1900, un
tournant décisif avec l'arrivée
de ses premiers touristes :
sous l'impulsion d'un hôtelier
séduit par la beauté du site,
la commune agricole, en
effet, s'est métamorphosée
en station balnéaire à la
mode. Aujourd'hui, les grands
hôtels et villas élégantes ont
disparu, mais le panorama est
toujours aussi enchanteur :
il suffit, pour s'en convaincre,
d'emprunter le sentier balisé
en blanc et rouge qui relie
en deux heures la grève
Blanche à la pinède de Penn
al Lann en passant par
la plage de Porspol, la Chaise
du Curé et le Cosmeur.
Chemin faisant, le regard
embrasse les criques de sable
fin de l'**île Callot**, la petite île
Louët, avec son phare et
sa maison de gardien, et
le **château du Taureau**, bâti
au XVIᵉ siècle par la ville
de Morlaix qui voulait
se protéger des incursions
de corsaires anglais. Renforcé
par Vauban, converti en
prison, il devrait ouvrir ses
portes au public en 2004.
 Au bourg, le petit **Musée
maritime** réunit quelques
voiliers de la Belle Époque
autour du bateau d'Ernest
Sibiril qui permit à 193
résistants et pilotes
britanniques de traverser
la Manche durant la seconde
guerre mondiale.

🏝 **Île Callot**
*Accessible uniquement à marée
basse ; se renseigner sur les heures
possibles de passage.*
🏛 **Musée maritime**
8, rue Albert-Louppe. 📞 *02 98 67 00
43.* 🗓 *juil.-août.* ⬤ *jeu.*
⚓ **Château du Taureau**
⬤ *en travaux. Réouverture prévue en
2004. Renseignements à la chambre
de commerce et d'industrie de
Morlaix.* 📞 *02 98 62 39 39.*

# Saint-Pol-de-Léon ❸

**Carte routière** B1. 🏘 *7 256.* 🚉
🛈 *place de l'Évêché (02 98 69 05 69).*
🛒 *mar.*

S aint-Pol *(Kastell Paol)* est
 la capitale de l'artichaut et
du chou-fleur. Elle doit son
nom à un évangélisateur
d'origine galloise, Pol-
Aurélien, qui y établit un
monastère si important
(VIᵉ siècle) qu'il devint bientôt
le siège de l'évêché de Léon.
Le nombre des institutions –
congrégations, séminaires – et
la richesse du patrimoine
religieux témoignent de
l'influence du clergé sur la

cité. La cathédrale, qui
domine la place du marché
depuis le XIIᵉ siècle, est l'un
des très rares sanctuaires à
conserver un « ciborium » : ici,
en effet, suivant une ancienne
tradition liturgique, le ciboire
est suspendu au-dessus d'un
maître-autel de marbre noir à
la corolle d'un invraisemblable
palmier recourbé en crosse et
tout enrubanné d'angelots, de
feuilles de vigne et d'épis de
blé. L'église se distingue aussi
par sa rosace à seize pétales
(1431), le décor en
trompe-l'œil de ses orgues,
signé Robert Dallam, ses
72 stalles du XVIᵉ siècle,
sculptées d'animaux fabuleux,
et ses « étagères de la nuit »,
ultimes reposoirs pour le
crâne des défunts.
 Mais le véritable fleuron de
la ville est la **chapelle Notre-
Dame-du-Kreisker** : son
clocher – le plus haut
de Bretagne – offre, depuis
son escalier en colimaçon
(170 marches), un panorama
exceptionnel sur la baie,
les champs de primeurs de
la Ceinture Dorée et le vieux
Saint-Pol en contrebas,
où se cachent d'autres beaux
échantillons de l'architecture
Renaissance, comme
la maison prébendale (place
du 4-Août-1944), l'hôtel
de Keroulas (rue du Collège)
ou le manoir de Kersaliou
(route de Roscoff), charmante
gentilhommière du XVIᵉ siècle.

🔒 **Chapelle
Notre-Dame-du-Kreisker**
*Centre-ville.* 📞 *02 98 69 01 15.*
🗓 *t.l.j. du 15 juin au 15 sept.*
🎫 *clocher et chapelle en juillet
et en août.*

Saint-Pol-de-Léon, vu du clocher de Notre-Dame-du-Kreisker

## L'ÉPOPÉE DES *JOHNNIES*

Elle a commencé en 1828, lorsqu'un Roscovite, Henri Olivier, mit le cap sur Plymouth à bord d'une gabarre chargée d'oignons. Très vite, des centaines d'ouvriers agricoles, souvent très jeunes, lui emboîtèrent le pas pour chiner de porte en porte leurs chapelets d'oignons aux ménagères galloises, écossaises et anglaises qui les surnommèrent *Johnny* (« petit Jean »). Cette migration saisonnière – qui a constitué, pour beaucoup, un débouché essentiel jusque dans les années 1930 – a marqué la vie de nombreuses familles du littoral : on se mit à boire du thé, à jouer aux fléchettes et à parler un breton émaillé de mots anglais.

*Johnnies* devant leurs chapelets d'oignons

# Roscoff ❹

**Carte routière** B1. 🏠 *3 709.* 🚂
🚌 *depuis Morlaix.* ⚓ 🛈 *46, rue Gambetta (02 98 61 12 13).* 🐟 *mer. matin.* 🎭 *Pardon de Sainte-Barbe (mi-juillet).*

Depuis les viviers à langoustes de Sainte-Barbe jusqu'aux goémoniers du vieux port, tout, ici, respire la mer. L'**église Notre-Dame-de-Kroaz-Baz** (1515) affiche non seulement son penchant pour le grand large mais aussi ses liens avec l'Angleterre : elle conserve des bas-reliefs en albâtre provenant d'un atelier de Nottingham. C'est ici *Rosko*, dont le port est aujourd'hui desservi par les cars-ferries de Plymouth, a longtemps entretenu des relations privilégiées – et houleuses – avec la Grande-Bretagne : batailles navales, razzias, contrebande (au XVIIIe siècle, les Roscovites y introduisaient en fraude d'énormes quantités de thé, d'eau-de-vie et autres boissons).
Les belles maisons des rues Armand-Rousseau, Amiral Réveillère et de la place Lacaze-Duthiers reflètent la prospérité des armateurs qui les ont bâties.
　Roscoff dispose aussi d'un centre de thalassothérapie (Roc'h Kroum) et d'un **aquarium** qui donne un bon aperçu de la faune et de la flore du littoral breton.

🦞 **Aquarium**
Place Georges-Teissier.
📞 *02 98 29 23 25.* ◯ *avr.- oct.*

# Île de Batz ❺

**Carte routière** B1. 🏠 *740.*
🚢 *4 vedettes CFTM (02 98 61 78 87) et ARMEIN (02 98 61 77 75) au départ de Roscoff.* 🛈 *02 98 61 75 70.*
🎭 *pardon de Sainte-Anne (fin juillet).*

Séparée de Roscoff par un étroit chenal, Batz (*Enez Vaz*) est une petite île – à peine 4 km de long sur 1,5 km de large – qui compte une vingtaine de plages et de criques de sable fin. Comme la traversée, au départ du vieux port ou de l'estacade, ne dure que vingt minutes, elle attire, certains week-ends d'été, 4 000 excursionnistes par jour ! Hors saison, Batz est une oasis de tranquillité, qui résiste bien mieux que Bréhat (p. 98) aux sirènes du tourisme. Paysans pour la plupart, les Îliens continuent d'épandre du goémon sur leurs modestes parcelles pour en tirer les meilleurs primeurs de la région.
　Du débarcadère, la venelle à droite permet de gagner les ruines de la chapelle romaine Sainte-Anne et le **jardin**

*Jardin colonial Georges-Delaselle sur l'île de Batz*

**colonial** créé à la pointe sud-est de l'île par Georges Delaselle en 1897. Près de 1 500 espèces, originaires d'Afrique australe, de Californie et de Nouvelle-Zélande témoignent de la douceur du microclimat îlien.

🌿 **Jardin Georges-Delaselle**
Porz an Iliz. 📞 *02 98 61 75 65.*
◯ *avr.-oct : t.l.j., apr.-midi ; oct. : week-end seul., apr.-midi*
🚫 *mar.* 🏠 ✔

L'île de Batz, longue de 4 km sur 1,5 km de large

La « cohue » de Plouescat, une des dernières halles de Bretagne (XVIᵉ siècle)

# Plouescat ❻

**Carte routière** B1. À 14 km à l'ouest de Saint-Pol-de-Léon par la D10.
🚶 3 689. 🚌 Brest puis Lesneven.
ℹ️ 8, rue de la Mairie (02 98 69 62 18). 🛒 sam. matin. 🏇 courses hippiques en baie du Kernic (août).

De Plouescat (Ploueskad), qui vit du tourisme balnéaire et de la culture des primeurs, on ne retient généralement que la plage du Pors Meur et la « cohue », l'une des dernières halles de Bretagne, dont la remarquable charpente en chêne date du XVIᵉ siècle. En outre, l'arrière-pays réserve aux amoureux des vieilles pierres quelques beaux châteaux. **Traonjoly** (4 km au nord-est), par exemple, est un ravissant manoir de la Renaissance, qui doit beaucoup aux modèles angevins. Ici, le corps de logis principal est flanqué de deux ailes en équerre, fermées par une terrasse à balustrade qui délimite la cour d'honneur. Plus austère, **Kerouzéré** (9 km à l'est) a tout du château fort : un chemin de ronde à mâchicoulis, des murs en blocs de granit épais de 4 m... Bâti de 1425 à 1458 par Jehan de Kerouzéré, il a été assiégé à deux reprises pendant les guerres de la Ligue. Le **château de Maillé** (3 km au sud) est d'un autre genre : remanié vers 1560 dans le goût de la seconde Renaissance par les Carman-Goulaine, il conserve un élégant pavillon d'angle. Mais le plus romantique de tous est sans doute le **château de Kergournadeac'h** (6 km au sud), avec ses façades éventrées et ses cheminées en ruine. Édifié au XVIIᵉ siècle par les familles de Kerc'hoënt et Rosmadec-Molac, il fut délibérément détruit un siècle plus tard par sa propriétaire, la marquise de Granville, pour éviter, rapporte-t-on, « qu'une aussi belle demeure ne retînt son fils loin de la Cour ».

⚜ **Château de Traonjoly**
Cléder. 📞 02 98 69 40 01.
📷 sur rendez-vous.
⚜ **Château de Kerouzéré**
Sibiril. 📞 02 98 29 96 05. 📷 juil.-août : l'ap.-midi, 14 h 30-17 h 30.
⚜ **Château de Maillé**
Plounévez-Lochrist. 📞 02 98 61 44 68. 📷 sur rendez-vous.
⚜ **Château de Kergounadeac'h**
5 km au sud de Plouescat par la D30. 📷 sur r.-v. en juillet et en août, s'adresser à l'office du tourisme de Cléder. 📞 02 98 69 43 01.

**AUX ENVIRONS :** la campagne environnante recèle deux fleurons de l'architecture religieuse dont la richesse tient aussi à la décoration intérieure : l'enclos paroissial Notre-Dame de Berven (5 km au nord-est) et la chapelle Notre-Dame de Lambader (9 km à l'est). Traditionnellement invoquée pour aider les petits enfants à marcher de bonne heure, **N.-D. de Berven** conserve un chancel de pierre surmonté d'un jubé en bois, dont les panneaux en bas-reliefs mettent en scène quatre épisodes de la Passion du Christ. Dans une niche à volets, superbe *Vierge de Jessé* d'inspiration flamande ou rhénane (fin XVIᵉ siècle). Plus bucolique, **Notre-Dame-de-Lambader** séduit par son clocher à balustrade quadrilobée, comparable à celui de Notre-Dame-du-Kreisker de Saint-Pol-de-Léon, son jubé flamboyant (1481), flanqué d'un escalier à vis, et sa *Vierge* du XVIᵉ siècle que l'on porte en procession lors du pardon de Pentecôte.

# Château de Kerjean ❼

*Voir p. 124-125.*

# Goulven ❽

**Carte routière** B1. À 23 km à l'ouest de Saint-Pol-de-Léon par la D10.
🚶 482. ℹ️ Pouénour-Trez (02 98 83 45 03).

L'église de Goulven (XVIᵉ siècle) renferme, elle aussi, quelques décors intéressants : un petit autel orné de bas-reliefs évoquant les six miracles de saint Goulven, un lambris peint représentant l'entrevue du saint avec le comte Even, vainqueur des pirates danois. Érigé sur le modèle de Notre-Dame-du-Kreisker de Saint-Pol, son clocher domine une ample baie qui voit, à chaque marée basse, la mer se retirer sur 5 km : c'est le rendez-vous des amateurs de char à voile mais aussi le refuge de nombreuses espèces d'oiseaux (courlis, sarcelles, bécasseaux...).

Le château de Traonjoly, manoir de la Renaissance

**Le phare de Pontusval, situé à Brignogan**

**AUX ENVIRONS : Keremma**, à 3 km à l'est, est l'un des plus beaux sites de la côté léonarde : il s'agit d'un long cordon de dunes, modelé en 1823 par un certain Louis Rousseau (1787-1856). Avec sa femme Emma, il avait acheté la plaine marécageuse de Tréflez, construit une digue, asséché les terres et fait bâtir, sur ce nouveau « polder », qui augmentait d'un quart la surface agricole de la commune, plus de 80 fermes et villas. Les descendants de Louis Rousseau, qui continuent d'habiter, l'été, ce phalanstère, ont fait don des dunes au Conservatoire du littoral.

La station balnéaire de **Brignogan**, à 5 km au nord, vaut surtout pour sa grève de sable blanc (anse du phare de Pontusval) et son *men marz* de 8,50 m de hauteur, l'un des rares exemples de menhir christianisé.

## Lesneven ❾

**Carte routière** B2. À 22 km au nord de Brest par la D788. ⚑ *6 250*.
🚉 *Brest ou Landerneau*. 🛈 *14, place du Général-Le-Flô (02 98 83 01 47)*.
🚪 *lun*.

L a principale curiosité de Lesneven, en dehors de ses quelques maisons anciennes (21, place du Général-Le-Flô et 1, rue du Comte-Even), est le **musée du Léon**, logé depuis 1985 dans une aile de l'ancien couvent des Ursulines. Il retrace l'histoire de la paroisse, qui fut le siège de la sénéchaussée du Léon jusqu'à la Révolution et le théâtre, en 1793, d'effroyables scènes de terreur (de nombreux paysans de la région, hostiles à la « conscription », ont été massacrés par le général Canclaux et les soldats de la République). Séduisante collection de costumes des années 1830, dont une jupe en brocart de soie rouge damassé, assortie d'un tablier brodé et d'un corselet à galons d'or, que les femmes de Kerlouan portaient, les jours de fête, avec une coiffe carrée.

🏛 **Musée du Léon**
12, rue de la Marne. 📞 *02 98 21 17 18*.
🕐 *t.l.j. sauf mar. ; oct.-avril ; ven.* 🖼

## Le Folgoët ❿

**Carte routière** B2. À 20 km au nord de Brest par la D788. ⚑ *3 094*.
🚉 *Brest.* 🚲 *grand pardon (8 sept.)*.

I l était une fois un simple d'esprit nommé Salaün, qui vivait près d'une fontaine, à l'orée du bois de Lesneven, et qui répétait inlassablement les mêmes mots : « Ave Maria ». Les villageois le surnommaient *fol goad* (« le fou du bois »). Un jour de l'an 1358, on le trouva mort près de sa fontaine. Or, quelque temps plus tard, on vit fleurir sur sa fosse délaissée un lys portant deux mots gravés en lettres d'or : « Ave Maria ». Le récit du miracle fit le tour du duché. Bientôt, Jean V et les familles nobles rivalisèrent de générosité pour financer la construction (1422-1460) d'une chapelle collégiale : l'imposante **basilique Notre-Dame**. Devenue l'un des lieux de pèlerinage les plus illustres de Bretagne, elle conserve un délicat jubé en kersanton.

⛪ **Basilique Notre-Dame**
📞 *02 98 83 09 78*.
📷 *juil. août seul*.

**La basilique Notre-Dame, au Folgoët**

# Château de Kerjean ❼

**C**ette noble demeure que Louis XIII (1618) tenait pour « l'une des plus belles du royaume », fut édifiée entre 1566 et 1595 par Louis Barbier, avec la fortune de son oncle Hamon, un riche chanoine de Saint-Pol-de-Léon. Elle tient à la fois du manoir traditionnel breton et du château à la française : manifestement, le maître d'œuvre, dont on ignore le nom, connaissait les traités d'architecture de l'époque et le répertoire ornemental de la Renaissance. Son style, en tout cas, exercera une grande influence sur les chantiers de la région (églises de Berven et Bodilis, enclos de Saint-Thégonnec…). Pillé en 1793, vendu à l'État en 1911, Kerjean héberge aujourd'hui une belle collection de meubles léonards des XVII^e et XVIII^e siècles.

**Christ de la chapelle**

**Les lucarnes**
*Elles atténuent, par leur riche décor, la rigueur des façades.*

**La cuisine**
*Cette pièce, de grandes dimensions (six mètres de haut), est dotée de deux cheminées, d'un four à pain…*

**Fronton des portes du milieu**
*Les portes de l'aile des écuries sont surmontées d'un fronton orné de pots à feu.*

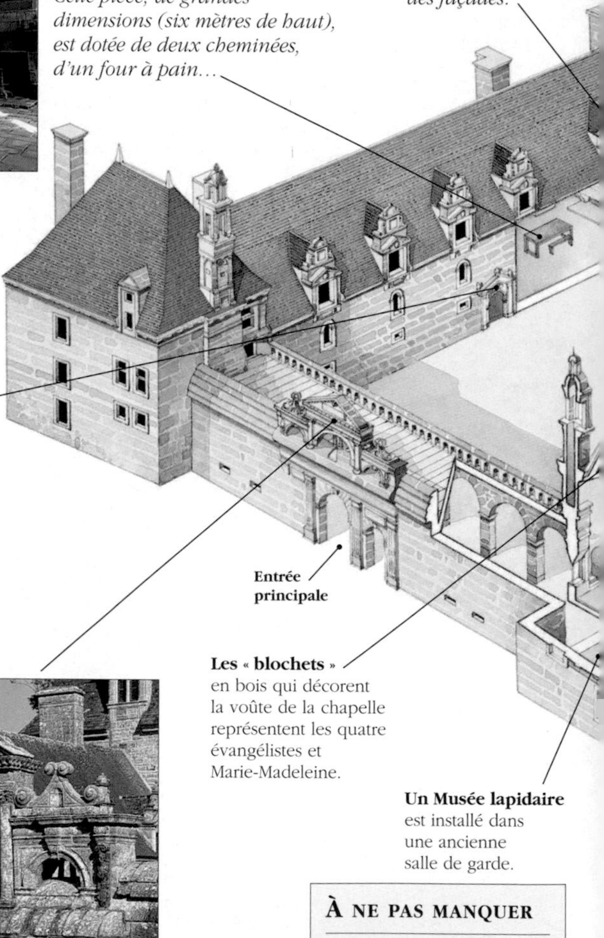

**Entrée principale**

**Les « blochets »** en bois qui décorent la voûte de la chapelle représentent les quatre évangélistes et Marie-Madeleine.

**Un Musée lapidaire** est installé dans une ancienne salle de garde.

★ **Portail d'honneur**
*Le décor qui couronne le portail est très élaboré : cariatides, volutes adossées…*

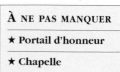

À NE PAS MANQUER

★ **Portail d'honneur**

★ **Chapelle**

**Vue générale du château depuis les jardins**

**MODE D'EMPLOI**

**Carte routière B1.** Saint-Vougay. À 32 km à l'ouest de Morlaix par la N12 puis la D30. ☎ *02 98 69 93 69.* ⬡ *avril-mai : tous les apr.-midi sauf mar. ; juin-sept. : t.l.j. sauf mar. ; oct.-mars : mer. et dim., apr.-midi seul ; groupes sur r.-v.* 🖼 *expositions d'art contemporain, ateliers.*

**Partie de logis détruite :** incendiée vers 1755, elle contenait, entre autres, la salle d'arme.

**Puits**
*Sa forme élégante s'inspire d'un modèle proposé par l'architecte Androuet du Cerceau en 1561.*

**Dans la salle de projection,** un film retrace l'histoire du château.

★ **Chapelle**
*La chapelle proprement dite est aménagée au-dessus d'une pièce qui faisait office de salle de garde.*

**La chapelle** possède une voûte et des gisants remarquables.

## LE MOBILIER BRETON DE KERJEAN

À côté des huches à grains et des bancs-coffres, Kerjean conserve quelques meubles caractéristiques du pays du Léon : des *gwele kloz* (lit clos) à porte unique, parfois décorés des monogrammes du Christ et de la Vierge, et des *pres lin* dans lesquels on rangeait les toiles de lin avant de les commercialiser. Ces armoires constituent de précieux témoins de l'industrie toilière qui a fait la prospérité de la région.

**Armoire à lin**

**Lit clos dit « en carosse »**

# La côte des abers ⓫

Trois longues échancrures aux allures de fjord balafrent la côte, entre Brignogan et Le Conquet. Ce sont des abers – un mot celte qui signifie « embouchure ». Ils se sont formés, à l'époque de la fonte des glaces, il y a deux millions d'années : la mer s'est alors engouffrée dans les vallées en remontant loin en amont dans les terres et en se mêlant à l'eau douce des ruisseaux. Ces estuaires si particuliers offrent un contraste saisissant avec le littoral. Là, pas de vases luisantes mais de rudes chaos de rochers et des dunes de sable blanc où les riverains, encore bretonnants, faisaient sécher les algues…

Paysage de l'aber Wrac'h

## LÉGENDE

▬ Circuit

= Route principale

⚲ Point de vue

0 _____ 5 km

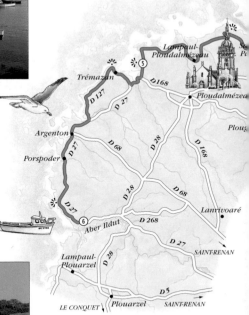

**Portsall** ⑤
C'est sur les écueils de Portsall qu'est venu s'échouer en 1978 le pétrolier libérien *Amoco Cadiz*. La région tout entière garde en mémoire le souvenir cuisant de cette catastrophe écologique. D'autant plus que la côte, entre Saint-Pabu et Argenton, est l'une des plus belles et des moins urbanisées du Léon.

**Lanildut** ⑥
*Lannildud* est le premier port goémonier de France. Près de 50 % de la récolte nationale transitent par ce village de granit rose. Le rivage est encore truffé de vieux fours qui servaient autrefois à transformer l'algue verte en pains de soude, à partir desquels on produisait l'iode.

## LES TABLEAUX DE MISSION

Pour enseigner le catéchisme et étayer ses prédications, le très zélé missionnaire Michel Le Nobletz, natif de Plouguerneau, mit au point dès 1613 une formule aussi ingénieuse qu'efficace : il montrait aux paroissiens du littoral des images légendées en breton. Perfectionnées par son successeur, ces images morales *(taolennou)* connaîtront un succès considérable : utilisées jusqu'en 1950 par les missionnaires, elles ont été traduites en 256 langues.

*Le Miroir du monde*,
**Michel Le Nobletz**

### CARNET DE ROUTE

*Itinéraire :* 55,5 km.
*Où faire une pause ?* Il y a, sur toute la côte, des crêperies où vous pourrez déjeuner autour d'une bolée de cidre. Vous trouverez chez les ostréiculteurs et boulangers de Lannilis de quoi pique-niquer sur la place ou dans l'une des petites îles qui jalonnent les abers (ne vous laissez pas piéger par la marée montante !). Pour une nuit face à la mer : l'hôtel de la Baie des Anges (350, route des Anges, port de l'aber Wrac'h).

### Lilia ①

En face du port de Lilia se dresse le phare de l'île Vierge (82,5 m), le plus haut phare d'Europe, toujours gardienné, qui veille depuis 1902 sur une côte semée d'écueils redoutables qu'on appelle le Bro Bagan, le « pays païen ».

### Plouguerneau ②

L'écomusée des Goémoniers de Plouguerneau donne un excellent aperçu des activités qui étaient liées au ramassage du goémon, spécialité du pays des abers. Ne pas manquer non plus le site archéologique d'Iliz Koz.

Le goémon noir était transporté sur une civière *(ar gravazh)*

### Aber Benoît ④

Un sentier de randonnée longe la rive sud : il permet d'apprécier, en trois ou quatre heures de marche, toutes les facettes de l'estuaire.

### Port de l'aber Wrac'h ③

Ce petit port de pêche est devenu une escale très prisée des plaisanciers et des amateurs de plongée sous-marine. C'est aussi le point de départ idéal pour explorer le Wrac'h, le plus long et le plus bucolique des trois abers.

## Saint-Renan ⓬

**Carte routière** B2. À 9 km au nord-ouest de Brest par la D5. 🚗 6 749. 🚌 *depuis Brest ou Landerneau.* 🛈 *22, rue Saint-Yves (02 98 84 23 78).* 🕮 *sam.* 🎭 *Fête médiévale en costumes (mi-juil.).*

Jusqu'au début du XVII<sup>e</sup> siècle, Saint-Renan *(Lokournan)* était un bourg très important, doté d'une cour de justice qui administrait pas moins de 37 paroisses, dont Brest. De cette époque florissante subsistent encore quelques maisons en granit ou à pans de bois, aux abords de l'église Notre-Dame-de-Liesse, notamment, et de la place de la Mairie, réputée dans toute la région pour son marché hebdomadaire (produits du terroir). Un petit **musée du Patrimoine** retrace d'ailleurs l'histoire de ces marchés et des foires aux chevaux qui ont fait la renommée de Saint-Renan. Y sont également exposés des coiffes, des meubles traditionnels, des objets domestiques et divers documents sur les riches mines d'étain de la commune.

Le **menhir de Kerloas** (4 km à l'Ouest), qui se dresse sur une crête est l'un des plus hauts mégalithes de Bretagne. Autrefois, les jeunes mariés désireux d'avoir des enfants venaient s'y frotter l'abdomen.

🏛 **Musée du Patrimoine** 16, rue Saint-Mathieu. 📞 02 98 32 44 94. ◯ *tous les sam. matin ; juil.-août : ap.-midi seul. ; groupes sur r.-v.*

Maisons à pans de bois de la place du Marché à Saint-Renan

Le port du Conquet vu de la pointe de Kermorvan

## Le Conquet ⓭

**Carte routière** A2. À 20 km au sud-ouest de Brest par la D789. 🚗 2 159. 🚌 *depuis Brest ou Plougonvelin.* 🚢 *îles Molène et Ouessant.* 🛈 *parc de Beauséjour (02 98 89 11 31).* 🕮 *mar. matin.* 🎭 *bénédiction de la mer (mi-août).*

Pour beaucoup de Bretons, le nom de ce petit port très actif reste lié à la station de radio qui, de 1948 à 2000, a diffusé, depuis la pointe des Renards, tous les bulletins de la météo marine et les messages des pêcheurs. On trouvera peu de vieilles pierres au Conquet *(Konk Leon)*, hormis les maisons dites « anglaises », que les Anglais ont épargnées lors de leur raid de 1558, et la chapelle Notre-Dame-de-Bon-Secours, qui conserve quelques-uns des *taolennou,* ou tableaux de mission, conçus par Michel Le Nobletz *(p. 127).* En revanche, la côte comprise entre Le Conquet et Lampaul-Plouarzel réserve aux promeneurs des paysages superbes et variés : après la presqu'île de Kermorvan, qui offre une belle vue sur les îles Molène et Ouessant, le GR34 longe les dunes des Blancs- Sablons, la grève de Porsmoguer et les falaises du Corsen (12 km au nord). C'est sur cette pointe rocheuse, la plus occidentale du territoire français, qu'est implanté le « CROSS », le centre qui coordonne les opérations de sauvetage et surveille le trafic maritime sur le « rail » d'Ouessant. À 1,5 km au nord-est, le **phare de Trézien** (182 marches !) fait partie de l'important dispositif – 17 phares à terre, 13 phares en mer, 85 tourelles et 204 balises – mis en place dès le milieu du XIX<sup>e</sup> siècle pour signaler aux marins les mille et un écueils de la mer d'Iroise.

🔦 **Phare de Trézien** Trézien en Plouarzel. 📞 02 98 89 69 46. 🗝 *juil.-août, ap.-midi seul.*

Casiers de pêche du port du Conquet

## Pointe Saint-Mathieu ⓮

**Carte routière** A2. À 22 km au sud-ouest de Brest par la D789 puis la D85. 🚌 *depuis Brest puis Plougonvelin.* 🛈 *Trez Hir en Plougonvelin, bd de la Mer.* 📞 02 98 48 30 18.

Le phare de la pointe Saint-Mathieu se visite, lui aussi. Érigé en 1835, il balaie de ses feux blancs, sur près de 60 km, la mer d'Iroise et ses nombreux récifs (les Vieux-Moines, la chaussée des Pierres-Noires…). À ses pieds gisent les ruines du monastère de Saint-Mathieu, probablement fondé au VI<sup>e</sup> siècle. Les bénédictins qui reprirent en main (1656) cette abbaye battue par les vents avaient coutume, dès la nuit tombée, d'allumer des feux au sommet de la tour de l'église pour mieux aiguiller les navigateurs.

# Archipel d'Ouessant ⓯

**Carte routière** A1. 🏔 *1207.*
🚢 *vedettes Penn Ar Bed (02 98 80 80) et Finist'Mer (02 98 89 16 61) au départ de Brest ou du Conquet.*
🛈 *place de l'Église, à Lampaul (02 98 48 85 83).*

Livré à la fureur des vents d'ouest et des lames océanes, l'archipel d'Ouessant égrène ses sept îles et sa dizaine d'îlots à une vingtaine de kilomètres du continent.

**La pointe Saint-Mathieu où séjournèrent des moines bénédictins**

Seules deux d'entre elles sont habitées : Ouessant *(Eussa)* et Molène *(Molenez)*, qui s'efforcent de lutter contre leurs handicaps insulaires tout en préservant leur identité et la richesse de leur patrimoine naturel.

Des landes au ras des vagues, des chaos rocheux couverts de lichen, une flore exceptionnelle, salée aux embruns : devant l'univers fascinant de l'archipel d'Ouessant, où rien n'est comme ailleurs, on comprend que ce dernier ait reçu de l'Unesco en 1989 le label « réserve mondiale de la biosphère ».

**Tadorne de l'île d'Ouessant**

### ÎLE MOLÈNE
Une heure pourrait suffire à faire le tour de cette île miniature (1,2 km sur 800 m de large), basse et chauve, qui se résume, de prime abord, à un bourg de 277 habitants lové à l'abri d'un môle. Mais Molène mérite mieux : c'est une escale accueillante, très originale (elle vit à l'heure de Londres)

qui a un atout majeur – on n'y croise aucune voiture – et trois spécialités : le homard, la saucisse fumée au goémon et... le sauvetage en mer. Un petit musée rend d'ailleurs hommage au courage des Molénais qui portèrent secours, en 1896, aux naufragés du paquebot *Drummond Castle.* On montera au sommet de l'ancien sémaphore pour entrevoir les autres îles qui composent l'archipel : Beniget, véritable réserve de lapins de garenne, Banneg, Balaneg et Trielen, habitées jusqu'dans les années 1950 et aujourd'hui classées « réserves naturelles » – on y trouve quelques loutres, des tadornes, des goélands et 120 variétés de plantes, dont le « sabot du petit Jésus » et le « cierge de Marie »...

### 🏛 Musée Drummond Castle
Mairie. ☎ *02 98 07 38 41.*
🕐 *avril- sept. : ap.-midi seul.*

### ÎLE D'OUESSANT
Ouessant, la plus haute et la plus grande île de l'archipel du même nom, est un plateau granitique et sauvage, caractérisé par l'extraordinaire morcellement de ses terres – on compte près de 55 000 parcelles au cadastre – et son habitat très dispersé : 92 « hameaux » et un bourg, **Lampaul**. C'est là que se trouve l'église paroissiale, Saint-Pol-Aurélien, dont la flèche fut financée par la Couronne britannique (la reine Victoria avait tenu à remercier les îliens de leur dévouement après le naufrage du *Drummond Castle* en 1896 *(voir ci-dessus)*. Cette île au paysage tourmenté est sujette aux plus folles légendes, très tôt considérée par les Celtes comme l'ultime porte vers l'au-delà.

Les promeneurs n'ayant pas le temps d'arpenter l'île de long en large privilégieront la partie nord-ouest, en commençant leur circuit par la visite des maisons du Niou Huella et du musée des Phares et Balises *(p. 130-131)*.

**Vue de la plage de Corz, sur l'île d'Ouessant, la plus haute et grande île de l'archipel**

## À la découverte d'Ouessant

L'île d'Ouessant, avec ses 45 km de sentiers côtiers et ses paysages à couper le souffle, attire, chaque année, près de 120 000 randonneurs et citadins en mal d'oxygène. Son caractère sauvage est renforcé par sa position particulière : à la jonction de l'océan Atlantique et de la Manche entourant Ouessant de vagues et d'embruns incessants.

**Au large d'Ouessant, vue sur le Stiff**

À Lampaul, le bourg principal, situé à 4 km du débarcadère, une halte s'impose dans le hameau du Niou Huella où a été aménagé, en 1968, l'**écomusée d'Ouessant**. Il occupe deux maisons traditionnelles qui constituent toutes deux une parfaite introduction à l'histoire de l'île et de ses traditions. Dans celle de Marianna Stephan, on trouve le mobilier qui était fabriqué avec du *peñse an aod* (bois d'épaves récupéré sur les grèves) et peint de bleu, de blanc et d'autres couleurs vives, avec les restes des pots qui servaient à décorer les coques des navires. L'autre maison réunit des outils de travail, des costumes, des souvenirs de naufrage et des documents sur le rite de la *proëlla* (petite croix de cire symbolisant le corps d'un marin disparu en mer).

Le **Créac'h**, qui domine la lande de son imposante silhouette, est l'un des phares les plus puissants du monde : il a une portée de 80 milles marins (150 km). Mis en service en 1863, il guide de ses lampes à xénon – deux éclats blancs toutes les dix secondes – plus de 100 000 navires par an sur l'une des routes les plus fréquentées et les plus dangereuses qui soit : le fameux « rail » d'Ouessant reliant l'océan Atlantique à la Manche. Un musée unique en France, le **musée des Phares et Balises**, a ouvert ses portes dans l'ancienne centrale électrique qui alimentait le phare.

**Objets du musée des Phares et Balises, qui retrace l'histoire du Créac'h**

### Légende

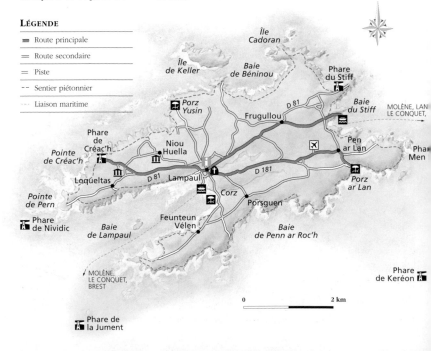

|  |  |
| --- | --- |
| ━━ | Route principale |
| ══ | Route secondaire |
| ═ | Piste |
| - - | Sentier piétonnier |
| ··· | Liaison maritime |

Île Cadoran

Île de Keller

Baie de Béninou

Phare du Stiff

Porz Yusin

Frugullou

Baie du Stiff

MOLÈNE, LANG LE CONQUET,

Phare de Créac'h

Pointe de Créac'h

Niou Huella

Pen ar Lan

Phare Men

Loquéltas

D 81

Lampaul

D 181

Porz ar Lan

Pointe de Pern

Corz

Porsguen

Phare de Nividic

Baie de Lampaul

Feunteun Vélen

Baie de Penn ar Roc'h

0     2 km

Phare de Keréon

MOLÈNE, LE CONQUET, BREST

Phare de la Jument

## LES MOUTONS D'OUESSANT

Durant la basse saison, ils paissent en toute liberté dans les pâtures imprégnées de sel. Puis, le premier mercredi de février, lors de la traditionnelle « foire » de Porzgwenn, ils sont « ramassés » par leurs propriétaires respectifs. Si l'élevage des ovins a toujours été une activité importante à Ouessant, la race locale, dérivée du mouflon d'Asie Mineure, a presque disparu de l'île : le mouton à la toison noire, nain mais très robuste, est concurrencé par le mérinos blanc.

**Moutons noirs d'Ouessant**

### Écomusée d'Ouessant
Niou Huella. **☎** *02 98 48 86 37.*
**◯** *juin-sept : t l j.* 🖼
**🏛 Musée des Phares et Balises**
Créac'h. **☎** *02 98 48 80 70.*
**◯** *mai-sept : t.l.j.* 🖼

Du musée des Phares et Balises, un sentier côtier conduit, entre les cordons de galets et les murets de pierres sèches, jusqu'à la **pointe de Pern**, à l'extrémité occidentale de l'île . un site grandiose, hérissé de rochers aux formes étranges et fantastiques, qui se prolonge, au milieu des gerbes d'écume, par la tourelle du phare de Nividic.

La côte nord est le royaume des oiseaux marins : goélands argentés ou bruns, macareux, huîtriers-pies et mouettes tridactyles.

Des phoques gris ont élu domicile un peu plus à l'est,

dans les anfractuosités de la presqu'île de Cadoran. On les voit, parfois, qui se chauffent au soleil sur les rochers de Toull Auroz et Beninou. Le sentier continue vers le **Stiff**, l'un des plus vieux phares de France, édifié par Vauban en 1695, au point culminant d'Ouessant (65 m).
De là, le regard embrasse, par beau temps, la totalité de l'archipel, la côte ouest du Léon et l'île de Sein.
En contrebas se cache le port du Stiff où accostent chaque jour l'*Enez Eussa*, le *Fromveur* et d'autres bateaux en provenance du continent.

La **presqu'île de Penn Arlann**, au sud-est, vaut surtout pour sa petite crique de sable, moins fréquentée que la plage du bourg de Lampaul (Corz), et pour son cromlech, daté de 2 000 ans av. J.-C. –

**Le phare du Stiff a été édifié par Vauban en 1695**

un ensemble de menhirs disposés en ellipse, qui aurait servi d'observatoire astronomique (ce ne sont pas les seules traces d'un peuplement ancien : les archéologues ont découvert au pied de la colline Saint-Michel, à Mez Notariou, des fragments de poterie et d'amphores qui démontrent l'importance d'Ouessant au tout début de l'Antiquité). Au large émergé le phare de Kéréon, construit en 1907 dans des conditions extrêmement difficiles.

Un autre phare, celui de la Jument, veille depuis 1904 sur les redoutables récifs qui prolongent au sud-ouest la **presqu'île de Feunteun Velen**.

**La pointe du Créac'h possède l'un des phares les plus puissants du monde**

# Brest ⑯

Deuxième ville de la région après Rennes, Brest a toujours joué un rôle militaire de première importance. Dès le Bas-Empire romain, les légionnaires avaient compris tout l'intérêt de s'établir sur un éperon rocheux surplombant une rivière (Penfeld) et parfaitement protégé par une presqu'île (Crozon). Sous l'impulsion de Richelieu, Colbert et Vauban, qui s'employèrent tout au long du XVIIe siècle à faire de ce port naturel la principale base navale du royaume, la cité vécut au rythme de l'arsenal. Elle resta un grand port d'armement jusqu'à la Seconde Guerre mondiale qui la transforma, après 165 bombardements et 43 jours de siège, en un vaste champ de ruines.

**Navire militaire et plaisanciers dans la rade de Brest**

**À la découverte de Brest**
Des rues tirées au cordeau, des immeubles au garde-à-vous, des quartiers un peu gris : Brest, entièrement reconstruite au lendemain de la guerre, n'est pas une destination touristique à proprement parler. Pourtant, sa visite peut se révéler pleine d'attraits. Car, à défaut de vieilles pierres, la ville offre une palette de sensations marines : il y a les bassins de radoub et les frégates de l'arsenal, l'iode de la rade et le cri des mouettes, et surtout un formidable parc de découverte des océans, sans

**Rue de Siam, artère commerçante et animée de Brest**

oublier le grand rassemblement de vieux gréements qui, tous les quatre ans, met le port en ébullition.

### ⊞ Rue de Siam
Voici un parfait échantillon de l'urbanisme des années 1950. Cette artère commerçante et animée doit son nom à la venue (1686) d'ambassadeurs, dépêchés par le Siam à la cour de Louis XIV. Elle offre en effet un aspect très homogène : ici, comme dans tout le périmètre compris entre le pont de Recouvrance et l'hôtel de ville, de gros immeubles de quatre étages ont été disposés avec un sens aigu de la symétrie le long d'un axe strictement rectiligne. Mais depuis que Marta Pan, sculpteur d'origine hongroise, y a planté sept fontaines de granit noir, la rue de Siam est nettement plus riante.

### ⛪ Église Saint-Louis
Place Saint-Louis, rue de Lyon.
⏰ t.l.j. 8 juil.-août. 5 t.l.j. 📷 ♿
Bâti entre 1953 et 1958 à

l'emplacement du vieux Saint-Louis (détruit en 1944), ce sanctuaire est le plus grand de tous ceux qui ont été conçus dans la France de l'après-guerre. On peut ne pas aimer le choix des matériaux (pierre jaune de Logonna-Daoulas et béton armé), qui se démarque résolument de la tradition bretonne, mais la hardiesse des lignes et la sobriété du décor intérieur n'en sont pas moins impressionnantes. À noter : les vitraux de Paul Bony (façade ouest) et l'aigle-lutrin de style rocaille, l'un des très rares objets que l'on ait sauvés de l'ancienne église.

### ⊞ Quartier Saint-Martin
Annexé par la commune en 1861, l'ancien faubourg de Saint-Martin est l'un des derniers quartiers du vieux Brest. Et l'un des plus conviviaux, si l'on en juge à ses cafés et à ses pubs irlandais qui attirent ici de nombreux étudiants de l'université de Bretagne occidentale. Les retraités et les badauds ont plaisir à s'y retrouver, eux aussi, à l'heure du marché et du jeu de boules, entre l'école de la place Guérin et l'église Saint-Martin (1875) qui ont toutes deux survécu aux bombardements.

### 🏛 Musée des Beaux-Arts
24, rue Traverse. 📞 02 98 00 87 96.
⏰ mer.-lun. ● j. fériés.
📷 oct.-mai. ♿

**L'église « néo-roman-gothique » du quartier Saint-Martin**

*La Mer jaune*, G. Lacombe, musée des Beaux-Arts

## MODE D'EMPLOI

**Carte routière** B2.
🏠 *153 099.* ✈ *Brest-Guipavas
(9 km).* 🚆 *place du 19ᵉ-R-I.*
🚌 *place du 19ᵉ-R-I.*
ℹ *place de la Liberté (02 98 44
24 96).* 🛒 *lun.-sam. (halles
Saint-Martin).* 🎭 *Fête
internationale de la Mer
et des Marins (mi-juillet ; tous les
quatre ans p. 29 ; jeudis du Port
(juil.-août) ; Festival international
du Film court (nov.) ; festival
du Conte (fin nov.).*
Ⓦ *www.mairie-brest.fr*

Ce modeste musée – dont le conservateur s'emploie à reconstituer le fonds, littéralement anéanti sous les bombes en 1941 – peut s'enorgueillir de posséder aujourd'hui près de 300 œuvres : un bel ensemble de toiles baroques au premier étage, dominé par le *Judith et Holopherne* du Guerchin, et un noyau intéressant de tableaux illustrant l'école de Pont-Aven (1886-1895) au rez-de-chaussée. On s'attardera plus particulièrement devant la *Vue du port de Brest* de Louis-Nicolas Van Blarenberghe, un artiste d'origine hollandaise qui peignit pour Louis XV une vingtaine de vues représentant des sièges de ville et des batailles terrestres. Même si le peintre a pris quelques libertés avec le cours de la Penfeld, sa toile est d'un grand intérêt documentaire : elle décrit avec minutie le travail des forçats et des charpentiers dans les chantiers navals de Brest en 1774.

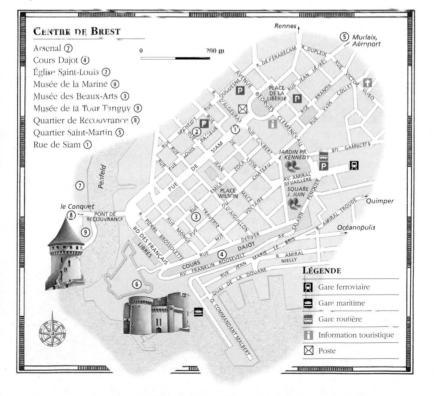

## CENTRE DE BREST

Arsenal ⑦
Cours Dajot ④
Église Saint-Louis ②
Musée de la Marine ⑥
Musée des Beaux-Arts ③
Musée de la Tour Tanguy ⑨
Quartier de Recouvrance ⑧
Quartier Saint-Martin ⑤
Rue de Siam ①

0      200 m

### LÉGENDE

🚉 Gare ferroviaire

🚢 Gare maritime

🚌 Gare routière

ℹ Information touristique

⊠ Poste

### ⛫ Cours Dajot

Ce sont aussi des forçats qui ont aménagé, d'après les plans d'un élève de Vauban (Dajot), le rempart sud en promenade.

Il offre ainsi une vue panoramique du port de commerce, créé en 1860, et de la fameuse rade qui fait, depuis longtemps, l'intérêt stratégique et militaire de Brest : elle s'étire, tel un grand amphithéâtre marin, sur 150 km², de l'embouchure de l'Elorn à la pointe des Espagnols avec, en toile de fond, l'île Longue et sa base de sous-marins nucléaires. On notera, en passant, l'architecture 1900 de la maison Crosnier, située à l'angle de la rue Traverse : c'est la seule du cours Dajot qui n'ait pas été détruite durant la guerre.

**Forteresse de Brest, datant du XVᵉ siècle**

### ⛫ Musée de la Marine

Château de Brest. ☎ 02 98 22 12 39. ◯ mer.-lun. : t.l.j. ◉ 15 nov.-15 déc. 🖼 avr.-sept.

Cette grosse forteresse (XVᵉ-XVIᵉ siècle), construite au débouché de la Penfeld et très tôt convoitée par les Anglais, fut longtemps l'une des clés du duché de Bretagne. Elle a résisté à bien des assauts – la Ligue en 1592, la révolte des Bonnets rouges en 1675 – avant d'être transformée en caserne et en prison. Aujourd'hui, le château

abrite la préfecture maritime ainsi qu'un petit musée de la Marine : le donjon, renforcé par Vauban en 1683, est dédié aux pièces les plus anciennes (maquettes de navires, fanaux, vestiges d'épaves, figures de proue sculptées par les ateliers de l'arsenal...), tandis que les collections modernes (instruments de navigation, pupitres de commande, sous-marin de poche allemand, etc.) ont pris place dans les tours d'entrée. Du sommet de la tour, on a un très beau point de vue sur le quartier de Recouvrance et la Penfeld.

### ⛫ Quartier de Recouvrance

Le pont de Recouvrance, édifié en 1954, est un pont-levant : son tablier de 525 tonnes peut s'élever de 26 mètres en moins de 3 minutes au-dessus de la Penfeld qui sépare, tel un long fjord, le centre-ville du quartier de Recouvrance – un quartier autrefois bien modeste, comme en témoignent la rue de Saint-Malo et son enfilade de maisons abandonnées : avant-guerre encore, de très nombreuses familles de pêcheurs et d'employés de l'arsenal s'entassaient en effet sur cette rive un peu mal famée qui n'a pas manqué d'inspirer, avec son lot de bars interlopes et de marins en goguette, les écrivains Mac Orlan et Jean Genet (*Querelle de Brest*). La maison de la Fontaine (XVIIIᵉ siècle), située au n°18 de la rue de l'Église est l'une des plus anciennes

**Vieux gréements sur lesquels on hisse les voiles**

de la ville. Sa fontaine date de 1761 et sa croix de granit médiéval du XVᵉ siècle.

### 🏛 Musée de la Tour Tanguy

Tour Tanguy. ☎ 02 98 00 88 60. ◯ t.l.j. en été ; en hiver : les mer.-jeu., sam., et dim. après-midi. 🖼 uniquement pour les groupes (sur réservation).

On pourra se faire une idée plus précise du Recouvrance d'hier, de ses caboulots et de ses rues sombres, en visitant la tour de la Motte-Tanguy (XIVᵉ siècle). Cette ancienne propriété de la puissante famille du Chastel est devenue, en effet, depuis 1964, le musée du Vieux Brest. Les dioramas et les documents que l'on y expose sont autant de promenades à travers l'histoire : la bataille navale d'Hervé de Portzmoguer (1512), l'arrivée des ambassadeurs du Siam, la visite de Napoléon III en 1858.

**Le pont de Recouvrance édifié en 1954, est un pont-levant**

**Le bar Le Tour du Monde, ouvert en 1997**

## LE TOUR DU MONDE

Quartier général d'Olivier de Kersauson (*voir Les traditions maritimes p. 24-25*), situé au-dessus de la capitainerie, Le Tour du Monde fut ouvert au retour du trophée Jules Verne en 1997 qu'il remporta à bord du mythique trimaran *Port-Elec*, amarré à quelques dizaines de mètres de là. S'il n'est pas en mer, c'est bien dans ce bar au décor boisé et parsemé de toutes sortes de souvenirs de ses voyages que vous risquez de prendre un verre avec « l'Amiral ».

### ♣ Conservatoire botanique

52, allée du Bot. ☎ 02 98 41 88 95. *Parc* ☐ *t.l.j. ;* **serres** *: juil.-sept. dim.-jeu. (apr.-midi seul.) ; hors saison : visite le dim. à 16 h 30.* 🅿 🚹 *uniquement pour les groupes et sur r.-v.*

**L'aquarium d'Océanopolis, le pavillon tropical**

### 🐟 Arsenal

Route de la Corniche. ☎ 02 98 22 11 78. ☐ *Pâques, 15 juin-15 sept. : t.l.j.* 🚫 *Seuls les ressortissants des pays membres de l'espace Schengen peuvent visiter l'arsenal (pièce d'identité obligatoire).*

Fondé à l'initiative du cardinal de Richelieu (1631), l'arsenal de Brest a commencé par aligner ses ateliers, ses bassins de radoub et ses corderies sur les berges de la Penfeld à partir de cette date.

**Les corderies sur les berges de la Penfeld**

C'est là qu'ouvriers et bagnards armaient les vaisseaux de ligne et effectuaient les gros travaux des arsenaux de la ville. (70 000 forçats y ont travaillé entre 1749 et 1858). Le bagne de Brest a été fermé en 1858 et remplacé par celui de Cayenne, en Guyanne. La visite guidée permet de voir les différentes installations du port militaire qui s'est développé, à partir de 1889, à l'entrée de l'estuaire : le centre d'instruction navale (1935), l'ancienne base sous-marine

– dont la construction a nécessité 500 000 m³ de béton armé (1942) –, et enfin le quai des flottilles – où sont amarrés les fleurons de la marine française. Les restructurations de l'armée et de ses arsenaux sont une menace pour Brest, dont la vocation majeure est militaire.

AUX ENVIRONS : parmi huit autres en France, le **conservatoire botanique** de Brest est le premier qui se soit consacré corps et âme à la préservation des plantes menacées de disparition. Spécialisé dans la flore du Massif armoricain et des îles d'Outre-Mer (Madagascar, Martinique, Maurice, Rodrigues...), il s'est doté de quatre serres paysagères qui constituent aujourd'hui une véritable arche de Noé du monde végétal. Elle permet de réintroduire certaines espèces dans leur biotope originel, comme la lysimaque, qui avait disparu des îles Baléares vers 1925. Le parc de 22 hectares, aménagé dans le vallon du Stangalar, juste au nord des serres, devrait séduire amoureux de la nature et joggers en mal d'oxygène.

### 🚤 Océanopolis

Port de plaisance du Moulin-Blanc. ☎ 02 98 34 40 40. ☐ *t.l.j. (en été).* 🚫 *le lun. d'oct. à avr. et 15 jours en janvier.* 🅿 ♿ 🚹

Une journée ne serait pas de trop pour explorer les trois pavillons (polaire, tropical, tempéré) de ce parc des sciences de la mer. Vaste de 4 700 m², il est ludique et pédagogique à la fois, servi par une mise en scène spectaculaire et une technologie dernier cri : on descend par un ascenseur vitré au milieu d'un banc de requins, on pénètre en bathyscaphe dans une forêt de laminaires. Des glaces de la banquise à la barrière de corail, ce sont mille espèces différentes d'animaux qui évoluent dans de grandioses aquariums traversés par des tunnels panoramiques. Ne pas manquer non plus la colonie de manchots.

**La Tour Tanguy abrite le musée du Vieux Brest depuis 1964**

# Plougastel-Daoulas ⑰

**Carte routière** B2. 🏘 11 200.
🚌 *depuis Brest.* 🛈 *place du Calvaire
(02 98 40 34 98).* 🛒 *jeu. matin.* 🎪
*fête des Fraises (2e dim. de juin), pardon
de la Fontaine-Blanche (15 août).*

La presqu'île de *Plougastell-Daoulaz*, reliée à Brest en 1930 seulement, est un monde à part, enclavé entre deux rivières : l'Elorn et la Daoulas. Les collections du **musée de la Fraise et du Patrimoine** local illustrent bien les particularismes de ce pays : elles sont axées autour de deux thèmes : le patrimoine (mobilier, costumes de cérémonie, tradition du « pain des âmes ») et l'histoire de la fraise, depuis les premiers plants rapportés du Chili par Amédée-François Frézier (1712) jusqu'à la conquête du marché britannique au début du xxe siècle.

En 1602, les paroissiens ont fait ériger au centre du bourg un grand calvaire pour remercier le Ciel d'avoir mis fin à l'épidémie de peste. Conçu sur le modèle du calvaire de Guimiliau (*p. 138*), il est orné de 180 personnages mettant en scène la vie du Christ.

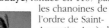

**Poster du musée
de la Fraise**

### 🏛 Musée de la Fraise et du Patrimoine local
Rue Louis-Nicolle. 📞 *02 98 40 21 18.*
🕐 *lun.-ven., sam.-dim. (apr.-midi
seul.)* ⬤ *en hiver : jours fériés et
sam.-dim.* 📷 *pour les groupes, toute
l'année sur rés.* 🖼 ♿

L'abbaye de Daoulaz a été fondée en 1167 par l'ordre de Saint-Augustin

# Daoulas ⑱

**Carte routière** B2. 🏘 1 866. 🚐
*depuis Brest.* 🛈 *place du Valy (02 98
25 84 44).* 🛒 *dim. matin.*

Le bourg de *Daoulaz* s'est développé grâce au tissage de la toile et à l'extraction du kaolin, autour de son **abbaye**, fondée en 1167 par les chanoines de l'ordre de Saint-Augustin. Après le départ des derniers religieux (1984), le département du Finistère a acheté les bâtiments abbatiaux, démantelés depuis le xixe siècle, pour en faire un centre culturel et y présenter des expositions consacrées aux grandes civilisations. Il faut surtout voir les vestiges du cloître aux 32 arcades et sa remarquable vasque monolithique, ornée de mascarons et de motifs géométriques (étoile, tresses, roue, croix). L'enclos renoue avec la tradition monastique des jardins de simples : on y cultive 300 espèces de plantes médicinales bretonnes, asiatiques, africaines et océaniennes. Au fond du domaine, se trouve le charmant oratoire de Notre-Dame-des-Fontaines datant de 1550.

### ⚓ Abbaye de Daoulas
21, rue de l'Église. 📞 *02 98 25 84
39.* 🕐 *mai-nov. : t.l.j.* 🖼

# Landerneau ⑲

**Carte routière** B2. 🏘 15 035.
🛈 *pont de Rohan (02 98 85 13 09).*
🚌 *place François-Mitterrand.* 🚢 *quai
Barthélemy-Kerros.* 🛒 *mar. et ven.
matin, sam. toute la journée.* 🎪
*festival Kann al Loar (juil.) ; festival
Lunatic (mi-août).*

Landerneau (*Landerne*) possède l'un des derniers ponts habités d'Europe, le **pont de Rohan** (1510). Les logis et les échoppes des

Le pont de Rohan à Landerneau est l'un des derniers ponts habités d'Europe

orfèvres, meuniers ou marchands de drap ont été bâtis sur des pilotis ou, dans le cas de la superbe demeure du magistrat Gillart (1639), sur le lit même de l'Elorn. Car, s'il n'y a plus guère de bateaux aujourd'hui, Landerneau fut longtemps un port des plus actifs : les denrées de l'arrière-pays destinées à l'arsenal de Brest y transitaient, ainsi que les tissus de la Société linière, une importante filature.

Les **vieilles maisons** de part et d'autre de la rivière remontent, pour la plupart, à cet âge d'or (1660-1720). Édifiées en pierre blonde de Logonna, elles arborent lucarnes à crossettes, toitures en poivrières, corniches à modillons… Chaque mercredi d'été, l'office du tourisme organise une promenade architecturale dans ce musée en plein air. Côté Cornouaille (rive sud), il faut voir l'ancienne auberge Notre-Dame-de-Rumengol (5, rue Saint-Thomas), ainsi que les n°s 11, 13 et 15 de la rue Rolland. Côté Léon (rive nord), privilégiez la maison de la Sénéchaussée (9, place du Général-de-Gaulle), qui présente une façade en pierre de taille et une autre habillée d'ardoises, l'hôtel de l'armateur Mazurié de Keroualin (26, quai de Léon), l'Ostaleri an Dihuner (ou « auberge du réveille-matin », 18, rue du Chanoine-Kerbrat) et la maison du négociant Arnaud Duthoya (3-5, rue du Commerce).

## La Roche-Maurice ⑳

**Carte routière** B2. À 4 km au nord-est de Landerneau par la D712. 🏠 1 740. 🚉 Landerneau. 🛈 Ossuaire (02 98 20 43 57). 🎭 pardon de Pont-Christ (août).

Comme dans nombre de paroisses du Léon, l'**église** est un petit bijou. En particulier le clocher, qui compte deux chambres de cloches superposées, se pare de pinacles gothiques, de gargouilles, de lanternons

**Détail du jubé, La Roche-Maurice**

Renaissance et de fûts de canon. À l'intérieur, sous le lambris bleu semé d'anges, c'est le jubé qui séduit par la virtuosité et la profusion du décor : faunes, gorgones, statues d'apôtres et de saints. À noter aussi, le superbe vitrail de la Passion du Christ, attribué au Quimpérois Laurent Sodec (1539) et, au-dessus du bénitier de l'ossuaire (1639), la figure de l'*Ankou* armée de son dard et de sa devise : « Je vous tue tous ».

Le **château fort** qui veille sur le bourg fut l'une des principales demeures des vicomtes de Léon puis la propriété des ducs de Rohan, qui le léguèrent à la commune en 1985. Du donjon, vaste panorama jusqu'à l'embouchure de l'Elorn.

## La Martyre ㉑

**Carte routière** B2. À 7 km à l'est de Landerneau par la D35. 🏠 608. 🛈 Centre bourg (02 98 25 13 19). 🚉 Landerneau. 🎭 pardon de Saint-Salomon (juil.).

Cet enclos fortifié fut construit par Hervé VII de Léon. La maison qui jouxte le portail, à gauche, était le poste de guet affecté à la surveillance des frontières de la Cornouaille. Le bourg drainait autrefois, à l'occasion de sa grande foire annuelle, une foule de marchands venus d'Angleterre, de Hollande et de Touraine : les uns y faisaient

commerce de toile, les autres de bestiaux et de chevaux. Comme elle percevait des taxes sur toutes les ventes de cette foire, la paroisse était très riche et put faire appel aux meilleurs ateliers pour décorer l'enclos et l'église, consacrée à saint Salomon. Tout y est remarquable : le portail du XVIᵉ siècle et son chemin de ronde ; le tympan du porche sud, la sablière du bas-côté nord et le vitrail de la Crucifixion. Sur l'ossuaire, deux anges portent des banderoles rédigées en breton que l'on pourrait traduire ainsi : « La mort, le jugement, l'enfer froid, quand l'homme y pense, il doit trembler ; fol est celui qui ne prend garde de voir qu'il faut mourir. »

## Bodilis ㉒

**Carte routière** B2. À 21 km au nord-est de Landerneau par la D770, la N12 et la D30. 🏠 1 222. 🛈 en juillet et août (02 98 68 07 01).

Les habitants de *Bodiliz* ont fait construire, au XVIᵉ siècle, l'un des joyaux de l'architecture religieuse du Haut-Léon, l'église Notre-Dame, dotée d'un superbe porche Renaissance que les sculpteurs de l'atelier de Kerjean ont orné de statues des douze apôtres (1585-1601). À l'intérieur, charpente lambrissée, maître-autel baroque et sablières richement décorées de scènes de labour et… d'ivrognerie : sur celle qui fait face au retable du Rosaire, on voit un homme s'abreuver à une barrique tandis que des vers rongent un crâne.

**Enclos fortifié de La Martyr construit par Hervé VII de Léon**

L'église de Saint-Thégonnec était l'une des plus riches du Léon

# Lampaul-Guimiliau ㉓

**Carte routière** B2. À 3 km à l'ouest de Guimiliau. 🏛 *2 037.*
🚉 *Landivisiau.* ℹ *14, av. Foch, Landivisiau (02 98 68 33 33).*

À *Lambaol*, la construction de l'enclos paroissial s'est échelonnée de 1533 (le porche) à 1679 (la sacristie). Ses pièces maîtresses : six retables rutilants et une *Mise au Tombeau* en tuffeau (bas-côté gauche), attribuée à un sculpteur de la marine de Brest, Antoine Chavagnac.

# Guimiliau ㉔

**Carte routière** B2. 🏛 *791.*
🚉 *Landivisiau.* ℹ *14, av. Foch, Landivisiau (02 98 68 33 33).*

Le calvaire de l'enclos de *Gwimilio* (1588) compte près de 200 personnages dont les attitudes, drôles ou pathétiques, composent un tableau savoureux et original de la vie du Christ. À l'intérieur de l'église, l'orgue de Thomas Dallam et le retable de Saint-Joseph, qui imite la structure des retables lavallois, rivalisent d'élégance avec les colonnes torses des fonts baptismaux (1675).

# Saint-Thégonnec ㉕

**Carte routière** C2. À 12,5 km au sud de Morlaix par la D769. 🏛 *2 139.*
🚉 *Morlaix.* ℹ *Park ar Iliz (02 98 79 69 26 ou 02 98 79 67 80 en juil-août).*

Le porche triomphal et ostentatoire de l'enclos reflète à merveille l'opulence de *Sant Tegoneg* à la Renaissance : c'était l'une des paroisses les plus riches du Léon. Si l'église a beaucoup souffert de l'incendie de 1998, elle conserve quelques chefs-d'œuvre des XVIᵉ et XVIIᵉ siècles : un siège de célébrant, orné de médaillons, d'angelots et de têtes de dauphins en accoudoirs, un retable du Rosaire et une précieuse niche ouvrante (*L'Arbre de Jessé*), une chaire, autrefois dorée, et un orgue, inspiré des modèles répandus par les facteurs anglais Dallam. Dans l'ossuaire, une belle *Mise au Tombeau* en bois polychrome date de 1702. Comme le porche triomphal, l'architecture de l'ossuaire est exubérante : multiples clochetons, fenêtres, colonnettes…

*Le retable* est la partie postérieure et décorée d'un autel (ici, retable de Saint-Joseph).

## L'ENCLOS PAROISSIAL DE GUIMILIAU
Son architecture, représentative de l'enclos, comporte trois parties essentielles : un arc ou portail monumental qui y donne accès, un calvaire sculpté de figures bibliques et un ossuaire accolé à l'église.

**Le cimetière,** où sont enterrés les membres de la petite communauté.

*Les calvaires, construits pour l'élévation des fidèles vers le ciel, témoignent de la vie quotidienne des siècles passés.*

La Mise au Tombeau, réalisé par Antoine Chavagnac à Lampaul-Guimiliau

# Les enclos paroissiaux

La floraison, très originale, des enclos – on en recense près de 70 en Basse-Bretagne – va de pair avec le développement, aux XVIᵉ et XVIIᵉ siècles, de la culture, du tissage et du commerce du lin. C'est particulièrement frappant dans la vallée de l'Élorn où les paroisses, stimulées par les missions pastorales, la piété des fidèles et les dons importants des riches *juloded* (paysans-marchands de toile), se sont livrées à une véritable compétition pour bâtir autour de leur cimetière des ensembles tout à fait remarquables – constitués d'une église, d'un ossuaire, d'un calvaire, d'un arc de triomphe... – et les orner de retables baroques et de sculptures ciselées comme des dentelles.

Les ossements sont transférés périodiquement dans un **ossuaire**, lieu de transition entre le monde des vivants et celui des morts.

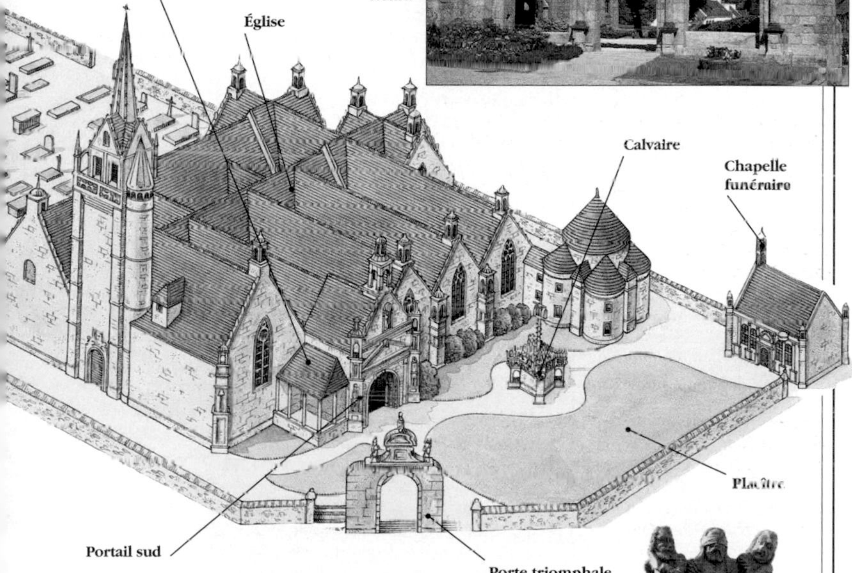

*La porte triomphale* marque l'entrée des fidèles dans l'enclos, préfiguration de l'arrivée des justes au royaume des cieux.

Église

Calvaire

Chapelle funéraire

Plaître

Portail sud

Porte triomphale

*La chapelle funéraire* (ici, à Sizun), accolée à l'église, servait à entasser les ossements quand l'église était pleine. À l'origine, les morts étaient enterrés sous le sol de celle-ci.

*Le* **Christ aux yeux bandés**, *entouré de deux gardes en habits du XVIIᵉ siècle, a été réalisé par Roland Doré (calvaire de Saint-Thégonnec).*

**Le moulin du Chaos, entrée du site du chaos rocheux à Huelgoat**

## Huelgoat ㉖

**Carte routière** C2. 🚊 *Morlaix.*
🏃 *1 748.* ℹ️ *moulin du Chaos (02 98 99 72 32).* 🎮 *jeu.*

Une rivière argentée, un éboulis de rochers aux formes étranges, de grands arbres aux troncs moussus, des menhirs... Il n'en fallait pas plus pour que l'imagination populaire s'empare du Huelgoat (le « haut bois »). Au départ du moulin du Chaos, des sentiers balisés relient toutes les curiosités de ce site mystérieux qui fait désormais partie du parc naturel régional d'Armorique ci-contre. L'eau de la rivière, qui actionnait jadis (1750-1867) les roues d'une riche mine de plomb argentifère, serpente entre la grotte du Diable (la première des stations sur le chemin de l'Enfer, d'après la légende) et la fameuse roche Tremblante, un bloc de 100 tonnes que l'on peut faire osciller par une simple pression du dos à un endroit précis. Les bons marcheurs pousseront jusqu'à la mare aux Sangliers et au camp d'Artus, un oppidum gaulois qui recèlerait le fabuleux trésor du roi Arthur, suzerain des chevaliers de la Table Ronde.

Le **jardin de l'Argoat** et l'**arboretum du Poërop** conservent depuis 1989 diverses plantes en voie de disparition, 66 espèces d'hortensias, 128 magnolias et des vergers de variétés anciennes.

🌿 **Arboretum du Poërop et jardin de l'Argoat**
55, rue des Cieux. ☎ *02 98 99 95 90.*
⭕ *mai-sept. : t.l.j.*

## Excursion dans les monts d'Arrée ㉗

Le terme « monts » est sans doute excessif, puisque la chaîne qui s'étire sur 60 000 ha entre Léon et Cornouaille, culmine tout au plus à 384 m d'altitude. Elle n'en constitue pas moins l'épine dorsale du Finistère. C'est une région peu peuplée (à peine 40 habitants au kilomètre carré), dont la première des richesses est le paysage : des landes à perte de vue, des crêtes et des tourbières, des granits à fleur de sol, un tapis de lichens et de rares fougères. Ce décor aride mais fertile en légendes et en histoires de sorcellerie se fait plus lunaire encore lorsque la dépression marécageuse du Yeun Elez disparaît sous une nappe de brume. C'est un milieu fragile, menacé par les incendies, les friches et la désertification. Depuis 1969, le parc naturel régional d'Armorique œuvre pour la protection de sa flore et le maintien de ses activités économiques.

### LÉGENDE

▬ Itinéraire

═ Autre route

🌿 Point de vue

*LANDIVISIAU, LANDERNEAU* ④ ⑤
*D 18*   *D 764*
*Élorn*   *Barrag du Dren*
*D 18*   *D 30*
*LE FAOU*
*Saint-Cade*
*D 342*
*D 42*
*LE FAOU*   *D 21*
*D 121*
*PONT-DE-BUIS-LÈS-QUIMERC'H*

**Sizun** ④
Réputée pour ses rivières à saumons, Sizun vaut aussi pour son église : elle renferme un beau buffet d'orgue signé Thomas Dallam et un maître-autel très théâtral du XVIIe siècle. La porte triomphale rejoint l'ossuaire décoré d'une rangée d'apôtres et offrant un petit musée d'Art sacré.

**Maison Cornec** ③
Cette vieille ferme, située à l'orée du bourg de Saint-Rivoal, donne un excellent aperçu de l'architecture rurale et du mode de vie des paysans bretons au XVIIIe siècle.

**Moulin de Kerhouat ⑤**
Construit en 1610 et utilisé jusqu'en 1942, le « moulin du haut » a été transformé en écomusée. Une invitation à découvrir le quotidien des meuniers.

**CARNET DE ROUTE**

*Itinéraire :* 77 km.
*Où faire une pause ?* Bonnes crêperies à Huelgoat et dans le bourg de Sizun. Gîtes et chambres d'hôte à Botmeur, Brasparts, Brennilis et Commana. À Saint-Rivoal, point de vente et dégustation des « produits du terroir de l'Arrée ».

**Commana ⑥**
Derrière le porche de l'église paroissiale se cachent deux décors en bois polychrome : le retable de Sainte-Anne et le retable des Cinq-Plaies (1682).

**Brennilis ⑦**
Haut lieu de l'imaginaire breton, Brennilis vit dans le voisinage d'un étrange marais tourbeux – le Yeun Elez – qui marque, selon la légende, l'entrée de l'Enfer. L'église de Brennilis est dotée de deux autels du XVIᵉ siècle.

**Saint-Herbot ①**
Il est le protecteur du bétail. La chapelle qui lui est dédiée conserve un chancel et deux tables de pierre destinées aux offrandes afin de se concilier les faveurs du saint.

**Montagne Saint-Michel ②**
Le chemin caillouteux qui permet d'accéder au sommet de ce mont chauve (alt. 380 m) offre une vue panoramique sur l'un des sites les plus sauvages de Bretagne.

# LE FINISTÈRE SUD

Cette partie de la Bretagne est une terre où la douceur des baies tempère la rudesse d'une côte sauvage, où la violence des vents se marie à un climat tempéré. Le Finistère Sud possède un patrimoine culturel d'une extraordinaire richesse, dont témoignent sa capitale Quimper et le célèbre Festival interceltique de Lorient.

Région historique de la Cornouaille, le Finistère Sud est limité, au nord, par les monts d'Arrée et la presqu'île de Crozon, et à l'est par les montagnes Noires. La côte déchiquetée de l'ouest, l'Armor, « pays de la mer », dessine des caps impressionnants, des baies immenses, ainsi que de gracieuses anses. Les pointes du Van et du Raz sont l'occasion de découvrir ce Finistère Sud sauvage au charme incomparable. On y trouve les plus grands ports bretons, de pêche côtière ou hauturière : Lorient, Concarneau, Douarnenez, Le Guilvinec et Camaret. L'intérieur, l'Argoat, autrefois « pays des bois », dévoile une campagne préservée, constituée de bocages verdoyants et de courtes rivières aux vallées encaissées cachant de discrètes et magnifiques chapelles. Depuis l'époque où furent dressés les mégalithes jusqu'à la victoire de César en 56 av. J.-C. sur la flotte vénète, de la conquête de Charlemagne en 799 jusqu'au rattachement du duché de Bretagne à la couronne de France en 1532 par François Ier, l'histoire de la Bretagne est riche et passionnante, comme le sont ses mythes fondateurs. L'âme bretonne est toute pétrie de fantastique, de pratiques païennes des temps lointains qui ont donné naissance aux légendes des nombreux saints.

L'Armorique est ainsi la terre des mythiques chevaliers de la Table Ronde et des compagnons du roi Arthur, à qui l'on doit quelques-unes des pages admirables de cette histoire.

**Pique-nique au pied d'un rocher sur l'île de Sein**

◁ La porte triomphale de l'enclos paroissial d'Argol date de 1659

# À la découverte du Finistère Sud

La région est partiellement composée par le parc naturel régional d'Armorique, qui regroupe une petite partie des montagnes Noires et l'ensemble de la presqu'île de Crozon. Le bassin de Châteaulin, au centre, est drainé par l'Aulne. Plus au sud se trouve la capitale administrative et culturelle de la Cornouaille, Quimper, au confluent du Steir et de l'Odet. La région possède deux agglomérations d'importance : à l'ouest, Douarnenez, cité maritime ouverte sur une vaste baie, au sud, la ville fortifiée de Concarneau. Principalement orientée vers le midi, cette région est propice au farniente. La douceur des stations balnéaires, comme Morgat, contraste avec la rudesse du Ménez-Hom ou de la pointe du Raz. L'archipel des Glénan, les îles Tristan et de Sein offrent de superbes escales aux navigateurs et aux plongeurs.

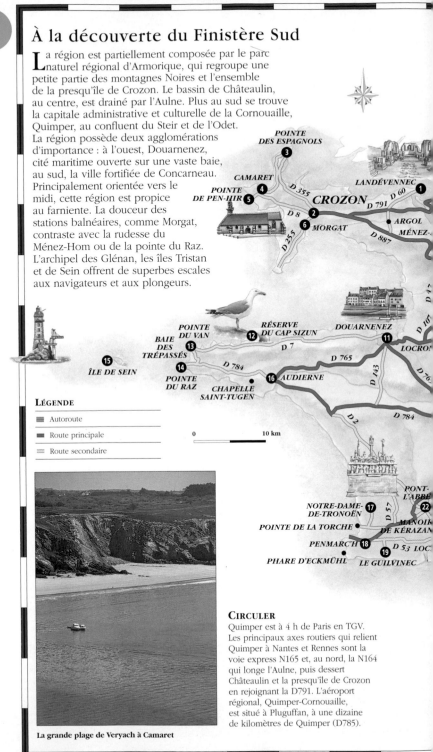

POINTE DES ESPAGNOLS ③

CAMARET

POINTE DE PEN-HIR ④ ⑤

LANDÉVENNEC ①

D 355   CROZON   D 791   D 60

D 8   ②   ⑥   MORGAT   ARGOL   MÉNEZ-

D 255   D 887

POINTE DU VAN   RÉSERVE DU CAP SIZUN ⑫   DOUARNENEZ

BAIE DES TRÉPASSÉS ⑬   D 7   LOCRO

ÎLE DE SEIN ⑮

D 784   D 765   D 143

POINTE DU RAZ ⑭   D 784

CHAPELLE SAINT-TUGEN   ⑯ AUDIERNE   D 76

D 2   D 784

D 107   D 47

## Légende

▬ Autoroute

▬ Route principale

═ Route secondaire

0 ———— 10 km

PONT-L'ABBÉ

NOTRE-DAME-DE-TRONOËN ⑰   ㉒

POINTE DE LA TORCHE ●   MANOIR DE KÉRAZAN

PENMARC'H ⑱   D 57   D 53 LOC

PHARE D'ECKMÜHL   ⑲ LE GUILVINEC

### CIRCULER

Quimper est à 4 h de Paris en TGV. Les principaux axes routiers qui relient Quimper à Nantes et Rennes sont la voie express N165 et, au nord, la N164 qui longe l'Aulne, puis dessert Châteaulin et la presqu'île de Crozon en rejoignant la D791. L'aéroport régional, Quimper-Cornouaille, est situé à Pluguffan, à une dizaine de kilomètres de Quimper (D785).

La grande plage de Veryach à Camaret

## LA RÉGION D'UN COUP D'ŒIL

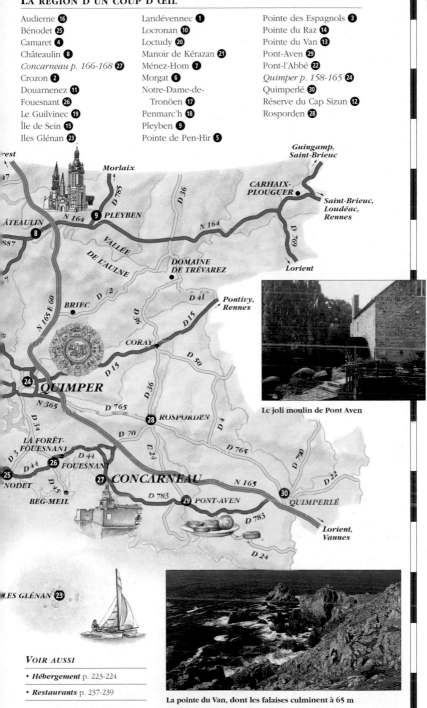

Le joli moulin de Pont Aven

**VOIR AUSSI**

• *Hébergement* p. 223-224

• *Restaurants* p. 237-239

La pointe du Van, dont les falaises culminent à 65 m

Les ruines de l'abbaye de Landévennec datent du Vᵉ siècle

## Landévennec ❶

**Carte routière** B2. À 17,5 km au sud de Crozon par les D791 et D60. 🏛 *370.* 🚌 *Brest ou Quimper, puis taxi ou bus.* 🚗 🛈 *02 98 27 78 46 (en été), 02 98 27 72 65 (en hiver).*

L andévennec (*Landevenneg*) est choisi au Vᵉ siècle par saint Guénolé pour y fonder une abbaye. Détruit par les Normands en 913, reconstruit au XIIIᵉ siècle, pillé par les Anglais, démantelé sous la Révolution, ce chef-d'œuvre architectural roman demeure toutefois longtemps un haut lieu du christianisme. Aujourd'hui, parmi les ruines de l'abbaye, on peut voir une statue du saint fondateur datant du XVIᵉ siècle et un tombeau qui serait celui du roi de Cornouaille, Gradlon. Les chapiteaux et les pieds de colonne de l'ancienne abbaye sont encore bien conservés. On aperçoit des motifs celtes et des animaux sculptés. Le **musée de l'Ancienne Abbaye** présente l'histoire de ce lieu de culte au travers du christianisme breton. Il rassemble aussi des pièces retrouvées lors de fouilles archéologiques, tels que des manuscrits ou des statues.

En direction du Faou, la **corniche de Térénez** longe l'estuaire et mène jusqu'à un belvédère qui offre un splendide panorama des boucles de l'Aulne et du **cimetière de bateaux** de la Marine nationale.

🏛 **Musée de l'Ancienne Abbaye**
📞 *02 98 27 35 90.* ⭕ *toute l'année (groupes sur réservation).* 🈺

## Crozon ❷

**Carte routière** B2. 🏛 *7 534.* 🚌 *Brest ou Quimper.* 🚗 🛥 *pour Brest (en été seul.).* 🛈 *bd de Pralognan-la-Vanoise (02 98 27 07 92).* 🈺 *2ᵉ et 4ᵉ mer. du mois.*

S ur cette côte, si l'hiver est aride, l'été en revanche dévoile des lagons turquoise et des criques au sable blanc. Selon le cartulaire de Landévennec (*voir encadré ci-contre*), un tiers du pays de Crauthon (ancien nom de Crozon) et de son église fut offert à saint Guénolé par le roi Gradlon. Victime de sa situation géographique, Crozon (*Kraozon*) subit l'invasion des Normands au Xᵉ siècle, des alliés anglais de Montfort quatre siècles plus tard, des Anglais aux XVᵉ et XVIᵉ siècles, des Espagnols ensuite, et, plus récemment, les bombardements de la Seconde Guerre mondiale. L'église Saint-Pierre, marquée par le vandalisme et l'usure du temps, a néanmoins conservé son porche (XVIᵉ siècle) et une

magnifique sculpture sur bois polychrome du XVIᵉ siècle, le retable des Dix Mille Martyrs (*p. 148-149*).

## Pointe des Espagnols ❸

L a pointe des Espagnols, au nord de la presqu'île de Crozon, ferme par un étroit goulet la rade de Brest. De là, on a une vue de l'île Longue, qui abrite la flotte des sous-marins nucléaires. La pointe doit son nom à un fort que les Espagnols, alliés à la Sainte Ligue contre Henri IV, firent construire en 1594. Pris par les troupes d'Henri IV, le fort fut aussitôt détruit.

## Camaret ❹

**Carte routière** A2. À 9 km à l'ouest de Crozon par la D8. 🏛 *2 733.* 🚗 🚗 🛫 *Brest-Guipavas ou Quimper-Cornouaille.* 🛈 *quai Kléber (02 98 27 93 60).* 🎊 *pardon de Notre-Dame de Rocamadour (1ᵉʳ dim. de sept.).* 🈺 *3ᵉ mar. du mois (t.l.j. en été).*

A ncien port sardinier, Camaret (*Kameled*) se tourne vers la pêche à la langouste au début du XXᵉ siècle. Les bateaux partent vers l'Afrique, et stockent au retour une partie des prises dans des viviers situés sur toute la côte bretonne. Mais, face à la concurrence internationale, une bonne partie de la flotte a aujourd'hui désarmé.

C'est à Vauban que Camaret doit ses fortifications. La **tour Vauban**, commencée en 1689,

La pointe du Tourlinguet, entre la pointe de Pen-Hir et Camaret

**Une des plages de la petite station balnéaire de Morgat**

recouverte d'un crépi orangé, en est l'élément principal. Ces fortifications permettront de venir à bout de la flotte anglo-hollandaise en 1694. Sur le sillon de Camaret se dresse la **chapelle de Notre-Dame-de-Rocamadour**, construite au XVIe siècle, et dont le clocher fut décapité par un boulet anglais en 1694. Elle devrait son nom aux pèlerins en route pour le sanctuaire dédié à la Vierge, à Rocamadour, dans le Quercy. Elle veille sur les marins en faisant sonner sa cloche les jours de tempête.

**AUX ENVIRONS :** en allant vers la pointe du Tourlinguet, on rencontre les **alignements de Lagatjar**, avec leurs 142 menhirs qui font face à l'Océan. En face se dressent les ruines du manoir de Coecilian où vivait retiré depuis 1905 le poète Saint-Pol Roux.

Sur la route de la pointe de Pen-Hir, le **musée du Mur de l'Atlantique** retrace la période de l'Occupation sur la côte ouest.

**🏛 Tour Vauban**
📞 02 98 27 91 12 ou 02 98 27 93 60. 🕐 s'informer à l'office du tourisme. *Expositions temporaires.*

**🗼 Alignements de Lagatjar**
D8, en dir. de la pointe du Tourlinguet.
**🏛 Musée du Mur de l'Atlantique**
Kerbonn, commune de Camaret.
📞 02 98 27 92 58. 🕐 *horaires variables.* 🅿

## Pointe de Pen-Hir ❺

**Carte routière** A2. À 5 et 6 km à l'ouest de Crozon par les D8 et D355.

Du haut de ses 63 mètres, la pointe de Pen-Hir offre un des plus beaux panoramas de la Bretagne. En contrebas, les Tas de Pois égrènent les rochers battus par les flots. À gauche, on remarque la pointe de Dinan, à droite, la pointe du Tourlinguet et celle de Saint-Mathieu.
Le **Musée ornithologique de Pen-Hir** est une bonne source d'information sur les goélands, les pingouins guillemots et les cormorans noirs de la région.

**Cormoran de Pen-Hir**

**🦅 Musée ornithologique de Pen-Hir**
Kerbonn, commune de Camaret. 📞 02 98 27 92 58. 🕐 *juil et août.* 🅿

## Morgat ❻

**Carte routière** A2. À 4 km au sud de Crozon par la D887. 🚐 ℹ *place d'Ys (02 98 27 29 49 ; en été seul.).* 🚤 *en juil.-août, les 1er et 3e mer. du mois.* 🎣 *fête du Thon (15 août).*

C'est la famille Peugeot qui, au début du XXe siècle, fait la promotion de la petite station balnéaire de Morgat *(Morgad)*, qui dépend de la commune de Crozon et entraîne son développement. Une promenade dans la ville permet de découvrir les villas de cette époque. Si Morgat attirait les visiteurs grâce à ses plages, aujourd'hui, ce sont des milieux écologiques importants, comme les marais de l'Aber, qui les font venir. Les cent dix hectares de l'étang de Kerloc'h, entre Camaret et Crozon, avec ses oiseaux et ses loutres, raviront les promeneurs. Sans oublier la curiosité géologique que constituent les **grottes marines** que la mer a sculptées dans les falaises de schiste.

**AUX ENVIRONS :** à Saint-Hernot, sur la route du cap de la Chèvre, la **maison des Minéraux** présente une splendide collection de minéraux régionaux et une exposition unique de minéraux fluorescents.

**🏛 Maison des Minéraux**
Saint-Hernot 29160 Crozon.
📞 02 98 27 19 73. 🕐 *lun.-ven.* 🅿 📷 *sur r.-v.* ♿

---

### L'ÉVANGÉLIAIRE DE NEW YORK

Ce recueil d'évangiles, composé au IXe siècle, atteste de l'importance de la production d'œuvres religieuses à Landévennec. L'écriture latine « en caroline » remplit un parchemin de plus de trois cents pages. Les évangélistes sont symbolisés par des animaux. Saint Marc est associé au cheval *(marc'h :* signifie « cheval » en breton), qui selon la tradition armoricaine remplace le lion (légende du roi Marc'h). Les deux fêtes de saint Guénolé sont mentionnées, le 3 mars et le 28 avril. Ce manuscrit exceptionnel, le plus ancien du Finistère, fut offert en 1929 à la bibliothèque de la ville de New York par un collectionneur américain.

**Ce recueil d'évangiles est le plus ancien manuscrit connu du Finistère**

# Crozon : le retable des Dix Mille Martyrs

Comme ce retable exécuté en 1602 en témoigne, la Renaissance a vu fleurir de nombreuses démonstrations de dévotion pour les 10 000 soldats de la légion thébaine mis à mort sur le mont Ararat par l'empereur Hadrien lors de sa campagne d'Arménie au IIe siècle. Les martyrs apparaissent aussi dans le *Livre d'heures* d'Anne de Bretagne, et le retable de l'église Saint-Pierre de Crozon est une magnifique illustration du souvenir de ces soldats romains fidèles au Christ. La crucifixion des soldats et leur sérénité face à la mort se veulent un reflet de la Passion. Le retable est certainement l'œuvre de plusieurs artistes.

**Acace Garcère et sa troupe**
*La préparation au combat et le défilé militaire montrent le courage et la fierté des troupes romaines. Les légionnaires du tribun Acace Garcère choisissent d'affronter la mort plutôt que l'indignité.*

**Ange adorateur**
*Cet ange invite les martyrs à la foi et ranime leur courage.*

**Neuf mille légionnaires**
*Sous le règne de l'empereur Hadrien, une armée est levée pour combattre la révolte des peuples d'Arménie.*

**Confusion dans la bataille**
*Les futurs martyrs se lancent dans la bataille. Malgré l'imploration aux dieux, la peur gagnent les rangs.*

**Les soldats** prennent des pierres pour assommer les confesseurs du nom de Jésus ; mais les pierres rejaillissent contre ceux qui les jettent.

**Soldats païens**
*Ils s'inclinent devant l'idole dressée devant eux, alors que les nouveaux chrétiens lui tournent le dos.*

**MODE D'EMPLOI**

Carte routière B2.
☎ 02 98 27 05 55 (accueil paroissial). 🚌 Brest ou Quimper, puis bus.
🕐 de 9 h à 18 h t.l.j. 📷 ♿

**Le triptyque supérieur** représente les soldats recevant la communion.

**Un personnage grotesque**
*Celui-ci intervient dans une ultime parodie de la passion du Christ bafoué, en s'inclinant devant les martyrs.*

**Le couronnement d'épines,** supplice subi par le Christ, est infligé aux martyrs.

**Montée au Calvaire**
*Le sang qui jaillit de la poitrine des martyrs leur sert d'eau de baptême, puis c'est la montée au Calvaire des soldats martyrs.*

**Les condamnés** renouvellent leur profession de foi après avoir été conduits par l'ange sur leur lieu de supplice.

**Mort des martyrs**
*Sur la montagne d'Ararat, au commencement du règne d'Hadrien, vers l'an 120, ils meurent à la même heure que le Christ en croix.*

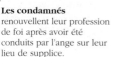

Vue panoramique du Ménez-Hom

## Ménez-Hom ❼

**Carte routière** B2. À l'ouest de Châteaulin par la D887.

Le Ménez-Hom (*Menez-C'hom*) culmine à 330 mètres et domine la baie de Douarnenez. Du sommet, on peut apercevoir par temps clair la pointe du Van et le cap de la Chèvre. Cette montagne, que les Celtes considéraient comme sacrée, est aussi la terre des korrigans et des lutins qui peuplent l'imaginaire et la littérature armoricaine. C'est l'habitat privilégié d'oiseaux comme le busard cendré et la fauvette. Au pied de la montagne, l'estuaire de l'Aulne loge dans la vasière hérons et canards, ainsi que de nombreuses espèces végétales. Tous les 15 août, lors du festival du Ménez-Hom, bombardes et binious enchantent la lande.

La chapelle du hameau de Sainte-Marie-du-Ménez-Hom abrite un beau retable. À l'extérieur se dressent un enclos paroissial et un calvaire du XVIᵉ siècle. À Trégarvan, situé à une dizaine de kilomètres, une école du début du XXᵉ siècle, figée dans le temps, a été transformée en un **musée de l'École rurale en Bretagne**.

🏛 **Musée de l'École rurale en Bretagne**
Trégarvan. 📞 02 98 26 04 72. ⏰ *toute l'année*. 📷

## Châteaulin ❽

**Carte routière** B2. 👥 5 700. 🚉 🛫 *Quimper-Cornouaille*. ℹ️ *quai Cosmao (02 98 86 02 11), en été seul.* 🎪 *jeu.* 📷 *Boucles de l'Aulne (27 août).*

Capitale bretonne du cyclisme grâce au Grand Prix des Boucles de l'Aulne, la ville constitue un agréable point de passage entre la rivière et la mer. L'Aulne est la rivière de France la plus riche en saumon, Châteaulin (*Castellin*) attire donc de nombreux pêcheurs. Un peu plus haut, sur la colline boisée de la rive gauche de la rivière, apparaît la chapelle Notre-Dame, au clocher Renaissance. Elle possède un calvaire du XVᵉ siècle représentant le *Jugement dernier*. L'ancien port de Châteaulin, **Port-**

**Port-Launay** attire de nombreux pêcheurs de saumon

**Launay**, offre l'image d'une Bretagne éternelle avec ses maisons basses posées le long des rives verdoyantes. Au XVIᵉ siècle, alors que la peste sévissait durement, une chapelle dédiée au saint guérisseur Sébastien est bâtie à Saint-Ségal. Calvaire, porte monumentale et retable polychrome font de ce lieu un trésor du Finistère Sud.

On peut parcourir la vallée de l'Aulne à bord d'une gabarre restaurée, le ***Notre-Dame-de-Rumengol***.

🚤 ***Notre-Dame-de-Rumengol***
Châteaulin. 📞 02 98 86 02 11.

## Pleyben ❾

**Carte routière** B2. 👥 3 446. ℹ️ *place Charles-de-Gaulle (02 98 26 71 05).* 📷 *pardon (1ᵉʳ août).* 🎪 *sam.*

La paroisse de *Pleiben* est mentionnée dès le XIIᵉ siècle dans le cartulaire de l'abbaye de Landévennec (*p. 147*). Elle fait partie des paroisses de l'immigration bretonne des Vᵉ, VIᵉ et VIIᵉ siècles, comme l'atteste le préfixe « ple » (*p. 287*), auquel est ajouté Iben, nom d'un saint breton. L'enclos paroissial réunit le calvaire – un des plus beaux de Bretagne –, l'ossuaire, la porte monumentale et l'église. Cette dernière, dédiée à saint Germain l'Auxerrois, est dominée par deux clochers. Celui de droite est une tour Renaissance, l'autre est une flèche gothique. Entre les deux s'élève la tourelle d'escalier avec ses pinacles et sa flèche aux arêtes ornées. À l'intérieur, on découvre une nef voûtée d'un lambris peint du XVIᵉ siècle, que relève une belle sablière polychrome sculptée représentant des scènes sacrées et profanes. Les vitraux des XVIᵉ et XVIIᵉ siècles éclairent un retable et le maître-autel datant de 1667. L'ossuaire du XVIᵉ siècle est aujourd'hui un musée consacré à l'histoire de Pleyben. La porte triomphale, *porz ar maro* (la porte des morts), par laquelle tous les morts de la paroisse étaient transportés, a été construite en 1725.

# Le calvaire de Pleyben

Cet évangile en pierre, destiné aux fidèles illettrés, fut édifié en 1555 puis complété en 1650 par les sculptures du Brestois Julien Ozanne. Celles-ci, travaillées dans la pierre sombre de Kersanton se situent au premier niveau de la face est.

Elles représentent la Cène, l'Entrée Triomphale et le Lavement des pieds. En 1738, l'édifice fut déplacé et pris la forme monumentale que l'on connaît actuellement. Deux représentations singulières se distinguent de l'œuvre : l'une sur l'éperon nord-est montre le diable, dissimulé sous un habit de moine tentant le Christ, et l'autre sur le côté ouest, qui figure Pierre pleurant sa trahison devant un coq dont il ne reste que les pattes. Pour suivre les scènes christiques, il faut commencer par la *Visitation*, où la Vierge serre la main d'Elizabeth, puis la *Nativité*.

**LA REPRÉSENTATION DE LA PASSION DU CHRIST**
Partie fondamentale de l'enclos paroissial, il évoque le credo cardinal de l'église chrétienne : la Mort et la Résurrection du Christ.

**La croix du Christ**

**Les croix latérales**

**Le Lavement des pieds**, *situé sur la face est du calvaire, représente le Christ lavant les pieds de Pierre qui s'exclame : « Toi aussi, tu me laves les pieds ? »*

**Le Repentir de Saint-Pierre** *pleurant son reniement.*

**Le Couronnement d'épines** *du Christ entouré de deux soldats.*

**La *Pietà*** *représente Marie tenant dans ses bras le Christ mort.*

**La Flagellation** *montre le Christ dénudé et attaché à un poteau*

**LES QUATRE POINTS CARDINAUX**
Ils étaient découverts par le fidèle tournant autour lors des processions. La vie de Jésus se lit d'ouest en est, l'est représentant le Golgotha et la Résurrection.

**Nord**

**Ouest**          **Est**

**Sud**

**La Cène**, *siège sur la face est du calvaire.*

**Le socle** *cruciforme du calvaire de Pleyben.*

**Maison en granit caractéristique de Locronan**

## Locronan ❿

**Carte routière** B2. 🚶 799.
🚉 Quimper. 🛈 place de la mairie
(02 98 91 70 14).
@ locronan.tourisme@wanadoo.fr.

La légende raconte que Ronan, moine irlandais, partit en Cornouaille. Après avoir évangélisé le *nemeton*, qu'il parcourait tous les jours, cette terre devint un lieu de pèlerinage important. Au XVᵉ siècle, Locronan *(Lokorn)* se développe grâce au tissage de toile de lin et de chanvre qui équipe toutes les flottes d'Europe. Les métiers à tisser et les costumes anciens sont aujourd'hui exposés au **musée d'Art et d'Histoire**.

L'**église Saint-Ronan**, édifiée au XVᵉ siècle, communique avec la **chapelle du Pénity** (XVIᵉ siècle). Dans l'église, l'abside est ornée d'un grand vitrail du XVᵉ siècle qui figure la Passion du Christ ; la chaire est sculptée de médaillons illustrant la vie de saint Ronan (1707), et possède un retable du Rosaire datant du XVIIᵉ siècle. Dans la chapelle se trouve le gisant de saint Ronan, ainsi qu'une magnifique *Descente de Croix* en pierre polychrome.

La place avec son puits est entourée de maisons aux façades de granit, riches demeures des XVIIᵉ et XVIIIᵉ siècles. Rue Moal se trouve la **chapelle Bonne-Nouvelle**, avec son petit calvaire et sa belle fontaine.

🏛 **Musée d'Art et d'Histoire**
📞 02 98 91 70 14. ⏰ juin à sept. :
t.l.j. ; oct. à mai : t.l.j. sauf dim. 🈲
⛪ **Église Saint-Ronan et chapelle du Pénity**
Place de l'Église. ⏰ t.l.j. 🔒 dim.
10 h 30.
⛪ **Chapelle Bonne-Nouvelle**
Rue Moal. ⏰ t.l.j.

## Douarnenez ⓫

**Carte routière** B2. 🚶 15 821.
🚉 Quimper. ✈ Quimper-Cornouaille.
🛈 2, rue du Dr-Mével. (02 98 92 13 35). 🍴 halles de la Grande-Place de Tréboul (chaque matin sauf dim.), parking du centre (lun. et ven.), port de Tréboul (mer. et sam. matin). Visites du port de Rosmeur organisées par l'office du tourisme.

Comme en témoignent les vestiges d'une fabrique de *garum* (jus de poisson fermenté qui servait à épicer les plats) trouvés aux Plomarc'h, le site est déjà occupé à l'époque gallo-romaine.

C'est à Douarnenez, qui fut le premier port sardinier français, que s'ouvrent les premières conserveries (1853). Aujourd'hui, la pêche ne suffit plus à faire vivre la ville (environ 1 000 emplois dans ce secteur), même si la criée est encore une des plus importantes de Bretagne.

Aujourd'hui, Douarnenez attire les visiteurs grâce à son port aménagé dans l'anse de Tréboul et à son site de conservation du patrimoine

**Le port Rhu, musée maritime à flots de Douarnenez**

maritime, le **musée du Bateau**. En saison, le **port Rhu**, musée maritime à flots, permet la visite des bateaux sauvés. En remontant vers le centre-ville, la chapelle Saint-Michel (XVIIᵉ siècle) rassemble 52 tableaux de mission *(taolennoù)* de Dom Michel Le Nobletz (1577-1652), utilisés lors de mission d'évangélisation de la Bretagne *(p.127)*.

🚤 **Vedettes Rosmeur**
Terre-plein du port. 📞 02 98 92 83 83, visite du port le matin, pêche en mer.
🏛 **Musée du Bateau**
Place de l'Enfer. 📞 02 98 92 65 20. ⏰ 15 juin-30 sept. : t.l.j. ; mars-juin : t.l.j. sauf lun. ; octobre : t.l.j. sauf lun. 🈲
⛪ **Chapelle Saint-Michel**
Rue du Port-Rhu. 📞 02 98 92 13 35. ⏰ sur r.-v. seulement.

## Réserve du cap Sizun ⓬

**Carte routière** A2. À 20 km à l'ouest de Douarnenez par la D7, chemin de Kérisit. 📞 02 98 70 13 53. ⏰ avr.-août : t.l.j. **Bretagne Vivante SEPNB** 📞 02 98 49 07 18.

La réserve, créée par Michel-Hervé Julien et la Bretagne Vivante SEPNB (Bretagne Vivante Société d'étude et de protection de la nature en Bretagne) en 1959 est très prisée des ornithologues, car les oiseaux marins viennent s'y reproduire par milliers. Situés sur la côte nord du cap Sizun, les 25 ha de la réserve ornithologique de Goulien abritent oiseaux migrateurs et nicheurs. D'avril à fin août, des chemins balisés permettent leur observation, et des randonnées accompagnées d'un guide sont organisées.

Sur la rive droite du Goyen, à Pont-Croix, s'élève **Notre-Dame-de-Roscudon** bâtie à partir du XIIIᵉ siècle. Ses piliers à fines colonnettes et ses chapiteaux sous la voûte romane ont servi de modèle à un style architectural influencé par l'art

La pointe du Van, d'où l'on aperçoit le cap Sizun

anglais qui prendra le nom d'école de Pont-Croix.

Une ancienne demeure du XVIe siècle, Le Marquisat, abrite le **musée du Patrimoine**. Riche en truites et en saumons, peuplé de nombreux oiseaux, l'**estuaire du Goyen** est un site naturel qui propose une randonnée de découverte d'une dizaine de kilomètres de Pont-Croix à Audierne.

🏛 **Musée du Patrimoine**
📞 02 98 70 51 06. ⏰ dim, apr.-midi seulement.

## Pointe du Van ⑬

**Carte routière** A2. À 27 km à l'ouest de Douarnenez par la D7.

Ses larges falaises et sa chapelle Saint-They (XVIIe siècle) accrochée aux rochers, offrent un spectacle magnifique. Le paysage est austère, mais les vues sur la pointe de Brézellec, le cap de la Chèvre, la pointe Saint-Mathieu et les « Tas de Pois » sont superbes. On aperçoit à gauche la pointe du Raz, le phare de la Vieille et derrière,

l'île de Sein. Les sentiers côtiers (GR34) sont l'occasion de découvrir les petits ports de pêche situés plusieurs mètres au-dessus du niveau de la mer.

## Pointe du Raz ⑭

**Carte routière** A2. À 16 km à l'ouest d'Audierne par la D784.
🚌 Douarnenez, Audierne, Quimper.
🅿 payant et obligatoire.

Majestueux et sauvage, cet éperon façonné par les flots s'élève à plus de 70 mètres de haut. La pointe

du Raz *(Beg ar Raz)* se prolonge dans la mer par une chaîne de récifs dont le dernier est surmonté par le phare de la Vieille. Par beau temps, on peut distinguer l'île de Sein et le phare d'Ar Men. Sur le versant nord, la mer a creusé des marmites appelées « l'Enfer de Plogoff » où, selon la légende, la princesse Dahud se débarrassait de ses amants malheureux. Le raz de Sein, où « nul n'a passé sans mal ou sans frayeur » est fort craint des marins.

Depuis 1996, la pointe du Raz est protégée et de nombreux sentiers ont été créés. Le public est aujourd'hui accueilli à la maison de la pointe du Raz, que l'on rejoint à pied ou par une navette électrique gratuite.

**AUX ENVIRONS :** la baie des Trépassés est une belle plage qui dévoile, à marée basse, des grottes dans les falaises. Selon la légende locale, les corps des défunts péris en mer venaient, portés par de violents courants, échouer sur cette plage.

De la pointe du Raz, vue sur le phare de l'île de Sein

La procession chrétienne pour la *troménie* de Locronan

### LES *TROMÉNIES*

Il y a 2 500 ans, Locronan était un site religieux celte unique en Europe. Les repères astronomiques celtes ont donné naissance au *nemeton*, un quadrilatère de douze kilomètres comportant douze marques de l'année lunaire. Le christianisme, après avoir investi le lieu celte pour y construire un prieuré bénédictin, garda le tracé exact de ce quadrilatère sacré. Le terme de *troménie* vient du breton *tro* « tour » et de *minihy* « territoire du monastère ». C'est ainsi que les repères astronomiques celtes sont devenus les douze stations de la procession chrétienne. La *troménie* la plus ancienne remonte à 1299. La grande *troménie* de 12 km assure aux pèlerins l'entrée au paradis et vaut trois petites *troménies* de 5 km.

## Île de Sein ⓯

🏠 246. ℹ️ mairie (02 98 70 90 35).
🚢 Audierne (t.l.j.), Brest, Camaret
(en été seul.). Pas de voiture sur l'île.
📿 pardon de Saint-Guénolé (dim.
de la Trinité, juin), pardon de Saint-
Corentin (1er dim. d'août).

Ce prolongement de la
pointe du Raz ne mesure
guère plus d'1,5 km de long
sur 800 mètres de large et
culmine à 6 mètres ! Le
paysage est austère et le bourg
forme un dédale d'étroites
ruelles qui freinent la violence
des vents. L'île de Sein (Enez-
Sun) possède quelques
vestiges mégalithiques :
deux menhirs (les « Causeurs »)
et le tumulus de Nifran. Les
historiens pensent que le lieu
était un cimetière de druides.
Mais c'est au début de la
seconde guerre mondiale que
les Sénans écrivent leur
plus belle page d'histoire
en rejoignant le général
de Gaulle à Londres
(voir encadré ci-contre).
Un chemin permet d'accéder
au phare et à la chapelle
Saint-Corentin. Dans l'ancien
abri du marin, le **musée
Jardin de l'Espérance** relate
la vie quotidienne des Sénans.

**AUX ENVIRONS :** le **phare d'Ar
Men**, situé à 12 km à l'ouest
de l'île, est construit sur un
récif battu en permanence par
la mer. Les Sénans mirent
14 années à l'édifier.
Automatisé et géré par le
Service des phares et balises
de Brest, il protège une zone
de navigation dangereuse.

🏛️ **Musée Jardin de
l'Espérance**
Quai des Paintolais. ◻️ juin-sept. 📷

Les Causeurs, menhirs de l'île de
Sein

Le phare d'Ar Men, à 12 km de l'île de Sein

## Audierne ⓰

**Carte routière** A2. 🏠 2 470. 🚂
Quimper-Cornouaille. 🚌 Quimper
puis bus. ℹ️ 8, rue Victor-Hugo
(02 98 70 12 20). 📿 pardon (der.
dim. d'août). 🛒 mer. et sam.

Audierne (Gwaien), la cité
maritime, est un port
toujours actif, spécialisé dans
la pêche côtière de qualité :
dorades et lottes pêchées à la
traîne, bars pris par les
ligneurs, crustacés
(langouste). On peut visiter
les **Grands Viviers**, les plus
grands de France, qui
comptent une trentaine de
bassins, ou bien faire une
promenade en mer à bord
d'un langoustier traditionnel
(se renseigner à l'office du
tourisme). Le **cimetière de
bateaux**, dans l'anse de
Locquéran, où de vieux
langoustiers meurent en
silence, est un site classé
monument historique.
Dominant la ville, l'**église
Saint-Raymond-Nonnat**
(XVIIe siècle) présente de
nombreuses sculptures de
bateaux et possède un
étonnant clocher baroque.
À l'entrée de la ville, le
**Planète Aquarium de la
pointe du Raz** présente a
faune maritime dans un décor
original.

**AUX ENVIRONS :** à Primelin se
trouve la très belle **chapelle
de Saint-Tugen** construite
en 1535. Elle possède une nef
et une tour carrée de style
gothique flamboyant ;
le transept et le chevet
datent de la Renaissance.

🐟 **Les Grands Viviers**
1, rue du Môle (route des plages).
📞 02 98 70 10 04. ◻️ lun.-ven.

🐟 **Planète Aquarium**
Rue du Goyen. 📞 02 98 70 03 03.
◻️ 1er mai-30 sept. : t.l.j. ; 1er oct.-
30 avr. : dim-jeu. ; vac. scol. : t.l.j.
📷 sur rés. ♿ 📷
⛪ **Chapelle de Saint-Tugen**
◻️ t.l.j.

Le port d'Audierne et son église
Saint-Raymond-Nonnat

## Notre-Dame-
de-Tronoën ⓱

**Carte routière** B2. À 9 km à l'ouest
de Pont-l'Abbé, commune de Saint-
Jean-Trolimon. 📞 02 98 82 04 63.
◻️ avr.-sept. 📷 en saison.

Dans un paysage de dunes
désertes, apparaissent la
chapelle et le calvaire de
Tronoën (Tornoan). La
chapelle, voûtée, est percée
d'une baie ornée d'une
rosace. Deux portails
encadrent un clocher ajouré
à tourelles.
Le calvaire (vers 1450-1470)
est le plus ancien de Bretagne,
et le détail des scènes a été
gommé par le temps. Sur la
plate-forme se trouvent les
croix du Christ et des deux
larrons. La base rectangulaire
est ornée d'une double frise,
relatant l'Enfance du Christ, et
la Passion. La lecture du
calvaire commence sur sa
face est avec l'Annonciation,
se poursuit sur la face nord
avec la Visitation et la

*Nativité*. Les sujets sont sculptés dans le granit de Scaër, propice au développement du lichen, comme le montrent le *Jugement dernier* et *la Cène* (face sud). La *Visitation*, la *Nativité* et les *Rois mages* apportant leurs présents (face nord) sont sculptés dans le granit de Kersanton, plus solide.

L'élégant clocher de Notre-Dame-de-Tronoën

## Penmarc'h ⑱

**Carte routière** B2. À 12 km au sud-ouest de Pont-l'Abbé par la D785. 🚆 *Quimper-Cornouaille.* 🏠 🏪 🏬 6 032. 🛈 *place du Maréchal-Davout (02 98 58 81 44).* 🎬 *festival du Film de la mer (déb. mai), pardon de Notre-Dame-de-la-Joie (15 août),* ☕ *juin-sept., ven. matin (port de Saint-Guénolé) et mer. (port de Kérity).*

O n raconte que le légendaire Marc'h, roi de Poulmarc'h, fut transformé en tête de cheval *(penmarc'h)* lors d'une rencontre malheureuse avec la princesse Dahud. Penmarc'h est composé de trois paroisses, Penmarc'h, Saint-Guénolé et Kérity. Saint-Guénolé est le deuxième port bigouden et le sixième de France.
Sa criée informatisée est la plus moderne d'Europe.
Le **phare d'Eckmühl** est la fierté de la ville. Construit en 1897 grâce au don de la fille du général Davout, prince d'Eckmühl, le phare est en granit de Kersanton. Il domine la pointe de ses 65 m et possède une portée lumineuse

---

### L'APPEL DU 18 JUIN 1940

Depuis des générations, la rude vie sur l'île a formé les Sénans à la résistance. Ainsi, au lendemain de l'appel du général de Gaulle, le 18 juin 1940, les hommes de Sein quittent l'île et rejoignent les troupes de la France combattante en Angleterre. Des milliers de soldats et marins passent par l'île pour gagner Londres. À leur arrivée, les soldats allemands ne trouvent plus sur Sein que des femmes et des enfants. En juillet 1940, le chef de la France Libre passe en revue les 600 premiers hommes volontaires, 150 sont des

Accueil du général de Gaulle sur l'île de Sein par les marins

Sénans. « Ainsi donc, l'île de Sein représente le quart de la France », s'exclama le général. Des marins de Sein partis, seuls 114 sont revenus. En 1946, de Gaulle vint remettre à l'île la Croix de la Libération.

---

de 50 km. Près de la plage de Pors-Carn, le **Musée préhistorique finistérien**, fondé en 1921, présente la préhistoire de la région.

### 🏛 **Phare d'Eckmühl**
📞 *02 98 58 61 17.* 🕐 *15 juin-15 sept. : t.l.j. ; 16 sept.-14 juin : sur r.-v.* 🏛 **Musée préhistorique finistérien** *Rue du Musée-Préhistorique.* 📞 *02 98 58 60 35.* 🕐 *1ᵉʳ juin-15 sept. : mer.-lun.* 🅿 ♿

## Le Guilvinec ⑲

**Carte routière** B2. À 10 km au sud de Pont-l'Abbé par la D785 et la D57. 🏠 *3 042.* 🚆 *Quimper-Cornouaille.* 🏪 🏬 🛈 *62, rue de la Marine (02 98 58 29 29).* 🎬 *Les Estivales (en juil.-août, ven. soir).* ☕ *mar. et dim. (été).*

C e village de pêcheurs prend son essor au XIXᵉ siècle grâce à l'arrivée du chemin de fer à Quimper. C'est alors le principal fournisseur de poissons frais de la capitale. Premier port de pêche artisanale, site pilote du tourisme de « pêche en mer », les quais du Guilvinec *(Ar Gelveneg)* sont très animés en fin d'après-midi avec l'arrivée de tous les bateaux. À la pointe du Men-Meur, un four à goémon rappelle l'importance de cette pêche d'autrefois. Plus loin, l'admirable **manoir de Kergoz** du XVᵉ siècle, restauré, cache un vieux colombier du XVIᵉ siècle. Des sentiers de randonnées vous mèneront jusqu'à Lesconil, charmant port de pêche aux maisons blanches.

Le port de Guilvinec, où l'on pratique le tourisme de « pêche en mer »

Île-Tudy, agréable petit port de pêche

## Loctudy 🄴

**Carte routière** B2. À 6 km au sud-est de Pont-l'Abbé par la D2. 🏠 3 658. 🚉 Quimper-Cornouaille. 🚌 🚍 🛈 place des Anciens-Combattants (02 98 87 53 78). 🗓 pardon de Saint-Tudy (dim. après le 11 mai). 🛒 mar. matin.

Ce port de pêche, premier producteur de langoustines vivantes, les fameuses « demoiselles de Loctudy », est agréablement situé sur la rivière de Pont-l'Abbé et possède une belle vue sur les îles Garo et Chevalier et sur Île-Tudy. Loctudy (*Loktudi*) est une station balnéaire réputée. L'**église romane Saint-Tudy** du XIIe siècle, est très bien conservée. Les chapiteaux sculptés sont ornés de fleurs, de masques, de personnages et d'animaux ; le chœur possède un déambulatoire et des chapelles. À l'extérieur, se trouve la petite chapelle de Pors-Bihan. À la sortie de la ville, sur la route de Pont-l'Abbé, on découvre la jolie **chapelle de Croaziou** avec sa croix celte. Au port de pêche, le retour des chalutiers suivi de la criée est toujours un moment fort de la vie de l'Armor. Des sorties en mer avec cannes et appâts sont organisées par l'office du tourisme, et il est possible de s'initier à la pêche au filet ou au casier.

**Aux environs :** saint Tudy, à son arrivée en Bretagne, choisit de fonder son monastère dans l'île qui, au début du Ve siècle, n'était pas reliée au continent. Le monastère fut transféré à Loctudy après la mort du saint. Accessible par bateau depuis Loctudy, **Île-Tudy** est maintenant un agréable petit port de pêche.

## Manoir de Kerazan 🄵

**Carte routière** B2. À 4 km au sud de Pont-l'Abbé par la D2. ☎ 02 98 87 40 40. ◻ Pâques-14 juin et 1er-30 sept : mar.-dim. apr.-midi seul. ; 15 juin-31 août : t.l.j. 🎫 groupes sur réservation. 🎭 ♿ soirées contes et légendes en juillet et août tous les jeudis.

Ce magnifique domaine rural, construit au XVIe siècle et restauré au XVIIIe siècle, fut légué à l'Institut de France par Joseph Astor en 1928. La robuste bâtisse de granit, entourée d'un parc de 5 ha dévoile un confort luxueux et raffiné. La famille Astor se consacra au développement de la culture du pays bigouden et à la vie politique régionale. La propriété accueille en 1930 une école de broderie, puis Joseph Astor, à l'instar de son père mécène, rassemble une collection de peintures et de dessins du XVIe au XXe siècle, et de très nombreuses faïences. Les pièces proviennent de l'ancienne manufacture Porquier. Le musée expose aussi des costumes et des meubles anciens bretons.

## Pont-l'Abbé 🄶

**Carte routière** B2. 🏠 8 426. 🚉 Quimper-Cornouaille. 🚉 Quimper. 🚌 🛈 place de la République (02 98 82 37 99). 🗓 fête des Brodeuses (2e dim. de juillet). 🛒 jeudi.

Pont-N'-Abad est la capitale historique du pays bigouden. Le site éveille déjà l'attention des Romains qui y construisent un camp fortifié. Au Moyen Âge, les seigneurs du Pont (p.39) et les abbés de Loctudy bâtissent un château fortifié, surmonté d'une massive tour ovale ainsi que le premier pont sur la rivière. Les barons du Pont se convertissent au protestantisme durant la guerre de la Ligue *(p.44)* ; l'édifice subit de nombreux dégâts, notamment lors de la révolte des Bonnets rouges.

En 1675, cette révolte rassemble des centaines de révoltés en Basse-Bretagne, portant un couvre-chef rouge et exigeant la suppression des corvées, des prélèvements sur les récoltes, de la dîme payée aux prêtres et le droit de chasse ouvert à tous. La répression conduite par le gouverneur de Bretagne dissuada pour longtemps toute tentative de soulèvement.

Le corps du château loge l'hôtel de ville et le donjon abrite le **Musée bigouden**.

**Le robuste manoir de Kerazan date du XVIe siècle**

L'église Notre-Dame-des-Carmes, datant de 1383

## Glénan ㉓

**Carte routière** B3. 🛈 49, rue de Kérourgué, Fouesnant (02 98 56 00 93). ⚓ Port-La-Forêt, Beg-Meil, Concarneau.

L'archipel se compose de 8 îles principales et d'une dizaine d'îlots situés face à la baie de La Forêt à 12 milles au large. Les plages de sable blanc, les eaux limpides, la faune et la flore préservées en font un endroit exceptionnel pour les navigateurs et les plongeurs. L'île Saint-Nicolas est le seul endroit où accostent les bateaux assurant les liaisons maritimes avec le continent. On y trouve depuis 1960 le **Centre international de plongée**. Penfret, la plus grande des îles, abrite depuis 1947 une école de voile célèbre dans le monde entier pour sa formation sur dériveur et catamaran. Les marins sont logés dans un fort du XVIIIe siècle. L'île Guiautec est un site ornithologique classé. On y trouve aussi une fleur rare : le narcisse des Glénan, apporté par les Phéniciens, qui fleurit en avril.

Celui-ci présente une intéressante collection de costumes et de coiffes traditionnelles, ainsi que du mobilier et objets anciens. L'**église Notre-Dame-des-Carmes**, ancienne chapelle du couvent des Carmes datant de 1383, se distingue par sa superbe verrière du XVe siècle. On peut aussi admirer une très belle Vierge polychrome qui apparaît sur une bannière de procession brodée par l'atelier Le Minor.

Non loin des quais, on peut voir les ruines de l'église de Lambour, découronnée en guise de représailles par le duc de Chaulnes lors de la révolte des Bonnets rouges. Celle-ci possède encore les

*Un costume traditionnel présenté au Musée bigouden*

arcades et les piliers qui caractérisent l'école de Pont-Croix *(p.152-153)*. Le chemin de halage de la rivière de Pont-l'Abbé peut être l'occasion d'une promenade. La rivière débouche sur un estuaire parsemé d'îlots, Les Rats, Queffen, Garo, habités par une multitude d'oiseaux, tels la spatule blanche ou le héron. À la pointe Bodillo se trouve la plus importante héronnière du Finistère.

🏛 **Musée bigouden**
Dans le château. 📞 02 98 66 09 09.
⬜ 1er avr.-31 mai : lun.-sam. ; 1er juin-30 sept. : t.l.j.
⛪ **Église Notre-Dame-des-Carmes**
Place des Carmes. ⬜ t.l.j.
✚ sam.18 h 30 ; dim. 11 h.

**Centre nautique des Glénan**
Place Pierre-Viannay, Concarneau.
📞 02 98 97 14 84.
**Centre international de plongée**
Concarneau. 📞 02 98 50 57 02.

Du port de Cornouailles à Benodet, on aperçoit au loin les Glénan

# Quimper pas à pas

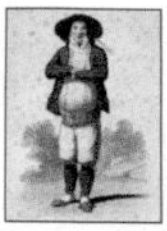

**Homme du Faou**

Fondée par les Gaulois à Locmaria, la ville fut appelée plus tard *Aquilonia* (« ville des aigles ») par les Romains, puis pendant des siècles, Quimper-Corentin, du nom de son premier évêque. La ville est située au confluent *(kemper)* du Steir et de l'Odet. Autrefois fortifiée, la cité conserve ses chemins de ronde, ses échauguettes et ses remparts. Les maisons à pans de bois côtoient désormais demeures bourgeoises et architecture contemporaine. De récents travaux ont permis de mettre au jour d'importants vestiges du Moyen Âge.

FINISTERE ses costumes, ses sites, la mer.
POUR TOUS RENSEIGNEMENTS S'ADRESSER
SYNDICAT D'INITIATIVE DU FINISTERE
12 Rue du Quai à QUIMPER
27 Rue Jean Macé à BREST

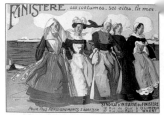

**Musée départemental breton**
*Créé en 1846 et installé dans le palais des évêques.*

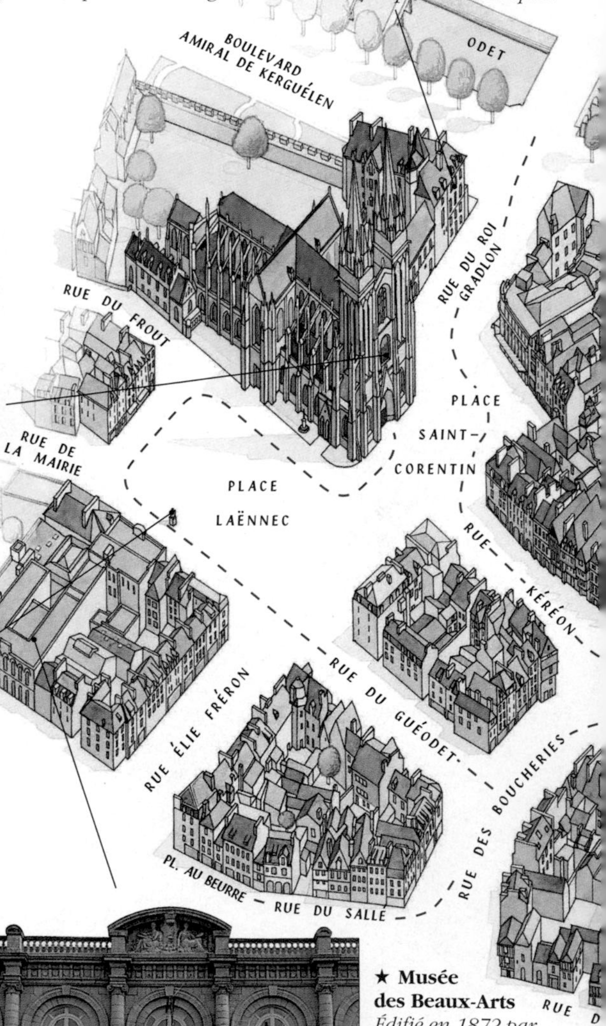

BOULEVARD AMIRAL DE KERGUÉLEN
ODET
RUE DU ROI GRADLON
RUE DU FROUT
RUE DE LA MAIRIE
PLACE SAINT-CORENTIN
PLACE LAËNNEC
RUE KÉRÉON
RUE ÉLIE FRÉRON
RUE DU GUÉODET
RUE DES BOUCHERIES
PL. AU BEURRE
RUE DU SALLÉ
RUE D

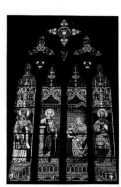

**★ Cathédrale Saint-Corentin**
*Construite du XIII^e au XIX^e siècle sur l'ancien sanctuaire roman, elle fut magnifiquement rénovée.*

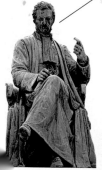

**…tue de Laënnec**
*…tre Quimpérois …-1826) qui …rit le …be.*

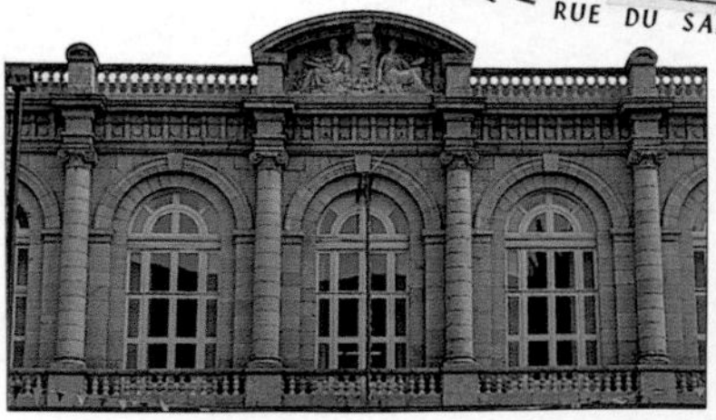

**★ Musée des Beaux-Arts**
*Édifié en 1872 par Bigot, il présente des collections de peintures flamandes et italiennes.*

**★ Halles**
*Ouvertes tous les jours sauf le dimanche, elles occupent une place importante dans l'activité quimpéroise.*

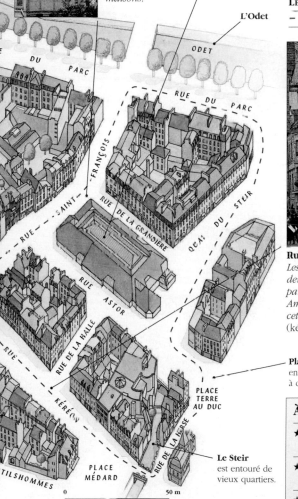

**Rue Saint-François**
*Au XVIIIe siècle, les juges royaux résidaient dans cette rue de hautes maisons.*

**L'Odet**

**MODE D'EMPLOI**

🏠 63 238. ✈ aéroport de Cornouaille, Pluguffan. 🚊 av. de la Gare. 🚌 ℹ place de la Résistance (02 98 53 04 05). ⛴ mer. et sam. 🎭 festival de Cornouaille (3e sem. de juil.), festival Théâtre des mondes celtes (22-31 mars), festival Gouel Erwan (18-19-21 mai), Les 23 Semaines musicales de Quimper (3-21 août), 6e festival Extérieur cuivre (6-27 août), Les Jeudis de l'Évêché (14 juin-14 sept.).
W www.mairie-quimper.fr

**LÉGENDE**

- – – Itinéraire conseillé

**Rue Kéréon**
*Les plus belles et anciennes demeures à colombages ou pans de bois de la ville. Ambiance médiévale dans cette rue des cordonniers (kéréon).*

**Place Terre-au-Duc**
entourée de maisons à colombages.

**À NE PAS MANQUER**

★ **Cathédrale Saint-Corentin**

★ **Musée des Beaux-Arts**

★ **Halles**

**Le Steir**
est entouré de vieux quartiers.

0 ———— 50 m

# À la découverte de Quimper

Quimper *(Kimper)* est une ville classée ville d'art et d'histoire consciente de son patrimoine qu'elle ne cesse de mettre en valeur. La cathédrale a été restaurée et d'importants travaux ont redessiné les places Laënnec et Saint-Corentin. Un cimetière du XIIᵉ siècle et des esplanades du XIVᵉ siècle ont été découverts. Un nouveau pôle culturel, le Quartier, a aussi vu le jour. Marquée par le souvenir de son riche passé, Quimper est la ville de Fréron, critique littéraire et célèbre adversaire de Voltaire, de l'aventurier René Madec, du poète Max Jacob et de René Laënnec. C'est à Quimper que Marion du Faouët, le « Robin des Bois » breton, fut pendu. Yves de Kerguelen, célèbre explorateur, est aussi originaire des environs de Quimper. La cité a naturellement une forte identité celte, dont elle fête la culture lors du festival de Cornouaille chaque année en juillet.

### ⊞ La vieille ville

Les plus belles rues médiévales se trouvent en face de la cathédrale, elles possèdent des plaques de céramique décorée. Les vieilles demeures à colombages, les toits d'ardoises et les rues pavées témoignent de son passé historique.

**Détail de la maison des Cariatides, rue du Guéodet**

La **rue Kéréon**, « rue des Cordonniers », est bordée de maisons à encorbellement. Les noms des rues rappellent les métiers que l'on y exerçait, comme la **place au Beurre** que l'on rejoint par la **rue des Boucheries**. Au nº 10 de la **rue du Sallé**, un ancien hôtel de la famille Mahaut, le **Minuellou** a été récemment rénové. En remontant la rue des Boucheries, on croise la **rue du Guéodet**, où se trouve la célèbre **maison des Cariatides** (XVIᵉ siècle). Des visages sculptés dans la pierre représentent des Quimpérois qui s'illustrèrent durant la guerre de la Ligue. Plus loin, la **rue des Gentilshommes**, avec ses hôtels particuliers, descend vers les rives du Steir et débouche sur la **rue de la Herse**, à voir pour son échauguette. Sur la rive droite du Steir, de l'autre côté du pont Médard, c'est l'ancien domaine des ducs de Bretagne. Des maisons à colombages donnent sur la **place Terre-au-Duc**. Non loin de là, se trouve le quartier de l'**église Saint-Mathieu** à découvrir pour son beau vitrail du XVIᵉ siècle. Les quais de l'Odet mènent à la rue Saint-François et plus loin aux **halles du**

**Bannière portée lors de la procession du Grand Pardon**

**Chapeau-Rouge**, où se tient le marché. Rue du Parc, le long de l'Odet, le **café de l'Épée**, qui vit passer de nombreux artistes, de Flaubert à Max Jacob, est une institution quimpéroise. Après avoir traversé l'Odet, de petits sentiers conduisent au **mont Frugy**, qui domine le centre à plus de 70 mètres et offre un beau panorama sur la ville. Dans le quartier d'Ergué-Armel, la distillerie du Plessis présente une belle collection d'alambics des siècles passés.

### 🏛 Musée départemental breton

1, rue du Roi-Gradlon. ☎ 02 98 95 21 60. ◯ juin-sept. ● lun. et dim. matin.

Fondé en 1846 par la Société d'archéologie du Finistère, il est situé depuis le début du XXᵉ siècle dans l'ancien palais des évêques. Construit sur le côté sud de la cathédrale, le palais présente deux ailes qui encadrent une tour d'escalier Renaissance. L'escalier en colimaçon dessert toutes les salles et se termine par des boiseries ciselées. La tour appelée « logis de Rohan », de style gothique flamboyant, fut bâtie en 1507 par l'évêque Claude de Rohan et restaurée au XIXᵉ siècle. Consacré à

La place Terre-au-Duc et ses maisons à pans de bois

l'anthropologie culturelle, le musée regroupe depuis 1846 une importante collection d'art populaire. Réouvert en 1999, il présente 3 000 ans d'histoire bretonne.

Au rez-de-chaussée, on peut découvrir des objets préhistoriques : pointes de lances, haches, stèles gauloises, armes ; une belle collection de statues religieuses en bois polychrome et deux gisants de chevaliers. Au 1er et au 2e étages sont exposés de magnifiques costumes traditionnels, du mobilier du xviie au xixe siècle (coffres, lits clos, armoires) et des objets du quotidien, dont une étonnante cuillère pliante. Le 3e étage expose une collection de plus de 300 pièces de faïences et de grès de Quimper datant du xviie au xxe siècle. Les arts religieux médiéval et moderne sont également présents. La visite se termine sur l'espace des expositions temporaires.

*Le Génie à la guirlande*, Charles Filiger, musée des Beaux-Arts de Quimper

### 🏛 Musée des Beaux-Arts

40, place Saint-Corentin. ☎ 02 98 95 45 20. ◐ juil.-août : t.l.j. ● oct.-mars : dim. matin et mar., et jours fériés.

Le musée fut édifié par l'architecte Joseph Bigot pour y exposer la collection de Jean-Marie Silguy léguée à la ville. Il abrite un ensemble exceptionnel de peintures flamandes, italiennes et françaises et des œuvres de l'école de Pont-Aven (Sérusier, Denis et Lacombe). Une salle est consacrée au poète et peintre quimperois Max Jacob ; on y évoque surtout la vie du poète et celle de son ami Jean Moulin. Des gouaches et des dessins, ainsi que des portraits de ses amis artistes, comme Cocteau ou Picasso, sont exposés.

On peut aussi voir des œuvres majeures de Rubens, Fragonard ou Corot, des toiles du xxe siècle (Delaunay et Tal-Coat), ainsi que des tableaux de peintres bretons, comme Guillou, Boudin et Noël. Le musée possède des dessins et des estampes splendides, notamment de C. Filiger

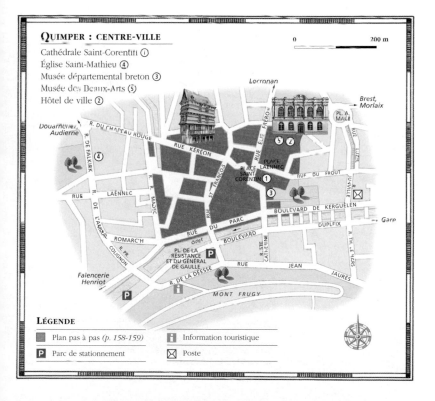

**QUIMPER : CENTRE-VILLE**

Cathédrale Saint-Corentin ①
Église Saint-Mathieu ④
Musée départemental breton ③
Musée des Beaux-Arts ⑤
Hôtel de ville ②

0                    200 m

Lorronan

Brest, Morlaix

Douarnenez, Audierne

R. DU CHAPEAU ROUGE
R. DE FALKIRK
RUE KÉRÉON
R. ST-FRANÇOIS
R. ELIE FRÉRON
PL. A. MASSÉ
RUE LUZEL

PLACE LAENNEC
⑤ ②
PLACE SAINT-CORENTIN ①
③
RUE DU FROUT
RUE JULIVILLE ⌧

RUE LAËNNEC
R. DE L'AMIRAL
R. MADEC
BOULEVARD DE KERGUÉLEN
DUPLEIX
Gare

R. PR. COLIGNON
ROMARC'H
RUE DU PARC
Odet
BOULEVARD
R. STE-CATHERINE
R. TH. LE HARS

Faïencerie Henriot
PL. DE LA RÉSISTANCE ET DU GÉNÉRAL DE GAULLE Ⓟ
R. DE LA DÉESSE
RUE JEAN
JAURÈS

Ⓟ
ℹ MONT FRUGY

**LÉGENDE**

| ▪ Plan pas à pas *(p. 158-159)* | ℹ Information touristique |
| Ⓟ Parc de stationnement | ⌧ Poste |

## 🏛 Musée de la Faïence

14, rue Jean-Baptiste-Bousquet. ☎
02 98 90 12 72. ⏰ *mi-avril-octobre :*
*lun.-sam.* ● *dim. et jours fériés.*
Le musée a été bâti dans une
ancienne faïencerie, la maison
Porquier, en plein cœur du
quartier de Locmaria. Les
choix architecturaux ont
respecté le site où s'érigèrent
les fours et le bâtiment du
XVIIIᵉ siècle. On y présente les
éléments fondamentaux de
toute conception céramique :
l'eau, la terre et le feu. Leur
rencontre en un même lieu
explique l'origine de cette
activité
quimpéroise.
Puis on
découvre
le style
Quimper,
Alfred
Beau, le
temps des
artistes et
l'année
1922, qui
voit le dépôt de la marque
« Odetta HB Quimper »
et le début du grès d'art
de grand feu.

**Vase Odetta
à décor hortensia**

### Faïencerie HB-Henriot

16, rue Haute. ☎ 02 98 90 09 36.
⏰ *lun.-ven.* ● *sam., dim. et jours
fériés.*
En 1984, les Américains,
Paul et Sarah Janssens,
deviennent les nouveaux
propriétaires d'HB-Henriot.
Fidèles à la tradition
quimpéroise, la faïencerie
reste la seule aujourd'hui
à exécuter des pièces
décorées selon la technique
de la main levée.

**AUX ENVIRONS :** en direction
de Châteaulin, le **calvaire
de Quilinen**, du XVIᵉ siècle,
en pleine campagne, est
admirable. À 1 km, la **chapelle**
gothique **de Saint-Venec**
frère de saint Guénolé,
possède une fontaine
encadrée de colonnettes
à torsades. L'**église de Cast**,
au sud de Chateaulin, est
renommée pour son groupe
sculpté datant de 1525, dit
*La Chasse de saint Hubert.*
Depuis le **belvédère de
Griffonez**, sur un méandre
de l'Odet, on peut apprécier
les **gorges de Stangala**,
à 7 km au nord de Quimper.

# La cathédrale Saint-Corentin

É bloui par la foi de l'ermite Corentin, qu'il a
rencontré dans la lande du Ménez-Hom, le roi
Gradlon lui propose l'évêché de Quimper et lui offre
une terre pour y construire sa cathédrale. Mais l'histoire
retiendra qu'en 1239 l'évêque Rainaud décide de faire
bâtir le chœur de sa cathédrale. C'est la conquête de
la lumière qui s'effectue avec de nouvelles techniques :
les fameuses croisées d'ogives étayées d'arcs-boutants
qui vont donner à l'édifice toute sa légèreté. L'axe
du chœur est dévié pour y inclure
une chapelle abritant la sépulture
d'Alain Canhiart, vainqueur des
invasions normandes de 913.

**★ Vitraux**
*L'élégance gothique de la nef
et du chœur, ainsi que du
transept, est illuminée par
une vingtaine de superbes
vitraux du XVᵉ siècle créés
par un atelier local.*

**Petite
Chapelle**

**L'ancien maître-
autel,** sous
un baldaquin
à séraphins, fut
présenté à
l'exposition
universelle de 1867.

**Vue arrière de la cathédrale et des jardins
de l'ancien évêché**

**MODE D'EMPLOI**

Place Saint-Corentin. 📞 02 98 53 04 05. ✝ sam. 18 h 30 et dim. 8 h 45, 10 h, 18 h 30. 📷 ♿

**★ Nef romane**

*La nef romane et le transept ont été reconstruits au XVe siècle. Dix fenêtres flamboyantes sont garnies de vitraux. Sur les bas-côtés, plusieurs gisants ornent les tombeaux des évêques quimpérois.*

**Les flèches,** inspirées de celle de Pont-Croix, sont ajoutées en 1854.

**Les deux tours** de 76 m sont percées de baies jumelées.

**Vitrail de saint Guénolé et de saint Ronan** (XIXe siècle), l'un fondateur de l'abbaye de Landévennec, l'autre ermite de Locronan.

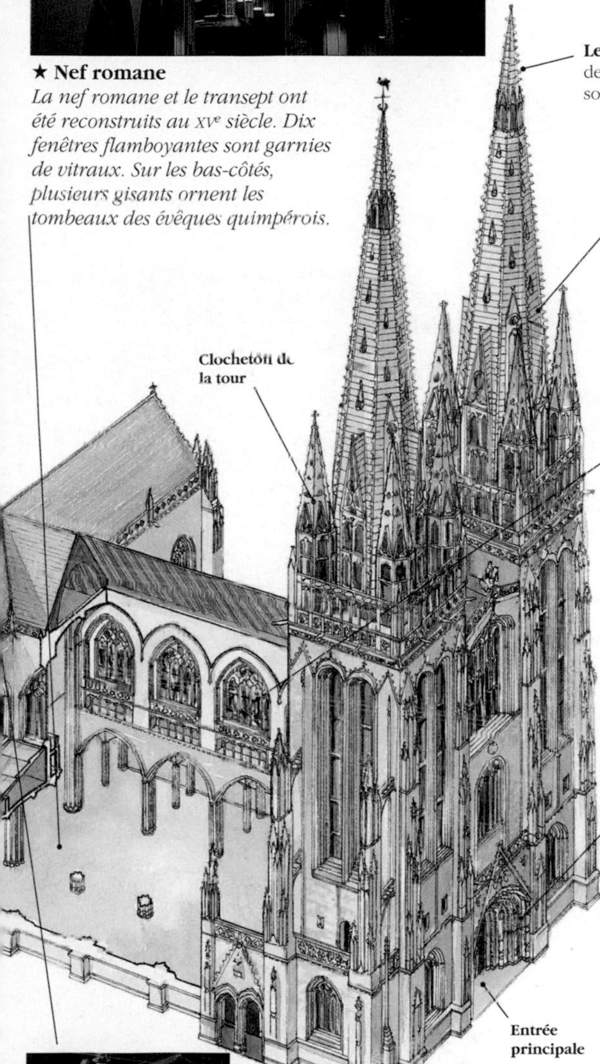

**Clocheton de la tour**

**Portail**
*Sept voussures sculptées encadrent une rosace surplombée d'une balustrade ajourée. Entre les deux tours carrées à galeries trône la statue du roi Gradlon.*

**Entrée principale**

**Chaire à prêcher**
*L'ancienne chaire, de bois polychrome et doré, est une œuvre baroque de 1679 due au Quimperois Olivier Daniel, qui évoque dans ses médaillons la vie de saint Corentin.*

**À NE PAS MANQUER**

★ **Nef romane**

★ **Vitraux**

# La faïence de Quimper

C'est en 1690 que débute l'aventure de la faïence quimpéroise. Jean-Baptiste Bousquet, venu de Moustier, s'installe à Locmaria. Une trop grande concurrence en Provence et le manque de bois ont motivé son départ. En Cornouaille, les forêts sont nombreuses et l'autorisation royale d'abattage est plus facile à obtenir. Aussi, l'argile y est abondant et l'Odet va en favoriser le transport et l'exportation. La « Manufacture de pipes et fayences »

Faïence de HB-Henriot de Quimper

de Jean-Baptiste Bousquet prospère vite, et, grâce au mariage de sa petite-fille, il reçoit l'influence italienne d'un faïencier nivernais. Avec l'arrivée d'un faïencier de Rouen, les trois tendances sont en place, Moustiers, Nevers, Rouen. Au XIXᵉ siècle, un photographe de Morlaix et peintre amateur, Alfred Beau, crée un style nouveau, issu des scènes de la vie quotidienne et qui apportera à la faïence de Quimper sa touche vivace et colorée.

## HISTOIRE DE LA FAÏENCE

L'histoire de la faïence peut se lire sur les modèles. Méridionale et italienne pour les premières œuvres : utilisation du jaune dans les scènes de vie quotidienne pour la touche nivernaise, et l'influence prépondérante et durable de l'artisanat de Rouen au travers d'une palette de couleurs exceptionnelle et de motifs élaborés et variés : fleurs, arbres, oiseaux et cornes d'abondance.
La faïence au XIXᵉ siècle est marquée par Alfred Beau et le style quimpérois qui s'impose définitivement : scènes de vie quotidienne aux couleurs vives, décor « à la touche » (un seul trait de pinceau dépose couleur et forme).

**L'Odet à Quimper**, décor peint sur émail par Alfred Beau, date de la fin du XIXᵉ siècle

**Plat** dans le style de Nevers et Moustiers (1773).

Décor « à la touche » du début du XIXᵉ siècle.

**Renouveau Porquier-Beau** (fin XIXᵉ siècle).

## LA DÉCORATION

Une fois démoulée et séchée, la pièce est cuite puis émaillée. Commence alors le travail des « peinteuses ». Le dessin est reproduit sur papier, ses contours sont percés de petits trous, et il est appliqué sur l'émail cru pour y être transféré à l'aide de charbon de bois. Retravaillé au pinceau fin ; la dernière cuisson fixe le tout.

**Pièce de Berthe Savigny**, artiste céramiste du milieu du XXᵉ siècle.

Vase au décor Odetta du milieu du XXᵉ siècle

Statue de Quillivic (milieu du XXᵉ siècle)

## LES POTIERS

La pâte peut être façonnée de trois manières : le calibrage pour les pièces rondes, le pressage pour les formes complexes et le coulage pour les pièces très complexes.

*L'opération de calibrage est effectuée par le potier.*

*Le savoir-faire du « peinteur » intervient à la fin.*

**Vase de Louis Garin.**
(milieu du xxe siècle)

**Assiette
dans le style moderne**

# Bénodet ㉕

🏠 2 749. 🚉 ✈ Quimper-Cornouaille. 🛈 29, avenue de la Mer (02 98 57 00 14). 🛒 place du Meneyer, lun. matin.

À la frontière entre le pays bigouden et le pays fouesnantais, Bénodet *(Benoded)*, située à l'embouchure de l'Odet, est une station balnéaire réputée. Demeures bourgeoises, manoirs et châteaux bordent la rivière. La chapelle de Perguet, dotée d'un intérieur roman, est une ancienne église de la paroisse. Elle fut reconstruite au xiie siècle et possède un porche du xve siècle. Lieu de course et de régate, le **port de Penfoul** est très animé. De nombreuses croisières ou promenades maritimes sont proposées. *Le Corentin*, réplique d'un chasse-marée du xixe siècle, offre des croisières vers Belle-Île, Ouessant, Groix et Sein. Face aux Glénan, au Letty, s'étire une lagune appelée la **mer Blanche**, qui abrite de nombreux oiseaux.

📧 **Les vedettes de l'Odet**
(02 98 57 00 58.)
📧 *Le Corentin*
(02 98 65 10 00.)

**La mer Blanche de Bénodet abrite de nombreux oiseaux**

**Le clocher de l'église romane de Saint-Pierre, à Fouesnant**

# Fouesnant ㉖

🏠 8 076. 🚉 ✈ Quimper-Cornouaille. 🛈 49, rue de Kérourgué (02 98 56 00 93). 🛒 mer. matin à Beg-Meil (été seulement) ; ven. matin, dim. matin et mar. soir à La Forêt-Fouesnant (été seulement).

Dominant la baie de La Forêt à une soixantaine de mètres au-dessus de la mer, face à l'archipel des Glénan, Fouesnant *(Fouenant)* est au centre d'une région verdoyante et vallonnée. Les galettes au beurre salé et le meilleur cidre de Bretagne ont largement contribué à la réputation du pays de Fouesnant. Les costumes et la coiffe, aux grandes ailes recourbées, au col gaufré et au gorgerin de dentelle, sont à découvrir lors du 3e week-end de juillet pour la fête du Cidre. L'**église** romane **de Saint-Pierre**, restaurée au xviiie siècle, possède un toit à double pente. Ses hautes arcades en plein cintre reposent sur des chapiteaux ornés de feuilles d'acanthe, d'étoiles et de personnages. Le calvaire date du xviiie siècle, et le monument aux morts est l'œuvre du sculpteur René Quillivic. Cap-Coz, dans l'anse de Penfoulic, est un agréable lieu de promenade en bord de mer. On peut rejoindre la station balnéaire de Beg-Meil.

# Concarneau pas à pas ㉗

La ville close, lieu historique de la cité maritime, est actuellement un haut lieu du tourisme breton. Ses ruelles étroites et pavées, bordées de jolies maisons, occupent l'île de 350 m de large sur 100 de long. La ville est accessible par deux ponts qui mènent à une poterne ornée des armes royales. La première enceinte, composée d'une cour intérieure entourée de hautes murailles et de deux tours (tour du Major et tour du Gouverneur), rendait la ville imprenable. On atteint les ruelles moyenâgeuses en passant par-dessus l'ancienne douve. La rue Vauban, bordée de façades inclinées, s'annonce avec la maison du Gouverneur, l'une des plus anciennes de la ville.

**Berceau de l'histoire de la ville, la ville close vue du port de pêche**

**★ Logis du Major**
*En traversant la cour triangulaire dont les angles sont marqués par les tours du major et du gouverneur, on accède au logis du Major (1730).*

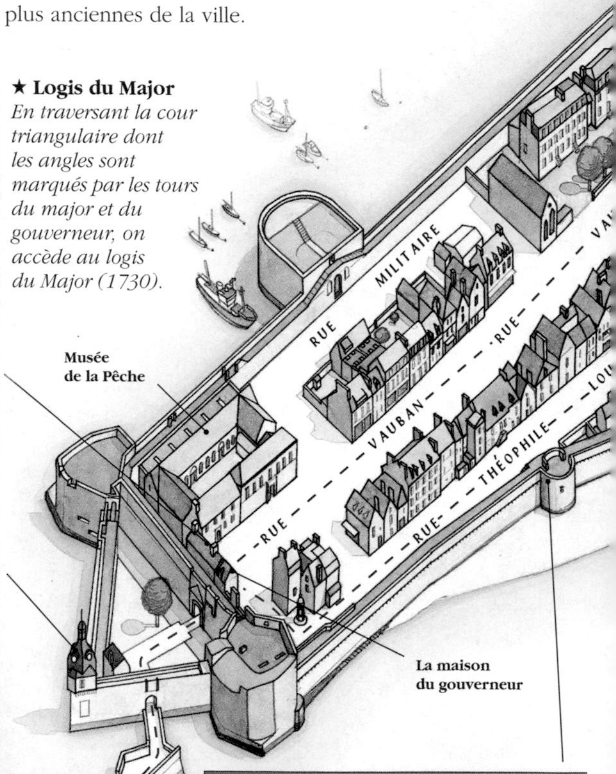

Musée de la Pêche

RUE MILITAIRE

RUE VAUBAN

RUE THÉOPHILE

VAU...

RUE

LOU...

La maison du gouverneur

**★ Beffroi**
*Face aux deux tours, l'ancien poste de garde, lieu de l'actuel beffroi.*

Ravelin

| À NE PAS MANQUER |
| --- |
| ★ Beffroi |
| ★ Logis du Major |
| ★ Remparts |

**La tour de la Fortune**
*De celle-ci, une vue magnifique du port de plaisance s'offre au regard.*

**★ Remparts**
*Après les deux petits ponts de l'entrée, un escalier situé à gauche mène aux célèbres remparts. La promenade est indispensable à la connaissance du lieu.*

**MODE D'EMPLOI**

**Carte routière** B3. 🏘 *19 000.*
ℹ️ *9, quai d'Aiguillon (02 98 97 01 44).* 🛒 *lun. et ven. matin.* 🎫 *pour la promenade des remparts.*
Ⓦ *www.concarneau.org*

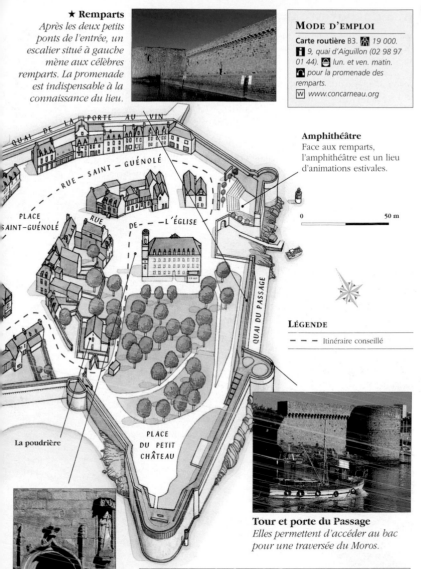

QUAI DE LA PORTE AU VIN

RUE — SAINT — GUÉNOLÉ

PLACE SAINT-GUÉNOLÉ

RUE DE — L'ÉGLISE

**Amphithéâtre**
Face aux remparts, l'amphithéâtre est un lieu d'animations estivales.

0            50 m

QUAI DU PASSAGE

**LÉGENDE**

– – – Itinéraire conseillé

La poudrière

PLACE DU PETIT CHÂTEAU

**Tour et porte du Passage**
*Elles permettent d'accéder au bac pour une traversée du Moros.*

**Façade de l'ancien hôpital**
*Situé au bout de la rue Vauban et des ruelles qui la prolongent, à quelque pas de l'amphithéâtre, bel édifice qui abrita un hôpital.*

**VAUBAN**

Sébastien Le Prestre de Vauban, Maréchal de France, est nommé commissaire des fortifications en 1678. Passionné par les techniques militaires, il écrit des ouvrages sur l'art de la guerre et la politique. La position stratégique de la Bretagne et les nouvelles tactiques de guerre obligent Vauban à remanier les constructions militaires de Belle-Île, Concarneau, Port-Louis, Brest et Saint-Malo, et à construire les forts d'Hoëdic, d'Houat et la tour Dorée de Camaret.

**Sébastien Le Prestre de Vauban**

# À la découverte de Concarneau

La « ville bleue » (de la couleur des filets utilisés au début du XXᵉ siècle) possède un patrimoine important. L'îlot de Conq est habité dès le Xᵉ siècle par des moines de Landévennec. Les premières fortifications datent du XIIIᵉ siècle. Au XIVᵉ, la cité devient la quatrième place forte de Bretagne. Occupée un temps par les Anglais, la ville fortifiée revient au duché de Bretagne en 1373. Le mariage d'Anne de Bretagne et du roi de France Charles VIII en fait une ville royale. Vauban renforce sa défense au XVIIIᵉ siècle. En 1851, s'ouvrent les premières conserveries, et un demi-siècle plus tard, Concarneau *(Konk-Kernev)* possède une trentaine d'usines. La disparition de la sardine en 1905 provoque la misère, mais la fête des Filets bleus, grande kermesse de bienfaisance, permet de venir en aide aux familles en difficulté. Troisième port de pêche français, Concarneau produit annuellement 25 000 tonnes de poissons frais.

Le château de Kériolet, de style néo-gothique flamboyant

De la jolie ville close de Concarneau, on voit au loin les Glénan

## 🏛 Musée de la Pêche

4, rue Vauban. ☎ 02 98 97 10 20. ⏻ 1ᵉʳ juil-5 sept. : t.l.j. ; hors saison : fermé à l'heure du déj. ● 3 dern. sem. de janv. 🖼

Ce musée retrace, à l'aide de dioramas et de plusieurs maquettes, l'évolution de la ville et de ses activités maritimes, des origines à nos jours. Les techniques de pêche et le patrimoine maritime représentent l'essentiel de la visite. Un aquarium permet de découvrir les espèces pêchées dans l'Atlantique, et à l'extérieur, contre les remparts, un musée à flot permet de monter à bord d'un véritable chalutier, l'*Hémérica,* et d'un thonier.

Boîte traditionnelle de sardines de Bretagne

## ⚓ Port de pêche

Chalutiers, thoniers et sardiniers s'égrènent le long du **quai d'Aiguillon**. Les cargos-congélateurs qui travaillent dans les pays tropicaux se trouvent sur le **quai Carnot**. La criée, qui a lieu à Concarneau depuis 1937, commence dès 6 heures du matin.

## 🐟 Marinarium

Place de la Croix. ☎ 02 98 97 06 59. ⏻ *tél. pour précision.*

Créé en 1859, le marinarium du Collège de France fut l'une des premières stations maritimes en Europe. Dix aquariums et viviers d'eau de mer présentent la faune et la flore des côtes bretonnes. Techniques audiovisuelles et observations à l'aide de microscopes, ainsi que des sorties commentées sur le littoral offrent un panorama complet du sujet.

## ♣ Château de Kériolet

Beuzec-Conq (2 km au nord de Concarneau). ☎ 02 98 97 36 50. ⏻ *Pâques à fin septembre.* 🎫 *sur r.-v. pour les groupes.* 🖼

Dans ce château construit au XIIIᵉ siècle par l'architecte quimpérois Joseph Bigot, puis largement remanié au XIXᵉ siècle, séjourna la tante du tsar Nicolas Romanov, la princesse Youssoupov. Entouré d'un magnifique jardin, l'édifice de style néo-gothique flamboyant accueille des manifestations diverses.

## 🏕 Pointe du Cabellou

Carte routière B3. À 3 km de Concarneau par la D783.

On découvre ici un ancien fort du XVIIIᵉ siècle au toit de pierre et, au bout du sentier côtier qui mène à la rivière du Minaouët, un moulin à mer du XVIᵉ siècle. La compagnie **Bretagne Vivante SEPNB** organise des promenades à la découverte de la nature sur les côtes comme dans l'archipel des Glénan.

**Bretagne vivante SEPNB**
☎ 02 98 50 00 33.

## Rosporden ㉘

**Carte routière** B3. À 10 km au nord de Concarneau par la D70. 🚏 6 426. 🚆 *Quimper.* 🚌 *Quimperlé.* ℹ️ *rue de Bas (02 98 59 27 26).*

E ntourée d'une campagne verdoyante dans laquelle se cachent des chapelles – refuges d'anciens pèlerins effectuant le tour de Bretagne *(Tro Breiz)* – Rosporden est située au bord d'un étang formé par l'Aven. L'**église Notre-Dame**, du XIVᵉ siècle, restaurée au XVIIᵉ, possède un beau clocher. À l'intérieur, on remarque le retable et quelques statues anciennes. Les promeneurs pourront découvrir la région grâce à de nombreux chemins de randonnée, ou en suivant l'ancienne voie ferrée Rosporden Scaër.

## Pont-Aven ㉙

**Carte routière** B3. 🚏 2 960. 🚆 *Quimper.* 🚌 *Quimperlé.* ℹ️ *5, place de l'Hôtel-de-Ville (02 98 06 04 70).* 🛒 *mar. matin sur le port (en été) et place de l'Hôtel-de-Ville (en hiver).* 🎉 *pardon des Fleurs d'ajonc (1ᵉʳ week-end d'août) ; pardon de Trémalo (dern. dim. de juil.).*

P ont-Aven était à l'origine un petit port entouré de moulins au fond de la ria. Les chasse-marée faisant commerce vers Nantes et Bordeaux transformèrent au fil des ans ce petit bourg en port animé. Les maisons de granit et les rues pavées du XVIIᵉ et du XVIIIᵉ siècles, qui s'échelonnent de la rue des Meunières à la place Royale, témoignent d'une cité florissante. À partir des années 1860, c'est aux peintres qui s'installent à Pont-Aven que la ville doit sa notoriété. L'auberge Marie-Jeanne Gloanec et l'hôtel des Voyageurs de Julia Guillou donnent naissance à la célèbre école de Pont-Aven.

**Le célèbre Christ de Pont-Aven**

**Le quai de Quimperlé, cité fondée au XIᵉ siècle**

Sur les hauteurs de Pont-Aven, la **chapelle de Trémalo**, dans le **bois d'Amour**, abrite toujours le célèbre Christ en croix immortalisé par Gauguin *(Christ jaune)*. Pont-Aven est aussi connu pour ses galettes au beurre salé et son costume.

### 🏛️ Musée
Place de l'Hôtel-de-Ville. ☎️ 02 98 06 14 43. 🕐 mi-fév.-déb. janv. : t.l j.

## Quimperlé ㉚

**Carte routière** C3. 🚏 10 844. 🚌 *Quimperlé.* ℹ️ *rue Bougneuf (02 98 96 04 32).* 🛒 *place Saint-Michel : ven. ; les halles : tous les matins sf lun.* 🎉 *Musiques Mosaïque (3ᵉ week-end. de juil.), fêtes de la Laïta (mi-août).*

C ette cité est fondée au XIᵉ siècle par des moines bénédictins au confluent de l'Isole et l'Ellé. Quimperlé *(Kemperle)* prend son essor au XVIIᵉ siècle et deux autres ordres religieux s'installent : les capucins et les ursulines. Au XVIIᵉ siècle, la noblesse construit de belles demeures dans la basse ville ; on peut les voir dans les **rues Dom-Morice** et **Brémond-d'Ars**. À ne pas manquer non plus, l'**hôtel du Cosquer** et la **rue Savary**. L'époque moderne voit la ville sortir des limites de ses rivières et se développer autour de l'**église Sainte-Croix**, dans la basse ville, et de la place Saint-Michel, dans la haute ville. L'influence des moines fait que les principaux monuments sont religieux : la **chapelle des Ursulines** de style baroque et l'**église Saint-Michel** qui allie gothiques primitif et flamboyant.

### L'ÉCOLE DE PONT-AVEN

Dès 1866, une colonie de peintres américains s'installe à Pont-Aven. Ils apprécient le caractère pittoresque du lieu et peignent des scènes de la vie populaire. Arrivé en 1886 à Pont-Aven, Gauguin rencontre Charles Laval, Émile Bernard, Ferdinand du Puigaudeau et Paul Sérusier (artistes qui feront partie du mouvement des nabis). Bientôt, pour fuir l'agitation du port, le groupe ira chercher la tranquillité au Pouldu. Influencés par l'art primitif, ces peintres conçoivent la couleur aussi bien symboliquement qu'expressivement. Ce nouveau langage pictural tend à faire d'un tableau non plus une représentation mimétique de la réalité, mais un équivalent de cette réalité, rendu par des lignes et des couleurs, donnant une image plate, sans perspective ni dégradé. La force des contrastes, les innovations dans le cadrage et le dépouillement provoqueront une rupture esthétique avec l'impressionnisme.

***La Belle Angèle**, de Paul Gauguin, qui séjourna à Pont-Aven*

# LE MORBIHAN

*En breton « petite mer », le Morbihan, situé au sud de la Bretagne, est le seul département français à avoir conservé son nom dans sa langue régionale. Des paysages d'une grande douceur généreusement ensoleillés, des côtes très découpées baignées par l'océan Atlantique, des villes où il fait bon vivre : le Morbihan, entre terre et mer, offre des attraits multiples et complémentaires aux visiteurs.*

L'histoire du Morbihan remonte très loin dans le temps. Les hommes du néolithique y ont laissé un nombre impressionnant de pierres levées : les alignements de Carnac et de Locmariaquer constitueraient à eux deux la plus grande concentration mégalithique du monde.

Le golfe du Morbihan forme une véritable mer intérieure où les îlots seraient, dit-on, aussi nombreux que les jours de l'année. Vasières et marais abritent une multitude d'oiseaux d'espèces différentes que l'on peut observer. La douceur du climat, propice à une flore méridionale, la beauté des paysages aux couleurs changeantes et les plages de sable fin en font une destination très touristique. Le golfe se prolonge dans les terres par les rivières d'Auray et de Vannes. D'Arz à Belle-Île la bien nommée, en passant par Groix ou Houat, le Morbihan est parsemé d'îles que les amoureux de la nature ne se lassent pas d'explorer. Langue de terre étroite s'avançant dans l'Océan, la presqu'île de Quiberon est une entité à elle seule où les paysages déchiquetés de la Côte Sauvage à l'ouest contrastent avec le rivage oriental plus paisible où sont situées les nombreuses plages. Dans les villes, comme Vannes, qui existe depuis l'époque gallo-romaine, ou Lorient, reconstruite après la seconde guerre mondiale, règne une grande vitalité. Les cités de l'arrière-pays ont conservé de beaux témoignages du passé : châteaux de Josselin ou de Pontivy, maisons fleuries à Rochefort-en-Terre, anciennes halles de Questembert ou du Faoüet – qui possède par ailleurs un intéressant musée des Peintres,

**Alignements de Kerlescan à Carnac**

◁ Le calvaire de Rochefort-en-Terre présente trois niveaux de sculptures

# À la découverte du Morbihan

Le Sud du Morbihan est traversé par la Vilaine, qui se jette dans l'Atlantique après La Roche-Bernard. Vannes, capitale du Morbihan, ancrée au fond du golfe, est une ville très vivante, dont la population estudiantine ne cesse d'augmenter. Les deux autres grandes agglomérations, Lorient, la ville aux cinq ports, et Auray, charmante cité médiévale, se trouvent plus au nord-ouest. Dans cette région, l'eau est partout ; on ne compte plus le nombre de rivières et de rias qui ont creusé des échancrures dans les terres. Dans le golfe du Morbihan, protégé de la vigueur océane par sa forme – il est presque fermé –, îles et îlots constituent une véritable mosaïque. Moins touristique, l'arrière-pays mérite pourtant d'être exploré pour ses paysages et ses villages de caractère.

*Voir aussi*


- ***Hébergement*** p. 224-226
- ***Restaurants*** p. 239-241


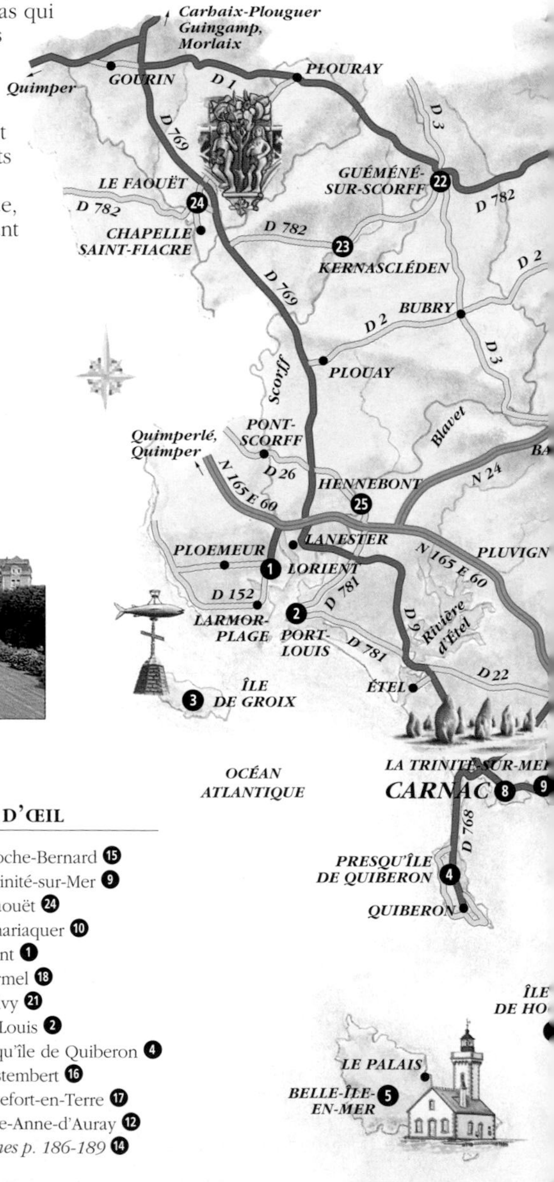


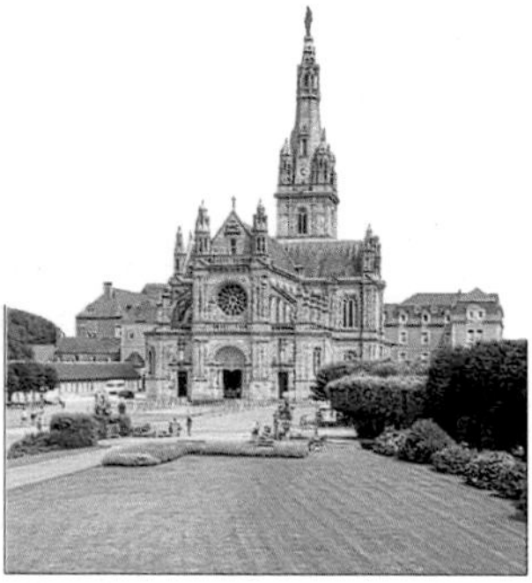

La basilique de Sainte-Anne-d'Auray

## La région d'un coup d'œil

Auray 11
Baud 20
Belle-Île-en-Mer 5
*Carnac p. 178-179* 8
*Golfe du Morbihan p. 182-185* 13
Guémené-sur-Scorff 22
Hennebont 25
Île de Hoëdic 7
Île de Houat 6
Île de Groix 3
Josselin 19
Kernascléden 23
La Roche-Bernard 15
La Trinité-sur-Mer 9
Le Faouët 24
Locmariaquer 10
Lorient 1
Ploërmel 18
Pontivy 21
Port-Louis 2
Presqu'île de Quiberon 4
Questembert 16
Rochefort-en-Terre 17
Sainte-Anne-d'Auray 12
*Vannes p. 186-189* 14

**La citadelle de Port-Louis**

Vannes est à 3 h 10 de Paris en TGV, et Lorient à 3 h 45. La N24, prolongée par la N166, relie Rennes à Vannes. Pour rejoindre Vannes, Auray et Lorient depuis Nantes, il faut emprunter la N165 à quatre voies sur presque toute la longueur du trajet. Le pourtour du golfe du Morbihan est parcouru de routes départementales (D780, D781, D199, D101…). Mais la meilleure façon de découvrir le golfe est de le parcourir en bateau : on jouit ainsi d'une vue d'ensemble qui permet d'en apprécier toute la diversité.

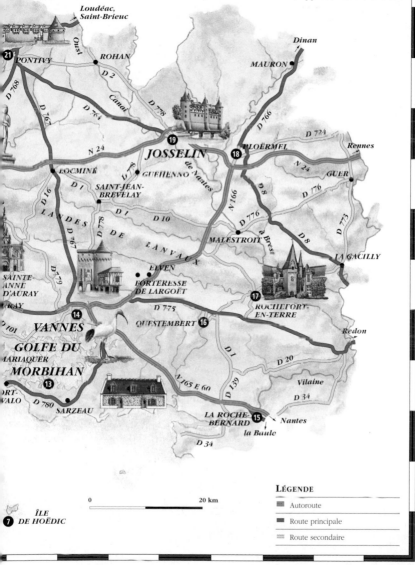

Loudéac,
Saint-Brieuc

Dinan

**21** PONTIVY
ROHAN
MAURON

D 768
D 765
D 764
Oust
Canal
D 2
D 778

D 766
D 724
Rennes

**19** JOSSELIN
**18** PLOËRMEL
N 24
GUER

N 24
LOCMINÉ
GUÉHENNO
de Nantes
N 166
D 8
D 776

D 16
D 1
SAINT-JEAN-
BRÉVELAY
D 1
D 10
D 776
D 8
D 773

LANDES
D 767
D 778 DE
LANVAUX
MALESTROIT
à Brest
LA GACILLY

D 179
ELVEN
FORTERESSE
DE LARGOËT
**17** ROCHEFORT-
EN-TERRE

SAINTE-
ANNE
D'AURAY
RAY
**14**
D 775
QUESTEMBERT **16**
Redon

D 101
VANNES
GOLFE DU
MARIAQUER
MORBIHAN
**13**
N 165 E 60
D 1
D 20
Vilaine
D 34

PORT-
NALO
D 780
SARZEAU
D 139
LA ROCHE-
BERNARD **15**
Nantes
la Baule

D 34

**7** ÎLE
DE HOËDIC

0                    20 km

### LÉGENDE

▬ Autoroute

▬ Route principale

═ Route secondaire

Joueur de biniou au Festival
interceltique de Lorient

# Lorient ❶

**Carte routière** C3. 🏘 *61 630.* 🚉
*Rue Beauvais.* 🚌 *cour de Chazelles.*
⚓ *rue Gahinet (08 20 05 60 00).*
*Départ pour l'île de Groix (toute
l'année) et Belle-Île (juil.-août).* 🛈
*quai de Rohan (02 97 21 07 84).*
🚢 *mer. et sam.* 🎭 *festival de Théâtre
(juil.) ; festival des Sept Chapelles
(musique classique, mi-juil.-mi-août) ;
Festival interceltique (août).*

L orient naît à la fin du
XVIIe siècle, lorsque la
Compagnie des Indes, établie
à Port-Louis, cherche à
s'agrandir. Elle sert alors de
base commerciale vers les
pays d'Orient, d'où son nom,
puis accueille l'arsenal royal
en 1770. Presque
complètement détruite
lors de la Seconde
Guerre mondiale,
la ville sera
entièrement
reconstruite.
Lorient est
aujourd'hui
le deuxième
port de France
pour la pêche,
le trafic de
voyageurs
et de
marchandises
et la navigation
de plaisance.
Avec une criée
couverte de
2 ha, le port de
Keroman est aménagé
pour les besoins de la
pêche industrielle.

Le chalutier géant
***Victor-Pleven*** permet de se
familiariser avec la vie des
marins-pêcheurs. La **base
des sous-marins**, édifiée par
les Allemands en 1941,
se visite également. À
l'arsenal du port militaire,
l'**enclos du port** occupe le
site initial de la Compagnie
des Indes dont on voit deux
pavillons de style Louis XV.
Des canons anciens y sont
exposés. Depuis la tour
de la Découverte, on a un
beau point de vue sur le
port et la rade. Place
Alsace-Lorraine, l'**abri de
400 places** reconstitue
le contexte des alertes
des années
1939-1945.
Dans le
quartier de
Merville, des
demeures Art
nouveau et Art déco
ont survécu aux
bombardements.
L'office du
tourisme
organise des
excursions dans la rade de
Lorient et sur la rivière du
Blavet avec une visite au
marché de Hennebont
*(p. 195).*

🚢 ***Victor-Pleven***
Port de Keroman. 📞 *02 97 88 15 12.*
◯ *t.l.j.* ♿
🏛 **Base des sous-marins**
Port de Keroman. 📞 *02 97 21 07 84.*
🗓 *juin-déb. sept. et vac. scol. : t.l.j.* ♿

Retable polychrome du chœur
de l'église de Larmor-Plage

🏛 **Enclos du port**
Porte Gabriel. 🗓 *juil.-déb. sept. et
vac. scol. : t.l.j.* 📞 *02 97 21 07 84.*
*Visite réservée aux ressortissants de
l'U.E. (pièce d'identité obligatoire).* ♿
🏛 **Abri de 400 places**
Place Alsace-Lorraine. 📞 *02 97 21
07 84.* 🗓 *juil.-août et vac. scol. : t.l.j.
sauf dim. et jours fériés.* ♿

**AUX ENVIRONS :** au sud-ouest,
**Larmor-Plage** possède, outre
ses plages, une remarquable
église fortifiée gothique. Le
porche nord aux statues
polychromes et le retable,
d'inspiration flamande,
constituent ses principaux
attraits. À l'est, à l'entrée
du chenal, la **barre
d'Étel** est un banc
de sable mouvant
redouté des
marins. Plus au
nord, Belz conduit
à l'îlot de **Saint-
Cado**, très apprécié
des peintres, où
s'élève une
chapelle romane.

Théière du XVIIIe siècle
du musée de la Compagnie
des Indes et de la Marine

# Port-Louis ❷

**Carte routière** C3. À 12 km de
Lorient par la D194 puis la D781.
🏘 *3 000.* 🚉 *Lorient.* 🛈 *47,
Grande-Rue (02 97 82 52 93).*
🚢 *sam.* 🎭 *régates (fin juil.).*

À l'entrée de la rade de
Lorient, la citadelle de
Port-Louis garde les
embouchures du Blavet et du
Scorff. C'est sous le règne de
Louis XIII, dont elle a pris le
nom, que Richelieu a achevé
sa construction initiée par les
Espagnols. En dépit des
mutilations dues à la Seconde
Guerre mondiale, d'élégantes
demeures témoignent
aujourd'hui de cette époque.
Installé dans la citadelle du
XVIIe siècle, le **musée de la
Compagnie des Indes et de
la Marine** relate la fantastique
épopée de la Compagnie
créée par Colbert, au travers
de cartes, maquettes et
échantillons de marchandises.

🏛 **Musée de la Compagnie
des Indes et de la Marine**
Citadelle de Port-Louis. 📞 *02 97 82
19 13.* ◯ *avr.-mai. : mer.-lun. ; juin-
sept. : t.l.j. ; oct.-mars : t.l. apr.-midi
sauf le mar.* ⬤ *déc.* ♿

**Port-Tudy, sur l'île de Groix, fut aménagé au XIXᵉ siècle**

# Île de Groix ❸

**Carte routière** C3. 🏃 2 500. ⛴
SMNN (08 20 05 60 00). 🚹 mairie,
quai de Port-Tudy (02 97 86 53 08 ;
en été : 02 97 86 54 96). 🐟 mar.
et sam. à Loctudy. 🎏 fête de la Mer
(fin juil.).

Cette île pittoresque de
24 km² se visite à pied,
à vélo ou à cheval. De 1870 à
1940, la pêche au thon blanc
employait ici jusqu'à 2 000
marins. C'est de **Port-Tudy**
que partaient les fameux
*dundees* (thoniers) aujourd'hui
supplantés par les plaisanciers.
L'**écomusée** retrace la vie
quotidienne des habitants et
présente le milieu naturel. À
la **maison de la Réserve**, on
découvrira la richesse
géologique de l'île. Au sud-
est, le port de Locmaria est
doté de jolies maisons de
pêcheurs. Sur la côte orientale,
la ravissante plage des
Grands Sables a la particularité
d'être convexe, ce qui serait
unique en Europe. Un sentier
côtier rejoint l'impressionnant
Trou de l'Enfer où la falaise
est profondément entaillée.
La pointe nord-ouest de l'île
accueille une réserve
ornithologique. À Kerlard,
on peut visiter en saison une
maison typique de l'habitat
de l'Ouest.

🏛 **Écomusée**
Port-Tudy 🕐 mi-avr.-fin août. : t.l.j. ;
le reste de l'année : mar.-dim.
📞 02 97 86 84 60. 🖼
🏊 **Maison de la Réserve**
Groix. 📞 02 97 86 55 97.
🕐 juin.-sept. et vac. scol. : t.l.j. sauf
dim. et jours fériés ; oct.-mai : tous les
sam. apr.-midi.

# Presqu'île de Quiberon ❹

**Carte routière** C4. 🚂 Auray ou
Quiberon avec le Tire-Bouchon en
juil.-août (08 36 35 35 35)
🚌 Auray. 🚹 14, rue de Verdun,
Quiberon (02 97 50 07 84).
🌐 www.quiberon.com 🐟 jeu
(Saint-Pierre) , sam. (Quiberon) et mer
(Port-Haliguen, de mi-juin à mi-sept.).
🎏 festival de la Flibuste à Quiberon
(avr.) ; concerts (juil.-août) , fête de la
Sardine à Port-Maria.

La presqu'île de Quiberon,
qui s'étire sur 14 km, est,
à juste titre, un des sites les
plus fréquentés de Bretagne
et un espace de loisirs
nautiques privilégié. Elle est
reliée au continent par
l'isthme de Penthièvre, flèche
de sable appelée tombolo.
Avant d'atteindre la presqu'île,
à la sortie de **Plouharnel**,
est amarré un **galion**,
réplique d'un navire du
XVIIIᵉ siècle, où l'on verra des

**La plage de Bara sur la Côte
Sauvage, à Quiberon**

coquillages. À proximité, un
**musée de la Chouannerie**
occupe un ancien blockhaus.
Propriété de l'armée, le fort
de Penthièvre, rebâti au
XIXᵉ siècle, commande
l'accès à la presqu'île.
À l'ouest, le port de pêche
de Portivy mène à la pointe
de Percho qui prodigue
une vue splendide sur Belle-
Île *(p. 176-177)* et Groix.
Exposée aux assauts de la mer,
la **Côte Sauvage** est une
succession de falaises
déchiquetées percées de
gouffres et de grottes.
À Ber-er-Goalennec, les jours
de tempête, le spectacle
est magnifique. Ancien port
sardinier très actif, la station
de Quiberon est réputée
notamment pour son institut
de thalassothérapie. Elle fut
lancée au début du XXᵉ siècle
par quelques familles de
soyeux lyonnais qui édifièrent
de belles villas en front de
mer. De Port-Maria, ancien
port sardinier, partent les

**Alignement de menhirs
à Saint-Pierre-de-Quiberon**

bateaux à destination de
Belle-Île, Houat *(p. 176)* et
Hoëdic *(p. 177)*. La pointe
du Conguel, où se dresse le
phare de la Teignouse
marque l'extrémité de la
presqu'île. Sur la côte est,
**Port-Haliguen** organise l'été
de nombreuses régates,
tandis que la station
familiale de **Saint-Pierre-de-
Quiberon** est prisée pour
ses plages de sable fin et ses
alignements. De nombreuses
écoles de voiles y sont
installées.

⛴ **Galion de Plouharnel**
Anse de Bégo. 📞 02 97 52 39 56.
🕐 Pâques-fin sept. : t.l.j. 🖼
🏛 **Musée de la
Chouannerie**
Plouharnel. Sur la D 768. 📞 02 97 52
31 31. 🕐 avr.-fin sept. : t.l.j. 🖼

# Belle-Île-en-Mer ❺

Au large de Quiberon, la plus vaste des îles bretonnes mérite bien son nom. Sa nature préservée, où les landes d'ajoncs alternent avec des vallons verdoyants, ses plages et ses villages pimpants attirent de nombreux vacanciers. En raison de sa position stratégique, l'île fut sans cesse convoitée, passant tour à tour entre les mains de Nicolas Fouquet en 1658, puis des Anglais en 1761, avant d'être échangée contre l'île de Minorque en 1763.

**Pointe des Poulains**
*Le phare et ses environs ont charmé Sarah Bernhardt.*

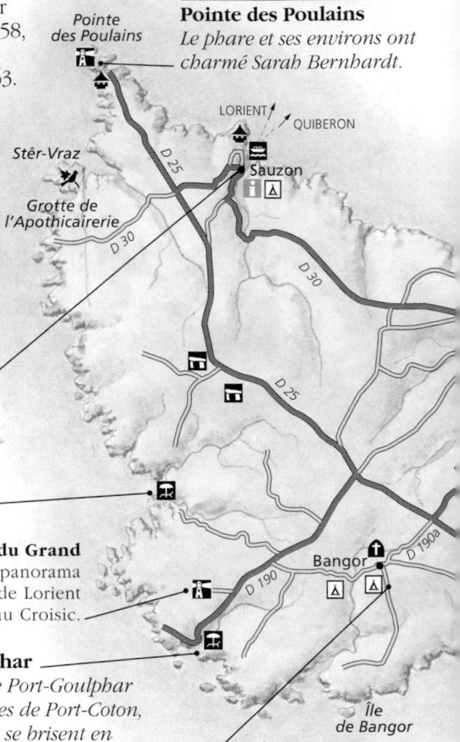

**Sauzon**
*Ses maisons colorées et sa ria encaissée ont séduit peintres (Maxime Maufra, Jean Puy, Victor Vasarely) et poètes (Jacques Prévert, Robert Desnos).*

**Port-Donnant** est encadré de falaises à-pic. La plage est spectaculaire.

**Du haut du Grand Phare**, le panorama s'étend de Lorient jusqu'au Croisic.

**Port-Goulphar**
*La crique de Port-Goulphar et les aiguilles de Port-Coton, où les lames se brisent en fracas bouillonnants, ont été immortalisées par le peintre Monet en 1886.*

**À Bangor** sont réunis les sites les plus sauvages de la côte.

*Pointe des Poulains*
*Stêr-Vraz*
*Grotte de l'Apothicairerie*
LORIENT  QUIBERON
Sauzon
Bangor
*Île de Bangor*
D 25  D 30  D 190  D 190a

---

# Île de Houat ❻

**Carte routière** D4. 👥 *343.* 🚢 *au départ de Quiberon ; l'été, également au départ de Port-Navalo, Vannes et La Trinité (08 20 05 60 00).* ℹ️ *mairie (02 97 30 68 04).* 🎏 *rassemblement de vieux gréements (août) ; fête de la Mer (15 août).*

**Cyclistes en promenade dans le bourg de Houat**

L'« île du canard » en breton appartient à l'archipel du Ponant, tout comme sa sœur Hoëdic. Avec 5 km de long sur 1 km de large, Houat se parcourt aisément à pied : un sentier côtier permet d'en faire le tour. À la pointe Beg-er-Vachif, le granit gris micacé des rochers se pare de reflets rouges au coucher du soleil. La lande occupe pratiquement les 4/5 de l'île, qui ne compte qu'un seul village, **Houat**, aux coquettes maisons blanches. L'église Saint-Gildas (1766) rappelle le nom du saint qui, au VIe siècle, fit d'Houat son ermitage. En contrebas, **Port-**

**Saint-Gildas** s'anime du va-et-vient des bateaux de pêche, remplis de crustacés. Importante base militaire, Houat a conservé de son passé la batterie du Beniguet, le réduit d'En-Tal et les ruines d'un fort. À 1 km du bourg, l'**éclosarium** est un centre d'étude et de production du plancton qui présente le monde microscopique marin. Au sud-est, la plage de Treac'her-Goured figure parmi les mieux abritées de Houat.

🏛 **Éclosarium**
À 1 km de Houat. 📞 *02 97 52 38 38.* 🕐 *t.l.j. de Pâques à sept.* ♿

## SARAH BERNHARDT

Née à Paris en 1844, Rosine Bernard, dite Sarah Bernhardt (1844-1923), fait ses débuts à la Comédie-Française avant d'être révélée à l'Odéon en 1869. De 1870 à 1900, elle domine la scène parisienne et effectue des tournées triomphales à l'étranger. En 1893, l'actrice découvre Belle-Île pour laquelle elle a le coup de foudre. Elle acquiert le bastion de Basse-Hiot, achète des terres à la pointe des Poulains, avant d'acquérir en 1909 le domaine de Penhoët.

**Sarah Bernhardt à Belle-Île**

### MODE D'EMPLOI

**Carte routière** C4. 🏃 4 500. 🚢 au départ de Quiberon et Lorient ; l'été, également au départ de Port-Narvalo, Vannes, La Trinité. SMNN (08 20 05 60 00). 🛈 quai Bonnelle, Le Palais (02 97 31 81 93). 🛒 mar. et ven. (Le Palais) ; dim. (Locmaria en juil.-août) et jeu. (Sauzon). 🎉 régates (juin) ; Festival lyrique (juil.-août), jazz (juil.) ; fête de la Mer (août).

### LÉGENDE

━━ Route principale

══ Route secondaire

--- Liaison maritime

🏛 Musée

♠ Fort, citadelle

🛡 Église

🗼 Phare

🗿 Site mégalithique

✕ Réserve naturelle

🄰 Camping

🏖 Plage

Pointe de Taillefer

QUIBERON

le Palais

LA TRINITÉ, VANNES

**Le Palais**
*« Capitale » de l'île, son port est dominé par la citadelle. Le musée de la ville évoque l'histoire et les artistes de l'île*

Pointe de Kerdonis

0          4 km

Locmaria

**La plage des Grands-Sables** est la plus grande de l'île.

Pointe du Skoul

**Locmaria,** ourlée de plages propices aux sports nautiques, possède la plus ancienne église de l'île, élevée en 1714.

## Île de Hoëdic ➐

**Carte routière** D4. 🏃 141. 🚢 au départ de Quiberon ; l'été, également au départ de Port-Narvalo et Vannes (08 20 05 60 00). 🛈 mairie (02 97 30 68 32). 🎉 fête de la Mer (août).

Avec 2,5 km de long et 1 km de large, l'« île du petit canard », comme l'indique son nom breton, est plus petite que Houat, sa grande sœur. En la parcourant à pied, on découvrira la lande, omniprésente, parsemée d'œillets sauvages et de lis de mer aux fragrances particulières. Les plages

**La très belle côte de Hoëdic se prête à la navigation**

superbes alternent avec les criques aux rochers déchiquetés. Au centre d'Hoëdic, le **Bourg** offre un habitat traditionnel : maisons longues et basses, blanchies à la chaux et tournées vers le Midi. L'église Saint-Goustan mérite une halte pour sa jolie charpente bleue et or et ses ex-voto marins. Au nord-est du Bourg, le **fort** achevé sous Louis-Philippe accueille un gîte d'étape et un **écomusée** où sont présentées la flore, la faune et l'histoire locale.

🏛 **Écomusée**
Fort d'Hoëdic. 📞 02 97 52 48 82. 🕐 t.l.j. de juin à fin août.

# Carnac ❽

Carnac est sans doute le site préhistorique le plus connu de Bretagne. Ses 3 000 pierres levées – il y en avait peut-être plus de 6 000 à l'origine – constituent l'ensemble de menhirs le plus exceptionnel du monde. Les plus anciens remontent au néolithique, les plus récents à l'âge du bronze ; bien des hypothèses ont été avancées quant à leur signification. Mis à part les mégalithes, Carnac est aussi une station balnéaire très appréciée à la belle saison pour ses longues plages de sable, et son centre commercial animé.

Les alignements de Kerlescan comptent 240 menhirs encore debout

## À la découverte de Carnac

La commune de Carnac se compose de la ville proprement dite et de Carnac-Plage, créée de toutes pièces sur une lagune en 1903. Au centre du bourg, l'**église Saint-Cornély** (xviiᵉ siècle) de style Renaissance, porte le nom d'un saint local, guérisseur des bêtes à cornes, qui rappelle l'attachement que vouait la commune à l'agriculture. On peut voir sa statue, encadrée par des bœufs, au-dessus du fronton du portail ouest. À l'intérieur, les voûtes lambrissées sont décorées de fresques (xviiiᵉ siècle) qui ont pour thème, dans la nef centrale, la vie de saint Cornély.

Au sud-ouest, l'ancien village de pêcheurs de **Saint-Colomban**, qui domine l'anse du Pô, est un charmant petit port où l'on pratique l'ostréiculture. Autour de sa chapelle de style gothique flamboyant (1575), se blottissent quelques maisons anciennes ainsi qu'une fontaine à double bassin (xviᵉ siècle) : l'un pour les lavandières, l'autre pour les bestiaux.

## 🏛 Musée de Préhistoire

10, pl. de la Chapelle, Carnac-Ville. 📞 02 97 52 22 04. ⏱ juin-sept : t.l.j. ; oct.-mai. : t.l.j. sauf mar. et jours fériés. ♿

Ce très riche musée qui compte près de 500 000 pièces expose plus de 6 000 objets dans l'ordre chronologique. Le rez-de-chaussée est consacré au paléolithique (450000 av. J.-C. à 12000 av. J.-C.) et au mésolithique (de 12000 à 5000 av. J.-C.). La période néolithique (4500 à 2000 av. J.-C. ; p. 35), qui correspond à celle de l'érection des mégalithes, est particulièrement à l'honneur. Elle présente tour à tour menhirs (pierres levées), cromlech (menhirs en hémicyles), dolmens (tables de pierres, vestiges de chambres funéraires), cairns (tombes à couloir), tumuli (tertres funéraires), allées couvertes. La vie quotidienne est évoquée par des haches polies d'apparat en jadéite (roche verte), des poteries, des bijoux, des outils en os et en corne, des armes (pointes de flèche, lames et poignards en silex). Des maquettes et

des reconstitutions complètent le parcours. Le 1ᵉʳ étage couvre les périodes suivantes : le chalcolithique et les premiers outils en cuivre, l'âge du bronze (1800 av. J.-C. à 750 av. J.-C.), l'âge du fer, puis l'époque gallo-romaine, en particulier les vestiges mis au jour dans la villa des Bosséno (statuette de Vénus).

## 🏰 Tumulus Saint-Michel

À la sortie de Carnac-Ville, en direction de La Trinité-sur-Mer. ⚫ pour cause de fouilles.

Érigé sur une butte naturelle qui ménage un beau panorama sur les mégalithes des environs et la baie de Quiberon (p. 175), ce tumulus de 4500 av. J.-C. mesure 12 m de haut. Au sommet, se dresse une chapelle dédiée à saint Michel. Au centre, deux chambres funéraires ont été mises au jour au xixᵉ siècle. Elles contenaient les coffres funéraires remplis d'ossements, des haches, des bijoux, des poteries.

La fontaine à deux bassins de Saint-Colomban

## 🏰 Alignements de Carnac

Au nord-est de Carnac-Ville. Accueil à Kermario. 📞 02 97 52 29 81. La visite est à conseiller d'est en ouest, au soleil levant, à cause des ombres portées par les menhirs. ⏱ toute l'année. ♿ avr.-sept.

Regroupés en trois ensembles, les alignements de pierres levées du **Ménec**, de **Kermario** et de **Kerlescan** sont encadrés à leurs extrémités est et ouest par des cromlech. Pour protéger le site rendu fragile par l'afflux de visiteurs, des grillages le clôturent. Parmi les significations que pourraient revêtir ces constructions, la plus plausible consiste à y voir des points de rassemblement réguliers, sortes de grands centres religieux, peut-être un culte dédié au soleil.

**Fresque de l'église Saint-Cornély à Carnac**

En direction de La Trinité, les alignements de Kerlescan comptent 555 menhirs répartis sur treize lignes. À l'extrémité sud-ouest, se tient un cromlech de 39 pierres. Dans la lande, le géant du Manio culmine à 6 m de haut.

Occupant un champ de 1 250 m de long, les alignements de Kermario (1 029 menhirs) rassemblent sur dix files certains des plus beaux spécimens de Carnac.

Plus à l'ouest, les alignements du Ménec (3000 av. J.-C.) constituent le site le plus représentatif avec 1 099 menhirs répartis sur onze rangées. Les pierres les plus hautes atteignent 4 m.

Parmi les autres mégalithes, citons le tumulus de Kercado (à l'est de Kermario), un dolmen de 4670 av. J.-C. dont le couloir de 6 m de long donne accès à une chambre funéraire aux parois gravées ainsi que les dolmens de Mané-Kerioned.

### 🏛 Archéoscope

Alignement du Ménec. 📞 02 97 52 07 49. ⭘ fév.-mi-nov. et vac. de Noël : t.l.j. 🗺

**MODE D'EMPLOI**

**Carte routière** C3-4. 🏨 *4 322.*
🚉 *Auray.* 🚌 ❚ *74, av. des Druides (02 97 52 13 52) et pl. de l'Église à Carnac-Ville (avr.-sept.)* 🛒 *mer. et dim. ; mar. pendant l'été à la ferme à Kerallen (17h-20h).* 🎭 *pardon de la Saint-Colomban (mai) ; veillée des Menhirs (fest-noz, juil.) ; contes bretons (tous les mer. au menhir appelé géant du Manio ; fin juil.-déb. août) ; pardon de la Saint-Cornély (sept.).*

Au moyen d'une scénographie vivante, ce spectacle sur les traces de l'homme du néolithique – qui n'est pas un musée – invite à mieux connaître cette civilisation et explore les différentes hypothèses des alignements.

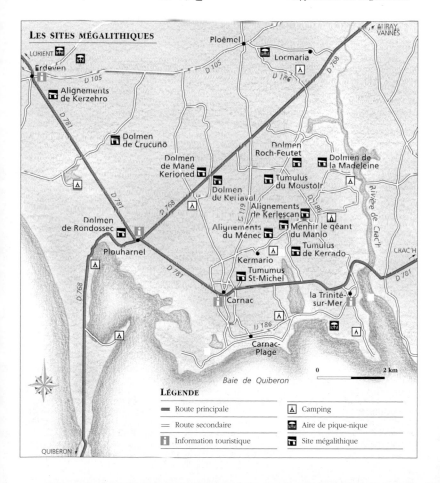

**LES SITES MÉGALITHIQUES**

AURAY VANNES

Ploëmel

LORIENT

Erdeven

Locmaria

D 105

**Alignements de Kerzehro**

D 781

D 105

D 768

**Dolmen de Crucuño**

**Dolmen de Mané Kerioned**

**Dolmen Roch-Feutet**

**Dolmen de la Madeleine**

Rivière de Crac'h

**Tumulus du Moustoir**

**Dolmen de Kerlaval**

**Alignements de Kerlescan**

**Dolmen de Rondossec**

D 768

**Alignements du Ménec**

**Menhir le géant du Manio**

**Tumulus de Kercado**

CRAC'H

Plouharnel

D 781

**Kermario**

**Tumumus St-Michel**

la Trinité-sur-Mer

D 781

Carnac

D 186

Carnac-Plage

QUIBERON

*Baie de Quiberon*

0      2 km

### LÉGENDE

━━ Route principale     🅰 Camping

═ Route secondaire     📷 Aire de pique-nique

❚ Information touristique     🔺 Site mégalithique

Reconstitué, le Grand Menhir brisé de Locmariaquer atteindrait 20-30 m de haut pour 5 m de diamètre

## La Trinité-sur-Mer ❾

**Carte routière** C3-4. 🏃 *1 446.* 🚉
*Auray.* 🚌 ⛴ *Navix (02 97 55 81 00).
Départ pour Belle-île, Houat en juil.-
août et croisière dans le golfe du
Morbihan.* 🛈 *môle Loïc-Caradec
(02 97 55 72 21).* 🏪 *mar. et ven.*
🎭 *Spi Ouest France (régates,
Pâques) ; fête du Nautisme (mai) ; fête
du Vieux-Port (juil.) ; fête des Vieux
Gréements (août) ; Prix multicoques
(régates, fin août).*

Lovée au creux d'une ria abritée, La Trinité est le rendez-vous consacré de tous les plaisanciers. Sa société nautique (1879), où Tabarly, Peyron et d'autres ont fait leurs premières armes, figure d'ailleurs parmi les plus vieilles de France. D'avril à septembre, les régates animent le port dont les bassins peuvent contenir jusqu'à 1 200 voiliers. La Trinité vit aussi de la pêche, comme on peut le voir au sympathique marché au poisson. Le sentier des douaniers relie le port aux plages en passant par la pointe de Kerbihan. En direction de Carnac, le pont de Kérisper offre une vue imprenable sur la rivière de Crac'h, la zone ostréicole en amont et le port de plaisance

La Table des Marchands est un dolmen à couloir

en aval. Des sorties en mer sur un vieux gréement et des balades en bateau sur la rivière de Crac'h sont proposées l'été.

## Locmariaquer ❿

**Carte routière** C-D 3. À 10 km à l'est
de La Trinité par la D 781. 🏃 *1 316.*
🚉 *Auray.* 🚌 *Navix (02 97 57 36 78).
Excursion à Belle-île et visite du golfe
(juil.-août).* 🛈 *rue de la Victoire
(02 97 57 33 05).* 🏪 *mar. et sam.
(juil.-août).* 🎭 *pardon (juin) ;
randonnée des Mégalithes
(juin à sept.) ; fête de l'Huître (août).*

Cette charmante station balnéaire est un haut lieu mégalithique. À l'entrée du bourg, le site de la **Table des Marchand** date du néolithique (3700 av. J.-C.), époque où les hommes connaissaient l'usage de la pierre polie, de la poterie, et pratiquaient l'élevage et l'agriculture. Il abrite une superbe tombe à couloir présentant des dalles ornées de crosses, d'une hache et de bovidés. Derrière la Table, un sentier conduit au tumulus de Mané-Lud où vingt-deux pierres gravées forment un couloir. Le tumulus d'Er-Grah, de 140 m de long, appartient quant à lui à la famille des caveaux fermés. Devenus sédentaires, ces hommes exprimèrent leur maîtrise du territoire en érigeant des monuments impressionnants. Ainsi, le **Grand Menhir brisé** (20 m de long, environ 350 tonnes, 4500 av. J.-C.) qui gît à terre, brisé en quatre blocs, serait le plus grand connu du monde occidental.

🏛 **Site des mégalithes
(Grand Menhir brisé, Table
des Marchands et tumulus
d'Er-Grah)**
À l'entrée du bourg, non loin du
cimetière. 📞 *02 97 57 37 59.*
🕐 *avr.-fin sept. : t.l.j. ; oct.-fin mars :
tous les apr.-midi sauf mar.*
🔴 *du 20 déc au 10 janv.* ♿

**AUX ENVIRONS :** au sud-est, la **pointe de Kerpenhir** face à Port-Navalo (*p. 184*) offre une vue panoramique sur le golfe du Morbihan. La statue en granit de **Notre-Dame de Kerdro** protège les marins et les plaisanciers. Derrière la plage de Kerpenhir, se trouve l'allée couverte des Pierres-Plates (*accès libre*), où deux chambres funéraires ornées de motifs gravés sont reliées à une longue allée.

## Auray ⓫

**Carte routière** D3. 🏃 *10 589.*
🚉 *à 2 km du centre.* 🛈 *chapelle de
la Congrégation, 20, rue du Lait
(02 97 24 09 75).* 🛒 *juil.-août : mar.-
ven.* 🏪 *lun. (pl. de la République),
ven. (pl. Notre-Dame), dim. (gare) ;
mer. soir (en juil.-août à la ferme de
Saint-Goustan).* 🎭 *Les Not'en bulles
(théâtre, musique ; en août).*

Nichée au fond d'une ria, Auray est bâtie sur un promontoire qui surplombe le Loch. La ville possède un charme certain, comme en témoignent ses demeures

Détail du retable (XVIIe siècle)
de l'église Saint-Gildas à Auray

## LE LUTIN DES MERS

**Éric Tabarly**
**à bord de *Côte d'Or***

Éric Tabarly (1931-1998) incarne la voile de la deuxième moitié du XXᵉ siècle. Cet éloge aurait gêné ce timide dont le sourire modeste constituait la meilleure carapace devant les caméras. Difficile d'énumérer le palmarès de ce capitaine de vaisseau de la Royale tant il compte de victoires. Une seule, la première, et il entre dans la légende. En 1964, *Pen Duick II* emporte la 2ᵉ édition de la Transatlantique en solitaire devant les Britanniques. L'Hexagone découvre la voile, des vocations naissent. Désormais, Tabarly ne quittera plus le panthéon maritime français.

**Maisons à pans de bois du quartier Saint-Goustan a Auray**

anciennes et son port ravissant. Auray a marqué l'histoire de la Bretagne puisqu'elle fut le théâtre de la bataille qui mit un terme à la guerre de Succession en 1364 *(p. 40)*. L'**église Saint-Gildas** dotée d'un portail Renaissance (1636) abrite un remarquable retable baroque (1657 ; *p. 64)* exécuté par un maître lavallois. Sur la place de la République s'élèvent d'élégants hôtels particuliers, tels la maison Martin ou l'hôtel de Trévegat, tous deux du XVIIᵉ siècle, ainsi que l'hôtel de ville datant de 1776. Depuis le belvédère et la rampe du Loch, où s'étagent des jardins en terrasses bâtin sur les contreforts de l'ancien château, on jouit d'une belle vue sur la rivière en contrebas et le port. Au pied de la ville, un pont en pierre du XVIIᵉ siècle conduit au **port de Saint-Goustan**, ancien

port d'Auray, où les maisons médiévales à pans de bois sont alignées le long du quai. La magie paisible du lieu a séduit bien des peintres. Quai Martin, la **goélette-musée Saint-Sauveur** accueille un musée sur le cabotage et retrace le passé du port au travers de divers objets de marine et de maquettes de bateaux. Derrière le port, les ruelles en pente méritent d'être explorées.

### 🏛 Goélette-musée Saint-Sauveur
Quai Martin, port de Saint-Goustan. 📞 02 97 56 63 38. ⭘ Pâques-fin sept. : t.l.j. ; oct. Pâques et vac. scol. : week-ends. 📷

**AUX ENVIRONS :** à 6 km au sud-est, une halte s'impose au pittoresque petit **port du Bono**. Depuis son vieux pont suspendu (1840), le panorama est magnifique.

**Cloître du XVIIᵉ siècle de Sainte-Anne-d'Auray**

**Statue de cire de Jean-Paul II, musée de Cire à Sainte-Anne-d'Auray**

# Sainte-Anne-d'Auray ⑫

**Carte routière** D3. À 7 km au nord d'Auray par la D17. 🏯 1 758. 🚉 Auray. 🛈 12, pl. Nicolazic (02 97 57 69 19). ⭘ mer. 🎪 grand pardon (25-26 juil.).

Second site religieux de France après Lourdes – le pape Jean-Paul II lui-même est venu lui rendre visite en 1999 –, ce haut lieu de pèlerinage remonte au XVIIᵉ siècle, lorsque la mère de la Vierge Marie apparut à Yves Nicolazic, un laboureur à qui elle demanda d'élever une chapelle. À l'endroit qu'elle avait indiqué, une statuette fut découverte. On bâtit alors une église, remplacée au XIXᵉ siècle par la basilique actuelle (1872). À l'intérieur du sanctuaire, on peut voir des vitraux relatant la vie de la sainte et du laboureur. Dans le cloître (XVIIᵉ siècle), le **trésor** conserve ex-voto, marines, maquettes de bateaux et statues anciennes (XVᵉ-XIXᵉ siècles). Face à la basilique, le **musée de Cire de l'Historial** relate les origines du pèlerinage et la vie de Nicolazic. Sur le parvis, le **musée du Costume breton** expose des coiffes et des costumes de la région, ainsi que des bannières de procession.

### 🔒 Trésor de la basilique
📞 02 97 57 68 80. ⭘ mars-fin oct. : t.l.j. sauf lun. 📷

### 🏛 Musée de Cire de l'Historial
6, rue de Vannes. 📞 02 97 57 64 05. ⭘ mars-mi-oct. : t.l.j. 📷

### 🏛 Musée du Costume breton
Parvis de la Basilique. 📞 02 97 57 68 80. ⭘ mars-fin oct. : t.l.j. sauf lun. 📷

# Golfe du Morbihan ⓭

Le golfe du Morbihan est né voici 9 000 ans, lorsque le réchauffement de la planète provoqua une remontée des eaux. 15 000 ans plus tôt, le niveau de la mer était à une centaine de mètres plus bas, et Belle-Île faisait partie du continent. Inlassablement, la mer a façonné des centaines d'îles dont les plus grandes sont Arz et l'île aux Moines. Le golfe se compose en fait de deux parties : le bassin oriental, le plus plat, aux allures de lagunes ; le bassin occidental, bordé de côtes rocheuses et agité de forts courants. Le relief sous-marin y est accidenté, notamment vers Port-Navalo, où les fosses peuvent atteindre 30 m. À chaque marée, le golfe reçoit 400 millions de mètres cubes d'eau salée. Ce brassage permanent favorise la vie marine des milliers d'espèces végétales et animales pour le plus grand bonheur des oiseaux sédentaires ou migrateurs.

**Voilier à Berder**

**Île Berder**
*Avec sa tour carrée, l'île sert de repère aux pêcheurs.*

**★ Port-Navalo**
*C'est à la fois un port et un centre balnéaire. Le sentier côtier offre de très belles vues de toutes parts.*

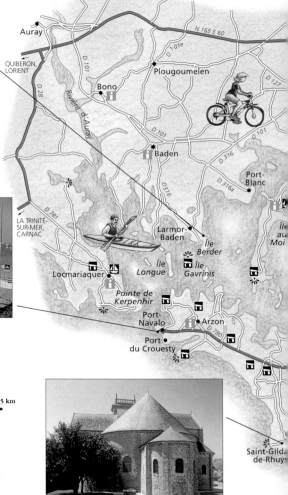

Auray
QUIBERON, LORIENT
Bono
Plougoumelen
N 165 E 60
D 101e
D 127
Rivière d'Auray
D 28
D 101
Baden
D 316
Port-Blanc
D 316a
LA TRINITÉ-SUR-MER, CARNAC
D 781
Larmor-Baden
Île au Moi
Île Berder
Locmariaquer
Île Longue
Île Gavrinis
Pointe de Kerpenhir
Port-Navalo
Arzon
D 780
Port du Crouesty
Saint-Gilda de-Rhuys

0 ————— 5 km

À NE PAS MANQUER

★ **Port-Navalo**

★ **Pointe d'Arradon**

★ **Château de Suscinio**

**Église Saint-Gildas-de-Rhuys**
*Elle a conservé des éléments du XIᵉ siècle, dont le transept et le chœur.*

★ **Pointe d'Arradon**

*C'est de la pointe que l'on a la plus belle vue sur l'île d'Irus, l'île aux Moines et l'île d'Arz.*

**Île d'Arz**

*En faisant le tour de l'île à pied, vous pourrez admirer cet ancien moulin à marée aujourd'hui restauré.*

### LÉGENDE

| | |
|---|---|
| ▬▬ | Route principale |
| ══ | Route secondaire |
| – – | Liaison maritime |
| 🛈 | Information touristique |
| ♠ | Château fort |
| 🔲 | Site mégalithique |
| ✗ | Réserve naturelle |
| ⛵ | Voile |
| ☀ | Point de vue |

★ **Château de Suscino**

*Au Moyen Âge, il est la résidence préférée des ducs de Bretagne. Laissé à l'abandon après la Révolution, Mérimée le découvre en 1835 et le fait classer Monument historique. En 1965, il est racheté par le département qui le restaure et y installe un musée d'Histoire.*

# À la découverte du golfe du Morbihan

Âme de la région, cette « petite mer » intérieure
(*morbihan* en breton) d'une largeur de 20 km,
s'étend sur 12 000 ha. Labyrinthe aux rivages sinueux
et découpés, le golfe du Morbihan se découvre en
bateau depuis Vannes, Port-Navalo, Auray, La Trinité,
Locmariaquer. Si une intense vie marine s'y est
développée, c'est aussi un paradis pour les oiseaux.
La conchyliculture et l'ostréiculture constituent une
des ressources importantes, avec le tourisme. Le golfe
est parsemé de menhirs, dolmens et tumuli.

**Détail du bénitier de l'église
Saint-Gildas-de-Rhuys**

### 🐚 Pointe d'Arradon

**Carte routière** D3. À 9 km au sud-
ouest de Vannes par la D101 puis la
D101a. 🛈 *2, pl. de l'Église, Arradon
(02 97 44 77 44).* 🚢 *mar et ven.*
On la rejoint en quittant
Vannes à l'ouest par la D101.
« Riviera du golfe », la pointe
d'Arradon abrite de superbes
propriétés. La vue embrasse
les îles Logoden, l'île Holavre
et l'île aux Moines.

### 🐚 Île d'Arz

**Carte routière** D4. Dans le golfe du
Morbihan. 🚢 *à 15 min de Vannes-
Conleau (02 97 50 83 83 et Navix :
02 97 46 60 00).* 🛈 *mairie, Arz*

*(02 97 44 31 14).* 🎭 *pardon (sur l'île
d'Hur ; fin juil.) ; régates (août).*
Moins fréquentée que l'île
aux Moines, l'île de l'ours »
(*arz* en breton) se parcourt
à pied puisqu'elle mesure
3,5 km de long et 1 km
de large. Les petites maisons
blanches couvertes d'ardoises
et la végétation luxuriante
composent un tableau
typique de la Bretagne.
Ici et là se dressent menhirs
et dolmens, notamment
à la pointe de Liouse. Dans
le bourg, l'église Notre-Dame
renferme des chapiteaux
romans ornés de grotesques.

Les amateurs de voile
trouveront dans l'île pas
moins de cinq écoles
nautiques.

### 🏛 Cairn de Gavrinis

**Carte routière** D4. Île Gavrinis, dans
le golfe du Morbihan. 🛈 *02 97 57 19
38.* 🚢 *Larmor-Baden.* 📷 ♿
Depuis sa découverte
en 1832, ce « dolmen à couloir
et chambre simple » est
considéré comme
exceptionnel pour des raisons
architecturales et artistiques.
Son plan est d'un type parmi
les plus anciens de la région.
Prosper Mérimée,

---

## LE CAIRN DE GAVRINIS

C'est à Gavrinis que l'on peut voir le plus long dolmen
à couloir de France (16 m). Les parois du cairn
de Gavrinis peuvent être déchiffrées si on connaît
la signification d'un certain nombre de dessins
symboliques, comme l'écusson, la crosse, la hache,
le corniforme et d'autres
éléments qualifiés
d'« accessoires ».

**Pierre sculptée n° 8**
L'écusson, élément
central du décor, est
généralement la
représentation très
schématique d'une
idole arthropomorphe.

**Le cairn**
qui domine
encore à 6 m
est presque
intact

**Le couloir**

**Les 29 blocs**
qui forment le couloir
ont été choisis avec
minutie pour laisser entre
eux le minimum d'interstices.

lors de sa visite en 1835
a été frappé par ces pierres
« couvertes de dessins
bizarres… des courbes,
des lignes droites, brisées,
tracées et combinées
de cent manières différentes ».

### 🏝 Île aux Moines

**Carte routière** D4. *Dans le golfe
du Morbihan.* 🚢 *départ depuis
Port-Blanc (02 97 57 23 24) ou depuis
Vannes-Conleau (02 97 46 60 00).*
🛈 *sur le port (02 97 26 32 45).*
🚢 *été : t.l.j. ; hiver : mer. et ven.*
🎏 *semaine du Golfe (rassemblement
de vieux gréements, Ascension) ;
festival de Voile (août).*
Donnée jadis à l'abbaye de
Redon, la plus grande des îles
du golfe adopte la forme
d'une croix de 6 km de long
et de 2,6 km de large.
Peuplée dès le néolithique,
elle compte plusieurs sites
mégalithiques, en particulier
le cromlech de **Kergonan**, le
plus grand de France, avec un
diamètre de 101 m. Plus au
sud, on rencontrera aussi le
dolmen de Pen-Hap. Comme
sa voisine Arz, l'île aux
Moines est une île de
capitaines qui y firent bâtir
de jolies maisons aux XVIIᵉ
et XVIIIᵉ siècles. Bénéficiant
d'un microclimat, la
végétation s'apparente à celle
des régions méridionales :
eucalyptus, mimosas,
camélias, figuiers. Quant aux
forêts, leur seul nom invite
à une douce rêverie (bois
d'Amour, bois des Soupirs,
bois des Regrets)…
Très découpée, l'île prodigue
de beaux points de vue
sur le golfe à chacune
de ses pointes.

### 🏝 Presqu'île de Rhuys

**Carte routière** D4. *Au sud du golfe
du Morbihan, en prenant la D780
depuis Vannes.* 🛈 *Sarzeau (02 97 41
82 37) ; Saint-Gildas-de-Rhuys (02 97
45 31 45) ; port du Crouesty (02 97
53 69 69).* 🚢 *dim. (Saint-Gildas-de-
Rhuys), mar. (port du Crouesty),
lun. (port du Crouesty, juil.-août).*
🎏 *fête de l'Huître (avr.) ; semaine
du Golfe (rassemblement de vieux
gréements, Ascension) ; Fête
médiévale (château de Suscinio, juil.) ;
festival de Théâtre (château de
Suscinio, août) ; fête de la Mer (août).*
Tout comme Quiberon
*(p. 175)*, cette presqu'île
présente un double visage :

**Jolie maison du XVIIIᵉ siècle de l'Île
aux Moines**

au nord, la douceur du golfe ;
au sud, la vigueur océane.
Au **château de Kerlévenan**
(fin XVIIIᵉ siècle),
à l'architecture italienne, seul
le parc se visite. Côté Océan,
s'élève le **château de
Suscinio**, entouré de marais.
Cet ancien manoir de chasse
(XIIIᵉ siècle) a été remanié au
XIVᵉ siècle pour devenir une
forteresse avec un pont levis
entouré de deux tours,
des postes de guet le long
des remparts et des douves
alimentées par l'eau de mer.
Au XVᵉ siècle, François II et
sa fille Anne de Bretagne lui
préfèrent Nantes et Suscinio
tombe en déclin.
Le château abrite un musée
consacré à l'histoire de
la Bretagne. Plus à l'ouest,
**Saint-Gildas-de-Rhuys** doit
son nom à un moine anglais
qui y fonda un monastère
au VIᵉ siècle. Situé au
rond-point du Net, le **musée
des Arts et des Métiers**
propose des reconstitutions

d'ateliers d'artisans et
de boutiques anciennes du
XVIIᵉ siècle aux années 1950.
Vers Arzon, le tumulus de
Tumiac, haut de 20 m, est
aussi appelé « butte de César »
car il aurait servi
d'observatoire à l'empereur
romain. À l'extrémité ouest
de la presqu'île, **Port-Navalo**
forme avec **le port du
Crouesty** une station
balnéaire moderne. Le long
du sentier côtier, le panorama
sur le golfe est grandiose.
Face aux îles Branec, le
charmant petit port du Logeo
mérite une halte. Au centre
de la presqu'île, **Sarzeau**
a conservé d'anciennes
demeures des XVIIᵉ et
XVIIIᵉ siècles aux lucarnes
ouvragées. Non loin,
la chapelle de Penvins date
de 1897. Côté golfe,
les sentiers longeant les anses
permettent d'observer
les oiseaux migrateurs.

### ⚓ Château de Kerlévenan

*Sur la D780.* 📞 *02 97 26 46 79.*
🌳 *Parc* 🕐 *juil.-mi-sept. : tous
les apr.-midi ; nov.-fin juin : sur r.-v.*
⚫ *mi-sept.-fin oct.*

### ⚓ Château de Suscinio

*De Sarzeau, prendre la D198.*
📞 *02 97 41 91 91.* 🕐 *avr.-sept. :
t.l.j. ; oct.-mars. : les jeu., sam., dim.
et jours fériés ainsi que les apr.-midis
des lun., mer. et ven.* ⚫ *20 déc.-10
janv. et le mar. hors vac. scol.* 🎟

### 🏛 Musée des Arts et Métiers

*Rond-point du Net.* 📞 *02 97 53 68
25.* 🕐 *pleine saison : t.l.j. 10h-12h et
14h-19h ; hors saison : t.l.j. 14h-19h
sauf lun.* ⚫ *dim. matin.* 🎟

**Proche de Sarzeau, la jolie chapelle de Penvins date de 1897**

# Vannes pas à pas

Le vieux Vannes médiéval est parcouru de petites rues étroites bordées de belles maisons à pans de bois restaurées et qui s'étendent autour de la cathédrale Saint-Pierre. C'est un quartier très commerçant. On pénètre dans la ville intra-muros par la porte Saint-Vincent. À l'est, les remparts offrent une belle vue sur la ville. En contrebas, on peut admirer les jardins à la française. La promenade mène jusqu'aux anciens lavoirs. Au sud, le port crée une joyeuse animation.

★ **Remparts et jardins**
*Vannes conserve une partie de la muraille gallo-romaine.*

**Place Gambetta**
*Perpétuellement animée, cette place, face au port de plaisance, est le rendez-vous des Vannetais, qui s'installent volontiers en terrasse.*

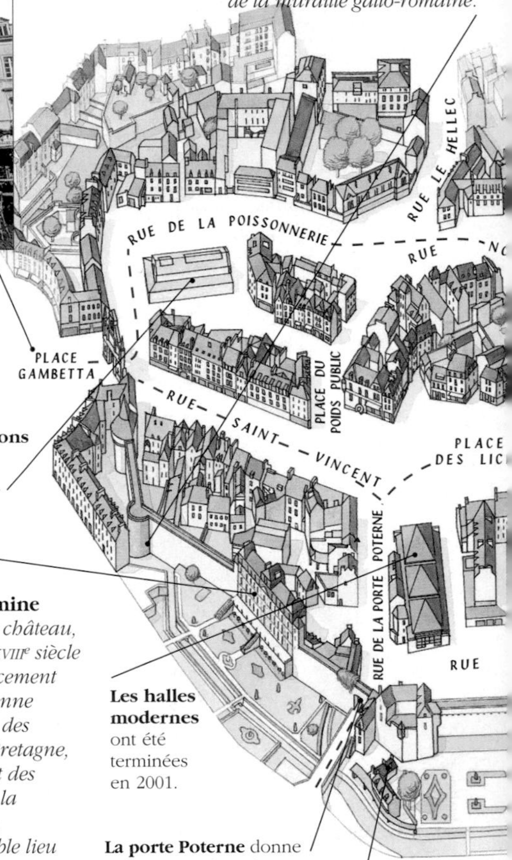

**La halle aux poissons**
est très animée les jours de marché.

**Château de l'Hermine**
*Devant le château, élevé au XVIIIe siècle à l'emplacement de l'ancienne résidence des ducs de Bretagne, s'étendent des jardins à la française, un agréable lieu de promenade.*

**Les halles modernes**
ont été terminées en 2001.

**La porte Poterne** donne accès aux jardins des remparts.

---

**À NE PAS MANQUER**

★ **Place des Lices**

★ **Remparts et jardins**

★ **Portail de la cathédrale Saint-Pierre**

**Lavoirs**
*Situés au bord de la Marle, les lavoirs remontent à 1820, mais on les utilisait encore après la Seconde Guerre mondiale.*

**Place Henri-IV**
*On peut y admirer les plus anciennes maisons à pans de bois de Vannes (XVe et XVIe siècles). Au Moyen Âge s'y tenait un marché aux oiseaux très fréquenté.*

Musée archéologique

**MODE D'EMPLOI**

**Carte routière** D3. 🏠 *48 455.*
🛈 *office du tourisme du Pays de Vannes, 1, rue Thiers, 56039 Vannes Cedex (02 97 47 24 34).*
🚌 *mer. et sam. mat.* 🎭 *Fêtes historiques (juil.), festival de Jazz (juil.), Nuits musicales du Golfe (juil.-août), fêtes d'Arvor (danses et musique traditionnelles, août).*

**Le musée de la Cohue**, riche musée des Beaux-Arts, possède aussi des collections consacrées à la mer.

★ **Portail de la cathédrale Saint-Pierre**
*De style flamboyant (XVIe siècle), il est orné de niches permettant d'accueillir les statues des douze Apôtres, une tradition bretonne.*

RUE SAINT SALOMON

RUE BURGAULT

RUE DES HALLES

RUE BILLAUT

PLACE HENRI IV

PLACE DE VALENCIA

RUE DES ORFÈVRES

PLACE SAINT-PIERRE

**La porte Saint-Jean**
logeait les bourreaux de père en fils.

RUE DE LA MONNAIE

RUE SAINT GUENAËL

RUE DES CHANOINES

RUE BRIZEUX

PLACE LAROCHE

RUE DES VIERGES

PLACE BRÛLÉE

RUE PORTE PRISON

RAMPARTS

RUE

★ **Place des Lices**
*Elle est ornée de maisons à colombages (jusqu'au XVIIe siècle), qui offrent un décor particulièrement soigné.*

**La porte Prison**
(XIIIe et XVe siècles), entrée principale de Vannes, où on enfermait les délinquants.

**Tour des Connétables**
*La plus haute des tours de Vannes (XVIe siècle), a été rachetée par la ville, qui a entamé sa restauration. Elle est coiffée d'un toit pointu et ornée de fenêtres à meneaux.*

0          100 m

**LÉGENDE**

– – – Itinéraire conseillé

# À la découverte de Vannes

L'histoire de Vannes remonte au temps des Romains. À cette époque, la ville s'appelait Darioritum. Au Vᵉ siècle, elle est le siège d'un évêché puis devient une place importante au Moyen Âge. Ceinte de remparts, elle s'agrandit lorsqu'elle devient la capitale de la Bretagne au XIVᵉ siècle. Elle se caractérise aujourd'hui par une forte croissance urbaine. Ville estudiantine, centre administratif et capitale du Morbihan, elle est très fréquentée par les touristes.

**La porte Poterne date du XVIIᵉ siècle**

## ⚔ La ville médiévale

Auparavant entourée d'une enceinte, Vannes a conservé les deux tiers de ses **remparts**, dont une partie est imbriquée dans les constructions plus récentes. Au nord, il subsiste même des portions de la muraille gallo-romaine. La plus belle entrée, au sud, face au port, est la porte Saint-Vincent : construite en 1624, de style classique, elle est restaurée en 1747. Un décor de niches à coquilles et de colonnes à chapiteaux a remplacé à cette époque les meurtrières et les mâchicoulis d'origine. Jusqu'à la porte Prison, en direction du nord, une promenade longe les jardins à la française en contrebas, dans les anciennes douves. En passant devant la porte Poterne (ouverte en 1678), ne pas manquer d'admirer les lavoirs du XVIIIᵉ siècle. Les tours se succèdent : Trompette, Poudrière, Joliette, du Bourreau. La plus haute est la tour du Connétable.

## ⛪ La cathédrale Saint-Pierre

◐ mai-oct : lun.-sam. et jours fériés ; nov.-avr. : les après-midi pendant vac. scol. ✎

La cathédrale Saint-Pierre, perchée sur la colline du Mené, domine la vieille ville. De style flamboyant, elle a subi des ajouts néogothiques au XIXᵉ siècle. Au nord de l'édifice, une chapelle dédiée au Saint Sacrement est un joyau d'architecture Renaissance : elle comporte deux étages de niches à frontons et de hautes fenêtres en plein cintre. L'intérieur abrite, au cœur d'une chapelle Renaissance en rotonde, le tombeau de saint Vincent-Ferrier. Au mur, on peut admirer une tapisserie des Gobelins. Le trésor renferme quelques très belles pièces d'orfèvrerie.

## ⚔ Le quartier historique

La place Henri-IV, qui est le centre du quartier historique, est bordée de maisons à colombages (XVᵉ et XVIᵉ siècles) les plus anciennes de Vannes. Autour de la place, remarquer les décors de ces maisons (13, rue Salomon, sculptures d'animaux) ; à l'angle de la rue Noé se trouve une enseigne à l'image du couple le plus célèbre de la ville : « Vannes et sa femme », propriétaires du lieu.

De nombreux **hôtels particuliers** voient le jour au XVIIᵉ siècle, en granit et en pierre, lorsque le parlement de Bretagne est exilé à Vannes. Impasse de la Psalette, s'élève l'hôtel de Lannion : flanqué d'une échauguette, c'est l'ancienne résidence des gouverneurs de Vannes et d'Auray. L'hôtel de Limur, rue Thiers, à la belle façade classique, comporte trois étages. Il est bâti entre cour et jardin.

## 🏛 Le musée de la Cohue

9 et 15, place Saint-Pierre. ☎ 02 97 47 35 86. ◐ juin-sept. : t.l.j. sauf jours fériés ; oct.- mai : t.l.j. sauf mar., dim. mat. et jours fériés.

Le musée de la Cohue (terme qui désigne la halle) est situé sur le lieu d'un marché qui existait dès le XIIIᵉ siècle. Si le marché était installé au rez-de-chaussée, l'étage abritait l'ancien siège de la justice ducale du parlement de Bretagne, lorsque celui-ci fut exilé à Vannes en 1675 sur ordre du roi Louis XIV. L'œuvre maîtresse de ce musée des Beaux-Arts est *La Crucifixion* de Delacroix, mais Millet, Corot, Goya sont aussi présents. Des peintres bretons, Maufra, Henri Moret, Paul Helleu, des graveurs vannetais, tels que Frélaut et Dubreuil, sont également à l'honneur. Parmi les contemporains, signalons Tal Coat, Soulages ou Geneviève Asse. Deux autres salles exposent des objets de marine.

**Vierge de la cathédrale Saint-Pierre**

### ⛩ Le Musée archéologique

Château Gaillard, 2, rue Noé.
📞 02 97 47 35 86. ⬤ en travaux, sauf période d'été.

Installé au château Gaillard, hôtel du xve siècle qui était le siège du parlement de Bretagne, le Musée archéologique possède des collections préhistoriques provenant de sites du Morbihan, comme des haches polies en jadéite ou des bijoux en variscite (sorte de turquoise). Des monnaies vénètes de l'âge du Fer sont exposées. Le musée conserve en outre des collections de la Gaule romaine, du Moyen Âge et de la Renaissance.

On accède au port de plaisance depuis la place Gambetta

### ▦ La place Gambetta

Construite en hémicycle au xixe siècle et bordée par les façades blanches des immeubles, elle constitue avec le port l'un des endroits les plus animés de la ville. Les bateaux de plaisance remontent ainsi au cœur de la cité. De là, une large allée, la promenade de la Rabine, qui se poursuit par un chemin côtier, conduit à la presqu'île de Conleau, à 4 km en aval.

**Aux environs :** au nord-est, la **forteresse de Largoët d'Elven** témoigne de l'architecture militaire bretonne du Moyen Âge. Elle a conservé deux tours et une courtine du xiiie siècle, un donjon du xive, une porte fortifiée et une tour ronde du xve. Aux alentours, des étangs bordent les forêts des **landes de Lanvaux**, où sont aménagés des sentiers pédestres et des pistes cyclables.

### ♜ Forteresse de Largoët d'Elven

De Vannes, prendre la N166 puis la D135 à Saint Nolff, la forteresse est à env. 2,5 km vers le nord. 📞 02 97 53 35 96. ◷ juin-sept. : t.l.j. ; 20 mars-fin mai, oct, week-ends, vac. scol. et jours fériés : l'après-midi. 🅿

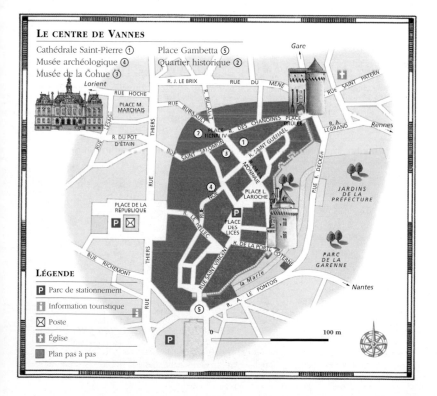

**LE CENTRE DE VANNES**

| | |
|---|---|
| Cathédrale Saint-Pierre ① | Place Gambetta ⑤ |
| Musée archéologique ④ | Quartier historique ② |
| Musée de la Cohue ③ | |

Gare

Lorient

R. J. LE BRIX — RUE DU MENE — RUE SAINT PATERN

RUE HOCHE — RUE BURGAULT — R. BILLAULT

PLACE M. MARCHAIS

RUE THIERS

R. DU POT D'ÉTAIN

PLACE HENRI IV — R. DES CHANOINES — PLACE DRÊLÉE

R. A. LEGRAND — Rennes

⑦ ①

RUE SAINT SYMPHORIEN — R. SAINT GUÉTHAL

R. DE LA MONNAIE

④ — RUE NOÉ

PLACE L. LAROCHE

JARDINS DE LA PRÉFECTURE

RUE E. DECKER

PLACE DE LA RÉPUBLIQUE

🅿 ⊠

R. LE TRÉVIT — R. BRÉLÉCH

🅿 PLACE DES LICES

PARC DE LA GARENNE

RUE RICHEMONT

RUE THIERS

RUE SAINT VINCENT

R. DE LA PORTE POTERNE

la Marle — R. A. LE PONTOIS → Nantes

⑤

**LÉGENDE**

🅿 Parc de stationnement

ℹ Information touristique

⊠ Poste

✝ Église

▨ Plan pas à pas

🅿

0 — 100 m

L'hôtel de ville de La Roche-Bernard date de 1599

# La Roche-Bernard ⑮

Carte routière D3. À 34 km au sud-est de Vannes par la N165. 🚂 Ponchâteau. 🛈 14, rue du Docteur-Cornudet (02 99 90 67 98). 🚌 jeu. 🎭 fest-noz (Saint-Jean, 14 juil.) ; concerts (week-end de la mi-août).

Juchée sur un éperon rocheux, La Roche-Bernard est un important carrefour de la Vilaine maritime. Au XIᵉ siècle, un village naît autour de sa forteresse. Au XVIIᵉ siècle, des chantiers navals s'établissent sous l'impulsion de Richelieu et conçoivent notamment *La Couronne* (1634), un navire de guerre à trois ponts, fleuron de la marine royale.

Le port est composé du port de plaisance, le long de la Vilaine, et du vieux port, délaissé au profit du quai de la Douane. Sel, blé, vin, chaux du Val de Loire et bois de châtaignier transitent par ses docks. Dans la vieille ville étagée, on verra la maison du Canon (XVIᵉ siècle), où siège l'hôtel de ville ; l'auberge des Deux Magots, place du Bouffay ; les anciens greniers à sel, rue de la Saulnerie. Le **musée de la Vilaine maritime** occupe la maison des Basses-Fosses (XVIᵉ siècle), dont le rez-de-chaussée est taillé à même le roc. Il retrace l'histoire de la navigation sur la Vilaine et de la vie rurale au travers de maquettes et de reconstitutions.

🏛 **Musée de la Vilaine maritime**
6, rue Ruicard. 📞 02 99 90 83 47. 🕐 mi-juin-mi-sept. : t.l.j. ; 1ᵉʳ-15 juin, mi-sept.-fin sept. et vac. scol. : tous les apr.-midi ; mai : le week-end.

**AUX ENVIRONS :** à 20 km au nord-ouest, le **parc zoologique de Branféré** compte plus de cent espèces d'animaux laissés en semi-liberté.

🐾 **Parc zoologique de Branféré**
Le Guerno, par la N165. 📞 02 97 42 94 66. 🕐 avr.-sept. : t.l.j. ; le reste de l'année : tous les apr.-midi (tél. au préalable).

# Questembert ⑯

Carte routière D3. À 28 km à l'est de Vannes, par la N166, la D775 et la D5. 🚂 Bel Air. 🛈 15, rue des Halles (02 97 26 56 00). 🚌 lun. 🎭 pardon (Saint-Jean, 15 août) ; soirées estivales (fest-noz, chants de marins, juil.-août : tous les sam.).

Le « pays des châtaignes » en breton doit sa prospérité passée aux foires organisées sous ses superbes halles (1675). Non loin, l'ancienne hostellerie Jehan le Guenego est la plus vieille maison du bourg (1450). À côté, l'hôtel Belmont (XVIᵉ siècle), actuel office du tourisme, retient l'attention par ses cariatides en bois sculpté. Dans les environs de Questembert, on trouve des producteurs de foie gras de canard.

# Rochefort-en-Terre ⑰

Carte routière D3. À 33 km à l'est de Vannes par la N166, la D775 et la D774. 🚂 Bel Air. 🛈 pl. des Halles (02 97 43 33 57). 🎭 pardon (mi-août) ; festival de Musique (fin août).

Bâti sur un promontoire dominant le Gueuzon, le village a gardé un cachet médiéval. En raison de sa position stratégique, il est fortifié dès l'époque romaine. Au XIIᵉ siècle, un donjon surplombant Rochefort est construit, et c'est au XVᵉ siècle que les remparts viennent ceinturer la ville. Démantelé à trois reprises, le château est détruit sous la Révolution. En 1907, un peintre américain, Alfred Klots, le rénove et s'installe dans les communs (XVIIᵉ siècle). Le **musée** du château abrite du mobilier ancien et des tableaux d'Alfred Klots ; divers objets retracent la vie locale. Depuis le chemin des douves, un beau panorama s'offre au regard. La Grande-Rue et la place du Puits regroupent les plus belles maisons dont les façades, en granit ou en schiste, sont enjolivées de motifs sculptés. À flanc de coteau, l'**église Notre-Dame-de-la-Tronchaye** (XVᵉ et XVIᵉ siècles) arbore une façade flamboyante. À l'intérieur, les sablières ornées de monstres, la

La charpente des halles de Questembert

Place du Puits au cœur du « village fleuri » de Rochefort-en-Terre

sculpture macabre en bois (à gauche de la chaire) et le retable Renaissance sont dignes d'intérêt. Sur le parvis se trouve un calvaire du XVIe siècle.

### ♣ Château et son musée
🕻 02 97 43 31 56. ⬛ avr.-mai : week-end et jours fériés apr.-midi ; juil.-août : t.l.j. ; juin et sept. : tous les apr.-midi ⬛ le reste de l'année

## Ploërmel ⓲

**Carte routière** D3. 🚉 Vannes. 🏚 7 200. 🏠 5, rue du Val (02 97 74 02 70). 🎪 juil.-août : lun., mer., ven. ⬛ lun et ven. 🎵 chants de marins (fin juil.) ; Semaines arthuriennes (fin juil.-déb. août).

La ville fut un des lieux de résidence des ducs de Bretagne. Deux d'entre eux, Jean II et Jean III, reposent d'ailleurs dans l'**église Saint-Armel** (XVIe siècle), non loin de Philippe de Montauban. L'admirable verrière avec l'arbre de Jessé est signée Jehan le Flamand. À l'extérieur, le portail nord frappe par ses bas-reliefs truculents ou grimaçants qui évoquent les vices et le Jugement dernier. Rue Beaumanoir, la **maison des Marmousets** (1586), face à l'office du tourisme, est animée de bas-reliefs étonnants.

Sculpture de la maison des Marmousets

À côté, l'hôtel des Ducs de Bretagne, qui date de 1150, est le plus vieux bâtiment du bourg. Près du lycée Lamennais, l'**horloge astronomique** (1855) a été réalisée par un des membres de la communauté des frères de Ploërmel, fondée par le frère aîné de Lamennais (p.47).

**AUX ENVIRONS :** à 1 km au nord-ouest, un **circuit de l'Hortensia** a été aménagé autour du lac au Duc. 2 000 hortensias de douze espèces différentes jalonnent la promenade.

## Josselin ⓳

**Carte routière** D3. 🚉 Vannes. 🏚 2 500. 🏠 pl. de la Congrégation (02 97 22 36 43). 🎪 mm 🎵 foire et fest-noz (Pentecôte, tous les 2 ans) ; Festival médiéval (14 juil.) ; pardon (8 sept.).

Une halte s'impose à Josselin, qui s'est développée grâce à l'activité de tissage et du commerce des toiles de lin. La ville possède au moins deux joyaux : le château des Rohan (p. 192-193) et la basilique Notre-Dame-du-Roncier, dont l'origine légendaire est attribuée à la découverte d'une Vierge miraculeuse enfouie sous une ronce. Un sanctuaire aurait

été édifié sur les lieux. De style gothique flamboyant, comme le signalent ses gargouilles, elle a toutefois gardé des piliers romans dans le chœur. Les gisants d'Olivier de Clisson *(p. 192)* et de son épouse reposent près de la fameuse statue. Les rues des Vierges, Olivier-de-Clisson et Trente sont bordées de ravissantes demeures (XVIe et XVIIe siècles). Au n° 3, un **musée** expose près de 600 poupées des XVIIe et XVIIIe siècles, en cire, bois ou porcelaine. Sur une rive de l'Oust, la chapelle Sainte-Croix (1050) est la plus ancienne de la région.

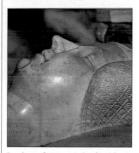

Le gisant de Marguerite de Rohan, dans la basilique de Josselin

**AUX ENVIRONS :** à 10 km au nord, la **forêt de Lanouée**, plantée de chênes et de châtaigniers, servait dès le Moyen Âge à alimenter des forges qui connurent leur apogée au XVIIIe siècle. Canons et boulets sortaient de leurs ateliers.

À 11 km au sud-ouest, l'**enclos paroissial de Guéhenno** est le seul ensemble complet du Morbihan. Deux soldats gardent la porte de l'ossuaire où se dresse un Christ ressuscité. Le calvaire constitue l'élément le plus spectaculaire de l'enclos. Après la Révolution, le curé de la paroisse a dû le rénover entièrement. Devant celui-ci, une colonne porte les instruments de la Passion.

### 🏛 Musée des Poupées
3, rue Trente. ⬛ juil.-août : t.l.j. 10h-18h ; avr., mai, oct. : mer., sam., dim. 14h-18h ; juin, sept., vac. scol. : tous les apr.-midi 14h-18h. ⬛ nov.-mars.

# Le château de Josselin

Juchée sur des rochers face à l'Oust, la forteresse des Rohan, défendue par quatre tours érigées par Olivier de Clisson au XIVᵉ siècle, est impressionnante. L'austérité militaire est tempérée par la façade intérieure (début du XVIᵉ siècle) ouvrant sur les jardins. Joyau du gothique flamboyant, elle déploie une dentelle de granit ciselé à travers des galeries ajourées, des pinacles ; des balustrades et des cheminées. Fleurs de lys, hermines, losanges… les artisans y ont décliné avec virtuosité tous les motifs du répertoire ornemental.

**Cheminée du salon avec la devise des Rohan** *A plus*

**Les 10 lucarnes**
à double étages occupent presque la moitié de la façade.

★ **Bibliothèque**
*Riche de 3 000 ouvrages, la bibliothèque a été réaménagée au XIXᵉ siècle dans le style néo-gothique.*

★ **Façade intérieure nord**
*Les lucarnes à frontons ouvragés animent la façade intérieure. Toutes différentes, elles déclinent l'ensemble du répertoire décoratif de l'époque.*

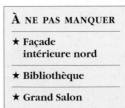

**Tour isolée**

## OLIVIER DE CLISSON

**Statue équestre d'Olivier de Clisson**

Né en 1336, Olivier de Clisson est élevé dans la haine du roi de France qui avait fait décapiter son père, trop favorable aux Anglais. Lors de la guerre de Succession, il se rallie au parti de Montfort et sort victorieux à la bataille d'Auray (1364). Quand Olivier de Clisson réclame son dû à Jean de Montfort, celui-ci se rétracte. Les rapports s'enveniment. Olivier se rapproche du parti français, devient l'ami de Du Guesclin et lui succède comme connétable. Clisson finira par donner sa fille en mariage au fils de Charles de Blois, son ennemi d'hier ! Il s'éteint en 1407 et repose à l'église de Josselin.

### À NE PAS MANQUER

★ **Façade intérieure nord**

★ **Bibliothèque**

★ **Grand Salon**

## ★ Grand Salon
*Devant la cheminée décorée de guirlandes et de scènes de chasse, le mobilier du XVIIIᵉ siècle arbore un joyau : le portrait de Louis XIV par Rigaud.*

### MODE D'EMPLOI

Pl. de la Congrégation. ☎ 02 97 22 36 45. **Rez-de-chaussée**
◐ juil.-août : t.l.j. 10h-18h ; avr., mai, oct. : mer., sam., dim. 14h-18h ; juin, sept. et vac. scol. : tous les apr.-midi 14h-18h.
● nov.-mars.

**La cour d'honneur** permet de contempler ce joyau gothique.

### Façade sur l'Oust
*La forteresse se dresse sur un massif de schiste au pied duquel coule l'Oust. Seules quatre des neuf tours construites par Olivier de Clisson ont traversé les siècles.*

Porte d'entrée

**Porte d'entrée**
*Après la porte d'entrée, la dentelle de pierre s'impose au regard.*

**Salle à manger**
*La statue équestre d'Olivier de Clisson domine un mobilier néo-gothique réalisé par un ébéniste local. La cheminée reprend les traits de celle du Grand Salon.*

Imposante tour à machicoulis du château des Rohan à Pontivy

## Baud ⑳

**Carte routière** D3. À 24 km au nord d'Auray par la D768. 🚆 *Auray.*
🏘 *4 600.* 🛈 *pl. Mathurin-Martin (02 97 39 17 09).* 🛒 *sam.*

B aud domine la vallée de l'Evel. La chapelle Notre-Dame est dotée d'un intéressant chevet du XVIᵉ siècle. Derrière celle-ci,

Fontaine Notre-Dame
de la Clarté à Baud

une halte s'impose chez Fine, truculent bistrot aménagé dans une cuisine. Dans la ville basse, la fontaine Notre-Dame-de-la-Clarté (XVIᵉ siècle) alimente un joli lavoir. L'intéressant **conservatoire de la Carte postale** rassemble 20 000 cartes anciennes qui évoquent les vieux métiers et l'histoire locale.

**AUX ENVIRONS :** à 2 km au sud-ouest, se dresse la **Vénus de Quinipily** (2,15 m), près des ruines d'un château. Presque nue (elle porte une écharpe), elle arbore la mention mystérieuse, « LIT ». Difficile de savoir si cette divinité est égyptienne ou romaine. Certains l'ont rapprochée d'Isis, honorée par les légionnaires romains.

Aux alentours, la forêt se prête aux randonnées. La vallée du Blavet offre aussi un grand nombre de calvaires, fontaines et chapelles. Chaque été, les paroisses y organisent des expositions d'art contemporain.

### 🏛 Conservatoire de la Carte postale

Rue d'Auray. 📞 *02 97 51 15 14.* 🕐 *mi-juin-mi-sept. : t.l.j. ; le reste de l'année : mer., jeu., sam. et dim. apr.-midi.*

## Pontivy ㉑

**Carte routière** D3. 🚆 🚌 *rue d'Iéna.* 🏘 *13 300.* 🛈 *rue du Général-De-Gaulle (02 97 25 04 10).* 🛒 *mar.* 🎭 *Kan ar Bol (contes et chants bretons, fin mars) ; festival de Musique classique (avr.) ; concerts (juil.-août).*

L a capitale des Rohan comprend deux villes distinctes : la cité médiévale aux maisons à pans de bois et qui se signale par son château massif ; la ville impériale tracée au cordeau, qui se situe autour de la place Aristide-Briand. On doit l'existence de ce quartier à Napoléon, qui voulait faire de Pontivy une base pour lutter contre les chouans. Le château bâti à partir de 1479 par Jean II, est un bel exemple d'architecture militaire. Côté cour, le logis seigneurial a été remanié au XVIIIᵉ siècle. Chaque été, expositions et spectacles y sont donnés. Au pied du château, se déploie la vieille ville. Des remparts d'antan, seule la porte de Carhaix a survécu. On trouvera les plus belles demeures (XVIᵉ-XVIIᵉ siècles) autour de la place du Martray, rue du Fil et rue du Pont. Pontivy est longée par un canal rectiligne faisant de la ville un carrefour fluvial de première importance. Il est possible d'effectuer de belles promenades en longeant le canal, ou d'arriver à Pontivy en l'empruntant.

### ♣ Château des Rohan

📞 *02 97 25 12 93.* 🕐 *Pâques-mi-sept. : t.l.j. ; mi-sept.-Pâques : mer.-dim.*

### NAPOLÉON-VILLE

En 1790, Pontivy épouse le parti républicain. Les chouans la prennent pour cible. En mars 1793, 10 000 paysans réfractaires assaillent la cité. Malgré les renforts républicains, la guérilla se poursuit. Bonaparte choisit Pontivy pour mener la contre-attaque, décide de canaliser le Blavet entre Brest et Nantes et construit une ville nouvelle. Avec la chute de l'Empire, le projet n'est pas mené à son terme. Un quartier impérial sera toutefois achevé sous Napoléon III.

La mairie de Pontivy, d'époque napoléonienne

# Guéméné-sur-Scorff ㉒

**Carte routière** C-D3. À 19 km à l'ouest de Pontivy par la D782. 🚉 Lorient. 🏘 1 500. 🛈 rue Bisson (02 97 51 20 23 et 02 97 39 33 47 juin-sept.). 🛒 jeu. 🎭 fête de l'Andouille (fin août).

Au centre du pays pourlet, la capitale de l'andouille fut âprement disputée durant la guerre de Succession de Bretagne. Sur la place Bisson, de jolies maisons témoignent de sa prospérité d'autrefois.

Fresques du chœur de l'église de Kernascléden

# Kernascléden ㉓

**Carte routière** D3. À 30 km au sud-ouest de Pontivy par la D782.

Ce petit village mérite une halte pour son église (XVe siècle), dont les fresques constituent l'un des plus beaux exemples de la peinture de l'époque. Dans le chœur, des scènes illustrent la vie de la Vierge et l'enfance du Christ. Dans le croisillon, il faut voir la danse macabre, d'un réalisme effrayant, qui rappelle celle de la chapelle Kermaria-an-Iskuit (*p. 104*), dans les Côtes-d'Armor.

L'oratoire Saint-Michel, bâti à flanc de côteau, sur le site de Sainte-Barbe

# Le Faouët ㉔

**Carte routière** C3. À 35 km au nord de Lorient par la D769. 🚉 Quimperlé. 🏘 3 000. 🛈 1, rue de Quimper (02 97 23 23 23). 🛒 1er et 3e mer. du mois. 🎭 pardons (dernier dim. de juin, 3e dim d'août) ; fête folklorique (15 août).

Isolé dans une région accidentée et boisée, le village possède de belles halles (XVIe siècle). Dans un ancien couvent, le **musée des Peintres du Faouët** expose des toiles du XIXe siècle sur la vie paysanne et les paysages bretons. Au **musée de l'Abeille vivante**, on pourra observer les insectes grâce à des ruches et des fourmilières transparentes. Les chapelles alentour (Saint-Nicolas, Sainte-Barbe, Saint-Fiacre) justifient une visite à elles seules. À 2,5 km, la **chapelle Saint-Fiacre**, joyau du gothique flamboyant à l'élégant clocher-pignon, est la plus remarquable. Son jubé passe pour le plus beau de Bretagne. À 6 km du Faouët, le **parc Aquanature Le Stérou** (70 ha), peuplé de biches et de cerfs, offre un moment de détente.

### 🏛 Musée des Peintres du Faouët
1, rue de Quimper. 📞 02 97 23 23 23. ⏰ avr. et juin-fin sept. : t.l.j.
### 🏛 Musée de l'Abeille vivante.
Kercadoret. 📞 02 97 23 08 05. ⏰ avr.-oct. : t.l.j.
### 🐾 Parc Aquanature Le Stérou
Route de Priziac. 📞 02 97 34 63 84. ⏰ Pâques-Toussaint et vac. scol. : t.l.j. ; le reste de l'année : dim. et vac. scol.

Le haras d'Hennebont occupe un ancien monastère cistercien

# Hennebont ㉕

**Carte routière** C3. À 13 km au nord-est de Lorient, par la D769 puis la D769bis. 🚉 🏘 14 000. 🛈 9, pl. du Maréchal-Foch (02 97 36 24 52). 🛒 jeu. 🎭 fêtes médiévales (fin juil.) ; pardon (fin sept.).

Sur les rives escarpées du Blavet, Hennebont fut jadis une des villes fortes les plus importantes de la région. Place Foch, où trône un puits de 1623, se tient la basilique Notre Dame-du-Paradis (XVIe siècle) dont la tour-clocher culmine à 72 m. Endommagée par la guerre, la ville close est gardée par la porte du Broerec'h (XIIIe siècle). Dans une de ses tours, un **musée** retrace l'histoire locale. Le chemin de ronde prodigue une belle vue sur les jardins et le Blavet. Le **haras national,** qui compte 75 chevaux de races (postier breton, arabe, français), est installé dans une ancienne abbaye cistercienne. Au cours de la visite, on découvre la forge, la sellerie, les écuries, le manège et une collection de calèches. À Inzizac, les anciennes forges d'Hennebont ont joué un rôle important dans l'économie de la région de 1860 jusqu'en 1966. Un **écomusée industriel** très instructif évoque les techniques métallurgiques, la vie sociale et syndicale.

### 🏛 Musée des tours Broërec'h
Rue de la Prison. 📞 02 97 36 29 18. ⏰ juin-mi-sept. : t.l.j.
### 🐴 Haras national
Rue Victor-Hugo. 📞 02 97 89 40 30. ⏰ juil.-août : t.l.j. ; le reste de l'année : lun.-ven. et dim. apr.-midi.
### 🏛 Écomusée industriel
Inzinzac, zone industrielle des Forges. 📞 02 97 36 98 21. ⏰ juil.-août : t.l.j ; le reste de l'année : lun.-ven et dim. apr.-midi.

# LA LOIRE-ATLANTIQUE

*Depuis Ancenis jusqu'à Saint-Nazaire, la Loire s'étire pares-seusement en traversant Nantes, le chef-lieu du département. Le fleuve quitte les terres verdoyantes pour se jeter dans l'Atlantique par un large estuaire. Si le Nord de la Loire-Atlantique est le pays des forêts et des étangs, le Sud est celui des marais salants, tout comme la pointe ouest, du côté de Guérande.*

Bretonne, la Loire-Atlantique l'est assurément, tant sur le plan historique que géographique. Mais le département est aussi tourné vers le sud et la Vendée puisqu'il fait partie de la région des Pays de la Loire depuis 1969. La région s'organise autour de l'estuaire, véritable fenêtre ouverte sur l'Atlantique. Ancienne capitale du duché de Bretagne, Nantes est aujourd'hui celle des Pays de la Loire. C'est aussi la métropole la plus importante de l'Ouest de la France. Jusqu'au milieu du XIXᵉ siècle, le fleuve était une artère majeure pour la circulation des marchandises : le sel de Guérande, les poissons de l'Océan étaient ache-minés vers les terres par bateau.

La Loire-Atlantique est constituée d'une mosaïque de petits pays ayant chacun ses particula-rités. Tandis que la presqu'île guérandaise et Le Croisic ont tiré très tôt leur richesse du sel, La Baule et les stations bal-néaires environnantes sont nées à la fin du XIXᵉ siècle. Ville indus-trielle, Saint-Nazaire a connu son âge d'or dans la première moitié du XXᵉ siècle. Le pays de Retz alterne pâturages, plages et marais salants. Le pays d'Ancenis est le terroir du mus-cadet et du gros plant : on quitte le bleu gris de l'Océan pour le vert des coteaux et le rose des tuiles. Vers le nord, la forêt de Gâvre et le pays de Châteaubriant offrent aux visiteurs le calme de leurs paysages verdoyants.

Le Croisic, les quais bordés par les hautes maisons des anciens négociants

◁ L'abbatiale carolingienne de Saint-Philibert-de-Grand-Lieu *(p. 210)*

# À la découverte de la Loire-Atlantique

La Loire-Atlantique tire son nom du fleuve qui la traverse dans toute sa longueur pour aller se jeter dans l'océan Atlantique, à Saint-Nazaire. Elle présente des paysages très variés. Le Nord-Ouest, dans la presqu'île guérandaise et la Brière, est le domaine des landes granitiques, des marais et des côtes rocheuses, parsemés de maisons aux toits d'ardoise ou de chaume. Au nord, le pays de Châteaubriant, enfermé dans une couronne forestière où domine le schiste bleu gris, se prête à la randonnée. Au sud de la Loire, la vigne s'étend à perte de vue sur des coteaux riants, couverts de maisons basses aux toits de tuile romaine. Près de l'Océan, dans le pays de Retz, de longues plages de sable côtoient des marais salants exploités depuis l'Antiquité.

**La villa Ker Souveraine à Pornichet**

## Légende

- ▬ Autoroute
- ▬ Route principale
- ═ Route secondaire

## La région d'un coup d'œil

Redon
D 775
GUÉMENÉ-PENFAO
D 773
D 164
D 15
D 2
Vannes
ST-GILDAS-DES-BOIS
FOI DU GÂ
⑬
N 165
HERBIGNAC
PONCHÂTEAU
BLAIN
D 2
PIRIAC-SUR-MER
D 774
D 52
GUÉRANDE
**PARC NATUREL RÉGIONAL DE LA GRANDE BRIÈRE**
D 16
N 171
N 171
N 165 E 60
①
⑥
D 773
D 100
SAVENAY
LE CROISIC
②
③
N 171
DONGES
PAIMBŒUF
D 17
LA BAULE
⑤
Loire
ST-ÉTIENNE-DE-MONTLUC
④
SAINT-NAZAIRE
PORNICHET
D 92
D 77
D 723
LE PELLERIN
ST-BRÉVIN-LES-PINS
D 5
ST-PÈRE-EN-RETZ
D 58
D 213
D 96
D 86
**PAYS DE RETZ**
D 5
⑨
D
PORNIC
⑧
D 751
D 578
BOURGNEUF-EN-RETZ
D 13
D 95
*Île de Noirmoutier*
D 13
MACHECOUL
D
Challans

**Le port du Croisic et ses quais**

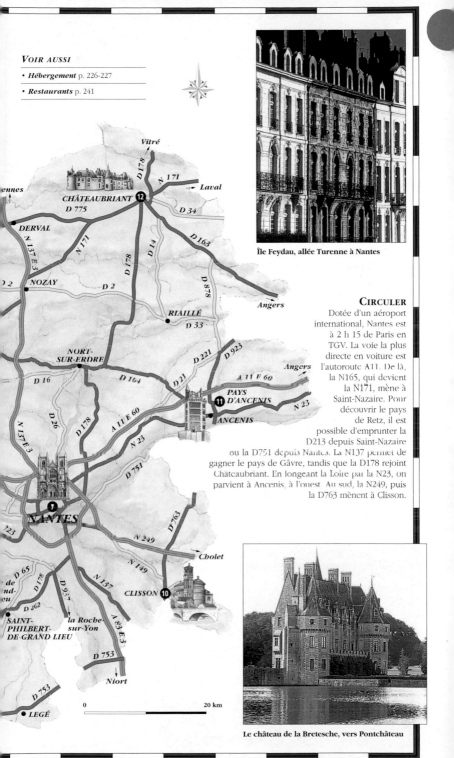

Île Feydau, allée Turenne à Nantes

## CIRCULER

Dotée d'un aéroport international, Nantes est à 2 h 15 de Paris en TGV. La voie la plus directe en voiture est l'autoroute A11. De là, la N165, qui devient la N171, mène à Saint-Nazaire. Pour découvrir le pays de Retz, il est possible d'emprunter la D213 depuis Saint-Nazaire ou la D751 depuis Nantes. La N137 permet de gagner le pays de Gâvre, tandis que la D178 rejoint Châteaubriant. En longeant la Loire par la N23, on parvient à Ancenis, à l'ouest. Au sud, la N249, puis la D763 mènent à Clisson.

Le château de la Bretesche, vers Pontchâteau

0                    20 km

La porte Saint-Michel à Guérande, entrée principale de la ville close

# Guérande et la presqu'île guérandaise ❶

**Carte routière** D4. 🏃 *12 000.* 🚉 *La Baule.* ✈ *Nantes-Atlantique.* ℹ *1, pl. du Marché-aux-Bois (02 40 24 96 71).* 🛒 *mer. et sam.* 🎭 *remontée du sel de Guérande (avr.-mai), fête du Sel et de l'Oiseau (mai), la Salicorne (marche, juin).*

G uérande, dont le sel a toujours constitué la richesse essentielle, est enserrée derrière ses remparts des XIVe et XVe siècles. À l'est, la porte Saint-Michel, entrée principale de la ville close, abrite le **château-musée** consacré à l'art régional (meubles, costumes, faïences, art religieux). Au centre de la cité, la collégiale Saint-Aubin, fondée au IXe siècle, et construite au XIIIe siècle, a été remaniée au fil des siècles. L'intérieur, très lumineux, renferme des vitraux des XIVe et XVe siècles, ainsi que des chapiteaux romans ornés de scènes de martyrs et d'animaux fantastiques. Le **musée de la Poupée et du Jouet ancien** expose une collection datant de 1830 à nos jours.

À la sortie nord-ouest de Guérande, la D99 mène à La Turballe, premier port sardinier de la côte atlantique. La criée au poisson comporte une salle d'exposition sur la pêche.

La route se poursuit vers la pointe du Castelli, où alternent falaises et criques, avant d'atteindre Piriac-sur-Mer, une station balnéaire qui cache dans ses ruelles tortueuses une église de granit du XVIIIe siècle. Au sud, la D774 serpente au milieu des marais salants, d'où émerge Saillé (qui doit son nom au sel), un village typique de paludiers. La **maison des Paludiers** présente les aspects techniques de la récolte du sel, activité principale de la région.

### ⛪ Château-musée
Porte Saint-Michel. 📞 *02 40 42 96 52.* 🕐 *t.l.j. d'avr. à oct.* ⬤ *lun. matin. (hors vac. scol.).* ♿

### 🏛 Musée de la Poupée
23, rue de Saillé. 📞 *02 40 15 69 13.* 🕐 *1er mai-14 nov. et vac. scol. : t.l.j.* ⬤ *lun., 15 nov.-30 avr. et 15 jan.-15 fév.*

### ⛲ Maison des Paludiers
18, rue des Prés. Garnier, Saillé. 📞 *02 40 62 21 96.* 🕐 *t.l.j. de mi-fév. à fin oct. et vac. scol.* ♿

# Le Croisic ❷

**Carte routière** D4. 🏃 *4 450.* 🚉 *La Baule.* ✈ *Nantes-Atlantique.* ℹ *pl. du 18 Juin-1940 (02 40 23 00 70).* 🛒 *jeu. et sam.* 🎭 *fête de la Mer (août), Les Vieux Métiers de la mer (juin-sept.).*

S itué sur une presqu'île qui s'avance de 5 km dans l'Océan, Le Croisic a su allier les activités de pêche à celles du tourisme. Autour de l'église, la vieille cité corsaire a conservé de belles maisons de l'époque où elle exportait le sel jusque dans la Baltique. L'**Océarium,** ouvert depuis 1972, est l'un des plus vastes aquariums privés de France : il s'étend sur plus de 2 000 m² et présente des spécimens du littoral atlantique.

Batz-sur-Mer se repère de loin, grâce à la haute tour de l'**église Saint-Guénolé** de style gothique flamboyant. Élevée au XVe siècle, la chapelle Notre-Dame-du-Mûrier en granit est remarquable par son clocher-mur, exemple d'architecture rare en Loire-Atlantique. Le **musée des Marais salants** – un des plus anciens musées d'Arts et Traditions populaires de Bretagne – retrace l'histoire du marais et la vie des paludiers au XIXe siècle.

### 🏛 Océarium
Ave. de Saint-Goustan, Le Croisic. 📞 *02 40 23 02 44.* 🕐 *3 sem. en janv.* ♿

### 🏛 Musée des Marais salants
29 bis, rue Pasteur, Batz-sur-mer. 📞 *02 40 23 82 79.* 🕐 *t.l.j. de juin à sept et vac. scol. ; sam. et dim. d'oct à mai.* ♿

Le port du Croisic abrite pêcheurs et conchyliculteurs

La plage de La Baule s'étend sur 8 km

# La Baule ❸

**Carte routière** D4. 🏘 15 000.
🚋 🚌 🛈 8, pl. de la Victoire (02 40
24 34 44). 🛒 tous les matins
(sauf lun. 1er oct.-31 mars), vac. scol.
🎪 pardon d'Escoublac (août).

La Baule doit sa renommée à sa plage exceptionnelle d'environ 8 km de long. La station voit le jour en 1879, après l'ouverture de la ligne de chemin de fer. Des quartiers résidentiels sont alors créés, donnant naissance à une multitude de villas et de palaces. En 1929, le remblai, un boulevard en front de mer, est inauguré ; au fil du temps, les barres d'immeubles vont supplanter les villas balnéaires. Il en subsiste toutefois de belles, en particulier à La Baule-les-Pins. À l'intérieur des terres, la forêt d'**Escoublac** (50 ha) offre de nombreux circuits pédestres.

# Pornichet ❹

**Carte routière** D4. 🏘 8 160.
🚋 🚌 La Baule. 🛈 3, bd de la
République (02 40 61 33 33).
🛒 mer. et sam.

Pornichet occupe le tiers est d'une vaste baie. Elle se prolonge, à l'est, par plusieurs plages et criques.

La commune (« Port niché ») s'est développée en quelques années, à partir de 1860 : éditeurs et gens de lettres venaient se prélasser sur ses rivages comme l'évoque

Détail du fronton,
villa Ker Souveraine, à Pornichet

la plage des Libraires.
Aujourd'hui, la pimpante station balnéaire est devenue une véritable ville qui a conservé d'élégantes villas élevées entre 1880 et 1930.

# Saint-Nazaire ❺

**Carte routière** E4. 🏘 66 000.
🚋 🚌 ✈ Nantes-Atlantique.
🛈 bd de la Légion-d'Honneur (02 40
22 40 65). 🛒 mar., ven. et dim.
🎪 Les Escales, festival de Musiques
du monde (août), Consonances
(musique de chambre ; sept.).

L'essor de Saint-Nazaire date du XIXe siècle, époque où la ville doit accueillir les gros bateaux qui ne peuvent remonter la Loire jusqu'à Nantes. Aujourd'hui, cette cité industrielle et portuaire demeure intimement liée à la mer. Dans le port, l'**écomusée** évoque la faune et l'histoire de l'estuaire ; il donne accès au sous-marin français *L'Espadon* (1957) qui présente la vie quotidienne à bord. Près de l'écomusée a été élevé un monument à la mémoire de l'abolition de l'esclavage.
Les **chantiers de l'Atlantique,** qui ont donné naissance à des paquebots légendaires, tels *Le Normandie* et *Le France,* et qui construisent aujourd'hui d'impressionnants bateaux de croisière, se visitent. Dans une partie de la base sous-marine, gigantesque blockhaus construit par les nazis, a été aménagée **Escal-Atlantic,** une exposition qui retrace l'histoire des paquebots.

🏛 **Chantiers de l'Atlantique,
écomusée, Escal'Atlantic,
sous-marin *L'espadon***
Port de Saint-Nazaire.
📞 0810 888 444. ◯ t.l.j. d'avr.
à oct. ● 3 semaines en janv. ;
lun. et mar. de nov. à mars. 🎫

Le pont de Saint-Nazaire est le plus long de France

# Excursion dans le parc naturel régional de la Grande Brière ❻

L e parc de la Grande Brière est situé au cœur de la presqu'île guérandaise. Créé en 1970, il englobe 21 communes et s'étend sur 40 000 ha. Le parc se découvre en barque avec des accompagnateurs locaux. Dans ce milieu naturel protégé où les oiseaux abondent, les roseaux et les canaux – les piardes – ont façonné le paysage, et près de 2 000 maisons traditionnelles en pierre et toit de chaume y sont recensées. À pied, à vélo, à cheval mais aussi en calèche, la Grande Brière se prête à toutes sortes de randonnées.

**Château de Ranrouet** ①
Cette forteresse imposante, aujourd'hui en ruine, remonte au XIIIe siècle.

**Les Fossés-Blancs** ②
C'est le port le plus au nord de la Grande Brière, pratiquement à l'opposé du pont de Paille. Un sentier botanique y a été aménagé. Il longe le bord du canal, avant de s'enfoncer dans les roseaux. On peut y louer des barques avec un guide.

**Saint-Lyphard** ③
Du haut du clocher du village de Saint-Lyphard, on jouit d'un panorama imprenable sur la Grande Brière.

**Kerhinet** ④
Cet ancien village remis en valeur par le parc naturel régional de la Grande Brière est formé d'un ensemble de 18 chaumières. Dans l'une d'elles, un vieux four à pain a été restauré. À Kerbourg (1 km à l'ouest), l'allée couverte est très bien conservée.

**Bréca** ⑤
Le port de Bréca est situé à l'extrémité du canal du même nom, ouvert en 1937-1938 et qui traverse la Grande Brière d'est en ouest depuis Rozé.

**La Chapelle-des-Marais** ⑪
À La Chapelle-des-Marais, la maison du Sabotier se visite. L'église abrite une statue de saint Cornély, protecteur des troupeaux. La mairie conserve une souche de morta, un arbre fossile du marais.

**La Barbière** ⑩
À Crossac, le dolmen de la Barbière témoigne d'une occupation humaine vieille de plus de 5 000 ans. On peut aussi voir des mégalithes à Herbignac et à Saint-Lyphard.

**CARNET DE ROUTE**

*Hébergement :* hôtels, chambres d'hôtes, gîtes ruraux ou campings dans plusieurs villages du parc (se renseigner à la maison du tourisme).
*Gastronomie : produits du terroir à Herbignac, Saint-André-des-Eaux, Saint-Lyphard et Saint-Joachim.* ℹ *Maison du tourisme de Brière (02 40 66 85 01). Maison du parc (02 40 91 68 68).*
Ⓦ *www.parc-naturel-briere.fr.*
@ *info@parc-naturel-briere.fr.*

**Île de Fédrun** ⑨
Sur cette ancienne île, le centre était occupé par la gagnerie, qui était réservée aux cultures de base. Un chemin de ceinture desservait les maisons, disposées perpendiculairement. Ne pas manquer la maison de la Mariée.

**Rozé** ⑧
Ce site portuaire, équipé d'une écluse en bois du côté de la Grande Brière, est un endroit stratégique, d'où est réglé le niveau des eaux. C'est par ici que transitait le commerce de la tourbe, l'« or noir » de la Grande Brière. La maison de l'Éclusier et le parc animalier sont à découvrir.

**Le Pont de Paille à Trignac** ⑦
Avec ses écluses et ses carrelets, Trignac est le plus grand port de la Grande Brière. C'est aussi une zone de pêche réputée. Le pont enjambe le canal de Rozé, l'un des grands canaux du parc naturel.

0 — 5 km

**La Chaussée-Neuve** ⑥
Ce port, par où transitait autrefois la tourbe, est aujourd'hui livré aux pêcheurs et aux chasseurs. En début d'année, les coupeurs de roseaux débarquent leur récolte, destinée à couvrir les toits des chaumières briéronnes.

**LÉGENDE**

▬ Itinéraire

⋮ Autre route

🌿 Point de vue

# Nantes

Emblème de
La Cigale

Capitale historique des ducs de Bretagne, Nantes est aujourd'hui celle de la région des Pays de la Loire. Cette double appartenance renforce la richesse d'une ville réputée pour sa vitalité. À la fois maritime, grâce à son port ouvert sur le large qui fut à l'origine de sa prospérité au temps de la traite des Noirs, et résolument terrienne du fait de son implantation en zone maraîchère, Nantes est une grande cité classique mais aussi une métropole moderne. Pôle industriel, universitaire et culturel, c'est l'une des villes les plus dynamiques de France, avec une population en pleine croissance et des quartiers où il fait bon vivre.

Porche et balcon de la rue Kervégan

## Place du Bouffay

Voici le cœur de Nantes où les premiers habitants s'installent, près du confluent de la Loire et de l'Erdre. Au Moyen Âge, une forteresse (détruite au XVIIIᵉ siècle) est érigée pour servir de prison et de palais de justice. Sur la place ont lieu les exécutions capitales. Le nom des rues alentour témoignent de ce passé : rue de la Bâclerie (maisons à pans de bois du XVᵉ siècle) ; rue de la Juiverie ; rue des Halles ; place du Pilori. Sur la place Sainte-Croix se trouve l'église du même nom, commencée au XVIIᵉ siècle et achevée deux siècles plus tard. En 1860, l'architecte Driollet fait placer dans le nouveau beffroi l'horloge et la cloche de l'ancienne tour du Bouffay, détruite en 1848. Ce quartier piéton est l'un de ceux qui ont été les moins touchés par l'urbanisation galopante de la ville.

## Quartier Graslin

La place Royale assure le lien entre le quartier médiéval et la ville néo-classique.

Conçue par l'architecte Mathurin Crucy en 1790, elle est bordée d'immeubles d'une belle sobriété. La fontaine en granit bleu (1865) porte des statues figurant la Loire et ses affluents.

La place Graslin évoque Jean Graslin, un avocat parisien venu faire fortune à Nantes en 1750. Habile spéculateur, il achète des terrains et charge Crucy d'aménager le quartier, dont le **théâtre** néo-classique qui constitue l'élément essentiel de la place. La façade comporte huit colonnes corinthiennes surmontées d'autant de muses. C'est un des hauts lieux de la vie culturelle nantaise. Face à cet édifice, s'élève **La Cigale**,

Statue, passage
Pommeraye

célèbre brasserie inaugurée en 1895. Le décor intérieur, dû à Émile Libaudière, s'inspire de l'Art nouveau : autour des grandes boiseries foncées courent des motifs en céramique, fer forgé, mosaïque et stuc, où l'on reconnaît une cigale stylisée. Depuis plus d'un siècle, ce restaurant vaut autant pour l'œil que pour le palais.

## Île Feydeau

C'est sur cette ancienne île, où les bras de la Loire ont été comblés dans les années 1930-1940, que la richesse née du commerce triangulaire au XVIIIᵉ siècle est la plus évidente. Les négriers qui achetaient des esclaves grâce à des bijoux de pacotille et revenaient les navires chargés de sucre ont fait édifier de somptueux hôtels particuliers. En se promenant allée Turenne, allée Duguay-Trouin, allée Brancas, **rue Kervégan** et place de la Petite-Hollande, on découvrira mascarons, coquillages, masques de génies barbus, épis de blé, balcons en fer forgé qui se déploient sur les façades comme autant de signes extérieurs de richesse.

## Passage Pommeraye

Inauguré en 1843, ce remarquable passage couvert porte le nom de son mécène, un notaire qui s'associa avec un restaurateur, Guilloux, pour réaliser ce projet, tout à fait dans l'esprit des passages couverts construits à Paris à la même époque. Commerces, cafés et restaurants s'y

Le théâtre néo-classique de la place Graslin

installèrent aussitôt, attirant les riches Nantais. Le cinéaste Jacques Demy, né à Nantes, l'a choisi pour cadre dans deux de ses films : *Lola* et *Une Chambre en ville*. Un élégant escalier en bois, décoré de lampes et de statues, relie les différents niveaux des trois galeries en arcades. Entre les deux galeries de l'étage supérieur, se dresse un porche néo-classique orné de médaillons.

### 🏛 Musée Dobrée

18, rue Voltaire. 📞 *02 40 71 03 50.* ⭕ *mar.-dim.* ⬤ *lundi et jours fériés.* 🎫 *sauf le dim.*
Héritier d'une famille de négociants depuis trois siècles, Thomas Dobrée (1810-1895) abandonne à vingt-huit ans une carrière d'armateur pour se lancer dans la collection d'œuvres d'art : peintures, sculptures, dessins, tapisseries, meubles, porcelaines, armures, art religieux. De 1862 à sa mort, il se consacre à la construction d'un lieu propre à accueillir

**Louis XII et Anne de Bretagne, musée Dobrée**

les dix mille pièces qu'il a réunies. C'est à Viollet-le-Duc que sont confiés les plans du château néogothique, devenu le musée Dobrée. Parmi les pièces remarquables, figurent un reliquaire en or, surmonté d'une couronne contenant le cœur d'Anne de Bretagne (1514), des émaux champlevés, comme le reliquaire de la Vraie Croix (XIIᵉ siècle) ou la châsse de saint Calminius (XIIIᵉ siècle). Des gravures de Dürer, Schongauer, Rembrandt, Ruysdael et Jacques Callot constituent les œuvres

### MODE D'EMPLOI

**Carte routière** F4. 🏠 *270 000 (490 000 pour l'agglomération).*
🚆 🚌 ✈ *Nantes-Atlantique.*
ℹ *palais de la Bourse, place du Commerce (02 40 20 60 00).*
🍴 *tous les matins sauf lundi.*
🎭 *La Folle Journée (musique classique, janv.), carnaval (fév.), festival de Musique sur l'île (juil.), festival des Trois Continents (cinéma, nov.-déc.).*
🌐 *www.nantes-tourisme.com*

maîtresses du musée. Un bâtiment indépendant abrite le Musée archéologique, consacré à la préhistoire, aux antiquités égyptiennes et grecques, ainsi qu'à l'histoire gauloise et gallo-romaine de la région. Un troisième édifice, le manoir de la Touche, évoque l'histoire locale sous la Révolution, et notamment les guerres de Vendée.

### ♣ Château des Ducs de Bretagne

*Voir p. 208-209.*

### LE CENTRE DE NANTES

Cathédrale Saint-Pierre-et-Saint-Paul ⑦
Château des Ducs de Bretagne ⑧
Île Feydeau ③
Jardin des plantes ⑪
Musée des Beaux-Arts ⑧
Musée Dobrée ⑤
Musée Jules-Verne ⑩
Passage Pommeraye ④
Place du Bouffay ①
Quartier Graslin ②
Usine Lu ⑨

**LÉGENDE**

🚆 Gare ferroviaire
🚌 Gare routière
🅿 Parc de stationnement
ℹ Information touristique
✉ Poste
✝ Église

0 — 400 m

# À la découverte de Nantes

**Logo Lu, vers 1930**

À l'est sont implantés le château des Ducs de Bretagne, qui était autrefois le centre névralgique de la ville avec la place du Bouffay, et la cathédrale Saint-Pierre-et-Saint-Paul, construite juste derrière. Le jardin des plantes, le musée des Beaux-Arts et le pittoresque Lieu Unique complètent la visite. Pour pénétrer dans l'univers de Jules Verne, natif de Nantes, il faut repartir vers l'ouest, et longer les quais bien audelà de la gare maritime.

**Marguerite de Foix, mère d'Anne de Bretagne**

**Le palais des Beaux-Arts, inauguré en 1900**

## ⌂ Cathédrale Saint-Pierre-et-Saint-Paul

Place Saint-Pierre. ◯ t.l.j.
Commencée en 1434 à l'emplacement d'un édifice roman, dont il ne subsiste que la crypte, la cathédrale de style gothique flamboyant a vu sa construction se poursuivre jusqu'au XIXe siècle, époque où le chevet est achevé. L'édifice possède des portails richement ornés. À l'intérieur, la nef frappe par sa hauteur (37 m). Le chœur et le déambulatoire sont éclairés par des verrières dues à des artistes contemporains. Œuvre majeure de la Renaissance, le tombeau en marbre noir et blanc de François II et de Marguerite de Foix, son épouse, a été sculpté par Michel Colombe en 1507. Il est entouré de statues allégoriques ; celle de la Justice passe pour être le portrait d'Anne de Bretagne.
La porte Saint-Pierre, qui faisait partie des anciens remparts de Nantes, jouxte la cathédrale, et mène à la promenade du cours

Saint-Pierre, où subsistent les vestiges de l'enceinte du XIIIe siècle. À gauche de la cathédrale, l'impasse Saint-Laurent conduit à la Psalette, un ravissant logis gothique du XVe siècle.

## 🏛 Musée des Beaux-Arts

10, rue Georges-Clemenceau.
📞 *02 40 41 65 65.* ◯ *mer.-lun.*
⬤ *mardi et jours fériés.* 🈲 *sauf dim.*
Conçu par l'architecte nantais Josso à la fin du XIXe siècle, le palais des Beaux-Arts est l'une des plus belles réussites architecturales des musées de cette époque. Le bâtiment s'ordonne autour d'un vaste patio éclairé par la lumière du jour. Le rez-de-chaussée aux lignes épurées est consacré à la période moderne et contemporaine, depuis l'impressionnisme jusqu'aux réalisations actuelles, en passant par l'abstraction des années 1950. Parmi les

œuvres remarquables des fauves et des nabis, citons deux Monet (*Nymphéas* et *Gondoles à Venise*) ; *Le Phare d'Antibes* de Signac ; Dufy, Émile Bernard, Mauffra et l'école de Pont-Aven, ainsi que 11 toiles de Kandinsky. Manessier, Soulages, Bazaine illustrent les courants plus récents.
Le premier étage porte sur les grands mouvements picturaux depuis le XIIIe siècle jusqu'à la première moitié du XIXe siècle. Parmi les primitifs italiens, il faut mentionner la *Vierge en majesté* du maître de Bigallo (XIIIe siècle), *la Madone aux quatre saints* (v. 1340) de Bernardo Daddi et *Saint Sébastien et un saint franciscain* du Pérugin. Un

---

## LA RÉVOLUTION À NANTES

Pendant la guerre civile qui oppose, à la Révolution, les royalistes aux républicains, un homme s'illustre dans des conditions particulières à Nantes. Jean-Baptiste Carrier, membre de la Convention, est envoyé dans l'Ouest avec mission de pacifier la région. Après la défaite des chouans à Savenay, il organise une sinistre répression, en inventant des bateaux dont le fond s'ouvre au milieu de la Loire, ce qui permet de noyer cent personnes à la fois. Les « mariages républicains » consistent à ligoter ensemble un homme et une femme qu'on précipite dans le fleuve. Près de 5 000 personnes périssent dans ces conditions. Plus

tard, en 1796, le royaliste Charette est condamné à mort et exécuté place Viarme, après avoir tenu en échec pendant deux ans les armées de la République.

**Les noyades organisées par J.-B. Carrier à Nantes en juin 1793**

robuste et typique Rubens, *Judas Macchabée priant pour les défunts* (1635) vient en contrepoint des natures mortes ou des paisibles paysages hollandais et flamands. La peinture française

*Le Gaulage des pommes* d'Émile Bernard, musée des Beaux-Arts

du XVIIe siècle est illustrée par le maître de la lumière, Georges de la Tour, avec trois œuvres majeures : *Le Joueur de vielle*, *Le Reniement de saint Pierre* et *L'Apparition de l'ange à Joseph*.

Le XIXe siècle se distingue avec Ingres et son très beau portrait de *Madame de Senonnes* (1814), Delacroix *(Caïd, chef marocain)*, Corot *(Démocrite et les Abdéritains)*, ainsi que les peintres de Barbizon. Dans la salle Courbet, *Les Cribleuses de blé* affirme son réalisme par le choix du sujet et la modernité de la composition.

### 🏛 Usine LU, Lieu Unique

Rue de la Biscuiterie, quai Ferdinand-Favre. ☎ 02 40 12 14 34 (billeterie) et 02 51 72 05 55 (restaurant). ○ *t.l.j.*
L'histoire de Nantes est liée à celle du légendaire Petit-Beurre LU, grignoté par des générations depuis plus d'un siècle. En 1846, les Lefèvre-Utile, un couple de Lorrains installés à Nantes, ouvrent leur première pâtisserie. Pour lutter contre la concurrence des biscuits anglais, ils se lancent dans la production industrielle et font bâtir une usine en 1885 : c'est l'invention du Petit-Beurre, puis de la Paille d'Or. Dès 1913, LU fabrique plus de 20 t de biscuits par jour. Mais l'usine finit par être trop petite et les locaux sont abandonnés. Menacés de démolition en 1995, ils ont été réhabilités : le Lieu Unique abrite depuis 1999 un espace culturel consacré aux fêtes, spectacles et expositions, très apprécié des Nantais.

### ♣ Jardin des plantes

Bd Stalingrad et pl. Sophie-Trébuchet. ○ *t.l.j*
Inauguré au début du XIXe siècle, le jardin des plantes – le plus important après Paris – abrite douze mille espèces sur ses 7 ha. À l'origine, il comportait essentiellement des plantes médicinales, puis les capitaines de vaisseaux l'enrichirent de spécimens exotiques. C'est aujourd'hui un jardin botanique avec plus de deux cents variétés de camélias qui prospèrent sous les plus vieux magnolias d'Europe. Les serres tropicales abritent de nombreuses orchidées.

### 🏛 Musée Jules-Verne

3, rue de l'Hermitage. ☎ 02 40 69 72 52. ○ *mer. et lun.* ● *mar., dim. matin et jours fériés.*
Installé dans une petite maison en haut d'une rue pentue d'où la vue sur le port est saisissante, le musée donne un aperçu complet de la vie, de l'œuvre et du monde de Jules Verne. Livres, souvenirs, citations, dessins humoristiques, cartes, lanternes magiques et maquettes, sans oublier les meubles de sa demeure d'Amiens, où il passa l'essentiel de sa vie, permettent de refaire en pensée les voyages

**Jules Verne naît à Nantes en 1828**

imaginaires de l'écrivain. Des expositions temporaires sont aussi proposées.

AUX ENVIRONS : le **château de Goulaine** du XIe siècle est resté depuis près de 1 000 ans dans la même famille. Il présente deux collections permanentes : l'une consacrée aux papillons tropicaux et l'autre aux biscuits LU. La décoration des grands salons est très luxueuse.

### ♣ Château de Goulaine

Haute-Goulaine. ☎ 02 40 54 91 42.
🌐 *chateau.goulaine.online.fr*
○ *De Pâques à la Toussaint : pendant les week-ends et les jours de fêtes, du 15 juin au 15 septembre : t.l.j. sauf mar.* 📷 🎫 *pour les groupes toute l'année sur r.-v.*

**Le jardin des plantes de Nantes s'étend sur 7 ha**

# Château des Ducs de Bretagne

Bâti au bord de la Loire à partir du XIIIᵉ siècle, le château des Ducs de Bretagne fut à la fois un palais résidentiel et une forteresse militaire. Anne de Bretagne y voit le jour en 1477, Henri IV passe pour y avoir signé l'édit de Nantes en 1598. Au fil des siècles, le château a sans cesse été remanié : aux tours puissantes et au pont-levis à vocation défensive répondent de délicats édifices Renaissance ayant façade sur cour. Transformé en caserne au XVIIIᵉ siècle, le château devient propriété municipale après la première guerre mondiale et abrite plusieurs musées. Depuis 1993, une vaste campagne a été lancée visant à restituer aux différents bâtiments leur aspect d'origine et à créer un grand musée d'Histoire de la ville et de sa région.

★ **Le Grand Logis**
*Il porte les armes de Louis XII et d'Anne de Bretagne.*

**La tour du Port** est restée deux siècles enfouie sous un bastion, qui a été démoli en 1853.

**La courtine de la Loire** (XVᵉ-XVIᵉ siècles), en pierre de taille, relie la tour de la Rivière à la tour du Port.

**Le Petit Gouvernement**
*Construit sous François Iᵉʳ (XVIᵉ siècle), le « Logis du Roy » est aujourd'hui appelé le Petit Gouvernement. Les lucarnes sont tout à fait caractéristiques du style Renaissance.*

## DES HÔTES DE MARQUE

**Henri IV**
**(1553-1610)**

Le château des Ducs de Bretagne a vu passer bien des personnages célèbres. En 1471, y fut célébré le mariage de François II et de Marguerite de Foix, suivi, en 1499, de celui de la duchesse Anne avec le roi Louis XII. Puis, en 1532, il reçut la visite de François Iᵉʳ venu célébrer l'« union perpétuelle des pays et duché de Bretagne avec le royaume de France », comme le rappelle une inscription dans la cour. Henri II, puis Charles IX y effectuèrent un bref séjour. En 1598, Henri IV y a débattu de l'édit de Nantes, qui accordait un statut légal aux protestants et la liberté d'exercer leur culte. Peut-être même l'a-t-il signé sur place. Enfin, Louis XIV séjourna au château lors de sa visite à Nantes en 1661, à l'occasion de la tenue des États de Bretagne.

**Tour de la Rivière**
*La tour de la Rivière fait partie du système défensif du château. Elle comprend deux niveaux surmontés d'une terrasse.*

**Grand Gouvernement**
*Le palais ducal, appelé depuis le XVIIᵉ siècle le Grand Gouvernement, a retrouvé son lustre d'antan. Un escalier à double volée conduit à un perron à l'ordonnance classique, surmonté d'un toit en forme de carène.*

**Le musée du château**
traite de l'art populaire régional du XVIᵉ au XXᵉ siècle.

**MODE D'EMPLOI**

4, pl. Marc-Elder. ☎ 02 40 41 56 56. ◐ mer.-lun. de 10 h à 18 h pour les expositions temporaires uniquement. Château en restauration. ● mar. et jours fériés. ☞ dim., pour les groupes sur r.-v. ✉ @ musée.chateau@mairie-nantes.fr

★ **Le Vieux Donjon**
*Cette tour polygonale du XIVᵉ siècle, dont la construction fut ordonnée par le duc Jean IV de Monfort, est la partie la plus ancienne du château. Elle est accolée à la conciergerie (XVIIIᵉ siècle).*

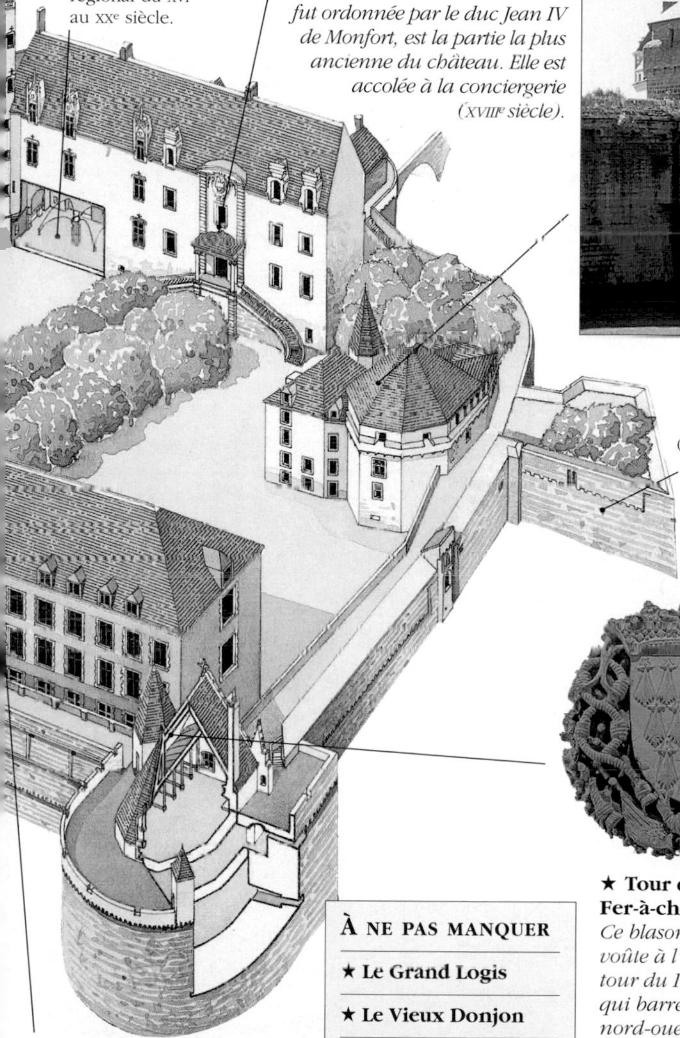

**Le bastion Saint-Pierre** (fin du XVIᵉ siècle), fut arasé en 1904.

★ **Tour du Fer-à-cheval**
*Ce blason orne la clé de voûte à l'intérieur de la tour du Fer-à-Cheval, qui barre l'angle nord-ouest du château, un beau témoignage de l'architecture militaire du XVᵉ siècle.*

**À NE PAS MANQUER**

★ Le Grand Logis

★ Le Vieux Donjon

★ La Tour du Fer-à-Cheval

**Le bâtiment de l'Harnachement** (XVIIᵉ-XVIIIᵉ siècles), construit par les militaires du château.

Le centre de thalassothérapie sur la plage de l'Alliance, à Pornic

## Pornic ❽

**Carte routière** E5. 🏘 *9 900.* 🚊 🚌
🚢 🛈 *pl. de la Gare (02 40 82 04
40).* 🕑 *jeu. et dim.* 🎭 *carnaval de
printemps (avr.), fête de la Mer et du
Goût (août).*

**P**etit port de pêche, Pornic
est aussi une station
balnéaire dotée d'un **centre
de thalassothérapie** et de
ports de plaisance. La ville
basse, avec ses maisons de
marins aux couleurs vives, est
dominée par la silhouette du
château, ancienne propriété de
Gilles de Rais, remaniée par
Viollet-le-Duc au XIXᵉ siècle.
Au-delà, des villas du XIXᵉ
siècle longent la corniche ; les
écrivains Michelet, Flaubert,
ou encore le peintre Renoir y
furent reçus jadis. Plus au
nord, Saint-Michel-Chef-Chef
est réputé pour ses galettes au
beurre salé, mais aussi sa
longue plage.

## Pays de Retz ❾

**Carte routière** E5. Machecoul. *Entre
la D751 et la D13.* 🚊 🚌 *Nantes.*
🛈 *14 pl. des Halles (02 40 31 42 87)
à Bourgneuf et route de Boin (02 40
21 93 63) à Machecoul.*

**C**apitale historique du pays
de Retz, Machecoul fut
le fief de Gilles de Rais,
le Barbe Bleue local. Les
ruines d'un de ses châteaux y
subsistent. Plus à l'ouest sur
la D13, le **musée du Pays de
Retz** de Bourgneuf-en-Retz,
présente les activités de la
région (le sel des marais
salants, la pêche), ainsi que
les métiers d'autrefois. Sur la
côte, Les Moutiers-en-Retz

doit son nom aux deux
monastères qui y furent
élevés au XIᵉ siècle. L'église
gothique Saint-Pierre
(XVIᵉ siècle) en conserve les
vestiges. Non loin de celle-ci,
une lanterne des morts veille
les défunts de la paroisse
depuis le XIᵉ siècle.
À l'est, le lac de Grand-Lieu
est une réserve ornithologique
exceptionnelle. La **maison
du lac** présente la faune et
notamment 225 espèces
d'oiseaux (hérons, sarcelles…).
L'**abbatiale carolingienne de
Saint-Philbert-de-Grand-
Lieu** est l'une des plus
anciennes églises de France
(IXᵉ siècle). La crypte renferme
le sarcophage de saint
Philbert, fondateur de
l'abbaye.

### 🏛 Musée du Pays de Retz
Rue des Moines, Bourgneuf-en-Retz.
📞 *02 40 21 40 83.*
🌐 *muséepaysderetz.free.fr* 🕐 *t.l.j.
en juil.-août, avril à juin et de sept.
à la Toussaint.* 🌙 *lun.*

### 🦆 Maison du lac
Saint-Philbert-de-Grand-Lieu.
📞 *02 40 78 73 88.* 🕐 *t.l.j. de mai
à sept.* 🌙 *dim. mat. d'oct. à avr.*
🔺 *Abbaye de Saint-Philbert.*
🛈 *Saint-Philbert de Grand-Lieu
(02 40 78 73 88)*

## Clisson ❿

**Carte routière** F5. À 20 km au sud
de Nantes par la D59. 🏘 *5 550.*
🚊 *pl. du Minage (02 40 54 02 95).*
🕑 *mar., mer. et ven.* 🎭 *les Italiennes
de Clisson (théâtre, musique, cinéma
en juil.), les Médiévales (août).*

**L**a ville est née d'un rêve
au XIXᵉ siècle : celui de deux
Nantais, les frères Cacault, qui,
amoureux de l'Italie, se firent
bâtir une demeure à la
toscane. Dès lors, les maisons
ocres aux toits de tuile
tranchant avec l'ardoise
environnante s'élevèrent en
amphithéâtre. Le **château de
Clisson** (XIIIᵉ-XVIᵉ siècles),
bien que très ruiné, permet
de suivre les évolutions de
l'architecture militaire.
À la sortie sud-est de la ville,
le domaine de **La Garenne
Lemot** offre encore deux
exemples de style italianisant :
la maison du jardinier,
réalisée par l'architecte
Crucy (1815), et la villa Lemot,
conçue par le sculpteur Lemot
en 1824. Dans le parc attenant,
on admirera les fabriques
ornementales d'inspiration
antique (colonnes, obélisques,
temple de l'Amitié).
Entre la Loire et Clisson,
s'étend le pays du vignoble
nantais, où dominent le
muscadet et le gros plant.

### ♣ Château de Clisson
Pl. du Minage. 📞 *02 40 54 02 22.*
🕐 *mer.-lun.* 🌙 *mar.* 🎟

### ♣ La Garenne Lemot
Gétigné. 📞 *02 40 54 75 85.* 🕐
*Parc : t.l.j. ; **maison du jardinier :**
d'avr. à sept. t.l.j. sauf mar. matin ;
d'oct. à mars, t.l.j. sauf lun. ; **villa
Lemot** : expositions
temporaires.*

L'abbaye carolingienne de Saint-Philbert-de-Grand-Lieu

## Pays d'Ancenis ⓫

**Carte routière** F4. Ancenis. À 30 km à l'est de Nantes par l'A11 ou la N23. 🚶 7 000. 🚉 ✈ Nantes-Atlantique. ℹ 27, rue du Château (02 40 83 07 44). 🎭 fête de la Loire et des Vins (mai). 🛒 jeudi.

L e pays d'Ancenis s'organise autour de la Loire que de hautes falaises dominent par endroits. Entourée de vignes, Ancenis conserve quelques demeures cossues de marchands de vin. Dans certaines maisons, de vastes celliers subsistent au rez-de-chaussée. Le bourg a conservé un **château** du XVIe siècle. Plus en aval et surplombant la cité, le **donjon d'Oudon** (XIVe siècle) occupe un beau site, idéal pour surveiller le fleuve, la Loire, principal axe de circulation de l'Ouest de la France. Plus en amont, à **Varades,** nichée sur un coteau, un ingénieur qui avait fait fortune sous Napoléon III se fit édifier un élégant palais à l'italienne.

**⚓ Château d'Ancenis**
Rue du Pont. 📞 02 40 83 87 00.
📷 de l'extérieur en juil.-août.
**⚓ Château d'Oudon**
Rue du Pont-Levis. 📞 02 40 83 60 17.
🕐 t.l.j. de mi-juin à mi-sept. et vac. de Pâques ; de mai à mi-juin : les week-end et jours fériés.
⬤ le reste de l'année. 📷
**⚓ Château de Varades**
Palais Briau. 📞 02 40 83 45 00.
🕐 tour les apr. midi en août ; les sam., dim. et jours fériés d'avr. à oct. 📷

Le canal de Nantes à Brest à la hauteur de Blain

## Châteaubriant ⓬

**Carte routière** F3. 🚶 13 380.
🚉 🚌 ℹ 22, rue de Couërë (02 40 28 20 90). 🛒 mer. matin.
🎭 foire de Béré (sept.), Journées gastronomiques (nov.).

A ncienne ville close, Châteaubriant a conservé de son passé quelques demeures médiévales en schiste qui lui donnent un certain cachet. La même enceinte réunit deux

La galerie sud du château Neuf, à Châteaubriant

châteaux : l'un médiéval, l'autre Renaissance. L'église romane Saint-Jean-de-Béré, où alternent le schiste bleu gris et le grès rouge, renferme un retable baroque du XVIIe siècle. Pièce de bœuf dans le filet, grillée et accompagnée de sauce béarnaise, le steak Châteaubriant a assuré la renommée de la ville.

**⚓ Châteaux**
📞 02 40 28 20 90. parc · 🕐 t l j
📷 de l'intérieur, de mi-juin à mi-sept. t.l.j. sauf mar. et dim. matin. 📷

## Forêt du Gâvre ⓭

**Carte routière** E4. Blain. À 35 km au nord de Nantes par la N137 puis la D164. 🚶 7 450. ℹ 2 pl. Jean-Guilhard (02 40 87 15 11). 🛒 mar. et sam matin. 🎭 festival Anne de Bretagne (juin), Saint-Laurent (août).

E nserrée entre les rivières du Don, de l'Isac et du Brivet, la forêt domaniale du Gâvre est un vaste massif forestier qui offre de nombreuses possibilités de randonnée.
Sur la D164, le **musée des Arts et Traditions populaires de Blain** est consacré à la vie quotidienne au début du XXe siècle. En direction de Saint-Nazaire, le **château de la Groulais,** ancienne demeure médiévale des Clisson et des Rohan accueille des expositions temporaires.

**🏛 Musée des Arts et Traditions populaires**
2, pl. Jean-Guilhard, Blain.
📞 02 40 79 98 51. 🕐 tous les apr.-midi ⬤ lun. 📷
**⚓ Château de la Groulais**
Sortie sud de Blain. 📞 02 40 79 07 81.
🕐 t.l.j. ⬤ lun. d'avr. à oct. 📷

---

### LES GUERRES DE VENDÉE

La chasse aux prêtres, la mort de Louis XVI et la levée des impôts provoquent en 1793 l'insurrection des Vendéens. Très vite, les royalistes commettent leurs premières exactions : dès le 11 mars, à Machecoul, les républicains sont fusillés. Le charretier Cathelineau, le garde-chasse Stofflet prennent la tête

D'Elbée libérant les prisonniers Bleus

des émeutes paysannes, rejoints par les aristocrates Charette, La Rochejacquelein… En juin, l'Armée catholique et royale (les Blancs) s'empare de la Vendée, sans oublier Saumur et Angers, mais elle est battue à Cholet par les Bleus le 17 octobre. En 1794-1795, ces derniers se livrent à de sanglantes expéditions punitives sur ordre du général Turreau.

# LES BONNES ADRESSES

# HÉBERGEMENT

La tradition d'accueil de la Bretagne s'appuie sur une longue expérience, car la région figure depuis de longues décennies au palmarès des plus visitées de France. Nombreuses, les structures d'hébergement répondent aux exigences de toutes les bourses et de tous les goûts. Du château jusqu'au camping en passant par les chaînes hôtelières classiques ou par la location, le choix est large. Bien entendu, les stations du littoral disposent d'une capacité d'accueil supérieure aux bourgs de la Bretagne intérieure, qui recèle pourtant bien des richesses touristiques. Si les infrastructures du littoral orientent leurs services vers les plaisirs de la mer, l'accueil chaleureux d'une chambre d'hôte dans l'arrière-pays permet une approche de la vie locale.

## RÉSERVATIONS

Comme toute région à forte affluence touristique, la Bretagne est prise d'assaut en haute saison, lors des vacances scolaires et des grands week-ends, et aussi lors des festivals et autres événements exceptionnels. Il est donc indispensable de réserver le plus tôt possible. Les offices du tourisme disposent de la liste des hôtels et peuvent réserver en votre nom. En dehors des périodes de forte fréquentation, mieux vaut réserver directement auprès de l'établissement. Que vous recherchiez un hôtel de charme, une chambre d'hôtes, une location ou simplement une suggestion pour un week-end, la **Maison de la Bretagne** propose de multiples formules pour vos vacances.

## CATÉGORIES

Soumis au contrôle du ministère du Tourisme, les hôtels sont classés en cinq catégories : de 1 à 5 étoiles. La catégorie donne une

L'hôtel Castel Marie-Louise à La Baule

indication sur la superficie des chambres, mais également sur les prestations offertes. Ainsi, un hôtel 2 étoiles aura obligatoirement un ascenseur à partir de 4 étages, un téléphone intérieur dans chaque chambre. Certains établissements, les plus modestes, ne possèdent pas d'étoiles.

## PRIX

En Bretagne comme partout en France, les prix sont indiqués taxes et service compris et varient selon la catégorie de l'établissement. Ils sont donnés par chambre et non par personne, sauf s'il s'agit de pension ou de demi-pension. En zone rurale, la demi-pension peut d'ailleurs être obligatoire ou nécessaire si l'hôtel est la seule possibilité de restauration de l'agglomération. Les différents établissements facturent généralement un petit supplément pour une troisième personne ou un enfant hébergé dans la chambre.

Une chambre avec douche coûte en général 20 % moins cher qu'une chambre avec baignoire.

Certains établissements peuvent fermer l'hiver, mais dans le cas contraire, les tarifs de basse saison peuvent se révéler particulièrement avantageux. Renseignez-vous auprès des agences de voyages ou directement auprès des hôtels.

## HÔTELS DE CHAÎNE

Les grandes chaînes d'hôtellerie se sont implantées en Bretagne, tel le **groupe Envergure** qui regroupe les enseignes Balladins, Campanile, Climat de France, Kyriad, Bleu Marine, Première Classe, Nuit d'Hôtel, Clarine et Côte à Côte. De même que les classiques **Ibis**, **Mercure**, **Novotel** ou **Formule 1**, ces établissements offrent des prestations de qualité contrôlées par des normes sanitaires strictes.

Chambre du château de Locguénolé à Hennebont

## HÔTELS FAMILIAUX TRADITIONNELS

Les amateurs d'authenticité préféreront sans doute les établissements portant le label **Logis de France**. Qualité d'accueil et découverte du terroir sont les mots d'ordre qui ont fait de cette chaîne hôtelière la première indépendante d'Europe. Les établissements porteurs du label Logis de France accueillent les voyageurs dans des demeures de caractère, parfaitement intégrées à leur environnement. On peut également trouver le repos dans les **Relais du Silence**, qui opposent au stress de la vie moderne un accueil convivial dans des établissements de charme allant de 2 à 5 étoiles.

## HÔTELS DE LUXE

Amateurs d'hôtellerie fine et de grande gastronomie trouveront leur bonheur car le luxe n'est pas absent de l'éventail hôtelier breton. En effet, en Bretagne, un certain nombre de châteaux ou de demeures classées ont été transformés en hôtels-restaurants au cadre d'exception. De grandes toques officient souvent aux fourneaux. Ce sont des lieux d'hébergement idéaux pour les voyageurs en quête de raffinement à la française.

Il existe deux chaînes principales regroupant des établissements de ce type : **Relais et Châteaux**,

L'hôtel des Thermes à Saint-Malo

qui compte huit établissements classés dans la région, tel le château de Locguénolé *(p. 225)* à Hennebont ou l'Auberge bretonne *(p. 226)* à la Roche-Bernard ou encore le Castel Marie-Louise *(p. 227)* à La Baule ; **Châteaux et Hôtels de France**, avec neuf établissements disséminés dans toute la Bretagne, comme l'hôtel Reine Hortense *(p. 218)* à Dinard.

## THALASSOTHÉRAPIE

La thalassothérapie utilise les vertus de l'eau de mer, riche en iode et oligo-éléments et dont les propriétés curatives et revitalisantes sont désormais bien connues. 11 centres de thalassothérapie jalonnent les côtes bretonnes de Saint-Malo à La Baule. Parmi les stations les plus réputées on peut citer l'institut de Quiberon *(p. 175)* ou les Thermes Marins de Saint-Malo, qui comptent six piscines.

Plusieurs formules comprenant l'hébergement sont proposées, comme les cures anti-stress ou anti-tabac,

les séjours post-maternité. Le comité régional du tourisme de Bretagne vous fournira tous les renseignements sur la thalassothérapie.

## CHAMBRES D'HÔTES

Les chambres d'hôtes se multiplient en Bretagne. Cette formule recèle de nombreux avantages. Loger chez l'habitant permet de partager la culture locale avec les propriétaires de la maison d'accueil et donne lieu à des échanges plus authentiques qu'à l'hôtel. Lorsque ceux-ci font table d'hôtes, c'est en outre l'occasion de découvrir des spécialités gastronomiques dans une atmosphère conviviale, à des prix intéressants. Les offices du tourisme fournissent la liste des propriétaires proposant cette formule. L'association des **Gîtes de France** contrôle la plupart des chambres d'hôtes, reconnaissables à leur pancarte verte et jaune. On trouve leurs coordonnées dans le guide *Chambres d'hôtes en Bretagne*, édité par les Gîtes de France.

**L'hôtel Reine Hortense à Dinard**

**L'hôtel Ker Moor à Saint-Quay-Portrieux**

## GÎTES RURAUX

Les gîtes ruraux sont des maisons ou des appartements meublés et équipés, de caractère traditionnel typique de la Bretagne, parfois dans le cadre d'une ferme. Ils répondent à des normes beaucoup plus rigoureuses que les formes de location traditionnelles en terme d'environnement et de situation.

Parmi les enseignes les plus connues, l'association des **Gîtes de France** possède plusieurs relais départementaux en Bretagne et édite quatre catalogue de gîtes : Côtes-d'Armor, Morbihan, Finistère et Ille-et-Vilaine.

L'association édite aussi des listes d'hébergements spéciques en Bretagne : gîtes de caractère, gîtes de pêche, gîtes d'étape (pour un hébergement collectif en dortoir), gîtes Panda situés dans le parc naturel régional d'Armorique *(p. 140-141)*, les chalets loisirs, les gîtes accessibles aux handicapés, les gîtes senior. L'association édite également un guide gratuit *Bienvenue à la ferme en Bretagne.*

## LOCATIONS

Agences immobilières et associations proposent maisons ou appartements à louer pour les vacances. La location s'effectue à la semaine, généralement du samedi au samedi, éventuellement pour un week-end, sauf en haute saison. L'office du tourisme du lieu de séjour sélectionné dispose d'une liste avec les coordonnées des loueurs. Il est conseillé de leur demander tous les renseignements nécessaires, notament les coordonnées de l'organisme régional qui contrôle les locations.

---

### CARNET D'ADRESSES

**AUBERGES DE JEUNESSE**

**Fédération unie des auberges de jeunesse (FUAJ)**
27, rue Pajol, 75018 Paris.
📞 01 44 89 87 27.
🌐 www.fuaj.org

**CROUS de Brest**
2, avenue Le Gorgeu,
BP 88710, 29287 Brest.
📞 02 98 03 38 78.

**CROUS de Rennes**
7, place Hoche, BP 115,
35002 Rennes Cedex.
287 Brest.
📞 02 99 84 31 31.

**CAMPING**

**Maison de la Bretagne**
203, bd Saint-Germain,
75007 Paris.
📞 01 53 63 11 50.
🌐 www.tourisme
bretagne.com

**Fédération française de camping et de caravaning**
78, rue de Rivoli,
75004 Paris.
📞 01 42 72 84 08.
🌐 www.campingfrance.com

**HÔTELS DE CHAÎNE**

**Groupe Envergure**
📞 01 64 62 46 46.
(réservation centrale).
🌐 www.envergure.fr

**Destination Bretagne**
26, rue du Maréchal-Leclerc,
35800 Dinard.
📞 02 99 16 40 31.
(réservation centrale).
🌐 www.destination-bretagne.com

**Formule 1**
📞 0892 685 685.
(réservation centrale).
🌐 www.hotelformule1.com

**Ibis, Mercure, Novotel**
📞 0803 88 44 44.
(réservation centrale).
🌐 www.accorhotels.com

**HÔTELS TRADITIONNELS**

**Logis de France**
📞 01 45 84 83 84.
(réservation centrale).
🌐 www.logis-de-france.fr

**Relais du Silence**
📞 01 44 49 90 00.
(réservation centrale).
🌐 www.silencehotel.com

**HÔTELS DE LUXE**

**Relais et Châteaux**
📞 0825 32 32 32.
(réservation centrale).
🌐 www.relaischateaux.com

**Châteaux et Hôtels de France**
12, rue Auber, 75009 Paris
📞 01 40 07 00 20.
(réservation centrale).
🌐 www.chateauxhotels.com

**GÎTES DE FRANCE**
59, rue Saint-Lazare,
75439 Paris Cedex 09.
📞 01 49 70 75 75.
🌐 www.gites-de-france.fr

**Côtes-d'Armor**
7, rue Saint-Benoît,
BP 4536, 22045 Saint-Brieuc Cedex 2.
📞 02 96 62 21 73.
@ gites-de-france-22@armornet.tm.fr

**Finistère**
5, allée Sully,
29322 Quimper Cedex.
📞 02 98 64 20 20.
🌐 www.gites-de-france-finistere.fr

**Ille-et-Vilaine**
8, rue de Coëtquen,
BP 30645, 35160 Rennes Cedex 03.
📞 02 99 78 47 57.
@ sla.gitesdefrance35@wanadoo.fr

**Loire-Atlantique**
1, allée Baco, BP 93218,
44032 Nantes Cedex 1.
📞 02 51 72 95 65.
@ relais-des-gites-44@wanadoo.fr

**Morbihan**
42, avenue Wilson, BP 30318,
56403 Auray Cedex.
📞 02 97 56 48 12.
@ gites-de-france.morbihan@wanadoo.fr

**VOYAGEURS HANDICAPÉS**

**Association des paralysés de France**
17, boulevard Auguste-Blanqui, 75013 Paris.
📞 01 40 78 69 00.

**CNRH**
236 bis, rue de Tolbiac,
75013 Paris.
📞 01 53 80 66 66.
🌐 www.handitel.org

**EPAL**
11, rue d'Ouessant, BP 2,
29801 Brest Cedex 09.
📞 02 98 41 84 09.
🌐 www.epal-association.com

**Handitour**
4815 de Mentana, Montréal,
QC H2J, 3C1, Canada.
📞 00 514 598 5685
ou 00 1 800 361 4541.
📠 00 514 521 1773.

### Les auberges de Jeunesse

Les auberges de jeunesse offrent un hébergement bon marché à toute personne sans limite d'âge ayant acheté la carte de la **Fédération unie des auberges de jeunesse (FUAJ)**. Chaque auberge est habilitée à l'émettre. On trouvera la liste complète des auberges auprès de la fédération. Les étudiants peuvent également bénéficier de chambres en résidences universitaires pendant l'été. Le **CROUS (Centre régional des œuvres universitaires)** centralise les informations nécessaires à la réservation.

**L'enseigne des Logis de France**

### Le camping

Les terrains de camping bretons sont souvent aménagés dans un environnement exceptionnel, que ce soit au bord de la mer ou en pleine forêt pour la Bretagne intérieure. Les offices du tourisme départementaux disposent de la liste des installations. Là encore, il convient de réserver un emplacement au préalable. La **Fédération française de camping et de caravaning** publie un guide officiel des terrains homologués. L'association des Gîtes de France propose quant à elle un guide du camping à la ferme et édite un guide *Campings verts en Bretagne*.

Comme les hôtels, les campings répondent à un classement officiel ; celui-ci va de 1 à 4 étoiles en fonction des sanitaires et des équipements : téléphone public, piscine, télévision… Sur place, il est parfois possible de louer tentes, mobile homes ou bungalows. Certains leur préféreront peut-être le charme naturel des campings sauvages qui jalonnent le littoral, où l'on peut planter sa tente dans un cadre exceptionnel pour une somme dérisoire.

### Les voyageurs handicapés

Deux structures nationales rassemblent les informations sur les structures d'hébergement accessibles aux personnes à mobilité réduite : le **Comité national pour la réadaptation des handicapés (CNRH)** et l'**Association des paralysés de France**, dont les délégations départementales actualisent régulièrement la liste des établissements adaptés. Par ailleurs, les Gîtes de France éditent un guide des gîtes accessibles à tous. Enfin, l'**association Évasion en Pays d'Accueil et de Loisirs** organise des séjours touristiques adaptés aux personnes handicapées. Le voyagiste québécois **Handitour** propose le même type de service outre-Atlantique.

### Légendes des tableaux

Les hôtels figurant aux pages 218-227 sont classés par département, en fonction de leur prix. Les symboles ci-dessous résument les services offerts.

- Chambres avec bains et/ou douche sauf mention contraire
- Chambres avec vue
- Chambres climatisées
- Service en chambre 24h/24
- Télévision dans les chambres
- Piscine ou plage
- Accès fauteuil roulant
- Ascenseur
- Parc de stationnement
- Salle de gym, fitness
- Services affaires
- ★ Vivement recommandé
- Adresse électronique
- Site internet
- Numéro de fax
- Relais et Châteaux
- Heures/jours de fermeture
- Cartes bancaires acceptées

*AE* American Express
*MC* Mastercard
*DC* Diners Club
*JCB* Japan Credit Bureau
*V* Visa

**Catégories de prix**

Pour une chambre avec douche pour deux personnes, taxes et service compris mais sans le petit déjeuner :

€ moins de 25 euros
€€ de 25 à 45 euros
€€€ de 45 à 65 euros
€€€€ de 65 à 80 euros
€€€€€ plus de 80 euros

**Camping-cars, pointe de l'Arcouest**

# Choisir un hôtel

Ces établissements ont été choisis pour la qualité de leurs prestations ou leur localisation, et offrent une grande variété de prix. Certains comportent un restaurant. Ils sont présentés pas département. Utilisez les onglets de couleur indiquant les découpages régionaux. Pour les restaurants, reportez-vous aux pages 232 à 241.

| | NOMBRE DE CHAMBRES | ÉQUIPEMENTS ENFANTS | TERRASSE | PARC DE STATIONNEMENT | RESTAURANT |
|---|---|---|---|---|---|
| **ILLE-ET-VILAINE** | | | | | |
| **CANCALE :** *Château Richeux* ✤ €€€€ | 16 | ● | ■ | ● | ■ |
| **COMBOURG :** *Château de la Ballue* €€€€ | 5 | | ■ | | ■ |
| **DINARD :** *Hôtel Printania* €€ | 57 | ● | ■ | | ■ |
| **DINARD :** *Hôtel Reine Hortense* €€€€ | 8 | ● | ■ | ● | |
| **DOL-DE-BRETAGNE :** *Hôtel de Bretagne* € | 27 | ● | ■ | | |
| **FOUGÈRES :** *Grand Hôtel des Voyageurs* € | 37 | | | ● | ■ |
| **LOHÉAC :** *Hôtel Gibecière* € | 23 | ● | | | ■ |
| **MONT-SAINT-MICHEL :** *Hôtel de la Digue* €€ | 36 | | ■ | ● | ■ |

**CANCALE :** *Château Richeux* ✤ €€€€ — 16
Le Point-du-Jour, 35350 Saint-Méloir-des-Ondes. **℡** *02 99 89 64 76.* **FAX** *02 99 89 88 47.*
**@** *bricourt@relaischateaux.fr*
Le « château » Richeux, magnifique villa des années 1920, domine la baie du Mont-Saint-Michel. Son grand jardin et ses chambres aux meubles d'époque composent un lieu raffiné et reposant. Le restaurant, Le Coquillage, propose des mets issus de la mer et bénéficie d'une vue superbe sur la baie.
📺 🛏 🍴 ♿ 🅿 🐾

**COMBOURG :** *Château de la Ballue* €€€€ — 5
Bazouges-la-Pérouse, 35560. **℡** *02 99 97 47 86.*
**W** *www.la-ballue.com*
Au milieu d'un parc inspiré des jardins italiens baroques, parmi une collection d'œuvres contemporaines et dans un décor à faire rêver, cet élégant château du XVIIᵉ propose de merveilleuses chambres. Les repas (sur réservation) sont préparés par le propriétaire dans la tradition et les spécialités culinaires du XVIIᵉ siècle. 🅿 🐾

**DINARD :** *Hôtel Printania* €€ — 57
5, av. George-V, 35800. **℡** *02 99 46 13 07.* **FAX** *02 99 46 26 32.*
**@** *printania.dinar@wanadoo.fr*
L'hôtel bénéficie d'une des plus belles vues de Dinard sur la baie. Les amateurs d'antiquité, apprécieront le mobilier typiquement breton dans les chambres (lits clos) et les parties communes. Au restaurant, le personnel sert en costume traditionnel.
📺 24 🍴 🐾 ● *mi-nov.-mi-mars.*

**DINARD :** *Hôtel Reine Hortense* €€€€ — 8
19, rue Malouine, 35800. **℡** *02 99 46 54 31.* **FAX** *02 99 88 15 88*
**@** *reine.hortense@wanadoo.fr*
Cette ravissante villa Belle Époque, décorée avec de nombreux objets ayant appartenu à la reine Hortense de Hollande, offre une très belle vue sur Saint-Malo, ainsi qu'un accès privé à la plage.
📺 🛏 🍴 🐾 ● *mi-nov.-fin-mars.*

**DOL-DE-BRETAGNE :** *Hôtel de Bretagne* € — 27
17, place Chateaubriand, 35120. **℡** *02 99 48 02 03.* **FAX** *02 99 48 25 75.*
Cet hôtel bien tenu, situé en centre-ville, a des airs de pension de famille. Les chambres sont propres et lumineuses, et le restaurant propose des plats simples d'un bon rapport qualité-prix. 📺 🛏 🐾 ● *en octobre.*

**FOUGÈRES :** *Grand Hôtel des Voyageurs* € — 37
10, place Gambetta, 35300. **℡** *02 99 99 08 20.* **FAX** *02 99 99 99 04.*
**@** *hotel-voyageurs-fougeres@wanadoo.fr*
Situé près de l'office du tourisme, au cœur de la Ville Haute, ce très bel hôtel centenaire offre de charmantes chambres entièrement rénovées. Salle de billard pour les amateurs. 📺 24 🍴 🅿 🐾 ● *15 j. pour les fêtes de Noël et du Jour de l'An.*

**LOHÉAC :** *Hôtel Gibecière* € — 23
22, rue de la Poste, 35550. **℡** *02 99 34 06 14.* **FAX** *02 99 34 10 37.*
Ce petit hôtel familial, situé au centre du village, dispose de chambres vastes et bien aménagées. À proximité du manoir de l'Automobile *(p. 64)*, cet établissement ravira les amateurs de circuits de voitures, 4x4, karts, etc.
📺 🛏 ♿ 🐾 🍴

**MONT-SAINT-MICHEL :** *Hôtel de la Digue* €€ — 36
À la digue (2 km du Mont-Saint-Michel). **℡** *02 33 60 14 02.* **FAX** *02 33 60 37 59.*
**@** *hotel-de-la-digue@wanadoo.fr*
Bel hôtel tout en longueur offrant des chambres agréables. Salle à manger avec vue sur le Mont pour le petit déjeuner.
📺 🛏 🍴 🍽 🐾 ● *1ᵉʳ avr.-mi-nov.*

| | Les prix | | NOMBRE DE CHAMBRES | ÉQUIPEMENTS ENFANTS | TERRASSE | PARC DE STATIONNEMENT | RESTAURANT |
|---|---|---|---|---|---|---|---|

**Les prix** correspondent à une nuit en chambre double, petit déjeuner et taxes comprises.

€ moins de 25 euros
€€ de 25 à 45 euros
€€€ de 45 à 65 euros
€€€€ de 65 à 80 euros
€€€€€ plus de 80 euros

**ÉQUIPEMENTS ENFANTS**
Berceaux, lits d'enfants et baby-sitting. Certains établissements proposent des menus pour enfants et possèdent des chaises hautes.
**PARC DE STATIONNEMENT**
Possibilité de garer son véhicule, soit au parking de l'établissement, soit dans un garage à proximité.
**RESTAURANT**
Il n'est pas forcément recommandé. Les très bons restaurants d'hôtels sont indiqués dans la liste des restaurants.
**TERRASSE**
Hôtel avec terrasse, cour intérieure ou jardin, offrant souvent la possibilité de manger dehors.

| | NOMBRE DE CHAMBRES | ÉQUIPEMENTS ENFANTS | TERRASSE | PARC DE STATIONNEMENT | RESTAURANT |
|---|---|---|---|---|---|
| **MONT-SAINT-MICHEL :** *Terrasses Poulard* €€€ <br> Grande Rue (intra muros). ☎ 02 33 89 022 02. FAX 02 33 60 37 31. <br> Le meilleur hôtel du Mont-Saint-Michel avec des chambres très bien décorées et un accueil chaleureux. Les deux plus petites chambres de l'hôtel, la Maupassant ou la Du Guesclin, raviront les petits budgets. TV ▨ ▨ ▨ | 29 | ● | | ● | ■ |
| **PAIMPONT :** *Le relais de Brocéliande* € <br> 5, rue des Forges, 35380. ☎ 02 99 07 84 94. FAX 02 99 07 80 60. <br> W www.le-relais-brocéliande.fr <br> Situé dans la forêt de Paimpont (p. 62), vestige de Brocéliande, et à proximité d'un étang offrant la possibilité de pêcher avec du matériel fourni. Le restaurateur se fera un plaisir de vous préparer votre poisson pour le dîner. Très belle terrasse avec une superbe fontaine. TV ▨ ▨ ▨ ▨ ● *mi-déc.-début jan.* | 23 | ● | ■ | ■ | ■ |
| **REDON :** *Hôtel Jean-Marc Chandouineau* €€ <br> 1, rue Thiers, 35600. ☎ 02 99 71 02 04. FAX 02 99 71 08 81. <br> L'établissement offre de jolies chambres mansardées de bon confort et est réputé pour son excellent restaurant offrant un choix de spécialités « entre terre et mer ». ▨ 24 ▨ ▨ ▨ | 7 | ● | | | ■ |
| **RENNES :** *Hôtel Angelina* € <br> 1, quai Lamennais, 35000. ☎ 02 99 79 29 66. FAX 02 99 79 61 01. <br> @ angelina-rennes@aol.com <br> Cet hôtel 2 étoiles est situé en plein centre-ville, à 10 min à pied de la gare. Malgré son apparence un peu austère, il offre de vastes chambres confortables et une agréable salle pour le petit déjeuner. TV ▨ ▨ ▨ | 30 | ● | | | |
| **RENNES :** *Lecoq-Gadby* €€€€ <br> 156, rue Antrain, 35000. ☎ 02 99 38 05 55. FAX 02 99 38 53 40. <br> @ lecoqgadby@chateauxhotels.com <br> Cette institution rennaise, fondée il y a un siècle, est située dans un quartier résidentiel, près du parc du Mont-Thabor. Elle offre des jardins de buis et de roses, une salle à manger d'été et, dans la nouvelle aile, d'agréables chambres personnalisées avec soin. TV ▨ 24 ▨ ▨ ▨ ▨ ▨ ▨ | 11 | ● | ■ | ● | ■ |
| **SAINT-MALO :** *Le Grand Hôtel des Thermes* €€ <br> Grande Plage du Sillon, 35401. ☎ 02 99 10 75 75. FAX 02 99 40 76 00. <br> W www.thalassosaintmalo.com <br> Face à la mer, cet hôtel confortable à l'architecture balnéaire vous accueille dans un décor authentique. Les chambres sont spacieuses et lumineuses. TV ▨ ▨ ▨ ▨ ▨ ▨ ▨ ▨ ● *15 jours en jan.* | 21 | | ■ | ● | |
| **SAINT-MALO :** *La Villefromoy* €€€ <br> 7, bd Hébert, 35400. ☎ 02 99 40 92 20. FAX 02 99 56 79 49. <br> @ villefromoy@chateauxhotels.com <br> Idéalement situé près de la digue-promenade où bat le cœur de Saint-Malo, cette élégante villa du Second Empire fait face à la mer. Les chambres sont décorées avec raffinement et l'accueil est très chaleureux. TV ▨ ▨ ▨ ▨ ▨ | 21 | | ■ | | |
| **SAINT-MALO :** *Le Beaufort* €€€€ <br> 25, chaussée du Sillon, 35400. ☎ 02 99 40 99 99. FAX 02 99 40 99 62. <br> W www.hotel-beaufort.com <br> Cet hôtel confortable qui date de 1850 a été entièrement rénové en 2001. Situé à 3 min à pied des remparts, sur la digue piétonne qui relie Saint-Malo à Paramé, il donne directement sur la mer. TV ▨ ▨ ▨ ▨ ▨ | 22 | ● | ■ | | |
| **SAINT-MÉLOIR-DES-ONDES :** *Tirel Guérin* €€€ <br> Gare de la Gosnière (à côté de Cancale), 35350. ☎ 02 99 89 10 46. FAX 02 99 89 12 62. <br> @ tirelguerin@chateauxhotels.com <br> À 10 km de Saint-Malo et de Cancale, en pleine campagne, l'hôtel est un havre de paix. Sa table est réputée pour sa cuisine classique et légère. TV ▨ ▨ ▨ ▨ ▨ ▨ ▨ ▨ ● *mi-déc.-mi-jan.* | 50 | ● | ■ | ● | ■ |

Légendes des symboles, voir rabat de couverture

**Les prix** correspondent à une nuit en chambre double, petit déjeuner et taxes comprises.

€ moins de 25 euros
€€ de 25 à 45 euros
€€€ de 45 à 65 euros
€€€€ de 65 à 80 euros
€€€€€ plus de 80 euros

**ÉQUIPEMENTS ENFANTS**
Berceaux, lits d'enfants et baby-sitting. Certains établissements proposent des menus pour enfants et possèdent des chaises hautes.

**PARC DE STATIONNEMENT**
Possibilité de garer son véhicule, soit au parking de l'établissement, soit dans un garage à proximité.

**RESTAURANT**
Il n'est pas forcément recommandé. Les très bons restaurants d'hôtels sont indiqués dans la liste des restaurants.

**TERRASSE**
Hôtel avec terrasse, cour intérieure ou jardin, offrant souvent la possibilité de manger dehors.

## CÔTES-D'ARMOR

| | Nombre de chambres | Équipements enfants | Terrasse | Parc de stationnement | Restaurant |
|---|---|---|---|---|---|
| **BRÉHAT (ÎLE DE)** : *Hôtel-Restaurant Bellevue* €€€ | 17 | ● | | | ■ |
| **BRÉLIDY** : *Château de Brélidy* €€€ | 10 | ● | ● | ● | ■ |
| **CAP FRÉHEL** : *Le Fanal* €€€ | 9 | | ■ | ● | |
| **DINAN** : *Hôtel Avaugour* €€€ | 24 | ● | ● | ● | ■ |
| **DINAN** : *Hôtel Le Jerzual* €€€€ | 54 | ● | ● | ● | ■ |
| **GUINGAMP** : *Le Relais du Roy* €€€ | 7 | | | | ■ |
| **LAMBALLE** : *Manoir du Vaumadeuc* €€€€ | 13 | ● | ● | | ■ |
| **MÛR-DE-BRETAGNE** : *Auberge Grand'Maison* €€ | 9 | | | | ■ |
| **PAIMPOL** : *Le Repaire De Kerroc'h* €€ | 13 | ● | ■ | | ■ |

**BRÉHAT (ÎLE DE)** : *Hôtel-Restaurant Bellevue* €€€
Port-Clos, 22870. ☎ 02 96 20 00 05. FAX 02 96 20 06 06.
À 5 min de la plage, cette grande bâtisse surplombant quasiment la mer bénéficie d'une vue splendide. Malgré une grande fréquentation, l'accueil reste agréable. Les chambres sont récentes et confortables. Salle à manger dans une véranda. Grande terrasse. Location de vélos possible. 📺 🌿 🔼 🗓 ● *3 semaines en nov. et du 1er jan. à mi-fév.*

**BRÉLIDY** : *Château de Brélidy* €€€
22140. ☎ 02 96 95 69 38. FAX 02 96 95 18 03.
@ brelidy@chateauxhotels.com
Cet imposant manoir du XVIe siècle a vue sur le Méné-Bré, le point culminant des Côtes-d'Armor. Avec ses chambres à la fois douillettes et raffinées, le château constitue une étape idéale pour partir à la découverte de la région. Parcours privé de pêche. 📺 🛏 🌿 🗓 🚻 🗓 ● *1er nov.-avr.*

**CAP FRÉHEL** : *Le Fanal* €€€
Route du Cap-Fréhel, puis direction Plévenon, 22240. ☎ 02 96 41 43 19.
Ce drôle de chalet moderne s'intègre parfaitement dans le paysage de landes du cap Fréhel. Chambres petites mais très propres. Immense jardin enchanteur. À 400 m des falaises. 🌿 🗓 ● *1er oct.-30 mars.*

**DINAN** : *Hôtel Avaugour* €€€
1, place Champ, 22100. ☎ 02 96 39 07 49. FAX 02 96 85 43 04.
@ Avaugour.Hotel@wanadoo.fr
L'hôtel, situé dans le vieux centre de Dinan, est adossé aux remparts. Les chambres, avec vue sur jardin, viennent d'être rénovées. L'ensemble est très cossu. 📺 🛏 🗓 🌿 🔼 🚻 🗓 ● *mi-nov.-mi-déc. ; mi-jan.-mi-mars.*

**DINAN** : *Hôtel Le Jerzual* €€€€
26, quai des Talards, 22100. ☎ 02 96 87 02 02. FAX 02 96 87 02 03.
Situé dans le vieux port de Dinan, sur les bords de la Rance, cet hôtel moderne possède une piscine, un sauna, un hammam et un jacuzzi. 📺 🛏 🏊 🔼 🚻 🗓

**GUINGAMP** : *Le Relais du Roy* €€€
42, place du Centre, 22200. ☎ 02 96 43 76 62. FAX 02 96 44 08 01.
Cette maison datant du XVIIe siècle a conservé son porche d'origine. On accède aux chambres cossues par un superbe escalier en granit. La table est très réputée dans la région. 📺 🛏 🗓 ● *déb. jan.*

**LAMBALLE** : *Manoir du Vaumadeuc* €€€€
Pleven, 22130. ☎ 02 96 84 46 17. FAX 02 96 84 40 16.
Cette demeure du XVe siècle, classée monument historique, offre la quiétude d'un site magique et authentique : parc boisé, jardins à la française, arbres centenaires, poutres et pierres sculptées, grandes cheminées. Lieu de très grand charme. 🛏 🚻 🗓 ● *Toussaint à Pâques ; restaurant (sur réser.) : oct. à juin.*

**MÛR-DE-BRETAGNE** : *Auberge Grand'Maison* €€
1, rue Léon-le-Cerf, 22530. ☎ 02 96 28 51 10. FAX 02 96 28 52 30.
@ grandmaison@armoinet.tm.fr
Les neuf chambres récemment rénovées méritent que l'on prolonge son séjour, notamment pour goûter les fameuses profiteroles de foie gras du restaurant ! Lac à 3 km. 📺 🛏 🍽 🗓 🗓 ● *2 semaines en fév. ; 3 semaines en oct.*

**PAIMPOL** : *Le Repaire De Kerroc'h* €€
29, quai Morand, 22500. ☎ 02 96 20 50 13. FAX 02 96 22 07 46.
@ repairedeuxkerroch@aol.com
Cette malouinière domine la baie de Paimpol. Les chambres portent des noms d'îles évocateurs et le restaurant propose une cuisine raffinée à base de produits de la mer. Une partie bistrot permet de concilier tous les goûts. 📺 🛏 🌿 🔼 🍽 🗓

**PERROS-GUIREC :** *Manoir du Sphinx* €€€ | 20
67, chemin de la Messe, 22700. **℡** 02 96 23 25 42. **FAX** 02 96 91 26 13.
**@** manoirdusphinx@wanadoo.fr
Cette ancienne maison de maître 1900 a été bâtie sur les falaises. Les chambres ont toutes vue sur la mer et le jardin, qui regorge d'hortensias et descend jusqu'à la plage à 100 m. ▨ ▨ ▨ ▨ ▨ ▨ ▨ ● *début jan.-fin fév.*

**PLANCOËT :** *Jean-Pierre Crouzil* €€€€ | 7
20, les Quais, 22130. **℡** 02 96 84 10 24. **FAX** 02 96 84 01 93.
**@** ecrin@chateauxhotels.com
Établissement traditionnel qui fleure bon la Bretagne, aux chambres à la décoration très soignée. Une cuisine régionale inventive de haute volée attire de nombreux gastronomes : homard breton au lambic ou huîtres chaudes et glacées au sabayon de Vouvray. ▨ ▨ ▤ ▨ ▨ ▨ ● *début jan.-début fév.*

**PLANCOËT-PLOREC :** *Château le Windsor* €€€ | 23
Le Bois-Billy, 22130. **℡** 02 96 83 04 83. **FAX** 02 96 83 05 36.
**@** lewindsor@chateauxhotels.com
A 20 km des plages de la Côte d'Émeraude, le château de Windsor dresse sa silhouette imposante entre mer et forêt. Le superbe mobilier d'époque, le parc de 11 ha et la cuisine aux étonnants accents marins font partie de ses atouts.
▨ ▨ ▨ ▨ ▨ ▨ ▨ ▨ ● *15 nov.-1er déc. ; 15 jan.-10 fév.*

**PLANGUENOUAL :** *Domaine du Val* €€€ | 53
22400. **℡** 02 96 32 75 40. **FAX** 02 96 32 71 50.
**@** val@chateauxhotels.com
Superbe ensemble hôtelier et important complexe de loisirs, le château du Val est situé à 800 m de la mer. Son parc de 11 ha, les cours de tennis, de squash, la piscine et les saunas séduiront les sportifs et les amateurs de nature. ▨ ▨ ▨ ▨ ▨ ▨ ▨ ▨

**SABLES-D'OR-LES-PINS :** *La Voile d'Or* €€€ | 25
22240. **℡** 02 96 41 42 49. **FAX** 02 96 41 55 45.
**@** la-voile-dor@wanadoo.fr
Situé à l'entrée de la station et à 100 m de la mer, cet hôtel offre de très confortables chambres. Cuisine réputée dans la région. ▨ ▨ ▨ ▨ ▨ ▨
● *mi-nov.-mi-mars.*

**SAINT-BRIEUC :** *Hôtel Clisson* €€ | 24
36, rue Gouët, 22000. **℡** 02 96 62 19 29. **FAX** 02 96 61 06 95.
Hôtel très confortable, à l'écart de l'animation de Saint-Brieuc. Les chambres sont agréablement meublées et certaines disposent même d'une baignoire à jet. ▨ ▨ ▨ ▨ ▨ ▨ ● *mi-déc.-déb.jan.*

**SAINT-CAST-LE-GUILDO :** *Les Dunes* €€ | 27
Rue Primauguet, 22380. **℡** 02 96 41 80 31. **FAX** 02 96 41 85 34.
Hôtel des années 1930, très bien tenu. Les chambres les plus récentes sont situées à l'arrière du bâtiment. Table très réputée. Spécialités de poisson et de fruits de mer. ▨ ▨ ▨ ▨ ▨ ● *1er oct.-13 avr.*

**SAINT-QUAY-PORTRIEUX :** *Ker Moor* €€€ | 29
13, rue Prés-le-Sénécal, 22410. **℡** 02 96 70 52 22. **FAX** 02 96 70 50 49.
Belle villa de style mauresque bâtie au début du XXe siècle par un diplomate breton. Belles chambres avec balcon dans la partie récente. Salle à manger panoramique, bonne cuisine axée sur les produits de la mer. Excellent menu avec dégustation de Saint-Jacques. ▨ ▨ ▨ ▨ ● *mi-déc.-déb.jan.*

**TRÉBEURDEN :** *Manoir de Lan-Kerellec* ❖ €€€€ | 19
Allée centrale de Lan-Kerellec, 22560. **℡** 02 96 15 47 47. **FAX** 02 96 23 66 88.
**@** lankerellec@relaischateaux.com
Ce manoir breton datant du XIXe siècle a été rénové avec goût. Toutes les chambres ont vue sur la mer et certaines disposent d'une terrasse. Vous dégusterez une cuisine inventive dans l'étonnante salle à manger en forme de coque de bateau. ▨ ▨ ▨ ▨ ▨ ▨ ● *mi-nov.-mi-mars.*

## FINISTÈRE NORD

**BATZ (ÎLE DE) :** *Grand Hôtel Morvan* € | 32
Pors-Kernoc, 29253. **℡** et **FAX** 02 98 61 78 06.
Chambres simples et claires dans un petit hôtel sans prétention. Vous apprécierez une cuisine à base de poissons et de fruits de mer dans la salle à manger à la décoration années 1950. ▨ ▨ ▨ ▨ ▨ ▨ ▨
● *mi-nov. au 1er mars.*

Légendes des symboles, voir rabat de couverture

**Les prix** correspondent à une nuit en chambre double, petit déjeuner et taxes comprises.

€ moins de 25 euros
€€ de 25 à 45 euros
€€€ de 45 à 65 euros
€€€€ de 65 à 80 euros
€€€€€ plus de 80 euros

**ÉQUIPEMENTS ENFANTS**
Berceaux, lits d'enfants et baby-sitting. Certains établissements proposent des menus pour enfants et possèdent des chaises hautes.
**PARC DE STATIONNEMENT**
Possibilité de garer son véhicule, soit au parking de l'établissement, soit dans un garage à proximité.
**RESTAURANT**
Il n'est pas forcément recommandé. Les très bons restaurants d'hôtels sont indiqués dans la liste des restaurants.
**TERRASSE**
Hôtel avec terrasse, cour intérieure ou jardin, offrant souvent la possibilité de manger dehors.

| Établissement | Prix | Nombre de chambres | Équipements enfants | Terrasse | Parc de stationnement | Restaurant |
|---|---|---|---|---|---|---|
| **BREST : Hôtel Bellevue** | € | 26 | ● | | ● | |
| **CARANTEC : Hôtel de Carantec-Patrick Jeffroy** | €€€€ | 12 | ● | ■ | ● | ■ |
| **CONQUET (LE) : Hôtel de la Sainte-Barbe** | €€ | 49 | ● | ■ | ● | ■ |
| **LANDÉDA : La Baie Des Anges** | €€€ | 20 | ● | ■ | | |
| **LANDERNEAU : L'Amandier** | € | 8 | | | | ■ |
| **LOCQUIREC : Le Grand Hôtel des Bains** | €€€€ | 36 | | ■ | ● | ■ |
| **MORLAIX : Hôtel de l'Europe** | €€ | 60 | ● | | | ■ |
| **OUESSANT (ÎLE D') : Le Ti Jan Ar C'Hafe** | €€ | 8 | | ■ | | |
| **PLOUGASTEL-DAOULAS : Hôtel Kastel Roc'h** | € | 46 | ● | ■ | ● | ■ |

**BREST : Hôtel Bellevue**
53, rue Victor-Hugo, 29200. ☎ 02 98 80 51 78. FAX 02 98 46 02 84.
@ hbellevue@wanadoo.fr
L'hôtel est situé dans le centre de Brest, à proximité de la gare, dans une rue calme. Les chambres ont vue sur mer. Jolie réception et bon accueil.

**CARANTEC : Hôtel de Carantec-Patrick Jeffroy**
20, rue de Kelenn, 29660. ☎ 02 98 67 00 47. FAX 02 98 67 08 25.
@ carantec@chateauxhotels.com
Les chambres de cette belle maison bretonne accrochée à la falaise ont vue sur la baie de Morlaix et la presqu'île de Carantec. L'accueil est simple mais la cuisine inventive. La plage est à 100 m. *jan.*

**CONQUET (LE) : Hôtel de la Sainte-Barbe**
Pointe de la Sainte-Barbe, 29217. ☎ 02 98 89 00 26.
L'hôtel est situé en bord de mer, au-dessus du village de pêcheurs et à proximité de la liaison maritime entre Ouessant et Molène. Spécialités de poissons et de fruits de mer au restaurant. *mi-nov.-mi-déc.*

**LANDÉDA : La Baie Des Anges**
350, route des Anges, 29870. ☎ 02 98 04 90 04. FAX 02 98 04 92 27.
@ anges@chateauxhotels.com
C'est face à la mer que se dresse cette élégante maison du XIXe siècle. Chambres confortables et petits déjeuners copieux. *déb.-jan.-mi-fév.*

**LANDERNEAU : L'Amandier**
55, rue de Brest, 29800. ☎ 02 98 85 10 89. FAX 02 98 85 34 14.
L'hôtel présente un excellent rapport qualité-prix. Les chambres très confortables sont décorées avec raffinement, et la cuisine du terroir servie dans le restaurant réjouit les papilles.

**LOCQUIREC : Le Grand Hôtel des Bains**
15 bis, rue de l'Église, 29241. ☎ 02 98 67 41 02. FAX 02 98 67 44 60.
@ grand-hotel-des-bains@wanadoo.fr
Entièrement rénovée en 1996, cette imposante bâtisse, archétype de l'hôtel familial (le film *Hôtel de la Plage* de Michel Lang y a été tourné en 1977), se dresse dans un grand parc. Les chambres les plus chères ont vue sur la mer, et d'importantes infrastructures sportives sont mises à la disposition des clients : piscine couverte, hammam, jacuzzi et balnéothérapie. *jan.*

**MORLAIX : Hôtel de l'Europe**
1, rue Aiguillon, 29600. ☎ 02 98 62 11 99. FAX 02 98 88 83 38.
@ reservations@hotel-europe-com.fr
Ce bâtiment Second Empire est situé dans le centre de Morlaix. Le hall possède des boiseries sculptées datant du XVIIe siècle. *vac. de Noël, Nouvel An.*

**OUESSANT (ÎLE D') : Le Ti Jan Ar C'Hafe**
Kernigou, 29242. ☎ 02 98 48 82 64. FAX 02 98 48 88 15.
Cette petite maison rénovée avec soin, personnalité et couleurs, dispose de très belles chambres, d'un jardin coquet et d'une terrasse en bois. *jan. à mars.*

**PLOUGASTEL-DAOULAS : Hôtel Kastel Roc'h**
91, av. du Général-de-Gaulle, 29470. ☎ 02 98 40 32 00. FAX 02 98 04 25 40.
@ castelroch@wanadoo.fr
Les chambres de cette villa bretonne ont été toutes refaites. Les amateurs de nuits calmes apprécieront celles qui donnent sur la campagne. *1ersem. de jan.*

**ROSCOFF :** *Le Brittany*  €€€  25
Bd Sainte-Barbe, 29680. [ 02 98 69 70 78. FAX 02 98 61 13 29.
@ hotel.brittany@wanadoo.fr
Ce beau manoir breton bénéficie d'une situation exceptionnelle face à l'île de
Batz. Le restaurant sert une cuisine réputée. TV ⛵ ⚏ 🔲 & 🍴 🛏 🗐
● 20 oct.-20 mars.

**SAINT-POL-DE-LÉON :** *Hôtel de France*  €  23
29, rue Minimes, 29250. [ 02 98 29 14 14. FAX 02 98 29 10 57.
@ hotel.de.france.finistere@wanadoo.fr
Entièrement rénovée en 1999, cette élégante maison bourgeoise est située
dans un grand parc au calme, à proximité du centre-ville. Les chambres sont
agréables et l'ambiance est familiale. TV 🛏 🗐

**SAINT-THÉGONNEC :** *Auberge de Saint-Thégonnec*  €€€  19
6, place de la Mairie, 29410. [ 02 98 79 61 18. FAX 02 98 62 71 10.
@ auberge@wanadoo.fr
Cette auberge dispose de belles chambres très confortables. Le petit déjeuner
est copieux et le restaurant sert une bonne cuisine de marché. TV 🛏 24 & 🍴
🛏 🗐 ● mi-déc.-déb.jan.

**SAINTE-ANNE-DU-PORTZIC :** *Belvédère*  €€€  30
Par la D789, direction Sainte-Anne-du-Portzic, 29200 Brest.
[ 02 98 31 86 00. FAX 02 98 31 86 39.
W www.belvedere.brest.com
Ce bâtiment moderne, qui se dresse sur la plage, abrite des chambres
confortables et lumineuses, ouvertes sur le goulet de la rade de Brest. TV 24
⛵ ⚏ 🔲 & 🛏 🗐

## FINISTÈRE SUD

**AUDIERNE :** *Au Roi Gradlon*  €€  19
3, avenue Emmanuel-Brusq, 29770. [ 02 98 70 04 51. FAX 02 98 70 14 73.
W www.auroigradlon.com
Cet hôtel moderne bénéficie d'une situation exceptionnelle : il est posé sur la
plage. Des chambres toutes rénovées, et de la salle du restaurant, la vue sur
l'Océan est splendide. TV 🛏 ⛵ 🍴 🛏 🗐 ● mi-déc.-déb. jan.

**BÉNODET :** *Hôtel-restaurant Le Minaret*  €€€  20
Corniche de l'Estuaire, 29950. [ 02 98 57 03 13. FAX 02 98 66 23 72.
@ leminaret@wanadoo.fr
Belle villa des années 1920 d'inspiration arabo-andalouse : le propriétaire était
un médecin, qui, après avoir soigné le pacha de Marrakech, tomba amoureux
du Maroc. La « chambre du Pacha », décorée de mosaïques, est superbe. Le
jardin se veut une réplique, en plus modeste, des jardins de l'Alhambra. TV 🛏
⛵ ⚏ 🔲 🍴 🛏 🗐 ● mi-oct.-déb. avr.

**CAMARET :** *Thalassa*  €€  47
Quai du Styvel, 29570. [ 02 98 27 86 44. FAX 02 98 27 88 14.
W www.hotel-thalassa.com
Ce bâtiment contemporain est construit en deux parties. Les chambres sont
modernes et bien aménagées, certaines avec vue sur le port. On y trouve une
piscine d'eau de mer chauffée, un hammam et une salle de fitness. Bon
restaurant de poisson et petit déjeuner en buffet. TV 🛏 ⛵ ⚏ 🔲 🍴 🗐
● 1er oct.-mi-avr. ; restaurant : mai-sept.

**CONCARNEAU :** *KerMoor*  €€  12
Plage des Sables-Blancs, 29900. [ 02 98 97 02 96. FAX 02 98 97 84 04.
Cette villa balnéaire du début du XXe siècle est idéalement située sur la plage
des Sables-Blancs. Les chambres ont toutes vue sur l'Océan et leur décoration
rappelle l'intérieur d'un bateau. Une excellente adresse. TV 🛏 24 ⛵ ⚏ 🗐

**DOUARNENEZ :** *Le Clos de Vallombreuse*  €€€  26
7, rue d'Estienne-d'Orves, 29100. [ 02 98 92 63 64. FAX 02 98 92 84 98.
@ clos.vallombreuse@wanadoo.fr
Cette maison bourgeoise du début du XXe siècle et qui domine l'océan est
située dans le centre de Douarnenez, dans un paisible petit parc. Chambres
lumineuses et gaies à la décoration cossue. Bon restaurant. TV 🛏 ⛵ ⚏ & 🍴 🗐

**FORÊT-FOUESNANT :** *Le Manoir du Stang*  €€€  24
29940. [ FAX 02 98 56 97 37. @ stang@chateauxhotels.com
Un parc de 40 ha entoure cette élégante gentilhommière des XVe et XVIIe siècles.
Les chambres décorées de meubles d'époque donnent sur des jardins à la
française ou sur les étangs. 🛏 ⛵ 🔲 🛏 ● 1er oct.-30 avr.

Légendes des symboles, voir rabat de couverture

**Les prix** correspondent à une nuit en chambre double, petit déjeuner et taxes comprises.

€ moins de 25 euros
€€ de 25 à 45 euros
€€€ de 45 à 65 euros
€€€€ de 65 à 80 euros
€€€€€ plus de 80 euros

**ÉQUIPEMENTS ENFANTS**
Berceaux, lits d'enfants et baby-sitting. Certains établissements proposent des menus pour enfants et possèdent des chaises hautes.
**PARC DE STATIONNEMENT**
Possibilité de garer son véhicule, soit au parking de l'établissement, soit dans un garage à proximité.
**RESTAURANT**
Il n'est pas forcément recommandé. Les très bons restaurants d'hôtels sont indiqués dans la liste des restaurants.
**TERRASSE**
Hôtel avec terrasse, cour intérieure ou jardin, offrant souvent la possibilité de manger dehors.

| | NOMBRE DE CHAMBRES | ÉQUIPEMENTS ENFANTS | TERRASSE | PARC DE STATIONNEMENT | RESTAURANT |
|---|---|---|---|---|---|
| **MOËLAN-SUR-MER :** *Le Manoir de Kertalg* €€€<br>Route de Riec-sur-Belon, 29350. 02 98 39 77 77. FAX 02 98 39 72 07. @ kertalg@free.fr<br>Ce vieux manoir couvert de lierre se cache dans un vaste domaine forestier. Les chambres aménagées dans d'anciennes dépendances sont immenses et décorées avec goût. TV 📶 ♨ 🛏 ● *15 nov.-Pâques.* | 9 | ● | ■ | ● | ■ |
| **MORGAT :** *Grand Hôtel de la Mer* €€<br>17, rue d'Ys, 29160. 02 98 27 02 09. FAX 02 98 27 02 39.<br>La décoration de ce grand hôtel des années 1920 est assez simple. Toutefois, les chambres ont vue sur la baie de Douarnenez ou sur le parc boisé. TV 📶 ♨ 🛏 ⚓ 👶 🛏 ● *nov.-fin mars ; restaurant. : lun., mardi.* | 78 | ● | ■ | ● | ■ |
| **PLONÉOUR-LANVERN :** *Le Manoir de Kerbuel* €€<br>Route de Quimper, 29720. 02 98 82 60 57. FAX 02 98 82 61 79.<br>@ manoir-kerhuel@wanadoo.fr<br>A 10 min de Quimper, ce manoir du XVe siècle, entouré d'un parc de 6 ha, est une étape idéale pour partir à la découverte du Finistère Sud. TV 📶 ♨ ⚓ 🛏 👶 🛏 ● *déb. jan.-fin mars ; 12 mi.nov.-mi-déc.* | 26 | ● | ■ | ● | ■ |
| **PLONEVEZ-PORZAY :** *Le Manoir de Moëllien* €€€<br>29550. 02 98 92 50 12. FAX 02 98 92 56 54.<br>@ moellien@aol.com<br>A 3 km des plages de Douarnenez et de la cité médiévale de Locronan, ce manoir à la superbe façade de granit offre une atmosphère hors du temps. Les chambres sont aménagées dans d'anciennes dépendances. TV 📶 ♨ 👶 👶 🛏 🛏 ● *mi-nov.-fin mars.* | 18 | ● | ■ | ● | ■ |
| **PONT-AVEN :** *Roz-Aven* €€<br>11, quai Théodore-Botrel, 29930. 02 98 06 13 06. FAX 02 98 06 03 89.<br>@ roz-aven@wanadoo.fr<br>L'hôtel est situé au bord de la rivière l'Aven, sur le port de Pont-Aven. Un bâtiment moderne a été ajouté à cette petite chaumière du XVIe siècle. TV ♨ 👶 🛏 ● *1er nov.-fin fév.* | 24 | ● | ■ | ● | ■ |
| **PONT-L'ABBÉ :** *Hôtel de Bretagne* €€<br>24, place République, 29120. 02 98 87 17 22. FAX 02 98 95 61 25.<br>Cet hôtel familial dans le centre de Pont-l'Abbé dispose de chambres agréables et rustiques. Les plus grandes sont situées côté façade. TV 📶 ● *mi-jan.-déb.fév.* | 18 | ● | ■ | | ■ |
| **QUIMPER :** *La Mascotte* €€<br>6, rue Th.-Le-Hars, 29000. 02 98 53 37 37. FAX 02 98 90 31 51.<br>@ mascotte-quimper@hotel-sophiebra.com<br>Hôtel central, moderne et fonctionnel : les chambres sont petites et simplement décorées. Le petit déjeuner est servi sous forme de buffet. TV 🕓 👶 👶 🛏 🛏 | 63 | ● | | | ■ |
| **QUIMPER :** *Le Dupleix* €€€<br>34, bd Dupleix, 29000. 02 98 90 53 35. FAX 02 98 52 05 31.<br>@ hotel-dupleix@wanadoo.fr<br>Cet hôtel central, avec vue sur l'Odet et sur les tours de la cathédrale, dispose de chambres spacieuses et calmes. TV 📶 🕓 👶 👶 🛏 🛏 | 29 | | ■ | ● | |
| **TREGUNC :** *Les Grands Roches* €€€<br>Au nord.-est. de Tregunc, 29910. 02 98 97 62 97. FAX 02 98 50 29 19.<br>L'hôtel est un groupe de fermes aménagées. Des dolmens et des menhirs se dressent dans le parc de 8 ha. Les chambres sont rustiques et confortables. TV ⚓ 👶 🛏 ● *déb. nov.-fin mars.* | 21 | ● | ■ | ● | ■ |

## MORBIHAN

| | NOMBRE DE CHAMBRES | ÉQUIPEMENTS ENFANTS | TERRASSE | PARC DE STATIONNEMENT | RESTAURANT |
|---|---|---|---|---|---|
| **AURAY :** *Hôtel Le Branboc* €<br>5, route du Bono, 56400. 02 97 56 41 55. FAX 02 97 56 41 35. @ le.branhoc@wanadoo.fr<br>Entièrement rénovées en 2000, les chambres de cet hôtel sans prétention donnent pratiquement toutes sur le parc de l'hôtel. TV 📶 👶 🛏 🛏 ● *15 déc.-15 jan.* | 35 | ● | ■ | ● | |

**BELLE-ÎLE-EN-MER :** *Vauban*          €€  | 16
1, rue des Remparts, Le Palais, 56360. 📞 *02 97 31 45 42.* 📠 *02 97 31 42 82.*
🌐 *www.hotelvauban.com*
Situé en haut des remparts, ce petit hôtel domine la ville. Vue panoramique
sur le port et la baie. À 5 min de la plage. 📺 🛏 ❄ ♿ 🅿 ⬤ *mi-nov.-déb.fév.*

**BILLIERS :** *Domaine de Rochevilaine*          €€€€€  | 38
À la pointe de Pen-Lan-Sud, 56190. 📞 *02 97 41 61 61.* 📠 *02 97 41 44 85.*
📧 *rochevilaine@chateauxhotels.com*
Ce complexe, composé d'anciens manoirs du domaine et d'un centre de
balnéothérapie, se dresse au bout de la pointe de Pen-Lan-Sud. Les chambres sont
décorées avec raffinement et la table est réputée. 📺 🛏 ❄ 🏊 🅿 ♿ 🔒 🅿

**CARNAC :** *Hôtel Celtique*          €€€  | 56
17, avenue Kermario-82, avenue des Druides, 56340. 📞 *02 97 52 14 15.*
📠 *02 97 52 71 10.* 📧 *hotel.celtique.bw.carnac@wanadoo.fr*
Cet hôtel est à 500 m d'une des plus belles plages de la baie. Les chambres
sont claires et donnent sur un immense jardin aux pins séculaires. La piscine
en plein air peut se transformer en piscine couverte les jours d'hiver. 📺 🛏
🕐 🏊 🍴 🅿 ♿ 🔒 🅿

**BONO (LE) :** *Le Manoir de Kerdréan*          €€€  | 69
À l'entrée du Bono, 56400. 📞 *02 97 57 84 00.* 📠 *02 97 57 83 00.*
📧 *contact@abatial.com*
Cette hostellerie abbatiale est exceptionnellement bien située : cachée dans
une oasis de verdure, elle donne sur un golf. Choisissez entre les chambres du
manoir ou celles de l'annexe, partie plus contemporaine de l'hôtel.
Nombreuses prestations : tennis, piscine, billard. 📺 🛏 🕐 ❄ 🏊 🅿 ♿ 🔒 🅿

**GROIX (ÎLE DE) :** *Hôtel de la Marine*          €€  | ??
7, rue du Général-de-Gaulle, 56590. 📞 *02 97 86 80 05.* 📠 *02 97 86 56 37.*
📧 *hotel-de-la-marine@wanadoo.fr*
Maison bourgeoise à deux pas de l'embarcadère. L'accueil est excellent et les
chambres agréables et propres. Les plats simples et savoureux se dégustent
dans une salle à manger rustique. 🛏 ❄ 🔒 🅿 ⬤ *restaurant : oct. à mars et dim.
soir, lun. (hors vacances scolaires).*

**HENNEBONT :** *Château de Locguénolé* ✤          €€€€  | 22
Route de Port-Louis, à 1 km au sud d'Hennebont, 56700.
📞 *02 97 76 76 76.* 📠 *02 97 76 82 35.*
Un château et un manoir se partagent un parc de 120 ha qui borde un large bras
de mer sur plus de 2 km. Mobilier ancien, boiseries et tapisseries composent
un décor authentique. 📺 🛏 ❄ 🏊 🅿 🔒 ❄ ⬤ *1er jan.-dernière sem. de fév.*

**HOUAT (ÎLE DE) :** *L'Ezenn Bar-Hôtel*          €€  | 6
Sur la route menant à la plage de Treac'h-Er-Goured, 56170. 📞 *02 97 30 69 73.*
📧 *ezenn@free.fr*
De belles chambres propres et confortables au très bon rapport qualité-prix.
Quatre d'entre elles ont vue sur la mer et sur le petit jardin de l'hôtel. Location
de canoës-kayaks en été. 🛏 ❄ 🏊 🅿

**LORIENT :** *Hôtel Victor-Hugo*          €  | 30
36, rue Lazare-Carnot, 56100. 📞 *02 97 21 16 24.* 📠 *02 97 84 95 13.*
📧 *hotel-victorhugo.lorient@wanadoo.fr*
L'hôtel est situé dans la nouvelle ville, à côté du pont d'embarquement pour
le port de plaisance de l'île de Groix. Les chambres sont propres et
confortables et l'accueil est sympathique. 📺 🛏 🅿

**MOINES (ÎLE AUX) :** *Le San Francisco*          €€€  | 8
Le Port, 56780. 📞 *02 97 26 31 52.* 📠 *02 97 26 35 59.* 📧 *le-san-francisco@worldline.fr*
Cette demeure appartenant aux sœurs franciscaines a été aménagée et
modernisée en sept. 2001. Les combles sont dotés d'agréables chambres.
Le petit déjeuner est servi dans l'ancienne chapelle. 📺 🛏 ❄ 🔒 🅿
⬤ *Toussaint, Pâques.*

**PÉNESTIN :** *Hôtel Loscolo*          €€€  | 15
Sud-ouest de la pointe de Loscolo, 56760. 📞 *02 99 90 31 90.* 📠 *02 99 90 32 14.*
À proximité de La Roche-Bernard, cet établissement agréable offre des
chambres avec vue sur l'Océan. 📺 🛏 🕐 ❄ ♿ 🅿 ⬤ *1er nov.-fin avr.*

**PONTIVY :** *Hôtel de l'Europe*          €  | 20
12, rue François-Mitterand, 56300. 📞 *02 97 25 11 14.* 📠 *02 97 25 48 04.*
Au cœur du centre-ville de Pontivy, cette maison de caractère du XIXe siècle
dispose de chambres agréables et bien tenues. 📺 🛏 ❄ 🅿 ♿ 🔒 🍴 🅿

| | NOMBRE DE CHAMBRES | ÉQUIPEMENTS ENFANTS | TERRASSE | PARC DE STATIONNEMENT | RESTAURANT |
|---|---|---|---|---|---|

**Les prix** correspondent à une nuit en chambre double, petit déjeuner et taxes comprises.

€ moins de 25 euros
€€ de 25 à 45 euros
€€€ de 45 à 65 euros
€€€€ de 65 à 80 euros
€€€€€ plus de 80 euros

**ÉQUIPEMENTS ENFANTS**
Berceaux, lits d'enfants et baby-sitting. Certains établissements proposent des menus pour enfants et possèdent des chaises hautes.
**PARC DE STATIONNEMENT**
Possibilité de garer son véhicule, soit au parking de l'établissement, soit dans un garage à proximité.
**RESTAURANT**
Il n'est pas forcément recommandé. Les très bons restaurants d'hôtels sont indiqués dans la liste des restaurants.
**TERRASSE**
Hôtel avec terrasse, cour intérieure ou jardin, offrant souvent la possibilité de manger dehors.

---

**PORT-CROUESTY :** *Le Crouesty*  €€   — 26
Rue du Crouesty, 56640 Arzon. ☎ 02 97 53 87 91. FAX 02 97 53 66 76.
De jolies chambres fonctionnelles composent cet hôtel moderne et calme.
De style néo-breton, il fait face au port. TV 🛏 ♨ 🅿 ● *mi-nov.-1ʳᵉ sem. de fév.*

**PORT-NAVALO :** *Hôtel Glann Ar Mor*  €   — 8
27, rue des Fontaines, 56640. ☎ 02 97 53 88 30. @ glannarmor@aol.com
Tout près de la rade de Port-Navalo, ce petit établissement sympathique met ses 8 chambres à votre disposition. Restaurant sans prétention (cuisine de la mer). 🛏 🅿 ● *15 jours en hiver.*

**QUESTEMBERT :** *La Bretagne et sa Résidence* ✤  €€€€   — 9
13, rue Saint-Michel, 56230. ☎ 02 97 26 11 12. FAX 02 97 26 12 37.
@ bretagne@relaischateaux.com
Les chambres de cette belle gentilhommière possèdent une décoration raffinée. Les petits déjeuners sont succulents, tout comme les repas élaborés par le chef. TV 🛏 ♿ 🍴 🅿 ● *3 semaines en jan.*

**QUIBERON (PRESQU'ÎLE DE) :** *Roch Priol*  €   — 45
5, rue Sirènes, 56170. ☎ 02 97 50 04 86. FAX 02 97 30 50 09.
@ info@hotelrochpriol.com
Situé à 500 m de la mer dans un quartier résidentiel de Quiberon, cet hôtel à l'architecture bretonne est accueillant. Les chambres sont simples et très propres. L'ambiance est familiale. TV 24 ♨ 📺 🍴 🔒 🅿 ● *15 nov.-15 fév.*

**ROCHE-BERNARD (LA) :** *L'Auberge Bretonne* ✤  €€€€   — 8
2, place Du Guesclin, 56130. ☎ 02 99 90 60 28. FAX 02 99 90 85 00.
@ aubbretonne@relaischateaux.fr
Cette petite auberge, située au centre du village, a été transformée en luxueux complexe. Les chambres sont lumineuses. Très bonne table. TV 🛏 📺 ♿ 🍴 🅿 ● *3 sem. en jan. ; mi-nov.-mi-déc.*

**ROCHEFORT-EN-TERRE :** *Château de Talhouët*  €€€€   — 8
56220. ☎ 02 97 43 34 72. FAX 02 97 43 35 04.
Les chambres de cet imposant château du XVIᵉ siècle sont vastes et bien décorées. La tranquillité de ce lieu est accentuée par un parc de 20 ha.
TV 🛏 ♨ 🍴 🅿 *restaurant* ● *en hiver.*

**SARZEAU :** *Le Mur du Roy*  €€   — 10
Penvins, 56370. ☎ 02 97 67 34 08. FAX 02 97 67 36 23.
L'hôtel a un accès direct à la plage. Les chambres, dont certaines ont vue sur la mer, sont très propres. Le restaurant présente un excellent rapport qualité-prix. TV ♨ ♿ 🅿

**TRINITÉ-SUR-MER (LA) :** *Petit Hôtel des Hortensias*  €€€   — 5
Place de la Mairie, 56470. ☎ 02 97 30 10 30. FAX 02 97 30 14 54.
@ leshortensias@aol.com
À 50 m de la plage et proche du centre-ville, cet hôtel donne également sur le port. Les chambres, aménagées avec goût, portent des noms d'îles bretonnes.
TV 🛏 ♨ 🔒 🅿 ● *déc. et jan.*

**VANNES :** *Le Roof Hôtel-Restaurant*  €€€   — 40
Au bout de la presqu'île de Conleau, 56000. ☎ 02 97 63 47 47. FAX 02 97 63 48 10.
Avec les pieds dans l'eau, cet hôtel dispose de quelques chambres avec une vue superbe sur le golfe du Morbihan. TV 🛏 ♨ 📺 🍴 🔒 🅿

## LOIRE-ATLANTIQUE

**BAULE (LA) :** *Saint-Christophe*  €€€   — 32
Place Notre-Dame, 44500. ☎ 02 40 60 35 35. FAX 02 40 60 11 74.
@ deck.at@saintchristophe.com
Plus une maison de famille qu'un hôtel, cet établissement propose une formule demi-pension en juillet-août. Les chambres se répartissent dans trois villas du début du XXᵉ siècle. TV 🛏 🍴 🔒 🅿

**BAULE (LA) :** *Castel Marie-Louise* ✤ €€€€ — 31
1, avenue Andrieu, 44500. 02 40 11 48 38. FAX 02 40 11 48 35.
@ marielouise@relaischateaux.com
Situé à deux pas du casino, ce superbe manoir datant de la Belle Époque fait face à la baie. Les chambres paisibles sont décorées de meubles anciens. TV 🌿 🖥 ♿ 🅿 ● déb. jan.-mi-fév.

**BERNERIE-EN-RETZ :** *Château de la Gressière* €€€ — 15
Rue Noue-Fleurie, 44500. 02 51 74 60 06. FAX 02 51 74 60 02.
@ legressiere@wanadoo.fr
Les chambres de ce petit manoir du XIXe siècle sont luxueuses. Vue sur la mer ou sur la plage. TV 🔲 🌿 🅿 🖥

**CROISIC (LE) :** *Fort de l'Océan* €€€€ — 9
Pointe du Croisic, 44490. 02 40 15 77 77. FAX 02 40 15 77 80.
@ contact@fort-océan.com
Cette demeure fortifiée du XVIIe siècle domine la mer, offrant une vue exceptionnelle sur la côte sauvage. TV 🔲 🌿 🍽 🏊 ♿ 🍸 🅿 🖥 ● restaurant : mi-nov.-mi-déc. ; jan.

**MISSILLAC :** *La Bretesche* ✤ €€€€ — 32
Domaine de La Bretesche, 44780. 02 51 76 86 96. FAX 02 40 66 99 47.
@ hotel@bretesche.com
De remarquables chambres ont été aménagées dans les dépendances qui font face au majestueux château crénelé et à son étang. Le domaine possède un terrain de golf à 18 trous. TV 🔲 24 🌿 🏊 🅿 ♿ 🅿 ⛳ 🖥 ● fin jan.-déb. mars.

**NANTES :** *Hôtel Duchesse Anne* €€ — 69
3-4, place de la Duchesse-Anne, 44000. 02 51 86 78 78. FAX 02 40 74 60 20.
@ contact@hotel-duchesse-Anne.com
Cet ancien bâtiment de caractère, situé derrière le château des Ducs de Bretagne, est accessible à toutes les bourses. Les chambres ont pour la plupart vue sur le château. À 300 m de la gare, l'hôtel est également proche de la cathédrale et du musée des Beaux-Arts. TV 🔲 24 🌿 🏊 🅿 ♿ 🍸 🅿 🖥

**NANTES :** *L'Hôtel* €€ — 31
6, rue Henri-IV, 44000. 02 40 29 30 31 FAX 02 40 29 00 95.
@ hotel@mageos.com
L'hôtel, situé en face du château des Ducs de Bretagne, dispose de chambres insonorisées. Le petit déjeuner est copieux. Excellent rapport qualité-prix.
TV 🔲 24 🌿 🅿 ♿ 🖥

**NANTES :** *La Pérouse* €€€ — 47
3, allée Duquesne, 44000. 02 40 89 75 00. FAX 02 40 89 76 00.
W www.hotel-la-perouse.fr
L'architecture de cet hôtel tout neuf est surprenante. Les chambres de ce bloc de granit blanc épuré sont meublées d'objets design. TV 🔲 24 🖥 🅿 🅿 🖥

**PORNIC :** *Hôtel Beau Soleil* €€ — 18
70, quai Leray, 44210. 02 40 82 34 58. FAX 02 40 82 43 00.
Situé sur le port, cet hôtel dispose de chambres petites mais bien tenues, et dont la plupart a vue sur la mer. TV 🔲 🌿 🖥

**PORNICHET :** *Le Régent* €€€ — 15
150, bd des Océanides, 44210. 02 40 61 05 68. FAX 02 40 61 25 53.
W www.le-regent.fr
Les chambres de cette maison du début du XXe siècle ont été refaites dans un style d'inspiration marine. Plats de poissons savoureux servis au restaurant. Vue sur la mer. 🔲 🌿 🏊 🍸 🅿 🖥 ● mi-nov.-déb. fév.

**PORNICHET :** *Villa Flornoy* €€€ — 21
7, avenue Flornoy, 44210. 02 40 11 60 00. FAX 02 40 61 86 47.
@ hot-flornoy@aol.com
C'est dans un jardin très bien entretenu que cette ancienne maison de famille a été aménagée de chambres charmantes et propres. À 500 m de la plage. TV 🔲 ♿ 🅿 🖥 ● 1er nov.-fin jan.

**SAINT-MARC-SUR-MER :** *Hôtel de la Plage* €€ — 33
97, rue du Commandant-Charcot, 44600. 02 40 91 99 01. FAX 02 40 91 92 00.
W www.hotel-de-la-plage-44.com
Situé sur la plage de M. Hulot, à proximité de La Baule, cet hôtel calme et confortable offre un panorama exceptionnel.
TV 🔲 🅿 🍸 🅿 🖥

Légendes des symboles, voir rabat de couverture

# RESTAURANTS, CAFÉS ET BARS

Sigle de la bière Coreff
de Morlaix

Première région agricole française, la Bretagne regorge de produits de qualité qui fournissent une matière première de choix aux chefs de la région. Si les coquillages et les poissons viennent en tête, la charcuterie et les volailles fermières garnissent aussi les tables du cru. Et que dire des fruits et légumes : l'artichaut, fleur de Bretagne, la fraise de Plougastel et autres cultures locales, sans oublier le cidre ou le muscadet nantais ? Qu'il s'agisse d'une grande table de la gastronomie française ou d'une simple crêperie, les restaurants bretons conviennent à toutes les bourses et réjouiront tous les palais.

L'Auberge Bretonne à La Roche-Bernard *(p. 240)*

## LES TYPES DE RESTAURANTS

Les Bretons font honneur à la bonne chère, et le terroir le leur rend bien. À l'intérieur des terres, les restaurants proposent une carte authentique à un prix raisonnable. Certains hôtels, notamment ceux des **Logis de France** *(p. 215-217),* servent une cuisine régionale de qualité. Les **fermes-auberges** et les tables d'hôtes offrent, quant à elles, la possibilité de savourer des plats simples et peu onéreux préparés avec les meilleurs produits de l'exploitation agricole. Sur le littoral, l'éventail de choix est plus large : fast-foods, pizzerias, snacks, crêperies, restaurants gastronomiques… Même si parfois la qualité laisse à désirer. Le label Balades gourmandes regroupe 22 restaurateurs d'Ille-et-Vilaine offrant un accueil convivial autour d'une cuisine originale mettant en valeur les produits régionaux. Tous les renseignements sont disponibles auprès du **comité départemental du tourisme d'Ille-et-Vilaine**.

## LES PRODUITS DU TERROIR

Difficile de les énumérer tous tant la Bretagne en est une région riche. Les poissons ont largement contribué à la renommée de sa table. La fraîcheur des maquereaux et des sardines assure des grillades succulentes. Au four ou accompagné d'une sauce au beurre blanc, lotte, bar, lieu jaune, turbot, rouget, sole, dorade constituent des plats délicieux. En Loire-Atlantique, on rencontrera l'alose, la civelle et la lamproie. Les fruits de mer, comme les huîtres (Cancale, Paimpol, Aven-Belon, Quiberon, Croisic), les moules (Vivier, Pénestin), les bulots, les bigorneaux ou encore les crevettes, les araignées de mer et les homards, parent les étals des écaillers. Véritable joyau culinaire, la coquille Saint-Jacques est une source de plaisirs inépuisables tandis que les algues et la salicorne font leur entrée chez les grands chefs. Au fil des saisons, l'Argoat prodigue elle aussi ses richesses. La pomme de terre, légume de base de toute cuisine bretonne, les artichauts, les choux-fleurs, les haricots (comme le coco de Paimpol), la mâche nantaise, les asperges, les

---

### CARNET D'ADRESSES

#### FERMES-AUBERGES

**Chambre d'agriculture de Bretagne**
111, bd Mal-de-Lattre-de-Tassigny, 35042 Rennes Cedex.
☎ *02 99 59 43 33.*

**Comité régional du tourisme**
Informations sur le label Tables et saveurs de Bretagne
☎ *02 99 28 44 30.*

**Comité départemental d'Ille-et-Vilaine**
Informations sur le label Balades gourmandes
☎ *02 99 78 47 47.*

Intérieur Art nouveau de la brasserie La Cigale à Nantes *(p. 241)*

**Le restaurant Les Forges *(p. 232)* aux portes de la forêt de Brocéliande**

oignons de Roscoff, les navets et les poireaux entrent dans la composition de bien des plats. Les fruits ne sont pas en reste avec notamment les melons petits-gris rennais mais aussi les poires, les pommes ou les kiwis.

## SPÉCIALITÉS BRETONNES

Bien entendu, on ne manquera pas de goûter aux traditionnelles galettes et crêpes *(p. 230-231)* de même qu'à l'incontournable plateau de fruits de mer sans oublier, le homard à l'armoricaine. Autre grand classique, plus abordable cette fois-ci : les moules en marinière ou en mouclade. La Bretagne est aussi le pays des cochonnailles puisqu'elle assure le quart de la production nationale : andouilles de Guéméné et de Baye (avec du lard au centre), saucisses, pâtés (dont le célèbre Hénaff), pour ne citer qu'eux. Pour la viande, il faut goûter aussi au savoureux agneau de pré-salé du Mont-Saint-Michel et se laisser tenter par un canard challandais. Indispensable à toute cuisinière, le beurre salé est roi en Bretagne. Quand le réfrigérateur n'existait pas encore, le sel permettait une plus longue conservation ; aujourd'hui, aucun Breton ne saurait s'en passer. Chaque année, après la Pentecôte,

le beurre est à l'honneur au pardon de Spézet. Quant au sel lui-même, c'est celui de Guérande qui a le vent en poupe.

Parmi les douceurs, il faut mentionner le *kouign amann*, savant mélange de farine de froment, de beurre et de sucre qui se déguste tiède. Fars et quatre-quarts figurent aussi au palmarès des desserts. Et que dire des Traou-Mad de Pontaven, des galettes de Pleyben ou Saint-Michel et des crêpes-dentelles de Quimper ?

Côté boisson, le cidre occupe une place de choix. Si la plupart l'apprécient doux, les connaisseurs préfèrent le brut ; les régions les plus réputées sont celles de Dol, des vallées de l'Arguenon et de la Rance, de Messac, de Fouesnant, de Domagné… Les chouchens ou eaux-de-vie de miel ne sont pas non plus à négliger, de même que la bière, comme la Coreff de Morlaix, récompensée en 1999 par un 1$^{er}$ prix dans un concours d'envergure nationale, ou la Telenn Du, au sarrasin. En Loire-Atlantique enfin, le muscadet s'impose.

## RESTAURANT MODE D'EMPLOI

En haute saison, mieux vaut réserver une table. Dans la majorité des restaurants, la tenue vestimentaire est décontractée. Pour les établissements plus

**L'enseigne de l'Auberge Bretonne à La Roche-Bernard**

prestigieux, le short est déconseillé. Dans tous les cas, le maillot de bains est à proscrire, hormis dans les restaurants en bordure des plages. Enfin, les établissements proposent, pour la plupart des menus pour les enfants et rares sont ceux qui refusent les cartes de paiement Visa, Mastercard, American Express ou Diner's Club et la Japan Credit Bureau. À la campagne, prenez par prudence un chéquier ou du liquide.

## ACCÈS EN FAUTEUIL ROULANT

Malheureusement, il est souvent difficile d'accéder aux restaurants en fauteuil roulant. Lors de la réservation, prévenez le restaurateur et demandez-lui de prévoir un espace suffisant. Vous trouverez les coordonnées des organismes qui centralisent les informations pour les voyageurs handicapés dans ce guide *(p. 217)*.

## LES ENFANTS

Les enfants sont bienvenus en Bretagne, et vous trouverez de nombreux restaurants où aller en famille, comme les crêperies par exemple. La plupart des établissements proposent des menus spéciaux pour enfants à prix réduits, et certains disposent de chaises hautes pour les tout-petits.

### LÉGENDE DE TABLEAUX

Symboles utilisés pages 232 à 241

🔲 Numéro de téléphone
FAX Numéro de fax
🔲 Bonne cave
⬛ Fermé

**Catégories de prix**
pour un repas avec entrée et dessert, demi-bouteille de vin de la maison, taxes et services compris.
€ moins de 25 euros
€€ de 25 à 45 euros
€€€ de 45 à 65 euros
€€€€ de 65 à 80 euros
€€€€€ plus de 80 euros

# Que manger en Bretagne ?

**Sardines Connetable**

Longtemps, les vrais gastronomes ont boudé la cuisine bretonne : ils jugeaient trop rustiques les solides potées et les crêpes frugales qui constituaient autrefois (à côté du lard, de la bouillie d'avoine et du blé noir) la base de l'alimentation.

Mais les temps ont changé : ce terroir généreux a acquis ses lettres de noblesse en tirant le meilleur parti de ses produits frais – volailles fermières, légumes de plein champ, araignées à la chair délicate, poissons de la marée, beurre salé… – et en mitonnant des recettes simples, pleines de saveurs iodées.

**Les galettes de blé noir** *(ou sarrasin), garnies de fromage, jambon, saumon…*

## LES PRODUITS DE LA MER

Fleurons de la gastronomie bretonne, les coquillages, poissons et crustacés qui trônent sur toutes les tables du littoral sont toujours de première qualité et peuvent être apprêtées de multiples façons, de la plus simple à la plus sophistiquée : au beurre blanc, à la vapeur d'algue, à l'armoricaine (flambée)…

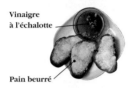

**Vinaigre à l'échalotte**

**Pain beurré**

**Les palourdes et praires farcies**, *servies chaudes avec une pointe de beurre demi-sel.*

**Les coquilles Saint-Jacques**, *préparées en salade, à la salicorne, à l'eau-de-vie de cidre…*

**Les huîtres de Cancale**, *crues, au vinaigre, échalotes et pain de seigle.*

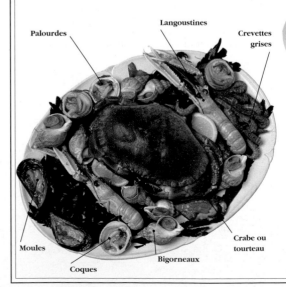

Palourdes

Langoustines

Crevettes grises

Moules

Coques

Bigorneaux

Crabe ou tourteau

**Le brochet au beurre blanc** *et saupoudré de persil : une spécialité nantaise.*

## LE PLATEAU DE FRUITS DE MER

Sa composition varie selon les côtes, les aléas de la pêche et les saisons. Les bons restaurateurs servent les coquillages et crustacés sur un lit d'algues, avec du pain, de la mayonnaise maison, du vinaigre à l'échalote, du citron et du beurre salé.

## LES SPÉCIALITÉS

Les crêpes et galettes ne sont pas les seules « spécialités » de la région : sur les menus, figurent en bonne place les charcuteries locales (lard grillé au feu de bois, tripes maison, andouille), le poulet au cidre de Fouesnant, le gruau d'avoine, et surtout le *kig ha fars* préparé comme autrefois.

Chou

Carottes

Galettes de blé noir cuite dans un sac

Lard

Bœuf

Jarret de porc

Bouillon

Saucisses à cuire

## KIG HA FARS

Cette recette est accompagnée de far noir ou blanc, pâte cuite dans un sac de toile plongé dans le bouillon du pot-au-feu.

*L'andouillette de Géméné*, chaude ou froide, préparée à la main et fumée au bois de hêtre.

*La lotte à l'Armoricaine*, au coulis de tomate et flambée, fait partie de la gastronomie bigoudène.

*L'agneau de pré-salé*, servi ici avec des fonds d'artichauts, est une viande de qualité à rôtir au four chaud.

## LES DESSERTS

Du quatre-quarts au far en passant par la crêpe (*krampouez*) et le célèbre *kouign amann* originaire de Douarnenez, c'est le beurre salé qui donne aux desserts bretons, nourrissants mais toujours savoureux, leur goût inimitable.

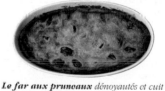

*Le far aux pruneaux* dénoyautés et cuit dans une terrine est une spécialité à déguster en Basse-Bretagne.

*Les crêpes sucrées* à base de froment sont à déguster avec du cidre frais ou du lait ribot.

## LES LÉGUMES

De serre ou de plein champ, les primeurs du littoral breton peuvent être accommodés différemment : à la crème de ciboulette, en gratin...

*Le kouign amann* doré à l'œuf, saupoudré de sucre et parfois rayé à la fourchette.

**Choux-fleur fleur de Bretagne**

**Artichaut prince de Bretagne**

# Choisir un restaurant

Les établissements présentés ici ont été sélectionnés pour la qualité de leur cuisine, leur rapport qualité-prix, ou leur localisation exceptionnelle. Ils sont classés par département. Pour plus de détails, utilisez les onglets de couleur indiquant les découpages régionaux. Et maintenant, bon appétit !

| | CARTES DE PAIEMENT | MENU À PRIX FIXE | OUVERT À MIDI | OUVERT TARD LE SOIR | TABLES EN TERRASSE |
|---|---|---|---|---|---|

## ILLE-ET-VILAINE

| | | | | | | |
|---|---|---|---|---|---|---|
| **CANCALE :** *Le Saint-Cast*  €€<br>Route de la Corniche, 35260. ☎ 02 99 89 66 08. FAX 02 99 89 89 20.<br>Ce très bon restaurant de poissons et de fruits de mer est situé en haut de la corniche dominant la baie. Le chef a rapporté les saveurs de ses voyages avec pour spécialité un tajine de homard aux pâtes. ● *mar., mer. (hors saison), mi-nov.-mi-déc., vac. scol. de février.* | ■ | ● | | | ■ |
| **CANCALE :** *Maison de Bricourt*  €€€€€<br>1, rue Du Guesclin, 35260. ☎ 02 99 89 64 76. FAX 02 99 89 88 47.<br>Cette malouinière reconvertie propose une cuisine inventive aux saveurs du monde. Goûter le bar aux huiles parfumées ou la chair d'araignée à l'oseille sauvage. L'hôtelier possède des chantiers ostréicoles ouverts à la visite de sept. à avril. ● *mi-déc.-mi-mars, mer. (sauf le soir en juil.-août), mar.* | ■ | ● | | | |
| **COMBOURG :** *L'Écrivain*  €<br>Place Saint-Gilduin, 35270. ☎ 02 99 73 01 61. FAX 02 99 73 01 61.<br>Cuisine inventive et savoureuse ayant obtenu un label du terroir. Spécialités de poissons fumés maison ou de millefeuille de foie gras aux artichauts. Excellent rapport qualité-prix. ● *1er-15 oct., vacances de fév., dim. soir hors saison, mer. soir et jeu.* | ■ | ● | | | ■ |
| **DINARD :** *Le Prieuré*  €<br>1, place du Général-de-Gaulle, 35800. ☎ 02 99 46 13 74. FAX 02 99 46 81 90.<br>Dans la salle à manger qui a une vue magnifique sur la mer, vous dégusterez de délicieux fruits de mer et poissons. ● *lun.-dim. soir hors saison, juil.-août : lun. soir.* | ■ | ● | | | ■ |
| **DINARD :** *Didier Méril*  €€<br>6, rue Yves-Verney, 35800. ☎ 02 99 46 95 74. FAX 02 99 16 07 75.<br>Anciennement connu sous le nom de La Palmeraie, vous y trouverez une cuisine traditionnelle et des produits de la mer dans un décor plaisant. ● *déc., jan. ; oct.-mars : mer.* 🍷 | ■ | ● | ■ | ● | ■ |
| **FOUGÈRES :** *Les Voyageurs*  €€<br>10, place Gambetta, 35300. ☎ 02 99 99 14 17. FAX 02 99 99 28 89.<br>Un vrai restaurant gastronomique qui propose des plats inventifs d'une grande finesse : profiteroles d'escargots poêlés, espadon grillé et succulent chariot de desserts. ● *sam. midi, dim. soir.* | ■ | ● | ■ | ● | |
| **FOUGÈRES :** *Le Haute-Sève*  €€€<br>37, bd Jean-Jaurès, 35300. ☎ 02 99 94 23 39.<br>Cette très bonne adresse gastronomique propose une cuisine traditionnelle à base de produits du terroir. Uniquement sur réservation en semaine, avant 15 h. Excellent accueil. ● *dim. soir, lundi.* | ■ | ● | ■ | | |
| **PAIMPONT :** *Les Forges*  €<br>Les Forges, 35380. ☎ 02 99 06 81 07. FAX 02 99 06 92 15.<br>Aux portes de la forêt de Brocéliande, vous dégusterez dans un site enchanteur emprunt d'histoire une cuisine traditionnelle élaborée par le chef depuis 32 ans. Découvrez les spécialités de poissons et de gibiers. ● *déb. sept. ; lun. soir.* | ■ | ● | ■ | ● | ■ |
| **PAIMPONT (FORÊT DE) :** *L'Auberge du Presbytère*  €€<br>Preffendel, 35380. ☎ 02 99 61 00 76. FAX 02 99 61 00 48.<br>Cet ancien presbytère offre un cadre très reposant. La salle à manger à l'extérieur aux beaux jours, permet d'apprécier pleinement une cuisine déjà réputée. ● *dim. soir, lun.* | ■ | ● | ■ | | |

| | | | | | | CARTES DE PAIEMENT | MENU À PRIX FIXE | OUVERT À MIDI | OUVERT TARD LE SOIR | TABLES EN TERRASSE |
|---|---|---|---|---|---|---|---|---|---|---|

**Les prix** correspondent à un repas pour une personne comprenant une entrée, un plat et un dessert, taxes et service compris. Menus souvent moins chers à l'heure du déjeuner.
€ moins de 25 euros
€€ de 25 à 45 euros
€€€ de 45 à 65 euros
€€€€ de 65 à 80 euros
€€€€€ plus de 80 euros

**CARTES DE PAIEMENT**
L'établissement accepte toutes les principales cartes de paiement françaises ou étrangères.

**MENU À PRIX FIXE**
Menu à prix fixe comprenant généralement trois plats.

**OUVERT TARD LE SOIR**
Le restaurant accepte des clients jusqu'à 22 heures.

**TABLES EN TERRASSE**
Possibilité de prendre les repas à l'extérieur, sur une terrasse, dans une cour ou un jardin, souvent avec une belle vue.

| Établissement | Prix | CARTES DE PAIEMENT | MENU À PRIX FIXE | OUVERT À MIDI | OUVERT TARD LE SOIR | TABLES EN TERRASSE |
|---|---|:--:|:--:|:--:|:--:|:--:|
| **RENNES :** *L'Auberge Saint-Sauveur*<br>6, rue du Saint-Sauveur, 35000. 02 99 79 32 56. FAX 02 99 78 27 93.<br>Dans la salle à manger raffinée de cette demeure de chanoines du XVIᵉ siècle, découvrez le homard breton grillé et le foie gras de canard.<br>● *sam. midi-dim., lun. midi.* | €€ | ■ | ● | ■ | | |
| **RENNES :** *L'Ouvrée*<br>18, place des Lices, 35000. 02 99 30 16 38. FAX 02 99 30 16 38.<br>Une situation merveilleuse sur une place bordée de maisons à pans de bois qui accueille le plus beau marché de France. Un vrai régal de s'y promener et de regarder les étals.<br>● *sam. midi, dim. soir, 15 jours déb. août.* | €€ | ■ | ● | ■ | ● | |
| **RENNES :** *L'Escu de Runfao*<br>11, rue du Chapitre, 35000. 02 99 79 13 10. FAX 02 99 79 43 80.<br>Dans une maison du XVIᵉ siècle, ce restaurant gastronomique spécialisé dans le poisson n'offre que des produits frais.<br>● *sam. midi, dim.* | €€ | ■ | ● | ■ | | ■ |
| **SAINT-MALO :** *Le Chalut*<br>8, rue Corne-de-Cerf, 35400. 02 99 56 71 58. FAX 02 99 56 71 58.<br>Cuisine raffinée et inventive : spécialités de produits de la mer, comme l'étuvée de saint-pierre aux champignons sauvages ● *mar. midi en juil.-août, dim. soir , lun. toute l'année, mardi (haute saison).* | €€ | ■ | ● | ■ | ● | |
| **SAINT-MALO :** *Le Chasse-Marée*<br>4, rue du Grout-Saint-Georges, 35400. 02 99 40 85 10. FAX 02 99 56 49 52.<br>Cuisine raffinée, voire gastronomique, mettant en valeur les produits de la mer. ● *sam. midi ; dim.* | €€ | ■ | ● | ■ | | |
| **SAINT-MALO :** *Delaunay*<br>6, rue Sainte-Barbe, 35400. 02 99 40 92 46. FAX 02 99 56 88 91.<br>Vous dégusterez d'excellentes spécialités régionales dans une salle à manger lumineuse. ● *15 nov.-15 déc. ; 15 jan.-15 fév. ; oct.-juin : dim. et lun.* | €€ | ■ | ● | ■ | | ■ |
| **SAINT-MALO :** *À La Duchesse Anne*<br>5, place Guy-la-Chambre, 35400. 02 99 40 85 33. FAX 02 99 40 00 28.<br>Le homard grillé Duchesse Anne ou un succulent foie gras se savourent dans le cadre délicieusement rétro de cette institution malouine.<br>● *déc., jan. ; dim. soir, mer. hors saison ; juil.-août : lun. midi.* | €€€ | ■ | ● | | ■ | ■ |
| **SAINT-MÉLOIR-DES-ONDES :** *Tirel Guérin*<br>35350. 02 99 89 10 46. FAX 02 99 89 12 62.<br>À 10 km de Saint-Malo et de Cancale, ce restaurant est situé en pleine campagne. Le chef élabore une cuisine classique et légère très réputée.<br>● *dim. soir ; déb.oct.-déb.avr.* | €€€ | ■ | ● | ■ | | |
| **MONT-SAINT-MICHEL :** *Hôtel-restaurant de la Mère Poulard*<br>50116. 02 33 60 14 01. FAX 02 99 89 88.<br>Les omelettes de la Mère Poulard sont une véritable institution, mais le restaurant actuel exploite un peu trop cette réputation : accueil peu aimable et prix prohibitifs. | € | ■ | ● | ■ | ● | |
| **MONT-SAINT-MICHEL :** *L'Escale*<br>À 2 km du Mont, sur la digue, 35260. 02 33 89 32 00. FAX 02 33 89 32 01.<br>Ce restaurant, qui fait partie du même groupe que le précédent, est le seul ayant une vue panoramique superbe sur Le Mont-Saint-Michel. La cuisine, traditionnelle et régionale, est simple et savoureuse à des prix intéressants. Dégustez les spécialités de fruits de mer et d'agneau. | €€ | ■ | ● | ■ | ● | ■ |

Légendes des symboles, voir rabat de couverture

**Les prix** correspondent à un repas pour une personne comprenant une entrée, un plat et un dessert, taxes et service compris. Menus souvent moins chers à l'heure du déjeuner.
€ moins de 25 euros
€€ de 25 à 45 euros
€€€ de 45 à 65 euros
€€€€ de 65 à 80 euros
€€€€€ plus de 80 euros

**CARTES DE PAIEMENT**
L'établissement accepte toutes les principales cartes de paiement françaises ou étrangères.

**MENU À PRIX FIXE**
Menu à prix fixe comprenant généralement trois plats.

**OUVERT TARD LE SOIR**
Le restaurant accepte des clients jusqu'à 22 heures.

**TABLES EN TERRASSE**
Possibilité de prendre les repas à l'extérieur, sur une terrasse, dans une cour ou un jardin, souvent avec une belle vue.

## CÔTES-D'ARMOR

| | CARTES DE PAIEMENT | MENU À PRIX FIXE | OUVERT À MIDI | OUVERT TARD LE SOIR | TABLES EN TERRASSE |
|---|---|---|---|---|---|
| **BELLE-ISLE-EN-TERRE :** *Le Relais de l'Argoat* €€ <br> 9, rue de Guic, 22810. ☎ 02 96 43 00 34. FAX 02 96 43 00 76. <br> Cet ancien relais de poste dispose de deux salles chaleureuses. <br> Plats savoureux et bon plateau de fromages. ● *dim. soir, lun.* | ■ | ● | ■ | | |
| **DINAN :** *Le Bistrot du Viaduc* €€ <br> 22, rue du Lion-d'Or, 22100 Lanvallay. ☎ 02 96 85 95 00. FAX 02 96 85 95 01. <br> Dans un cadre agréable, avec une vue superbe sur la vallée de la Rance, <br> dégustez une bonne cuisine du terroir. Les spécialités sont le croustillant de <br> pied de cochon et la morue à la bretonne. ● *1 sem. fin déc. et 15 jours en juin.* | ■ | ● | ■ | | ■ |
| **DINAN :** *Chez la Mère Pourcel* €€ <br> 3, place des Merciers, 22100. ☎ 02 96 39 03 80. FAX 02 96 39 49 91. <br> Sur la plus belle place de Dinan, dans une ancienne demeure de <br> marchand : produits de la mer de qualité et bonne carte des vins de Loire. <br> 🍴 ● *oct.-mars : dim. soir-mar. ; avril-juin : dim. soir-lun.* | ■ | ● | ■ | | ■ |
| **DINAN :** *Les Grands Fossés* € <br> 2, place du Gal-Leclerc, 22100. ☎ 02 96 39 21 50. FAX 02 96 39 42 60. <br> À 300 m de l'hôtel de ville, une demeure bourgeoise du XIXe siècle, à <br> l'ambiance conviviale et chaleureuse. La cuisine de saison et du marché <br> est exclusivement tournée vers la mer. | ■ | ● | ■ | | |
| **ERQUY :** *L'Escurial* €€ <br> Bd de la mer, 22430. ☎ 02 96 72 31 56. FAX 02 96 63 57 92. <br> Très belle vue sur la mer depuis la salle à manger. Le restaurant est réputé <br> dans la région pour ses coquilles Saint-Jacques et le saint-pierre poêlé au foie <br> gras. Produits du marché. ● *dim. soir, lun. ; lun. juil.-août ; mi-nov.-mi-jan.* | ■ | ● | ■ | | |
| **GUINGAMP :** *Le Relais du Roy* €€ <br> 42, place du Centre, 22000. ☎ 02 96 43 76 62. FAX 02 96 44 08 01. <br> Dans une salle à manger raffinée, savourez une cuisine traditionnelle <br> de qualité. ● *dim. ; 1re quinz. de jan.* | ■ | ● | ■ | | |
| **LAMBALLE :** *Le Connétable* € <br> 9, rue Paul-Langevin, 22400. ☎ 02 96 31 03 50. <br> Cuisine gastronomique dans un cadre bourgeois. Spécialités de filet <br> d'autruche au jus de morilles et saumon fumé maison. ● *dim. soir-lun.* | ■ | ● | ● | ● | |
| **LANNION :** *La Ville Blanche* €€€ <br> À 3 km de Lannion, sur la route de Tréguier, 22300. <br> ☎ 02 96 37 04 28. FAX 02 96 46 57 82. <br> Cuisine excellente et recherchée élaborée par deux frères : entre autres <br> merveilles, citons la lotte au cidre et primeurs du pays et le millefeuille <br> aux pommes caramélisées. Réservation indispensable. ● *dim. soir sauf en <br> juil.-août ; lun., mer. soir, jan.-fév. ; 3e semaine d'oct.* | ■ | ● | ■ | | |
| **NOTRE-DAME-DU-GUILDO :** *Le Gilles de Bretagne* € <br> Sur le port, 22380. ☎ 02 96 41 07 08. <br> Restaurant de produits de la mer et de poissons. Essayez le spectaculaire <br> plateau de fruits de mer pour deux, suivi d'un homard grillé, de fromage <br> et du dessert. Réservation conseillée en été. ● *mar. sauf en été, jan.-déb. fév.* | ■ | ● | ■ | | |
| **PAIMPOL :** *Hôtel-restaurant de la Marne* €€€ <br> 30, rue de la Marne, 22500. ☎ 02 96 20 82 16. FAX 02 96 20 92 07. <br> Restaurant très fréquenté par les Paimpolais. Nombreuses spécialités : <br> tournedos de lotte rôtie au lard, vinaigre de langoustines et foie gras. <br> 🍴 ● *dim. soir, lun. sauf en juil. ; août ; jours fériés ; vacances de fév.* | ■ | ● | ■ | | |

**PAIMPOL :** *Le Repaire de Kerroc'h*　　　　　　€€
29, quai Morand, 22500. 📞 *02 96 20 50 13.* 📠 *02 96 22 07 46.*
Le restaurant est situé sur le port de plaisance. Une partie bistrot et une
partie restaurant gastronomique permettent de concilier tous les goûts et
toutes les bourses. 🌑 *mar., mer. midi.*

**PERROS-GUIREC :** *Le Suroît*　　　　　　€
81, rue Ernest-Renan, 22700. 📞 *02 96 23 23 83.* 📠 *02 96 91 18 32.*
Situé sur le port, devant la criée. Cuisine agréable à base de spécialités
de fruits de mer, servie dans une salle chaleureuse, avec un accueillant
feu de bois. 🌑 *dim. soir, lun.*

**PLANCOËT :** *Jean-Pierre Crouzil*　　　　€€€€
20, les Quais, 22130. 📞 *02 96 84 10 24.* 📠 *02 96 84 01 93.*
Une cuisine régionale inventive de haute volée : homard breton au
lambic ou huîtres chaudes et glacées au sabayon de Vouvray. 🌑 *dim. soir,
lun., mardi midi (sauf juil. et août).*

**PLÉNEUF-VAL-ANDRÉ :** *Au Biniou*　　　　€
121, rue Clemenceau, 22370. 📞 *02 96 72 24 35.* 📠 *02 96 63 03 23.*
Ce restaurant, proche de la plage du Val-André, sert une cuisine de haut
niveau : filet de bar braisé au lait de fenouil, ris de veau braisé aux
pommes et morilles. 🔲 🌑 *fév. ; mar. soir; mer. midi ; juil., août.*

**SAINT-BRIEUC :** *Aux Pesked*　　　　€€
59, rue du Légué, 22200. 📞 *02 96 33 34 65.* 📠 *02 96 33 65 38.*
La meilleure table de Saint-Brieuc propose des plats légers et raffinés, le
tout dans un cadre enchanteur. Le menu dégustation compte sept plats !
🌑 *fin déc.-mi- jan., sam. midi, dim. soir, lun. ; fin août-mi-sept.*

**SAINT-BRIEUC :** *L'Amadeus*　　　　€
22, rue Gouët, 22000. 📞 *02 96 33 92 44.* 📠 *02 96 61 42 05.*
La salle à manger a gardé son beau plafond à solives. Le filet de sole au
foie de canard est exceptionnel et les desserts sont originaux et variés
🌑 *mi-fév.-déb. mars, sam. midi et dim. juil. ; août.*

**SAINT-JACUT-DE-LA-MER :** *La Presqu'île*　　　　€
164, Grand-Rue, 22750. 📞 *02 96 27 76 47.*
Les poissons, toujours frais, sont excellents : turbot au citron vert,
aiguillettes de calamars au coulis de langoustines. Bonnes viandes
également. 🌑 *lun. hors saison ; en fév.*

**SAINT QUAY-PORTRIEUX :** *Le Mouton Blanc*　　　　€
52, quai République, 22410. 📞 *02 96 70 58 44.* 📠 *02 96 70 58 44.*
Savoureuses spécialités de saison, servies dans une salle au 1ᵉʳ étage avec une belle
vue sur le port. 🔲 🌑 *mi-nov.-1ʳᵉ sem. de déc., 3 sem. en fév. ; mer. soir, jeu. soir sauf vac. scol.*

**TRÉBEURDEN :** *Ker An Nod*　　　　€€
2, rue de Porz-Termen, 22560. 📞 *02 96 23 50 21.* 📠 *02 96 23 63 30.*
Spécialités de poissons et de fruits de mer : huîtres chaudes au beurre
de muscadet ou poulet de Trégor aux langoustines. 🌑 *déb. jan.-fin mars.*

**TRÉBEURDEN :** *La Tourelle*　　　　€
Rue du Trouzoul. 📞 *02 96 23 62 73.*
Le restaurant, face au port, sert une bonne cuisine à base de poissons
et de fruits de mer. 🌑 *mar., mer. et jan.*

**TRÉGASTEL :** *Auberge de la Vieille Église*　　　　€€
Place de l'Église, dans le vieux bourg de Trégastel, 22730.
📞 *02 96 23 88 31.* 📠 *02 96 15 33 75.*
Cuisine exceptionnelle dans une auberge bretonne très fleurie : spécialités
de tagliatelles de Saint-Jacques ou pot-au-feu de la mer. Réservation
indispensable en saison. 🌑 *mars ; lun. (sauf juil.-août), mar. soir et dim.*

**TRÉGUIER :** *Les Trois Rivières*　　　　€
Restaurant de l'hôtel Aigue-Marine, sur le port de plaisance, 22220.
📞 *02 96 92 97 00.* 📠 *02 96 92 44 48.*
Le restaurant Les Trois Rivières, sur le port de plaisance, offre un bon
rapport qualité-prix pour une cuisine élaborée par un jeune chef plein
de talent. Goûtez les papillonnades de rouget-barbet, et la croustade
à la tomme fermière. 🌑 *lun. hors saison, sam. midi, dim. soir ; mi-jan.-mi-fév.*

Légendes des symboles, voir rabat de couverture

**Les prix** correspondent à un repas pour une personne comprenant une entrée, un plat et un dessert, taxes et service compris. Menus souvent moins chers à l'heure du déjeuner.
€ moins de 25 euros
€€ de 25 à 45 euros
€€€ de 45 à 65 euros
€€€€ de 65 à 80 euros
€€€€€ plus de 80 euros

**CARTES DE PAIEMENT**
L'établissement accepte toutes les principales cartes de paiement françaises ou étrangères.

**MENU À PRIX FIXE**
Menu à prix fixe comprenant généralement trois plats.

**OUVERT TARD LE SOIR**
Le restaurant accepte des clients jusqu'à 22 heures.

**TABLES EN TERRASSE**
Possibilité de prendre les repas à l'extérieur, sur une terrasse, dans une cour ou un jardin, souvent avec une belle vue.

## FINISTÈRE NORD

| | CARTES DE PAIEMENT | MENU À PRIX FIXE | OUVERT À MIDI | OUVERT TARD LE SOIR | TABLES EN TERRASSE |
|---|---|---|---|---|---|
| **BATZ (ÎLE DE) :** *Grand Hôtel Morvan*   € <br> Sur le port, 29253. ☎ 02 98 61 78 06. FAX 02 98 61 78 06. <br> Savoureux poissons et fruits de mer servis dans une salle à manger à la décoration années 1950. ● *1er déc.-mi-fév.* | ■ | ● | ■ | | ■ |
| **BREST :** *Océania*   € <br> 82, rue Siam, 29200. ☎ 02 98 80 66 66. FAX 02 98 80 65 50. <br> Ce restaurant gastronomique offre des spécialités à base de produits de la mer. Son chef s'efforce de renouveler la carte tous les jours, en fonction des produits frais du marché. ● *sam. midi, dim., lun. midi.* | ■ | ● | ■ | ● | |
| **BREST :** *Ma Petite Folie*   € <br> Plage du Moulin, à côté du port de plaisance, 29200. <br> ☎ 02 98 42 44 42. FAX 02 98 41 43 68. <br> Embarquez sur un bateau aménagé en restaurant pour déguster l'une des meilleures cuisines de Brest. Réservation indispensable le week-end et en saison. ● *15 dern. jours d'août.* | ■ | ● | ■ | | |
| **BREST :** *La Fleur de Sel*   € <br> 15, bis rue de Lyon, 29200. ☎ 02 98 44 38 65. FAX 02 98 43 38 53. <br> Bonne cuisine traditionnelle servie dans une élégante salle à manger Art déco. Cave exceptionnelle. ▯ ● *sam. midi ; fin juil.-fin août, 1re sem. de jan.* | ■ | ● | ■ | | |
| **CARANTEC :** *Cabestan*   €€ <br> 7, rue du Port, 29660. ☎ 02 98 67 01 87. FAX 02 98 67 90 49. <br> La salle de restaurant et sa véranda donnent sur le port et l'Océan. Cuisine traditionnelle. ● *mi-nov.-mi-déc.* | ■ | ● | ■ | | |
| **CARANTEC :** *Hôtel de Carantec*   €€ <br> 29660. ☎ 02 98 67 00 47. FAX 02 98 67 08 25. <br> La cuisine de ce grand hôtel accroché sur une falaise est axée sur les produits de la mer. ● *2 sem. en jan. ; dim. soir, lun. (sauf jours fériés).* | ■ | ● | ■ | ● | ■ |
| **LANDERNEAU :** *Le Clos du Pont*   € <br> Rue du Pontic, 29800. ☎ 02 98 21 50 91. FAX 02 98 21 34 33. <br> Cuisine un peu sophistiquée servie dans un cadre confortable : blanc de barbue à la rhubarbe et rouille. Réservation obligatoire. ● *en hiver : sam. midi, dim. soir, lun. midi.* | ■ | ● | ■ | | |
| **LANNILIS :** *Auberge des Abers*   €€€ <br> 5, place Auditoire, 29870. ☎ 02 98 04 00 29. <br> Le déjeuner se prend dans une salle conviviale au rez-de-chaussée, le dîner est servi à l'étage dans une salle plus sophistiquée. ● *dim. soir, lun. ; 1 sem. en mars ; mi-sept.-déb.-oct.* | ■ | ● | | | |
| **LOCQUIREC :** *Le Grand Hôtel des Bains*   €€ <br> 15, rue de l'Église, 29241. ☎ 02 98 67 41 02. FAX 02 98 67 44 60. <br> Ce restaurant d'hôtel sert une cuisine élaborée : millefeuille de tourteaux et homard breton. ▯ ● *jan. ; sept.-juin : le midi sauf le dim.* | ■ | ● | | | |
| **MORLAIX :** *L'Europe*   € <br> Place Émile-Souvestres, 29600. ☎ 02 98 88 81 15. FAX 02 98 88 81 15. <br> Les saveurs de la terre et de la mer se mêlent avec finesse dans une salle à manger aux superbes boiseries du XVIIIe siècle. ● *Noël et Jour de l'An.* | ■ | ● | | | ■ |
| **MORLAIX :** *Brocéliande*   € <br> 5, rue des Bouchers, 29600. ☎ 02 98 88 73 78. <br> Ambiance sympathique et plats bourgeois goûteux, comme le filet mignon à la compote de rhubarbe. ● *midi, mar.* | ■ | ● | | ● | |

**MORLAIX :** *La Marée Bleue* €€
3, rampe Sainte-Mélaine, 29600. ☎ 02 98 63 24 21.
Dans un cadre agréable, ce bon restaurant de poissons travaille les
produits frais et la cuisine de saison. ● *dim. soir, lun. ; sept.-mars.*

**PLOUGASTEL-DAOULAS :** *Le Chevalier de l'Auberlac'h* €
5, rue Mathurin-Thomas, 29470. ☎ 02 98 40 54 56. FAX 02 98 40 65 16.
Le meilleur restaurant de la presqu'île propose une bonne cuisine
traditionnelle : choucroute de poisson ou foie gras de canard au torchon.
● *dim. soir, lun. soir.*

**PLOUDIER :** *La Butte* €€
10, rue de la Mer, 29253. ☎ 02 98 25 40 54. FAX 02 98 25 44 17.
On y apprécie la vue superbe sur la baie de Goulven. Les plats raffinés
sont à base de poissons, comme le saumon à la fondue d'oseille, ou de
viande, et le pot-au-feu de pigeonneau. ● *dim., lun.*

**ROSCOFF :** *L'Écume des jours* €
Quai d'Auxerre, 29680. ☎ 02 98 61 22 83. FAX 02 98 61 22 83.
Cadre confortable et intime, plats inventifs, telles les noix de pétoncles
rôties au magret de canard fumé. 🍴 ● *1er déc.-1er fév. ; mar., mer. (sauf juil.-août).*

**ROSCOFF :** *Le Temps de Vivre* €€€
Place de l'Église, 29680. ☎ 02 98 61 27 28. FAX 02 98 61 19 46.
Une salle à manger élégante avec vue sur la mer et une cuisine de terroir
inventive : choux farcis au tourteau ou turbot en cocotte. ● *3 sem. en
oct. ; mars ; lun., mar. midi en juil.-août ; dim. soir sept.-juin.*

**SAINT-POL-DE-LÉON :** *La Pomme d'Api* €€
49, rue Verdrel, 29250. ☎ 02 98 69 04 36.
Dans une belle maison bretonne du milieu du XVIe siècle, vous apprécierez une
bonne cuisine traditionnelle : pavé d'agneau rôti, pavé de bar cuit en vapeur
d'algues. ● *dim. soir, lun., mar. hors saison ; 2 dern. sem. de nov. ; vacances de fév.*

**SAINT-THÉGONNEC :** *L'Auberge de Saint-Thégonnec* €€
6, place de la Mairie, 29410. ☎ 02 98 79 61 18. FAX 02 98 62 71 10.
Une très bonne adresse. Excellente cuisine de marché à savourer dans
un cadre raffiné . entre autres, mignon de veau braisé aux morilles. 🍴
● *lun., dim. soir mi-sept.-mi-juin ; mi-déc.-1re sem. de jan. ; sam. midi hors saison.*

## FINISTÈRE SUD

**AUDIERNE :** *Le Goyen* €€
Place Jean Simon, 29770. ☎ 02 98 70 08 88. FAX 02 98 70 18 77.
Un temple de la cuisine bretonne. Le patron possède ses propres
élevages d'huîtres et de homards dans des parcs de pleine mer. Portions
généreuses. ● *lun. hors saison (sauf jours fériés), Pâques.*

**BÉNODET :** *Le Minaret* €
Corniche de l'Estuaire, 29950. ☎ 02 98 57 03 13. FAX 02 98 66 23 72.
Décoration orientaliste pour la salle à manger qui a vue sur l'Océan.
Cuisine à base de produits de la mer : couscous de la mer, papillote
de lotte. ● *le midi sauf juil.-août ; jours fériés. ; 15 oct.-1er avril.*

**BÉNODET :** *Ferme du Letty* €€€
5, rue du Letty, 29950. ☎ 02 98 57 01 27. FAX 02 98 57 25 29.
C'est l'une des meilleures tables du Finistère : service un peu guindé mais
excellent produits locaux travaillés avec inventivité et un peu d'exotisme.
● *15 nov.-fin fév. ; mar. en juil.-août ; le midi sauf dim. et mer.*

**CONCARNEAU :** *À l'Ancre* €
22, rue Dumont-d'Urville, 29900. ☎ 02 98 60 58 68.
Viandes et poissons sont grillés dans la grande cheminée devant les clients.
● *lun., mar. midi hors saison.*

**CONCARNEAU :** *Chez Armande* €
15 bis, avenue du Dr-Nicolas, 29900. ☎ 02 98 97 00 76. FAX 02 98 97 00 76.
Le restaurant est situé face à la ville close. Bonne cuisine traditionnelle à
base de produits de la mer. ● *1re sem. de sept. ; vacances de Noël.*

Légendes des symboles, voir rabat de couverture

**Les prix** correspondent à un repas pour une personne comprenant une entrée, un plat et un dessert, taxes et service compris. Menus souvent moins chers à l'heure du déjeuner.
€ moins de 25 euros
€€ de 25 à 45 euros
€€€ de 45 à 65 euros
€€€€ de 65 à 80 euros
€€€€€ plus de 80 euros

**CARTES DE PAIEMENT**
L'établissement accepte toutes les principales cartes de paiement françaises ou étrangères.

**MENU À PRIX FIXE**
Menu à prix fixe comprenant généralement trois plats.

**OUVERT TARD LE SOIR**
Le restaurant accepte des clients jusqu'à 22 heures.

**TABLES EN TERRASSE**
Possibilité de prendre les repas à l'extérieur, sur une terrasse, dans une cour ou un jardin, souvent avec une belle vue.

| | | Cartes de paiement | Menu à prix fixe | Ouvert à midi | Ouvert tard le soir | Tables en terrasse |
|---|---|---|---|---|---|---|
| **CONCARNEAU :** *Coquille* | €€ | ■ | ● | ■ | | ■ |
| **CROZON :** *La Pergola* | €€ | ■ | ● | ■ | ● | |
| **DOUARNENEZ :** *Le Doyen* | €€ | ■ | ● | ■ | | |
| **FOUESNANT :** *Restaurant de l'Armorique* | € | ■ | ● | ■ | | ■ |
| **LOCRONAN :** *Manoir de Moëllien* | €€ | ■ | ● | ■ | | |
| **LOCTUDY :** *Relais de Lodonnec* | €€ | ■ | ● | ■ | | |
| **PONT-AVEN :** *Le Moulin de Rosmadec* | €€€ | ■ | ● | ■ | | |
| **PONT-L'ABBÉ :** *Le Relais de Ty-Boutic* | €€ | ■ | ● | ■ | | ■ |
| **QUIMPER :** *Les Acacias* | €€ | ■ | ● | ■ | | |
| **QUIMPER :** *L'Ambroisie* | €€ | ■ | ● | ■ | | |

**CONCARNEAU :** *Coquille*　€€
Quai Moros, 29900. ☎ 02 98 97 08 52. FAX 02 98 50 69 13.
Avec une salle donnant sur le port de pêche, les spécialités sont celles de la mer. Les tableaux de peintres locaux attirent une clientèle nombreuse. ● 1er-15 mai ; 3 sem. en jan. ; dim. soir, lun.

**CROZON :** *La Pergola*　€€
25, rue du Poulpatré, 29160. ☎ 02 98 27 04 01.
Salle de restaurant élégante et joli jardin sont le cadre d'une cuisine raffinée et goûteuse, comme le poêlon de crabe farci à l'indienne, suivi d'un mi-fondant mi-craquant au chocolat amer. ● dim. soir, lun. en basse saison.

**DOUARNENEZ :** *Le Doyen*　€€
4, rue Jean-Jaurès, 29100. ☎ 02 98 92 00 02. FAX 02 98 92 27 05.
Le restaurant de l'Hôtel de France propose une cuisine savoureuse à dominante marine. ● déb. jan. ; dim. soir, lun. ; mar. d'oct.-mai.

**FOUESNANT :** *Restaurant de l'Armorique*　€
33, rue de Cornouaille, 29170. ☎ 02 98 56 63 63. FAX 02 98 56 65 36.
De savoureux plats bretons, tels que le jarret de porc au cidre ou le loup de mer aux poireaux. ● 2 sem. en fév.

**LOCRONAN :** *Manoir de Moëllien*　€€
Au nord-ouest de Locronan, Plovénez-Porzay, 29550.
☎ 02 98 92 50 40. FAX 02 98 92 55 21.
Superbe salle à manger aux meubles bretons dans un manoir du XVIIe siècle. Cuisine réputée, axée sur les produits marins (saumon fumé maison). ● mer., mi-nov.-fin mars.

**LOCTUDY :** *Relais de Lodonnec*　€€
3, rue des Tulipes, à 2 km au s. de Loctudy, 29750. ☎ 02 98 87 55 34.
Cette ancienne maison de pêcheur, à 50 m de la plage, propose de beaux plateaux de fruits de mer. ▮ ● lun. en juil.-août ; mar. soir, mer. hors saison ; mi-jan.-mi-fév.

**PONT-AVEN :** *Le Moulin de Rosmadec*　€€€
Venelle de Rosmadec, 29930. ☎ 02 98 06 00 22. FAX 02 98 06 18 00.
Dans un moulin du XVe siècle sur les bords de l'Aven, table très réputée dans la région : homard grillé, sauté de langoustines en millefeuille de pomme de terre et, en dessert, crêpes soufflées au citron et coulis mûroise. ● mer. ; 2 sem. en nov. ; fév.

**PONT-L'ABBÉ :** *Le Relais de Ty-Boutic*　€€
Lieu-dit Ty-Boutic, 29120. ☎ 02 98 87 03 90. FAX 02 98 87 30 63.
Produits locaux travaillés avec adresse, comme le succulent filet de lieu aux choux à l'andouille ou encore les croquants de langoustine aux poireaux. ● dim. soir, lun.

**QUIMPER :** *Les Acacias*　€€
Bd Creac'h-Gwen, 29000. ☎ 02 98 52 15 20. FAX 02 98 10 11 48.
Situé dans la verdure, au bord de l'Odet, ce restaurant met à l'honneur les produits locaux : poissons, pigeons du pays, escargots de Baye, fraises de Plougastel. ● août ; sam. midi, dim. soir, lun. soir.

**QUIMPER :** *L'Ambroisie*　€€
49, rue Élie-Fréron, 29000. ☎ 02 98 95 00 02. FAX 02 98 95 88 06.
Une salle de restaurant moderne rehaussée par des estampes de Francis Bacon. Des plats de la mer (homard ou jus de crustacés et fondue de poireaux) et d'excellents desserts. ● fin juin-mi-juil. ; Toussaint, fév. ; lun en hiver.

**QUIMPER** : *Le Stade*                                              €€
12, avenue Georges-Pompidou, 29000. 📞 02 98 90 22 43. FAX 02 98 90 39 99.
Ce restaurant mérite son excellente réputation. Il offre des plats
gastronomiques, tels que le risotto de Saint-Jacques truffé, le millefeuille
de châtaignes ou le suprême de pigeonneau rôti en crapaudine au foie
blond à l'armagnac. 🍴 ● *8 jours en fév. ; 6 jours entre juil.-août ; déb. sept.*

**QUIMPER** : *Le Capucin Gourmand*                                   €€
29, rue Réguaires, 29000. 📞 02 98 95 43 12. FAX 02 98 95 13 34.
De savoureuses spécialités bretonnes, comme la salade tiède à la truffe
et aux crustacés ou la galette de turbot malouin au romarin. Les desserts
sont à la hauteur des plats avec un far du pays bigouden et sa sauce
au pommeau. ● *lun. midi, dim.*

**QUIMPERLÉ** : *Le Relais du Roch*                                   €€
Route du Pouldu, 29000. 📞 02 98 96 12 97. FAX 02 98 39 22 40.
Deux formules : un restaurant gastronomique au rez-de-chaussée
qui propose un homard grillé au beurre de corail et confit de canard
ou une formule bistrot rapide à l'étage. ● *lun., dim., mer. soir sauf juil.-août.*

## MORBIHAN

**ARZ (ÎLE D')** : *Les Îles*                                        €
Au centre du bourg, 56840. 📞 02 97 44 30 95. FAX 02 97 44 33 61.
Huîtres gratinées, soupe du Rigado ou homard grillé au feu de bois font partie
des spécialités de ce restaurant très convivial. ● *le soir sauf vac. scol. ; week-end.*

**AURAY** : *L'Églantine*                                            €
17, place Saint-Sauveur, 56400. 📞 02 97 56 46 55.
Petite auberge chaleureuse : bonnes spécialités bretonnes, comme la lotte
et le saumon à la crème de ciboulette au raifort. ● *mer. hors saison.*

**AURAY** : *La Closerie de Kerdrain*                                €€€
20, rue L.-Billet, 56400. 📞 02 97 56 61 27. FAX 02 97 24 15 79.
Belle salle à manger du XVIIIᵉ siècle avec vaste cheminée bretonne et
boiserie pour une cuisine raffinée : velouté de langoustines ou encornets
aux artichauts et noisettes. ● *fin nov.-mi-déc. ; 3 sem. en mars ; lun.*

**BELLE-ÎLE-EN-MER** : *Castel Clara*                                €€
Port-Goulphar, Bangor, 56360. 📞 02 97 31 84 21. FAX 02 97 31 51 69.
Une excellente cuisine marine dans un cadre grandiose,
avec vue sur les falaises de Goulphar. ● *15 nov.-15 fév.*

**BILLIERS** : *Domaine de Rochvilaine*                              €€€
À la pointe de Pen-Lan-Sud, 56190. 📞 02 97 41 61 61. FAX 02 97 41 44 85.
Une situation exceptionnelle, à l'extrémité d'une pointe rocheuse.
Cuisine inventive : grosses langoustines dorées au safran d'agrumes,
ou encore brioche en pain perdu, crème au lait.

**BONO (LE)** : *Hostellerie Abbatiale de Kerdréan*                  €
56400. 📞 02 97 57 84 00. FAX 02 97 57 83 00.
Dans un cadre verdoyant superbe, cuisine de qualité :
spécialités de langoustines rôties au beurre de paprika.

**CARNAC** : *Auberge Le Râtelier*                                   €€
4, chemin du Douet, 56340. 📞 02 97 52 05 04. FAX 02 97 52 76 11.
Cette ancienne ferme rénovée en pierre apparente offre une cuisine
traditionnelle à base de poissons. ● *mar., mer. (hors pér. scol.).*

**GROIX (ÎLE DE)** : *Les Courreaux*                                 €
47, rue du Général-de-Gaulle, 56590. 📞 02 97 86 82 66.
Excellent restaurant à deux pas du port : fruits de mer et poissons
sont préparés de façon originale. ● *lun. midi ; Toussaint-mi-fév.*

**HENNEBONT** : *Château de Locguénolé*                              €€€
Route de Port-Louis, 56700. 📞 02 97 76 76 76. FAX 02 97 76 82 35.
Une cuisine raffinée est servie dans un cadre majestueux (parc de 120 ha). On
y trouve un millefeuille Parmentier de Lisette, du homard grillé ou des ravioles
de pommes de terre au cochon de lait. 🍴 ● *déb. jan.-1ʳᵉ sem. de fév.*

Légendes des symboles, voir rabat de couverture

**Les prix** correspondent à un repas pour une personne comprenant une entrée, un plat et un dessert, taxes et service compris. Menus souvent moins chers à l'heure du déjeuner.
€ moins de 25 euros
€€ de 25 à 45 euros
€€€ de 45 à 65 euros
€€€€ de 65 à 80 euros
€€€€€ plus de 80 euros

**CARTES DE PAIEMENT**
L'établissement accepte toutes les principales cartes de paiement françaises ou étrangères.

**MENU À PRIX FIXE**
Menu à prix fixe comprenant généralement trois plats.

**OUVERT TARD LE SOIR**
Le restaurant accepte des clients jusqu'à 22 heures.

**TABLES EN TERRASSE**
Possibilité de prendre les repas à l'extérieur, sur une terrasse, dans une cour ou un jardin, souvent avec une belle vue.

| | CARTES DE PAIEMENT | MENU À PRIX FIXE | OUVERT À MIDI | OUVERT TARD LE SOIR | TABLES EN TERRASSE |
|---|---|---|---|---|---|
| **LORIENT : *Le Jardin Gourmand*** €€<br>46, rue Jules-Simon, 56100. ☎ 02 97 64 17 24. FAX 02 97 64 15 75.<br>Une des meilleures tables de Lorient : les plats savoureux changent selon les saisons. Réservation vivement recommandée. ● déb. d'août ; 2 sem. en fév. ; dim., lun. | ■ | ● | ■ | | |
| **LORIENT : *L'Amphitryon*** €€€<br>127, rue du Colonel-Muller, 56100. ☎ 02 97 83 34 04. FAX 02 98 97 37 02.<br>La meilleure table de la ville (la plus chère aussi). Belle auberge à la décoration contemporaine où l'on déguste des pommes de terre au beurre de sardine, des œufs de poulette au caviar ou des ris de veau aux truffes. Réservation indispensable. ▮ ● dim., lun. | ■ | ● | ■ | | |
| **QUESTEMBERT : *La Bretagne*** €€€<br>13, rue Saint-Michel, 56230. ☎ 02 97 26 11 12. FAX 02 97 26 12 37.<br>Une des meilleures tables de France. Vous prendrez votre repas dans l'élégante salle de restaurant ou dans le superbe jardin d'hiver. Spécialités : huîtres en paquets au beurre mousseux à l'estragon, pieds et paquets version bretonne. ▮ ● lun. sauf le soir en juil.-août ; 3 der. sem. de jan. | ■ | ● | ■ | | |
| **QUIBERON : *La Chaumine*** €€<br>36, place du Manémeur, 56170. ☎ 02 97 50 17 67. FAX 02 97 50 17 67.<br>Une petite auberge familiale au cœur du quartier des pêcheurs. Plats simples et bien préparés, comme la langouste mayonnaise et la tête de veau. ● dim., lun. hors saison. | ■ | ● | ■ | | ■ |
| **QUIBERON : *Le Verger de la Mer*** €<br>Bd Goulvars, 56170. ☎ 02 97 50 29 12.<br>Situé à côté de l'institut de thalassothérapie, ce restaurant offre des portions généreuses et des plats savoureux, comme le pot-au-feu de coquillages dans son hachis d'herbes ou la sole au jus de crevettes. ● mar. soir, mer. ; déb. jan.-fin fév. | ■ | ● | ■ | | |
| **QUIBERON : *Le Relax*** €<br>27, bd Castero, plage de Kermovan, 56170. ☎ 02 97 50 12 84. FAX 02 97 50 12 84.<br>La salle à manger donne sur l'Océan ou sur le jardin. Les plats de poissons changent en fonction des saisons. ● déb. jan.-mi-fév. ; dim. soir, lun. oct.-mars. | ■ | ● | ■ | | ■ |
| **ROCHE-BERNARD (LA) : *L'Auberge Bretonne*** €€€€<br>Place Du Guesclin, 56130. ☎ 02 99 90 60 28. FAX 02 99 90 85 00.<br>L'une des meilleures tables de Bretagne : le restaurant est aménagé dans une galerie donnant sur un jardin potager. Nombreuses spécialités : délicate gelée de coquillages, homard cuit en cocotte au lait et aux pommes, macaron au chocolat. ● mi-nov.-mi-déc. ; 3 sem. en jan. ; lun. midi, ven. midi, jeu. | ■ | ● | ■ | | |
| **ROCHEFORT-EN-TERRE : *Hostellerie du Lion d'Or*** €€<br>Place du Puits, 56130. ☎ 02 97 43 32 80. FAX 02 97 43 30 12.<br>Décor d'inspiration médiévale pour le meilleur restaurant de la ville : tournedos de lotte au beurre de homard ou côte de veau Pojarki. ▮ ● der. sem. de nov. ; 3 sem. en jan. ; mer. hors saison, mar. soir. | ■ | ● | ■ | | |
| **SAINT-ANNE-D'AURAY : *L'Auberge*** €€<br>56, route de Vannes, 56400. ☎ 02 97 57 61 55. FAX 02 97 57 69 10.<br>Meubles cirés et collection d'habits bretons décorent la salle à manger où une cuisine généreuse est servie : soupe de potiron ou feuilleté léger aux moules, tarte de carrelet à la tomate et son beurre monté, et *kouign amann* aux poires et sa sauce au miel. ● 15 nov.-déb. déc. ; vac. de fév. ; mar. (hors saison), mer. | ■ | ● | ■ | | |

**SARZEAU :** *Le Mur du Roy* €€
Penvins, 56370. 📞 02 97 67 34 08. FAX 02 97 67 36 23.
Ce restaurant de poissons et de fruits de mer offre un bon rapport qualité-prix. Le menu comporte 4 plats au choix suivis d'un dessert. ● 15 jours en jan.

**TRINITÉ-SUR-MER (LA) :** *L'Azimut* €€
1, rue du Men-Dû, sur la route côtière, 56470. 📞 02 95 55 71 88. FAX 02 97 55 80 15.
Salle de restaurant élégante et jolie terrasse. Cuisine soignée aux accents marins : homard grillé au feu de bois, Saint-Jacques farcies au foie gras.
● mar. soir, mer. sauf vac. scol.

**VANNES :** *Restaurant de Roscanvec* €€
17, rue des Halles, 56000. 📞 02 97 47 15 96. FAX 02 97 47 86 39.
Restaurant sur plusieurs niveaux en plein centre-ville. Plats gastronomiques : pomponettes d'huîtres tièdes en petite nage, blanc-manger au lait coco et noix râpée. ● fin déc.-déb. jan. ; dim. soir d'oct.-juin (sauf de juil.-sept.).

**VANNES :** *Régis Mahé* €€
24, place de la Gare, 56000 📞 02 97 42 61 41. FAX 02 97 54 99 01.
Cuisine très soignée servie dans une salle à manger de type médiéval : filets de rouget poêlés, galette de homard et pigeon laqué au miel et glace caramel au beurre salé. ● 15-30 nov. ; vac. de fév. ; dim., lun., une sem. en juin.

## LOIRE-ATLANTIQUE

**BAULE (LA) :** *Le Rossini* €€
13, av. Evens, 44500. 📞 02 40 60 25 81. FAX 02 40 42 73 52.
Dans la salle à manger de l'hôtel Lutetia à la décoration Modern Style, vous dégusterez une cuisine gastronomique : filet de bœuf Rossini ou dos de saumon rôti nappé d'un beurre rouge. ● 4 sem. en jan. ; dim. soir, mar. midi, lun. hors saison, vac. scol.

**NANTES :** *Lou Pescadou* €€
8, allée Baco, 44000. 📞 02 40 35 29 50. FAX 02 51 82 46 34.
L'un des meilleurs restaurants de poisson de la ville. La pêche du jour est livrée par un artisan pêcheur. Réservation conseillée. ● sam. midi, dim., lun. soir ; 2 sem. en août.

**NANTES :** *Le Gavroche* €€
139, rue des Hauts-Pavés, 44000. 📞 02 40 76 22 49. FAX 02 40 76 37 80.
Ce restaurant élégant, un peu excentré, sert une cuisine inventive qui suit les saisons. Une mention particulière pour les desserts. ● fin juil.-fin août ; dim. soir, lun.

**NANTES :** *L'Atlantic* €
26, bd Stalingrad, 44000. 📞 02 40 74 00 72. FAX 02 40 14 08 47.
Situé dans le quartier de la gare, ce restaurant a su s'adapter à sa clientèle en offrant une cuisine traditionnelle et des plats maison savoureux. ● sam.

**NANTES :** *La Cigale* €€
4, place Graslin, 44000. 📞 02 51 84 94 94. FAX 02 51 84 94 95.
Cette superbe brasserie au décor Art nouveau (p. 204, 228), située face au théâtre Graslin, accueille depuis des années la haute société nantaise.

**PORNIC :** *Beau Rivage* €€
Plage de la Birochère, 44210. 📞 02 40 82 03 08. FAX 02 51 74 04 24.
Le restaurant, qui domine la plage, a une situation exceptionnelle.
La carte a des accents marins : bouillabaisse de l'Atlantique ou salade de homard aux herbes potagères. ● dim. soir, lun., mer. soir hors saison ; 10-26 déc. ; jan.

**SAINT-JOACHIM :** *La Mare aux Oiseaux* €€€
162, île de Fédrun, 44720. 📞 02 40 88 53 01. FAX 02 40 91 67 44.
Cuisine très inventive élaborée par un jeune chef passé par La Tour d'Argent : petit farci d'anguilles aux mille senteurs de Brière ou croquants de grenouilles aux algues bretonnes. 🛏 ● fin fév.-1er avr. ; dim. soir, lun. hors saison.

**SAINT-NAZAIRE :** *L'An II* €€
2, rue Villebois-Mareuil, 44600. 📞 02 40 00 95 33. FAX 02 40 53 44 20.
Bon restaurant de poissons avec vue sur l'estuaire. Goûtez les sardines de la Turballe marinées à l'huile d'olive et fleur de sel de Guérande. 🛏

# BOUTIQUES ET MARCHÉS

Du « panier du samedi » de Vitré aux halles de Plouescat, c'est toute la Bretagne gourmande qui vit au rythme des marchés hebdomadaires : tôt le matin, les amateurs d'authenticité retrouvent sur les étals le meilleur du terroir – oignons rosés, échalotes, arti-

**Boîte de sardines bretonnes**

chauts et autres primeurs du Léon, andouilles fumées au bois de hêtre, terrines de la campagne vannetaise – et, partout, la promesse d'emplettes originales. Car le marché traditionnel, véritable fenêtre ouverte sur la gastronomie régionale, est aussi le rendez-vous de nombreux artisans locaux.

Les artichauts sont vendus sur tous les marchés de Bretagne

## LES MARCHÉS

À côté des marchés hebdomadaires qui, été comme hiver, font la part belle aux spécialités locales, voire familiales, il existe des petits « marchés à la ferme » : pour mieux faire connaître leurs atouts, certains agriculteurs ont pris l'initiative de vendre, sur leur exploitation, les produits frais des villages environnants (fromages de chèvre, lait ribot, etc.). C'est le cas à Planguenoual, Milizac, Plouzélambre et Notre-Dame-du-Guildo. Des « circuits gourmands » sont organisés par quelques artisans soucieux de promouvoir leur terroir. Les offices du tourisme publient la liste de tous ces marchés, ainsi que les adresses des producteurs.

## CIDRES ET BIÈRES

Le cidre connaît un regain d'intérêt depuis le début des années 1980, grâce à quelques producteurs, comme

**Éric Baron**, qui ont recours à des méthodes traditionnelles. La Cornouaille produit un cidre très réputé (AOC), charpenté, de couleur orange, qui se marie volontiers avec les fruits de mer. Des fabricants, tels **Fisselier** ou **Dassonville**, proposent également toute une gamme de liqueurs à base de fraises et autres fruits sélectionnés, des liqueurs de café travaillées à l'eau-de-vie de cidre, des *chouchenn* produits à partir de cidre et de miel, des pommeaux et des whisky bretons. Sans oublier l'ancestral lambig, obtenu par distillation du marc de cidre, idéal pour flamber le homard. La région, qui comptait autrefois jusqu'à 75 brasseries, n'a renoué avec la tradition qu'en 1985. Mais la Coreff ambrée, la Blanche Hermine ou la Telenn Du au sarrasin peuvent déjà soutenir la comparaison avec d'autres bières celtes plus fameuses.

## PRODUITS DE LA MER

À défaut de pouvoir assister à la criée, on peut faire un tour du côté des ostréiculteurs, comme au **château de Belon**, ou des mareyeurs et des **viviers** (Audierne,

**Bière Coreff**

Camaret, **Roscoff**…) qui pratiquent des prix fluctuants mais moins élevés que les détaillants. En matière d'huîtres, les valeurs sûres restent : la nacre des abers et la morlaix-penzé à la chair moelleuse, l'aven-belon, sucrée et croquante, la cancale, ferme avec un arrière-goût de noisette, la paimpolaise, iodée et salée, et la ria d'étel, charnue. Les huîtres sont classées par taille. Les plates comptent huit catégories, numérotées de 000 (13 g) à 5 (35 g) ; les creuses comprennent quant à elles quatre catégories. Plus faciles à transporter, les sardines de saison, les filets de maquereaux, les tranches de thon et les sprats à l'ancienne, mis en boîte dans les fabriques de la côte sud (**Gonidec**), ne sont pas à négliger, de même que le sel de Guérande, les bocaux de salicorne et les produits à base d'algues. Avec 800 espèces différentes, le littoral finistérien est en effet l'un des plus grands gisements d'algues du monde. Leurs vertus sont aussi variées que leurs applications : **Thalado** fabrique par exemple sels de bain, savons, lotions toniques, compléments alimentaires…

**Étal d'huîtres au Vivier-sur-Mer**

## VÊTEMENTS MARINS

Dans la plupart des ports, il existe une coopérative de pêcheurs où l'on pourra acheter des vêtements *made in Breizh* : de gros pulls torsadés, des cirés et des vareuses, des vestes de quart à double col étanche et des tricots rayés blanc et indigo. Parfaitement étudiés pour les promenades en bateau et les parties de pêche, ces habits très résistants dérivent, pour certains, des costumes traditionnels, tels que le solide *kabig* en drap épais, héritier du *kab an aod* que portaient jadis les goémoniers du pays pagan. Les marques les plus connues sont Captain Corsaire, **Armor Lux**, fondée en 1938, et **Guy Cotten**, « le » spécialiste des vêtements destinés aux professionnels de la mer.

**Magasin de la faïencerie Henriot à Quimper**

**Marchand de Kouign amann,**
spécialité bretonne

## ARTISANAT

Si Quimper est célèbre pour ses faïences, notamment celles de la **faïencerie Henriot**, Bréhat pour sa verrerie et Pont l'Abbé pour son linge de maison brodé (**Le Minor**), d'autres créateurs donnent a l'artisanat d'art leurs lettres de noblesse ; il suffit, pour s'en convaincre, de visiter la maison des artisans de Brasparts (*p. 140*), les échoppes de Locronan (*p. 152*) et de Guérande (*p. 200*), les villages de Pont-Scorff (à 7 km de Lorient) et Saint-Méloir (à 17 km de Dol). On peut aussi faire quelques découvertes intéressantes en chinant chez les antiquaires de marine et les amoureux du bois, comme **Thierry Morel** (Plouvien), les **frères Douirin** (Plozévet) ou Francis Tirot (Fougères) qui sculptent des demi-coques. Notez enfin que pour la plupart les boutiques ouvrent leurs portes du lundi au samedi de 9 h à 12 h 30 et de 14 h 30 à 19 h.

# Qu'acheter en Bretagne

La Bretagne, plus que jamais, défend une certaine idée du terroir. Son savoir-faire ne se résume pas, en effet, aux seuls pulls rayés, cirés jaunes et faïences de Quimper dont se repaissent les boutiques de souvenirs. À côté de mille et une spécialités gourmandes (beurre baratté, pâtisseries et charcuterie de pays, cidre à l'ancienne), elle vous réserve toute une gamme d'articles de qualité qui fleurent bon l'Océan et qui, du baume aux algues au vieux sextant en passant par la malle de marin, sauront donner à votre pied-à-terre un petit air corsaire.

Liseuse en faïence
de Quimper

Bateau en bois miniature
fait à la main

## SOUVENIRS

Bien sûr, il faut rester vigilant : dans les stations très touristiques, le meilleur côtoie souvent le pire. Privilégiez les créations locales, chinez dans les vieux magasins d'accastillage. Les CD de chants traditionnels (Yann-Fañch Kemener…) sont aussi des valeurs sûres.

*L'almanach*, qui indique les heures des marées, est l'accessoire indispensable du pêcheur à pied et du plaisancier.

**Nautiles** : ces coquillages sont, avec les boussoles et les ex-voto, les ingrédients incontournables d'un décor marin.

*Pipe*

**Couple de figurines**
en plâtre vendues dans les boutiques bretonnes.

*Phare*

*Bol*

*Fanion breton*

## FAÏENCES

Les manufactures de Quimper, qui maintiennent la tradition depuis la fin du XVIIe siècle, déclinent leurs faïences dans de nombreux coloris, formes et motifs (« petit breton », « à bords jaune »…) différents.

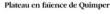
Plateau en faïence de Quimper

**Salière et poivrière**
en faïence de Quimper

**Pot à eau en faïence**
dont le décor floral est un grand classique de Quimper.

*Assiette en faïence de Quimper*
Chaque pièce est entièrement décorée à main levée, sans transfert ni décalcomanie, et signée par l'artiste.

## VÊTEMENTS ET TEXTILES

Ils sont solides, étanches et résistants, ils ont le
goût du grand large et des embruns : avec le
développement des loisirs balnéaires, les vêtements
traditionnels des marins ont fait leur entrée dans
la garde-robe des plaisanciers et des citadins.

**Bonnet marin**, *idéal
en cas de crachin.*

**Kabig** : *un vêtement à capuche,
de drap épais et imperméabilisé.*

**Pulls marins**

## DOUCEURS

On trouve en Bretagne beaucoup de spécialités gourmandes,
dont certaines doivent leur saveur particulière au beurre salé :
galettes ou palets bretons, caramels au beurre salé, petit-beurre
nantais LU, créé au siècle dernier par les pâtissiers Lefèvre et
Utile, ou encore les berlingots nantais fabriqués à la main.

**Caramels au beurre salé**

**Palets de
Pont-Aven,
Traou Mad**

**Boîte de caramels Leroux**

*Les
berlingots
de sucre sont
fabriqués
à la main,
comme
autrefois.*

**Boîtes de berlingots
colorés de Nantes**

## SOINS CORPORELS

De nombreux articles aux multiples
bienfaits sont commercialisés dans les
centres de thalassothérapie du littoral
breton : crèmes aux extraits d'huîtres,
cosmétiques à base d'algues…

**Cidre bouché**      **Fleur de
caramel**      **Fraise de
Plougastel**

**Produit Phytomer**      **Sels de bains**

## ALCOOLS ET LIQUEURS

Des pommeaux traditionnels
à la fleur de caramel en digestif,
la réputation des cidres et liqueurs
de Bretagne n'est plus à faire.

# Se distraire en Bretagne

**L**es Bretons aiment la fête et ont la passion communicative. Dans toute la région, festivals de musique, de cinéma, de bande dessinée et spectacles vivants se multiplient au cours de l'année. Sans oublier les musées, centres

*Chanteur au festival des Vieilles Charrues*

culturels et autres galeries d'art. Ceux qui ne veulent pas bronzer idiot trouveront mille et une activités pour passer de bons moments. Pour plus de détails sur les festivals, reportez-vous au chapitre *Au jour le jour (p. 28-31)*.

## INFORMATIONS TOURISTIQUES

**P**our être informé des spectacles, les quotidiens régionaux *(p. 255)*, les radios privées locales et les stations de Radio-France constituent de bonnes sources.
Par ailleurs, le comité régional du tourisme et les comités départementaux *(p. 250)* détiennent une liste des festivals et des manifestations *(p. 28-31)*. Renseignez-vous également dans les offices de tourisme des lieux concernés.

## RÉSERVATION DE BILLETS

**M**ises à part les manifestations gratuites, les réservations de billets se font, en général, directement auprès des organisateurs, sur place. Les magasins FNAC, situés dans les grandes villes, mettent à disposition une billetterie. Attention, les grandes manifestations sont souvent prises d'assaut : il est nécessaire de réserver plusieurs mois à l'avance.

## MUSIQUE

**L**es Bretons nourrissent une véritable passion pour la musique *(p. 20-21)* depuis des temps immémoriaux. De nombreux musiciens et groupes, dont la réputation a franchi les frontières ont vu le jour ici. À cet égard, l'**Ubu** de Rennes s'illustre par sa programmation avant-gardiste. La Bretagne organise par ailleurs de nombreux festivals renommés : le festival des Vieilles Charrues à Carhaix *(p. 29)*, la Route du Rock à Saint-Malo *(p. 29)*, les Rencontres Transmusicales à Rennes *(p. 31)*, le festival Astropolis à Concarneau, le festival Art Rock à Saint-Brieuc *(p. 28)*. Les amateurs de jazz apprécieront le festival de Vannes. Pour ce qui est de la musique traditionnelle, le festival Interceltique à Lorient *(p. 29)* réunit 4 500 artistes et 450 000 spectateurs chaque année. Pour les musiques du monde, c'est à Quimper, au festival de Cornouaille qu'il faut se rendre ; Alan Stivell *(p. 21)* s'y est déjà produit.

## THÉÂTRE

**O**utre la programmation de qualité du **Théâtre national de Bretagne** à Rennes, il faut mentionner aussi le festival Tombées de la Nuit qui investit les rues de la ville *(p. 28)* en juillet. Les différentes scènes de théâtre se répartissent principalement dans les grandes villes de la région, comme Rennes, Nantes et Brest.

## CINÉMA

**L**es cinéphiles et les amoureux du cinéma trouveront également leur bonheur en Bretagne. Depuis plus de dix ans, le **Festival du film britannique** de Dinard *(p. 30)* rassemble invités de marques, comédiens, réalisateurs, producteurs et distributeurs autour de longs-métrages et de rétrospectives. Pendant une semaine, en janvier, le festival rennais **Travelling** consacre sa programmation à une ville : Londres, Berlin, Tokyo, etc., l'occasion de découvrir des productions

**Danseurs au festival des Transmusicales de Rennes**

originales. Dans la même optique, le **festival de Cinéma de Douarnenez** est consacré chaque année à une civilisation différente.

## EXPOSITIONS

La Bretagne possède de nombreux musées dont les collections permanentes et les expositions temporaires combleront les amateurs. Le musée des Beaux-Arts de Rennes *(p. 59)*, **La Criée**, centre d'art Contemporain rennais, le centre d'art **Passerelle** à Brest, le musée des Jacobins de Morlaix *(p. 117)*, le centre d'art contemporain de Kerguehennec, la **galerie Dourven** de Trédrez-Locquémeau, le musée de La Cohue à Vannes *(p. 187-188)*, le musée des Beaux-Arts de Quimper *(p. 158 et 161)* et bien d'autres encore organisent des expositions de qualité.

**Le festival Interceltique de Lorient réunit 4 500 artistes**

---

### CARNET D'ADRESSES

#### SALLES DE SPECTACLES

#### CÔTES-D'ARMOR

**Le Masque en Mouvement**
*(théâtre)*
13, rue de la Gare,
22250 Broons.
☏ 02 96 84 75 19.

**La Passerelle**
*(théâtre)*
Place de la Résistance,
22000 Saint-Brieuc.
☏ 02 96 68 18 40.

**Théâtre des Jacobins**
Rue de l'Horloge,
22100 Dinan.
☏ 02 96 87 03 11.

#### FINISTÈRE

**Le Quartz de Brest**
*(théâtre, musique, danse)*
4, av. Clemenceau,
29200 Brest.
☏ 02 98 33 70 70.

**Théâtre de Cornouaille**
*(Scène nationale de Quimper)*
4, pl. de la Tour-d'Auvergne,
29000 Quimper.
☏ 02 98 55 98 55.

#### ILLE-ET-VILAINE
**Opéra**
Place de l'Hôtel-de-Ville,
35000 Rennes.
☏ 02 99 78 48 68.

**Salle de la Cité**
*(musique, danse)*
10, rue Saint-Louis,
35000 Rennes.
☏ 02 99 79 10 66.

**Théâtre national de Bretagne**
1, rue Saint-Hélier,
35000 Rennes.
☏ 02 99 31 12 31.

**Théâtre de la Parcheminerie**
23, rue de la Parcheminerie,
35000 Rennes.
☏ 02 99 79 47 63.

**Le Triangle**
*(musique, danse)*
30, bd de Yougoslavie,
35000 Rennes.
☏ 02 99 22 27 27.

**Ubu**
*(musique, danse)*
10-12 rue Jean-Guy,
35000 Rennes.
☏ 02 99 31 12 10.

#### LOIRE-ATLANTIQUE

**Cité des congrès de Nantes-Atlantique**
*(théâtre, musique, danse)*
5, rue Valmy,
44000 Nantes.
☏ 02 51 88 20 00.

**L'Espace 44**
*(théâtre, musique, danse)*
84, rue du Général-Buat,
44000 Nantes.
☏ 02 51 88 25 20.

**Lieu Unique (Le)**
*(théâtre, musique, danse)*
Quai Ferdinand Favre,
44000 Nantes.
☏ 02 40 12 14 34.

**Théâtre Graslin**
*(opéra)*
1, rue Mollière,
44000 Nantes.
☏ 02 40 41 90 60.

#### MORBIHAN
**Plateau des 4 Vents**
*(théâtre)*
2, rue du Professeur-Mazé,
56100 Lorient.
☏ 02 97 37 53 05.

**Théâtre de Lorient**
11, rue Claire-Droneau,
56100 Lorient.
☏ 02 97 83 51 51.

#### GALERIES D'ART

#### CÔTES-D'ARMOR
**Galerie Dourven**
Domaine départemental du Dourven,
22300 Trédez-Locquémeau.
☏ 02 96 35 21 42.

#### FINISTÈRE
**Centre d'art Passerelle**
41 bis, rue Charles-Berthelot,
29200 Brest.
☏ 02 98 43 34 95.

#### ILLE-ET-VILAINE
**La Criée, halle d'art**
Halles centrales,
pl. Honoré-Commeurec,
35000 Rennes.
☏ 02 99 78 18 20.

#### MORBIHAN
**Domaine de Kerguehennec**
Centre d'art contemporain
Bignan, 56500 Locmine.
☏ 02 97 60 44 44.

#### LOIRE-ATLANTIQUE
**Forum**
10, passage Pommeraye,
44000 Nantes.
☏ 02 51 88 25 25.

#### CINÉMA

**Festival du Film britannique**
Bureau du festival,
2, bd Féart, 35800 Dinard.
☏ 02 99 88 19 04.
FAX 02 99 46 67 15.
@ fest.film.britan.dinard@wanadoo.fr
W festivaldufilm-dinard.com

**Festival Travelling de Rennes**
Clair Obscur, Université Rennes 2,
6, avenue Gaston-Berger,
35043 Rennes Cedex.
☏ 02 99 14 11 43.
W www.travelling-festival.com

**Festival de Cinéma de Douarnenez**
20, rue du Port-Rhu, BP 206,
29172 Douarnenez Cedex.
☏ 02 98 92 09 21.
FAX 02 98 92 28 10.
@ fdz@wanadoo.fr
W www.kerys.com/festival

# Sports et activités de plein air

La Bretagne du littoral regorge de beautés naturelles, avec ses plages, ses criques, ses caps, ses falaises et ses îles. Cette Bretagne de la mer est la plus connue, mais elle ne doit pas occulter la Bretagne de l'intérieur : celle des monts d'Arrée, des montagnes Noires, des lacs, des landes, des forêts, des cours d'eau, des vallées et des marais. Pour découvrir toutes ces richesses, les formules ne manquent pas : randonnées pédestres ou équestres, cyclotourisme… Enfin, avec une trentaine de golfs, la Bretagne propose de nombreuses possibilités à ceux qui veulent perfectionner leur *swing*.

Randonnée cycliste au fort La Latte, forteresse du XIIIᵉ siècle

## RANDONNÉE PÉDESTRE

Sur le littoral ou à l'intérieur des terres, plus de 60 000 km de sentier de grande randonnée (GR et GR de pays) et 80 000 km d'itinéraires de promenade et randonnée (PR) sont entretenus par des baliseurs bénévoles de la **Fédération française de la randonnée pédestre**. Les plus beaux chemins de randonnée sont généralement décrits dans les rubriques consacrées aux sites dans ce guide. Différents organismes, comme **Rando Breiz** ou le comité régional du tourisme, proposent des formules clefs en main avec hébergement en gîtes d'étape (dont certains ont reçu le label de qualité Randoplume en raison de leur confort), mais aussi en chambres d'hôtes ou à l'hôtel…

## CYCLOTOURISME

La vallée du Blavet, le pays de Cornouaille et la baie du Mont-Saint-Michel se sont vus décerner le label Site VTT par la **Fédération française de cyclotourisme de Bretagne**. De la même manière que pour la randonnée pédestre, vous pouvez vous adresser aux fédérations de cyclotourisme ou aux comités départementaux pour connaître les formules d'hébergement en gîte.

Randonneurs se dirigeant vers le phare du Paon à Bréhat

## ÉQUITATION

Les amateurs d'équitation ne seront pas non plus en reste : 2 000 km de chemins et sentiers ont été balisés aux couleurs d'Équibreizh, l'itinéraire breton de la randonnée à cheval. Des cartes IGN au 1/50 000 avec itinéraire, hébergements, centres de tourisme équestre, maréchaux-ferrants et transporteurs sont édités par l'**ARTEB** (Association régionale pour le tourisme équestre de Bretagne) sous l'appellation *Topo-guide Équibreizh*. L'organisme à contacter pour les hébergements d'étapes est le **comité régional** du lieu où vous séjournez.

## ORNITHOLOGIE

La Bretagne est également un lieu privilégié pour l'observation des oiseaux. La diversité de ses paysages (*p. 14-15*) permet l'existence d'une très grande variété d'espèces : du goéland argenté au cormoran huppé, en passant par le busard des roseaux ou le grand gravelot, les amoureux de la nature trouveront leur compte dans près de vingt réserves protégées. De nombreuses sorties sont proposées, en hiver comme en été, par **Bretagne Vivante-SEPNB** (Société pour l'étude et la protection de la nature en Bretagne), ou **Vivarmor Nature**. De nombreuses informations sont par ailleurs disponibles auprès de la **LPO (Ligue pour la protection des oiseaux)**.

## GOLF

Avec trente-deux terrains, le golf breton a de quoi satisfaire tous les passionnés. La **Ligue de golf de Bretagne** et le comité régional du tourisme publient un guide où sont recensés tous les parcours. À la journée ou au forfait semaine, les formules sont multiples. L'association **Formule Golf** propose, quant à elle, des programmes sur mesure de plusieurs jours.

## TOURISME SPORTIF ADAPTÉ

Plusieurs structures accueillent les personnes handicapées sur le territoire breton. Vous trouverez leurs adresses dans l'encadré ci-dessous. Fondée en 1982 par l'UFCV (l'Union francaise des centres de vacances et de loisirs) dont elle fait partie, l'**association EPAL** (Évasion en pays d'accueil et de loisirs) organise des séjours touristiques et des séjours

**Terrain de golf des Rochers-Sévigné à Vitré**

sportifs adaptés aux personnes handicapées. Le voyagiste québécois Handitour *(p. 216 et 217)* propose le même type de service outre-Atlantique. De nombreux renseignements sont également disponibles auprès du **Comité régional de sport adapté de Bretagne** et du **Comité régional de handisport de Bretagne**. Par ailleurs, sur le site Internet du secrétariat d'État au Tourisme *(p. 256)*, un chapitre est consacré spécialement au tourisme adapté.

**Observation des oiseaux sur le site du cap Sizun**

---

### CARNET D'ADRESSES

#### RANDONNÉE PÉDESTRE

**Fédération française de la randonnée pédestre**
13 bis, avenue de Cucillé,
35000 Rennes.
02 99 54 67 61.
W www.ffrp.asso.fr

**Rando Breiz**
1, rue Raoul-Ponchon
35000 Rennes
02 99 27 03 20.
@ info@randobreizh.com

#### CYCLOTOURISME

**Fédération française de cyclotourisme de Bretagne**
11, rue Alphonse-Guérin,
35000 Rennes.
02 99 36 38 11.

#### ÉQUITATION

**ARTEB**
101, chemin Randreux,
22700 Perros-Guirec.
02 96 91 43 84.

**Comité régional de Bretagne**
5 bis, rue Waldeck-Rousseau, BP 307,
56103 Lorient.
02 97 84 44 00.
@ creb@wanadoo.fr

**Tourisme équestre des Pays de la Loire**
3, rue Bossuet,
44000 Nantes.
02 40 48 12 27.

#### ORNITHOLOGIE

**Bretagne Vivante-SEPNB**
186, rue Anatole-France,
BP 32,
29276 Brest cedex.
02 98 49 07 18.
W www.bretagne-vivante.asso.fr/

#### LPO (Ligue pour la protection des oiseaux)
11, rue De Lattre-de-Tassigny,
56100 Lorient.
02 97 37 50 36.
W http://perso.wanadoo.fr/lpo. bretagne/

**Vivarmor Nature**
10, boulevard Sévigné,
22000 Saint Brieuc.
02 96 33 10 57.
W www.assoc.wanadoo.fr/vivarmor/

#### GOLF

**Formule Golf**
1, pl. de Galarne,
BP 36213,
44262 Nantes Cedex 2.
02 40 12 55 95 ou
02 40 12 55 99.
W www.formule-golf.com

**Ligue de golf de Bretagne**
130, rue Pottier,
35000 Rennes.
02 99 31 68 80.

#### VOYAGEURS HANDICAPÉS

Comité national pour la réadaptation des handicapés (CNRH).
Voir p. 254.

**Association EPAL**
11, Rue d'Ouessant,
BP 2,
29801 Brest Cedex 09.
02 98 41 84 09.
W www.epal-association.com

**Comité régional de handisport de Bretagne**
Rue Auguste Fresnel,
29490 Guipavas.
02 98 42 61 05.

**Comité régional de sport adapté de Bretagne**
26, rue La Landelle,
29200 Brest.
02 98 02 37 76.

# Sports nautiques

Des corsaires aux régatiers des temps modernes, des terre-neuvas à l'Abeille-Flandre, la vocation maritime est profondément ancrée dans l'identité bretonne. Il y a bien des façons de pratiquer le nautisme en Bretagne : la voile, le canoë-kayak, la plongée, le char à voile ou encore le surf sont les activités les plus représentées. Chacun, débutant comme confirmé, trouvera la formule adaptée à son niveau et découvrira à son rythme les mille et une richesses de l'Océan et du littoral breton. Tenue étanche exigée…

Promenade en voilier entre la pointe du Raz et le phare de la Vieille

## VOILE

Planche à voile, catamaran, dériveur, voiliers traditionnels, classes de mer, croisières… La Bretagne est bien la patrie de la voile, avec plus de 70 ports de plaisance et une capacité d'accueil qui atteint 22 120 places. Plus de 70 écoles de voile et des dizaines de clubs nautiques assurent la qualité du réseau et offrent toutes les garanties. Les seules conditions pour s'inscrire : savoir nager (brevet de 50 m ou test sur place) et un certificat médical d'aptitude. Parmi les stations de voile, il faut citer Saint-Malo, Saint-Cast-Le Guildo, Pléneuf-Val-André, Perros-Guirec, la rade de Brest, Crozon-Morgat et le pays de Lorient. Pour obtenir des renseignements sur les écoles de voile, adressez-vous à la **Ligue de voile de Bretagne** ou au comité départemental de votre lieu de séjour.

Pour la pratique de la croisière hauturière ou côtière, il existe des écoles de croisière qui allient formation et convivialité. Les groupes sont formés en fonction du niveau des participants, depuis l'initiation pour les enfants en passant par les connaissances théoriques jusqu'à la compétition pour les plus chevronnés. On peut se renseigner auprès de **Formules nautiques Bretagne**. Pendant les vacances scolaires, ce même organisme propose également des séjours allant de 6 jours à 1 mois pour les 6-8 ans, les 8-12 ans et les 13-17 ans dans des « villages vacances nautiques ». Les familles peuvent accompagner les enfants et séjourner dans des gîtes, appartements ou hôtels.

## SURF

Le cap Fréhel, Le Dossen, Le Petit-Minou, La Palue, La Torche, Guidel, la presqu'île de Quiberon et autres *spots* sont fréquentés chaque année par quelque 15 000 pratiquants. Huit écoles de surf bretonnes permettent de s'initier ou de se perfectionner à la pratique du surf, du *long board, body board, skim board* et *body surf*. Elles sont situées à Dinard, Brest, Crozon-Morgat, Audierne, La Torche, Larmor-Plage, Guidel, Plouharnel. L'**ESB (École de surf de Bretagne)** et la **WSA (West Surf Association)** endossent le rôle de fédération au niveau régional.

## PLONGÉE

Le **comité inter-régional de plongée de Bretagne et des Pays de la Loire** rassemble 190 clubs. Les 8 centres du réseau Plongée Label Bretagne accueillent enfants, familles, individuels et groupes pour des baptêmes et des explorations à la carte, des stages photo, des visites d'épaves… Ces centres sont basés à Saint-Malo, Erquy, Trébeurden, Brest, Camaret, Audierne, Lorient et Concarneau. Vous pouvez en demander les adresses auprès du comité.

## CANOË-KAYAK

Il n'est pas nécessaire d'avoir un très bon niveau pour s'amuser en canoë ou en kayak. Par ailleurs, la maniabilité des embarcations

Kayaks naviguant autour de l'île de Batz

**Chars à voile à Plestin-les-Grèves**

permet d'explorer des criques accessibles uniquement par la mer. Afin de certifier la qualité des prestations, le **comité régional** a créé le label Point kayak de mer, dont bénéficient aujourd'hui 15 centres ; ils sont situés respectivement à Saint-Malo, Saint-Pierre de Quiberon, Saint-Armel, La Roche-Derrien, Paimpol, Loguivy, Plestin-les-Grèves, Ploudalmezeau, Perros-Guirec, Crozon, Saint-Lunaire, Pontrieux, Plouhinec, Erdeven, Moelan-sur-Mer.

Les canaux et rivières de Bretagne méritent aussi d'être parcourus en canoë. Des espaces spécifiques ont été aménagés à Lannion, Cesson-Sévigné et Inzinzac-Lochrist pour la pratique du kayak et du raft. Enfin, les bases de Pont-Réan et de Quimper-Cornouaille ont obtenu le label Point canoë nature, décerné par la fédération, ce qui est un gage de qualité.

## CHAR À VOILE

Aujourd'hui sport d'envergure internationale, le char à voile se décline en plusieurs disciplines : aéroplage, voilier des sables, char à glace, char à cerf-volant, char à neige, kart à voile… chacun saura trouver la formule la plus adaptée à ses attentes dans plus de 15 clubs, disséminés sur tout le littoral breton. La plupart porte le label École qui atteste leur affiliation à la **Ligue de char à voile de Bretagne**, auprès de laquelle vous trouverez tous les renseignements nécessaires.

### SÉCURITÉ EN MER

Naviguer ne s'improvise pas. Chaque année, des accidents surviennent par manque d'information et par imprudence. Avant chaque sortie, il est indispensable de consulter la météo marine car le temps peut changer rapidement ; les débutants doivent impérativement être encadrés par des professionnels. Vous pouvez également vous procurer dans toute bonne maison de la presse l'***Almanach du marin breton***, un ouvrage de navigation à l'usage des plaisanciers et des professionnels édité tous les ans par l'**Œuvre du marin breton**, une association à but non lucratif. On y trouve des informations sur la sécurité du navire et des passagers, la météorologie marine, un annuaire des marées, la carte des courants, la naviation astronomique, la radio-navigation, les phares et les feux, des renseignements administratifs, le plan des ports ou encore des instructions nautiques. Sachez enfin qu'en cas de problème, il faut toujours en référer au **CROSS**, Centre régional opérationnel de surveillance et de sauvetage.

| **CARNET D'ADRESSES** | **SURF** | **PLONGÉE** | **CHAR À VOILE** |
|---|---|---|---|
| **VOILE** | **ESB et WSA** (École de surf de Bretagne et West Surf Association) Galerie marchande, 56520 Guidel-Plages. ☎ 02 97 05 93 00. W www.ecole-surf-bretagne.com | **Comité inter-régional de plongée de Bretagne et des Pays de la Loire** 39, rue de Villeneuve, 56100 Lorient. ☎ 02 97 37 51 51. W www.ffessm-cibpl.asso.fr | **Ligue de char à voile de Bretagne** Kervily, 56330 Pluvigner. ☎ 02 97 24 71 24. |
| **Formules nautiques Bretagne** 1, rue de Kerbriant, BP 39, 29281 Brest Cedex. ☎ 02 98 41 59 43. | | | |
| **Ligue de Bretagne** 1, rue de Kerbriant, BP 39, 29281 Brest Cedex. ☎ 02 98 02 49 67. W http://asso.ffv.fr/ligue-bretagne | **Comité régional Pays de la Loire** 14, rue de la Félicité, 85800 Saint-Gilles. ☎ 02 51 54 63 16. | **CANOË-KAYAK** **Comité régional de Bretagne** Base nautique, plaine de Baud, 35, rue Jean-Marie-Huchet 35000 Rennes. ☎ 02 23 20 30 14. W www.crbck.dhs.org | **NUMÉROS UTILES** **CROSS Corsen (côtes nord)** ☎ 02 98 89 31 31. |
| **Ligue des Pays de la Loire** 44, rue Romain-Rolland, 44000 Nantes. ☎ 02 40 58 61 23. | **Fédération française de surf** W www.surfingfrance.com/federation.php | **Comité régional Pays de la Loire** 75, av. du Lac-de-Maine, 49000 Angers. W paysdeloire@ffcanoe.asso.fr ☎ 02 41 73 86 10. | **CROSS Étel (côtes sud)** ☎ 02 97 55 35 35. **Œuvre du marin breton (Almanach)** ☎ 02 98 44 06 00. |

# RENSEIGNEMENTS PRATIQUES

# LA BRETAGNE MODE D'EMPLOI

La Bretagne est l'une des premières régions françaises en termes de fréquentation touristique. Pendant la saison estivale, il peut y avoir beaucoup d'affluence, mais elle reste une destination très recherchée. Ainsi, les stations balnéaires du littoral voient leur population tripler ou quadrupler du 14 juillet au 15 août. 3 500 km de côtes découpées en

**Coiffe bretonne**

criques, anses, rades et haies attirent aussi les adeptes des sports nautiques. Quoique moins fréquentée et moins urbanisée, la Bretagne intérieure recèle une multitude de richesses à découvrir : manoirs, châteaux, musées et autres visites. À la richesse du patrimoine s'ajoute celle de l'environnement : réserves natrelles, parcs, jardins zoologiques, aquarium...

**L'hôtel Keraty à Dinan abrite l'office du tourisme**

## QUAND PARTIR ?

En dehors des vacances scolaires en France, la Bretagne respire. Les périodes privilégiées restent celles de l'avant et de l'après-saison. En juin, la saison se prépare, le rythme frémit avant l'affluence. Septembre reste le mois privilégié, les estivants repartent, les Bretons ont davantage de temps pour accueillir les visiteurs, et les monuments se désengorgent. En outre, les grandes marées esquissent des paysages magnifiques. Pour ceux qui viennent l'été, les plaisirs ne manquent pas : plage, sports nautiques, randonnées… Restaurants, bars, discothèques et festivals ne désemplissent pas. Le calendrier des vacances scolaires peut être consulté sur le site du ministère de l'Éducation nationale.

**Office de Tourisme**

**Panneau indiquant l'office de tourisme**

## FORMALITÉS

L'obligation de visa dépend de la nationalité du voyageur et de la durée de son séjour. Les ressortissants de l'Union européenne, les citoyens suisses et canadiens n'ont pas besoin de visa pour un séjour touristique de moins de trois mois. Il suffit de présenter, soit la pièce d'identité en cours de validité pour les citoyens de l'Union européenne, soit le passeport pour les non Européens. Les mineurs doivent en outre avoir sur eux une autorisation parentale de sortie de territoire.

## INFORMATIONS TOURISTIQUES

Pour la plupart, les villes et les nombreux villages bretons disposent de structures d'informations.

Offices du tourisme, syndicats d'initiative, pays d'accueil centralisent les renseignements nécessaires à la réussite de votre séjour : dépliants touristiques, propositions d'itinéraires, plans de villes, calendriers des festivités, listes des différentes formules d'hébergement, etc. Bien sûr, une station balnéaire déploiera plus de prestations qu'un modeste village au cœur de la Bretagne profonde. Certains offices peuvent même assurer la réservation d'hôtel.
Par ailleurs, n'hésitez pas à demander des renseignements dans la rue. Les Bretons sont serviables et ont plaisir à faire découvrir leur région. Vous trouverez les coordonnées des offices du tourisme dans les informations pratiques en tête des rubriques.

## ANIMAUX

Venir en France avec un animal familier est autorisé sous certaines conditions : l'animal, âgé d'au moins 3 mois et tatoué, doit être vacciné contre la rage. Le carnet de vaccination peut être exigé. Renseignez-vous auprès des services vétérinaires de votre pays pour savoir quelle sont les règles pour le retour.

## TVA

Les visiteurs n'appartenant pas à l'Union européenne et séjournant moins de six mois peuvent bénéficier de l'exonération de la TVA pour certaines marchandises achetées à titre personnel. Le montant des achats doit être égal ou supérieur à 175 €

La plage de l'Anse sur Suscinio à Sarzeau, golfe du Morbihan

toutes taxes comprises, dans un même magasin, le même jour. Attention, tous les magasins ne pratiquent pas la détaxe, et le montant de celle-ci peut tenir compte de frais de gestion. Par ailleurs, certaines marchandises, comme les boissons, le tabac et les automobiles, font exception à cette règle.

## FRANCHISE DOUANIÈRE

Pour les voyageurs appartenant à l'Union européenne, il n'y a pas de limitation quant aux achats pour des besoins personnels. Un seuil est cependant fixé pour certaines marchandises, comme les cigarettes (800 pièces) et l'alcool (spiritueux : 10 l ; vins : 90 l). Dans tous les cas, certaines marchandises sont soumises à de strictes formalités : œuvres d'art, bijoux, armes, végétaux… En cas de doute, renseignez-vous auprès des **douanes**.

TV Breiz, axée sur la culture bretonne

## SITES WEBS

Internet offre aussi un large éventail d'informations culturelles, touristiques, pratiques et autres sur la Bretagne. Pour préparer votre voyage, allez visiter des sites généralistes présentant la Bretagne sous tous ses angles (*www.toutelabretagne.com*), ou les sites officiels des régions (*www.centrebretagne.com*). D'autres sites vous conseillent des itinéraires (*www.bretagne-evasions.com*) ou vous

proposent des hébergements (*www.hotels-de-bretagne.com*). Le site du quotidien *Ouest France* présente également un dossier complet sur le tourisme en Bretagne (*www.france-ouest.com*).

## TARIFS DE VISITE

Le prix d'entrée dans les musées et monuments oscille entre 1,5 et 6 euros. Des réductions, allant jusqu'à la gratuité pour les enfants, sont consenties aux étudiants (carte de l'année en cours), aux jeunes de moins de 26 ans titulaires de la carte jeune internationale, ainsi qu'aux personnes âgées de plus de 65 ans. Les centres d'informations pour la jeunesse vous donneront toutes les informations utiles.

## HORAIRES D'OUVERTURE

En général, les musées municipaux ferment leurs portes le lundi, les musées nationaux le mardi. En haute saison, nombre d'entre eux sont ouverts tous les jours, sans interruption à l'heure

Ouest France et Le Télégramme, deux quotidiens régionaux

du déjeuner. Pour éviter les mauvaises surprises, mieux vaut toutefois téléphoner avant de vous déplacer. À la campagne, certaines églises sont fermées en dehors des offices, mais renseignez-vous auprès des structures d'accueil ou des passants, car une clef est souvent laissée à l'attention des visiteurs. L'accès est généralement gratuit hormis pour les trésors, cryptes ou cloîtres. En majorité, les boutiques adaptent leurs horaires pendant l'été ; en dehors de la haute saison, elles ouvrent généralement de 9 h à 12 h et de 15 h jusqu'à 19 h du mardi au samedi.

Pour plus d'informations, deux magazines régionaux

## MÉDIAS

Les grands quotidiens, comme *Le Monde*, *Libération*, *Le Figaro*, arrivent dès le matin chez les marchands de journaux, mais c'est surtout la presse régionale qui compte le plus de lecteurs. *Ouest France* est le quotidien français régional au plus fort tirage. Des magazines régionaux, comme le mensuel *Ar Men* ou le trimestriel *Bretagne Magazine*, permettent d'obtenir des informations culturelles sur la région. À côté des chaînes de télévision généralistes, comme *TF1*, *France 2*, *France 3*, *M6* et *La 5/Arte*, la chaîne bretonne *TV Breizh* est axée sur la culture celtique. Les journaux régionaux de *France 3* (à 12 h et à 19 h) offrent un aperçu intéressant de l'actualité locale. Côté radios, nombreuses sont les stations locales qui concurrencent les réseaux nationaux. Consultez la presse régionale pour connaître les fréquences.

## VOYAGER AVEC DES ENFANTS

Les enfants sont bien reçus dans la plupart des établissements, mais renseignez-vous directement auprès de ces derniers afin de vous assurer qu'ils disposent d'équipements pour enfants *(p. 218-227)*.

Les restaurants disposent de plus en plus de chaises hautes et de menus spéciaux, ou de portions réduites.

Des billets familiaux ou des réductions sont accordés dans les moyens de transport et les lieux de spectacle.

Les périodes les plus riches en distractions restent celles des vacances scolaires. Le code de la route impose d'attacher dans un siège spécial les enfants, en fonction de leur taille.

## VOYAGEURS HANDICAPÉS

La majorité des hôtels, restaurants et sites touristiques est difficilement accessible en fauteuil roulant. En revanche, plusieurs structures accueillent les personnes à mobilité réduite sur le territoire breton. De plus, **Handitour** ou **EPAL** (Évasion en pays d'accueil et de loisirs) organisent des circuits spécialement adaptés aux personnes handicapées. Sur le site Internet du **secrétariat d'État au Tourisme**, un chapitre est spécialement au consacré aux voyageurs handicapés.

## FUMER

Il est interdit de fumer dans les lieux publics (musées, monuments, cinémas…) et dans les transports en commun. Quant aux restaurants, ils sont théoriquement divisés en zone fumeurs et non-fumeurs, mais les Français sont encore très tolérants sur le sujet !

## ÉLECTRICITÉ

Les prises électriques sont conformes en France aux normes européennes (courant 220 volts) ; elles peuvent toutefois poser des problèmes aux Anglo-Saxons, il convient donc de se munir d'un adaptateur ou de s'assurer que l'hôtel en possède un.

---

## CARNET D'ADRESSES

### INFORMATIONS TOURISTIQUES

**Centre d'information et de documentation pour la jeunesse (CIDJ)**
101, quai Branly, 75015 Paris.
☎ 01 44 49 12 00.

**Centre information jeunesse Bretagne (CIJB)**
Maison du Champ-de-Mars, 6, cours des Alliés, 35043 Rennes Cedex.
☎ 02 99 31 47 48.

**Centre régional information jeunesse (CRIJ)**
28, rue Calvaire, 44000 Nantes.
☎ 02 51 72 94 50.

**Douanes**
*(renseignements généraux)*
☎ 0825 30 82 63.

**Ministère de l'Éducation nationale**
🌐 www.education.gouv.fr

**Comité régional du tourisme de Bretagne**
1, rue Raoul-Ponchon, 35000 Rennes.
☎ 02 99 36 15 15.

**Comité régional du tourisme des Pays de la Loire**
2, rue Loire, 44200 Nantes.
☎ 02 40 48 24 20.

**Maison de la Bretagne**
203, bd Saint-Germain, 75007 Paris.
☎ 01 53 63 11 50.

**Secrétariat d'État au Tourisme**
🌐 www.tourisme.gouv.fr

### SITES WEBS

🌐 www.bretagneworld.com *(répertoire de sites sur la Bretagne)*
🌐 www.touelabretagne.com
🌐 www.brittanytourism.com
🌐 www.visit-bretagne.com
🌐 www.region-bretagne.fr *(présentation de l'actualité, du tourisme, de la culture, etc.)*
🌐 www.bretagne-evasion.com
🌐 www.france-ouest.com
🌐 www.centrebretagne.com
🌐 www.pays-de-dol.com
🌐 www.morbihan.com

### COMITÉS DÉPARTEMENTAUX DU TOURISME

**Côtes-d'Armor**
29, rue des Promenades, 22000 Saint-Brieuc.
☎ 02 96 62 72 00.

**Finistère**
11, rue Théodore-Le-Hars, 29000 Quimper.
☎ 02 98 76 20 70.

**Ille-et-Vilaine**
4, rue Jean-Jaurès, 35000 Rennes.
☎ 02 99 78 47 47.

**Loire-Atlantique**
2, allée Baco, 44000 Nantes.
☎ 02 51 72 95 30.

**Morbihan**
P.I.B.S. Kerino, Allée Nicolas-Le-Blanc, 56000 Vannes.
☎ 02 97 54 06 56.

### VOYAGEURS HANDICAPÉS

**Association des paralysés de France**
17, bd Auguste-Blanqui, 75013 Paris.
☎ 01 40 78 69 00.

**Comité national pour la réadaptation des handicapés (CNRH)**
236 bis, rue de Tolbiac, 75013 Paris.
☎ 01 53 80 66 66.

**EPAL**
11, rue d'Ouessant, BP 2, 29801 Brest Cedex 09.
☎ 02 98 41 84 09.
🌐 www.epal-association.com

**Handitour**
4815 de Mentana, Montréal, QC H2J-3C1, Canada.
☎ 00 514 598 5685
*ou 00 1 800 361 4541.*

# Santé et sécurité

L a Bretagne est une région sûre où les autorités locales et les services de santé veillent avec une compétence reconnue. Pour se prémunir contre la petite délinquance, il suffit de prendre quelques précautions : ne rien laisser en vue, en particulier dans la voiture et se montrer vigilant dans la foule, où peuvent sévir des pickpockets.

### ASSISTANCE

E n cas d'accident ou d'agression, pensez aux témoins : l'intervention d'un tiers peut s'avérer utile, notamment pour établir un constat. Dans tous les cas, appelez la police au 17.
Si vous êtes victime d'un vol, déclarez-le auprès du commissariat ou de la gendarmerie. En cas de perte ou de vol de votre carte de paiement, pensez à faire opposition auprès de votre centre de gestion afin d'éviter toute tentative d'utilisation frauduleuse.

### ACCIDENT

S i vous êtes victime ou témoin d'un accident en mer, appelez le CROSS (Centre régional opérationnel de surveillance et de sauvetage), qui s'occupe de l'organisation et de la coordination des opérations de sauvetage en mer. Le littoral breton est partagé entre le **CROSS Corsen**, opérationnel sur toutes les côtes nord de la Bretagne, et le **CROSS Étel**, couvrant les côtes sud. Ces centres déclenchent les secours en mer en faisant appel à la Marine nationale ou aux bénévoles de la SNSM (Société nationale de sauvetage en mer). En cas d'urgence hors mer, appelez le SAMU (Service d'aide médicale d'urgence) en

composant le 15, ou le 18 pour les sapeurs-pompiers.
N'oubliez pas de baliser les abords de l'accident et, le cas échéant, de détourner la circulation. Sauf danger immédiat, comme un incendie, ne déplacez pas un blessé avant l'arrivée des secours à moins de détenir un brevet de secourisme.

### SANTÉ

A ucun vaccin n'est exigé pour venir en France.
Si vous êtes ressortissant d'un pays européen, demandez avant votre départ à votre centre d'assurance un formulaire de remboursement européen E111. Il vous permettra de vous faire rembourser vos frais médicaux et pharmaceutiques à votre retour. Pour les ressortissants des autres pays, adressez-vous à une société d'assurance ou d'assistance.
Pour les problèmes bénins, le pharmacien peut vous conseiller et vous indiquer l'adresse d'un médecin.
Hors des heures d'ouverture, le nom d'un médecin de garde est affiché sur la porte de l'officine. En cas de problème grave, rendez-vous au service des urgences des hôpitaux.

### EN PLEIN AIR

D e nombreuses plages sont surveillées par des CRS ou des maîtres nageurs. Toutefois, il est primordial de respecter les indications des drapeaux (vert : baignade autorisée, orange : baignade dangereuse, rouge : baignade interdite) et de tenir compte des prévisions de la météo. Les vents, le courant et la marée sont à l'origine de la plupart des incidents. Désormais en usage dans l'Union européenne, le drapeau bleu garantit la pureté de l'eau.

**Sauveteurs militaires intervenant en mer**

# Banques et monnaie

Les principales banques sont bien représentées en Bretagne. En zone rurale, c'est généralement le Crédit Agricole qui est le mieux implanté. Par ailleurs, les distributeurs de billets sont de plus en plus nombreux. Comme partout en France, l'usage de la carte de paiement se substitue à celui des chèques et des espèces surtout avec l'introduction de l'euro. Depuis février 2002, le franc français a laissé la place à l'euro, monnaie unique valable dans les douze pays membres de l'Union européenne.

## CHANGE

Pour les visiteurs appartenant à la l'Union européenne, le change est inutile puisque l'euro a cours légal dans l'ensemble de la zone. Les ressortissants extérieurs à l'Union (suisses, canadiens, anglais), devront quant à eux échanger leurs devises auprès des banques, guichets de poste et bureaux de change situés dans les gares, les aéroports et les grands sites touristiques. Attention, si le taux de change est fixe, une commission libre est prélevée à chaque opération de change.

## CHÈQUES DE VOYAGE

Émis par des organismes sérieux, tels **American Express** ou **Thomas Cook**, les chèques de voyage constituent un moyen sûr de transporter de l'argent, car ils sont immédiatement remplacés en cas de vol. Ceux d'American Express sont les plus répandus et aucune commission n'est prélevée à l'encaissement. Les agences du Crédit Lyonnais à l'étranger délivrent des chèques de voyage libellés en euros, et offrent généralement un taux de change avantageux. Les eurochèques, eux, permettent de rédiger des chèques dans le monnaie locale mais leur usage est peu répandu.

## CHÈQUES BANCAIRES

Attention, si un ressortissant européen peut régler en euros par carte bancaire dans tous les pays de la zone euro, il n'en va pas de même pour les chèques, qui restent un moyen de paiement principalement national.

## CARTES DE PAIEMENT

Les distributeurs automatiques de billets sont largement répandus, même en zone rurale. Prenez garde cependant aux weekends et grands ponts, périodes où ils sont très vite vides. Un panneau indique les cartes acceptées par le distributeur. Les cartes étrangères avec code d'identification secret sont largement admises, mais une commission est prélevée lors de tout retrait d'espèces.

Si les cartes **Visa** et **Eurocard-Mastercard** sont les plus utilisées, les hôtels et restaurants, habitués à une clientèle étrangère, acceptent aussi American Express et **Diner's Club**. Attention, les commerçants exigent souvent un montant minimum d'achat pour le paiement par carte bancaire. En cas de perte ou de vol, faites immédiatement opposition auprès de l'organisme émetteur. Toutefois, votre numéro de code est strictement confidentiel, ni votre banque ni votre centre d'opposition ne doivent en être informés.

**Composez votre code !**

## HORAIRES

En majorité, les banques sont ouvertes du mardi au samedi de 8 h 30 ou 9 h à 17 h. Elles sont généralement fermées entre 12 h et 14 h. Les veilles de jours fériés *(p. 31)*, la plupart des agences ferment à midi.

### L'EURO

L'euro, la monnaie unique européenne, est aujourd'hui en circulation dans 12 pays sur les 15 États membres de l'Union européenne. L'Allemagne, l'Autriche, la Belgique, l'Espagne, la Finlande, la France, la Grèce, l'Irlande, l'Italie, le Luxembourg, les Pays-Bas et le Portugal ont changé leur monnaie. La Grande-Bretagne, le Danemark et la Suède ont préféré la conserver, avec la possibilité de revenir sur leur décision.

Les pièces et les billets ont été mis en circulation le 1er janvier 2002. Le franc français a été retiré le 17 février 2002 sur le territoire métropolitain. L'euro s'utilise partout dans les pays de la zone euro.

### Billets de banque

*Les billets existent en sept coupures. Le billet de 5 € (gris) est le plus petit, suivi de ceux de 10 € (rouge), 20 € (bleu), 50 € (orange), 100 € (vert), 200 € (brun-jaune) et 500 € (violet).*
*Tous les billets arborent les 12 étoiles de l'Union européenne.*

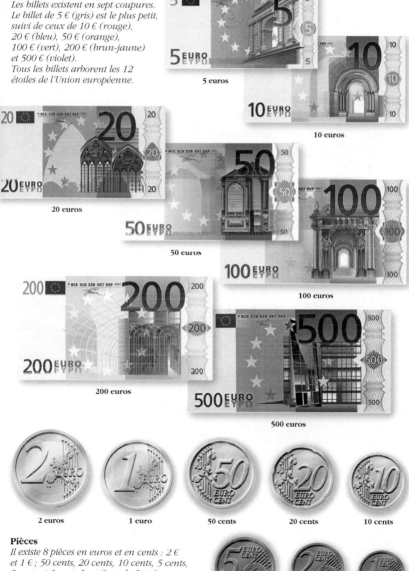

5 euros

10 euros

20 euros

50 euros

100 euros

200 euros

500 euros

2 euros

1 euro

50 cents

20 cents

10 cents

### Pièces

*Il existe 8 pièces en euros et en cents : 2 € et 1 € ; 50 cents, 20 cents, 10 cents, 5 cents, 2 cents et 1 cent. Les pièces de 2 et 1 euros sont de couleur argent et or. Celles de 50, 20 et 10 cents sont dorées. Celles de 5, 2 et 1 cents sont de couleur bronze.*

5 cents

2 cents

1 cent

# Les communications et la Poste

Le réseau téléphonique français est l'un des plus fiables du monde. La Bretagne déroge d'autant moins à la règle qu'à l'instar du radôme de Pleumeur-Bodou, des grands centres de recherche en télécommunications y sont implantés. Ce sont eux qui d'ailleurs furent à l'origine du Minitel, ancêtre français de l'Internet. Les téléphones publics fonctionnent de plus en plus avec des cartes à puce. La Poste, quant à elle, propose des services compétitifs et personnalisés.

**La couleur des boîtes aux lettres date des années 1960**

## LE TÉLÉPHONE

Les téléphones publics à pièces ont pratiquement disparu au profit des publiphones à carte, qui acceptent non seulement les télécartes de 50 ou 120 unités vendues dans les bureaux de tabac et les postes, mais aussi la carte France Télécom et parfois même les cartes de paiement. Très pratiques, la carte France Télécom permet de téléphoner à partir de n'importe quel poste téléphonique (dans une cabine, chez un particulier), les communications étant débitées sur votre facture habituelle. Pour appeler, composez le numéro d'accès au service, le numéro de carte, puis le code confidentiel, suivi du numéro du correspondant. Les cabines possèdent un numéro d'appel affiché à l'intérieur, ce qui permet de se faire rappeler par son correspondant, depuis que le PCV n'existe plus en France. Les services d'urgence, SAMU, police et pompiers *(p. 257)* peuvent être contactés gratuitement. Attention, dans les hôtels, les communications sont majorées d'un supplément qui peut parfois être très élevé. Si vous possédez un téléphone portable, celui-ci risque de ne pas fonctionner dans certaines zones reculées de la région.

Depuis 1996, les numéros de téléphone français comportent dix chiffres (huit chiffres précédés d'un préfixe : le préfixe 01 correspond à l'Île-de-France ; le 02 au Nord-Ouest ; le 03 au Nord-Est ; le 04 au Sud-Est ; le 05 au Sud-Ouest. Le préfixe 00 est destiné aux communications internationales.

## POUR UTILISER UN PUBLIPHONE À CARTE

1 Décrochez le combiné et attendez la tonalité.

2 Insérez la télécarte recto vers le haut.

3 Sur l'écran apparaît le nombre d'unités restantes.

4 Composez le numéro de votre correspondant, parlez.

5 Si vous voulez faire un autre appel après le premier, appuyer sur le bouton vert sans ôter la carte.

6 Après avoir raccroché, reprenez votre carte.

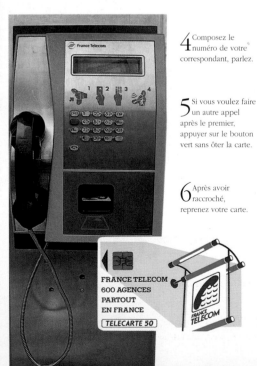

FRANCE TELECOM
600 AGENCES
PARTOUT
EN FRANCE
TELECARTE 50

FRANCE TELECOM

## LA POSTE

Depuis les années 1980, poste et télécommunications dépendent de deux organismes indépendants. Avec ses 17 000 bureaux, La Poste assure un service fiable (hors périodes de grève). Les trois quarts des lettres affranchies au tarif normal arrivent le lendemain à un destinataire situé sur le territoire métropolitain, et deux à trois jours plus tard en Suisse, en

Belgique ou en Angleterre. Plus chers, les services *Distingo*, *Colissimo* et *Chronopost* garantissent des délais d'acheminement plus courts. De plus en plus de bureaux de poste possèdent des distributeurs automatiques de timbres et des machines à affranchir.

Pour les cartes postales et les lettres de moins de 20 g à destination de l'Union européenne, les timbres sont vendus à l'unité ou par carnet de 10, dans les postes ou les débits de tabac. Les bureaux de poste sont ouverts de 8 h à 19 h du lundi au vendredi et de 8 h à 12 h le samedi.

Le courrier en poste restante doit porter le nom du destinataire, la mention « poste restante », le nom du bureau de poste, celui de la ville et le code postal. Une pièce d'identité doit être présentée pour retirer le courrier. Elle est nécessaire également pour demander la réexpédition de celui-ci ; démarche facturée et qui demande quatre jours avant de devenir effective.

On peut également retirer de l'argent liquide avec une carte bancaire aux guichets de La Poste.

## LE MINITEL

Lancé en 1984 après une phase d'expérimentation, notamment en Bretagne, ce

**Distributeur automatique de billets d'un bureau de poste**

**Les cybercafés se multiplient dans les grandes villes bretonnes**

terminal informatique s'est imposé auprès de millions d'abonnés au téléphone. Certains hôtels et les bureaux de poste mettent à disposition des Minitels dont le fonctionnement permet de consulter l'annuaire et de se connecter à d'autres serveurs. Cependant, Internet supplante aujourd'hui de plus en plus le Minitel.

## INTERNET

Pour le voyageur, Internet est l'outil privilégié pour obtenir des informations touristiques *(p. 256)*, réserver un billet de train ou d'avion et envoyer des courriers électroniques. Les cybercafés se multiplient dans les grandes villes, et La Poste se met au service de cette nouvelle technologie. Celle-ci possède en effet 1 000 bornes Cyberposte permettant à plus de 80 000 personnes d'envoyer et de recevoir des courriers électroniques (grâce à la mise à disposition gratuite d'une adresse électronique) d'une part, et de surfer sur l'ensemble du réseau Internet d'autre part.

## JOURNAUX ÉTRANGERS

Même en zone rurale, les grosses maisons de la presse reçoivent les principaux journaux étrangers. L'*International Herald Tribune*, le *Financial Times*, le *Guardian* peuvent s'acheter le jour même de leur parution. Les autres n'arrivent que le lendemain, surtout en dehors de la période estivale.

## CODES POSTAUX

Chaque localité bretonne dispose d'un code postal à 5 chiffres. Dans l'adresse, ce numéro doit figurer avant le nom de la commune et sur la même ligne. Les deux premiers chiffres correspondent au numéro du département, les trois autres au bureau distributeur. Le code postal numéro 22 correspond au département des Côtes-d'Armor, le 29 au Finistère, le 35 à l'Ille-et-Vilaine, le 44 à la Loire-Atlantique et le 56 au Morbihan.

# SE DÉPLACER EN BRETAGNE

Brest, Lorient, Quimper, Nantes et Rennes sont desservies au départ de Paris par plusieurs vols quotidiens. À trois heures de Paris par l'autoroute de l'Ouest (A 11 puis A 81), la Bretagne dispose d'une desserte autoroutière entièrement gratuite sur son territoire. À partir

**Un avion
de la Brit'Air**

de Rennes, des voies express relient les principales villes bretonnes entre elles. Le réseau ferroviaire s'avère également fort pratique : le TGV relie Paris à Rennes et à Nantes en deux heures. Enfin, les lignes TGV internationales permettent de rejoindre la Bretagne depuis la Belgique.

**Passagers dans le hall de l'aéroport Nantes-Atlantique**

## AÉROPORTS BRETONS

La Bretagne met à la disposition des voyageurs plusieurs aéroports dont l'aéroport de Nantes-Atlantique – le plus important –, mais aussi ceux de Rennes, Dinard, Brest-Guipavas, Quimper, Lannion, Saint-Brieuc, Morlaix et Lorient.

L'**aéroport international de Nantes-Atlantique** a accueilli 2 millions de passagers en 2001. Il est vrai que c'est le seul grand aéroport de l'Ouest français,

| AÉROPORT | RENSEIGNEMENTS | DISTANCE DE LA VILLE | PRIX DE LA COURSE EN TAXI |
|---|---|---|---|
| **CÔTES-D'ARMOR** | | | |
| Lannion | ℂ 02 96 05 82 22 | 12 km du centre-ville | 8 € jusqu'à Lannion |
| **FINISTÈRE** | | | |
| Brest-Guipavas | ℂ 02 98 32 01 00 | 5 km du centre-ville | 15 € jusqu'à Brest |
| Morlaix-Ploujean | ℂ 02 98 62 16 09 | 3 km de Morlaix | 9 € en sem. et 12 € le week-end jusqu'à Morlaix |
| Quimper-Cornouailles | ℂ 02 98 94 30 30 | 7 km du centre-ville | 15 € jusqu'à Quimper |
| **ILLE-ET-VILAINE** | | | |
| Dinard-Pleurtuit-Saint-Malo | ℂ 02 99 46 18 46 | 10 km de Dinard 15 km de Saint-Malo | 11 € en sem. et 14 € le week-end jusqu'à Dinard 15 € en sem. et 23 € le week-end jusqu'à Saint-Malo |
| Rennes | ℂ 02 99 29 60 00 | 8 km du centre-ville | 11 à 12 € en sem. et 15 € le week-end jusqu'à Rennes |
| **LOIRE-ATLANTIQUE** | | | |
| Nantes-Atlantique | ℂ 02 40 84 80 00 | 12 km du centre-ville | 23 € jusqu'à Nantes |
| **MORBIHAN** | | | |
| Aérodrome de Belle-Île-en-Mer | ℂ 02 97 31 83 09 | 5 km du centre-ville | 9 à 14 € jusqu'au Palais |
| Lorient-Lan-Bihoué | ℂ 02 97 87 21 50 | 10 km du centre-ville | 12 à 14 € en sem. et 20 € le week-end jusqu'à Lorient |

et son trafic ne repose pas essentiellement sur sa liaison avec la capitale française. Les lignes intérieures et internationales y jouent un rôle tout aussi important. Ainsi, de nombreuses compagnies étrangères (British Airways, Aeroflot, Air Afrique, Royal Air Maroc) y ont élu domicile, de même qu'une trentaine de compagnies de charters.

L'**aéroport de Rennes** accueille quant à lui 50 vols par jour. Ses 15 lignes directes régulières permettent aux passagers d'accéder à plus de 70 destinations en France et en Europe grâce aux plates-formes de Clermont-Ferrand et de Lyon. À 20 minutes seulement du centre-ville, en dehors des heures de pointe, on peut prendre le bus n° 57 ou le taxi pour accéder à l'aéroport.

Tous ces aéroports sont accessibles aux personnes en fauteuil roulant, et elles seront secondées lors de l'embarquement, du débarquement et durant le vol.

## LIAISONS AÉRIENNES

Au départ de Paris, plusieurs vols quotidiens desservent Brest, Lorient, Quimper, Lannion, Rennes, Saint-Brieuc et Nantes. La compagnie **Air France** via **Brit'Air** et **Regional** (regroupant Regional Air Lines, Flandre Air et Proteus depuis août 2001) assure ces liaisons depuis Orly et Roissy-Charles-De-Gaulle. **British Airways** propose aussi quatre vols Londres-Nantes par jour.

Par ailleurs, la compagnie **Ryanair** relie quotidiennement les îles Anglo-Normandes de Jersey et Guernesey à Londres-Heathrow et Gatwick depuis l'**aéroport de Dinard-Pleurtuit-Saint-Malo**. À signaler également, le billet couplé Air France-Thalys qui permet de rejoindre Nantes depuis Bruxelles et vice-versa. En été seulement, la plate-forme nantaise permet de poursuivre son voyage vers Toronto et Montréal par **Air Transat**. Enfin, **Finist'Air** dessert Ouessant depuis l'aéroport de Brest. **Air Lib** relie Nantes à Lille et Mulhouse, et Lannion à Paris.

## TARIFS

La concurrence qui règne désormais entre les compagnies permet de voyager à des prix très intéressants. De manière générale, toutes les compagnies consentent des réductions aux familles d'au moins 2 personnes, aux jeunes de moins de 25 ans, aux étudiants de moins de 27 ans, aux retraités de plus de 60 ans ainsi qu'aux groupes à partir de 6 personnes.

Air France propose quatre possibilités de réductions par sa gamme de tarifs *Tempo*. Plus vous réservez à l'avance – jusqu'à 15 jours avant le départ –, plus les conditions sont avantageuses. Par ailleurs, les enfants de moins de deux ans ne paient pas sur les vols nationaux (mais ne disposent pas de leur propre siège) et ceux de moins de 12 ans bénéficient de 60 % de réduction.

---

### CARNET D'ADRESSES

#### COMPAGNIES AÉRIENNES

---

**FRANCE**
**Air France (Brit'Air et Regional)**
☎ 0 820 820 820
*(renseignements et réservations).*
🌐 www.airfrance.fr

**Air Lib**
☎ 0 803 805 805.
🌐 www.airlib.fr

**Finist'Air**
☎ 02 98 84 64 87 *(liaisons entre Ouessant et Brest).*
🌐 www.finistair.fr

**Ryanair**
☎ 02 99 16 00 66 *(liaisons entre les îles Anglo-Normandes et Londres).*
🌐 www.ryanair.com

**BELGIQUE**
**Air France Belgique**
☎ 070 22 24 66.

**CANADA**
**Air Canada**
☎ 0 825 880 881.
🌐 www.aircanada.ca

**Air Transat**
☎ 0 825 325 825.
🌐 www.airtransat.ca

**GRANDE-BRETAGNE**
**British Airways**
☎ 082 5825 400.
🌐 www.britishairways.com

**SUISSE**
**Air France Suisse**
☎ 41 228 27 87 87.

---

### FORMALITÉS

L'enregistrement des bagages et des passagers est généralement fermé 30 minutes avant le départ, il convient donc de se présenter à l'aéroport environ une heure avant l'embarquement. Un passager a droit à une franchise de 20 à 23 kg de bagages en soute selon les compagnies. Un seul bagage par personne est accepté en cabine. Les enfants de 4 à 12 ans peuvent voyager seuls, car la compagnie les prend entièrement en charge. Les animaux sont acceptés en cabine, dans un sac, sur autorisation de la compagnie, mais plus couramment en soute, dans une cage.

L'aéroport Saint-Jacques à Rennes

# Le train

Dans un pays doté de l'un des meilleurs réseaux ferroviaires du monde, le train demeure l'un des moyens les plus pratiques pour partir en Bretagne. Par TGV (train à grande vitesse), train corail ou TER (train express régional), le réseau dessert les principales villes bretonnes. Autocars et bateaux prennent le relais pour les localités non desservies par le train. Le TGV relie Paris à Rennes en deux heures, de même que le Paris-Nantes. Il existe par ailleurs des TGV directs Rennes-Lille, Nantes-Lille et Nantes-Lyon.

On trouve des billeteries automatiques dans les principales gares

## SERVICES

Les trains français ont depuis longtemps une réputation de ponctualité. La SNCF ne cesse d'améliorer ses services sur les grandes lignes. Les dessertes locales sont assurées par des cars et des TER (trains express régionaux). Des brochures indiquant les horaires sont disponibles dans toutes les gares.

Pratique mais payant, lorsque l'on est chargé, un **service d'enlèvement des bagages à domicile** assure le transport des bagages depuis votre domicile jusqu'au lieu de votre choix (gare ou domicile de destination). Ce service est disponible aussi pour les vélos. Le délai de livraison est de 24 h à compter du jour de l'enlèvement à 17 h, hors samedis, dimanches et fêtes.

La plupart des trains sont équipés d'un bar ou d'une voiture-restaurant non-fumeurs. En leur absence, circule un service de mini-bar offrant sandwichs et boissons.

Si vous souhaitez partir avec votre voiture, le service Auto-Train, très agréable pour les longs trajets, fonctionne sur les trains Lyon-Nantes toute l'année, et uniquement l'été sur les liaisons Lyon-Auray, Genève-Auray et Genève-Nantes. Il existe aussi une formule de location Train + Auto, qui permet de louer un véhicule **Avis** *(p. 267)* à l'arrivée, à des tarifs préférentiels (renseignements lors de la réservation du billet). La SNCF loue aussi des vélos. Renseignez-vous dans les gares d'arrivées.

## LE TGV

Le train à grande vitesse est inauguré le 27 septembre 1981 sur la ligne Paris-Lyon. Depuis, le TGV roule jusqu'à 300 km/h sur les voies spécialement aménagées dans ce but. Depuis Paris, le TGV met 2 heures pour atteindre Rennes et Nantes, 2 heures 35 pour Saint-Nazaire, 2 heures 50 pour Saint-Brieuc, 3 minutes pour Vannes, 3 heures 30 pour Lorient, 4 heures 10 pour Brest et Quimper. Les trains ordinaires mettent 3 heures pour atteindre Saint-Malo. Il existe par ailleurs des TGV directs Rennes-Lille (3 heures 50), Nantes-Lille (3 heures 50), et Nantes-Lyon (4 heures 30). Les réservations sont obligatoires sur les lignes de TGV et possibles jusqu'à 5 minutes avant le départ du train. Le contrôleur peut alors vous attribuer une place vacante. Situé dans les wagons de 2e classe non-fumeurs du TGV, l'« Espace Famille » permet de bénéficier de quatre places face à face isolées par une demi-cloison, avec une table centrale. À proximité, la nurserie est équipée d'une table à langer et d'un chauffe-biberon.

## BILLETTERIES

Le service « **Ligne Vocale** » permet de connaître les horaires et fonctionne 24 h sur 24. Pour s'informer, réserver et acheter son billet par téléphone, le service « **Ligne Directe** » est disponible de 7 h à 22 h, 7 jours sur 7. Outre les guichets classiques, les gares sont désormais équipées de

Le TGV assure grande vitesse et confort

billetteries automatiques où le paiement peut s'effectuer en espèces ou par carte bancaire. La SNCF a également mis en place un service de billet à domicile. Il vous suffit de passer commande au moins quatre jours avant votre départ par téléphone, Minitel ou Internet, et de régler par carte bancaire. Sous peine d'amende, les billets doivent être validés dans un des composteurs installés à l'entrée des quais.

En été, la gare de Pontrieux est dotée d'un vrai train à vapeur

### TARIFS

Les tarifs de la SNCF sont proportionnels au kilométrage parcouru, et varient selon la classe (1re ou 2e) et la période de voyage. Il existe de nombreuses formules de réduction, selon la fréquence de voyage, et certaines peuvent aller jusqu'à 50 %. Ainsi, les billets « Découverte J8 et J30 » accordent une réduction de 25 à 50 % selon que l'on réserve 8 ou 30 jours avant le départ. D'autres formules permettent de bénéficier de 25 % de réduction sous certaines conditions de voyage : « Découverte séjour » : un aller-retour obligatoire et une nuit du samedi au dimanche ; « Découverte à deux » : un aller-retour obligatoire à deux personnes ; « Découverte enfant + » : pour les moins de 12 ans et ceux qui l'accompagnent, jusqu'à quatre adultes ; « Découverte 12-25 » : réservé aux 12-25 ans ; « Découverte Senior » : à partir de 60 ans. À signaler aussi pour les enfants voyageant seuls, le service « Jeune Voyageur » (JVS), qui permet de faire accompagner votre enfant (de 4 ans à 12 ans) par une hôtesse. La formule Train + Hôtel, proposée par la SNCF, peut s'avérer intéressante en raison de ses tarifs avantageux, proposés notamment en association avec Mercure et Novotel (p. 214 et 216). Pour 9 € seulement le « Pass Bretagne » permet de parcourir la région en empruntant les TER et les autocars SNCF tous les samedis de la mi-juin à la mi-septembre.

### ANIMAUX

Les animaux de moins de 5 kg peuvent vous accompagner dans le train contre la somme de 5 €. Au-delà de ce poids, il faut acquitter le prix d'un billet demi-tarif de 2e classe. Il est recommandé de museler les chiens. Les animaux sont interdits dans les voitures-lits, sauf si le voyageur réserve une cabine uniquement pour lui et son animal. D'une manière générale, la présence d'un animal dans le train est tolérée par le règlement. On ne peut en aucun cas l'imposer aux autres voyageurs.

**CARNET D'ADRESSES**

**SNCF**

**Ligne Directe**
08 36 35 35 35.
Minitel : 3615 SNCF.
www.sncf.com

**Ligne Vocale**
08 36 67 68 69.

**Service d'enlèvement des bagages**
0 803 845 845.

**Gare de Rennes**
02 99 29 11 20 (standard).

**Gare de Nantes**
02 40 08 11 00 (standard).

**Gare de Brest**
02 98 31 51 72 (standard).

**Gare de Saint-Brieuc**
02 96 01 61 33 (standard).

Voyageurs dans le hall de la gare de Rennes

La gare SNCF à Brest

# La route

L a Bretagne possède un excellent réseau routier, qui comprend à la fois des autoroutes et un réseau de voies express entièrement gratuites reliant les grandes villes de la région. Les routes nationales, et surtout départementales, permettent de découvrir villages ou sites peu fréquentés. Certaines longent le littoral et ouvrent sur des paysages magnifiques.

**Panneau d'un sens giratoire**

Les routes départementales offrent de magnifiques panoramas

## CIRCULER EN VOITURE

L'accès à la Bretagne est facile. Les autoroutes arrivent de Caen au nord, de Rennes à l'est et de Nantes au sud. Une fois que vous avez quitté le réseau autoroutier, vous entrez sur les voies rapides. Ce réseau rassemble la N12 de Rennes à Brest, la N137 de Rennes à Saint-Malo et la N165 de Nantes à Brest en passant par Quimper. De Paris, l'autoroute l'Océane (A11) rejoint Le Mans (161 km), puis Rennes (347 km) jusqu'au péage de la Gravelle par l'autoroute A81, et enfin jusqu'à Rennes par la N157. Après Rennes, la N12 relie Brest (245 km).

Attention aux grands départs des week-ends ou des vacances scolaires pendant lesquels les embouteillages au départ de Paris peuvent allonger les heures de trajet. Préférez un départ en dehors des heures de pointe.

Une fois arrivé en Bretagne, les embouteillages sont rares

**Panneaux bilingues**

et n'ont rien à voir avec ceux des grandes métropoles. Toutefois, il peut y avoir des encombrements dans les sites balnéaires en fin de journée, quand les plages et les bureaux se vident.

## SÉCURITÉ

E n voiture, le port de la ceinture de sécurité est obligatoire, non seulement à l'avant mais aussi à l'arrière, où doivent impérativement prendre place les enfants de moins de 10 ans. La prudence conseille de ne pas conduire plus de deux heures d'affilée sans se reposer et, bien entendu, de ne pas rouler après avoir bu des boissons alcoolisées. Tout véhicule circulant en France doit posséder un kit d'ampoules de rechange et un signal de détresse ou un triangle réfléchir. Disposer d'une trousse d'urgence et d'un extincteur est également recommandé. Il est nécessaire de contrôler l'état des pneus avant de faire un long trajet.

## VITESSES AUTORISÉES

S ur les autoroutes, la vitesse est limitée à 130 km/h (110 km/h par temps de pluie ou de brouillard). Les routes à deux fois deux voies autorisent des vitesses jusqu'à 110 km/h (90 km/h par temps de pluie ou de brouillard). Les autres routes affichent une vitesse limitée à 90 km/h (80 km/h par temps de pluie ou de brouillard). La vitesse est limitée à 50 km/h dans les agglomérations. Des panneaux signalent si la limitation de vitesse est inférieure.

## CARBURANT

L es tarifs pratiqués par les différentes stations sont affichés sur les panneaux autoroutiers. Toutefois, ceux-ci varient peu et sont plus élevés que dans les stations situées en dehors de l'autoroute. Vous trouverez de l'essence moins chère dans les grands centres commerciaux (Carrefour, Géant, Hyper U, Champion, Auchan…), à la périphérie des grandes villes. Attention, il est parfois difficile de trouver de l'essence la nuit en zone rurale.

## PANNES

D e nombreuses assurances automobiles incluent un service d'assistance avec une permanence accessible 24 h sur 24 par un numéro vert, sous certaines conditions, qui donne droit au remboursement de frais de remorquage ou de rapatriement. En cas de doute, renseignez-vous avant

**En Bretagne, les routes nationales sont souvent à quatre voies**

le départ. Accessibles également 24 h sur 24 par un numéro national gratuit, les constructeurs automobiles proposent des dépannages quel que soit le type de véhicule. Ceux qui ne possèdent pas de téléphone portable doivent utiliser les bornes d'arrêt d'urgence pour joindre les sociétés qui ont le monopole pour intervenir sur les autoroutes.

### PÉAGES

À l'entrée d'un tronçon autoroutier à péage, une borne délivre un ticket d'entrée. Vous le présenterez en quittant l'autoroute. Le prix à payer est proportionnel à la distance parcourue et au type de véhicule (deux routes, caravane, voiture, etc.). Les péages automatiques permettent de régler par carte bancaire et en liquide.

### LOCATION DE VOITURES

Les compagnies de location de voitures, nationales comme internationales, pratiquent souvent des tarifs différents selon la période de la semaine, le kilométrage parcouru et la possibilité de restituer le véhicule à une agence différente de celle où il a été loué. Les agences ayant de nombreuses succursales sont **Ada, Avis, Budget, Europcar, Hertz, Rent-a-Car**, présentes dans les principaux aéroports Bretons (Rennes et Nantes-Atlantique), sinon dans le centre des villes.

Trois différentes compagnies de location de voitures

### STATIONNEMENT

Malgré l'installation d'horodateurs, trouver une place où se garer en ville est parfois difficile, en particulier sur la côte, en été. Les grandes agglomérations possèdent toutefois des parkings payants, tandis que les villages disposent d'aires de stationnement gratuites, situées en général près du centre.

**Un horodateur
de parking payant**

### CARTES ROUTIÈRES

Vous trouverez sur la page de garde arrière de ce guide une carte des principaux axes routiers de la Bretagne. Toutefois, pour circuler sur les départementales ou faire des randonnées, procurez-vous des cartes plus précises (Michelin ou IGN ; Institut géographique national) en vente dans les stations-service, les librairies et les marchands de journaux.

### AUTOCAR

La compagnie de bus privée **Eurolines** propose des liaisons pour la Bretagne depuis Paris, la Grande-Bretagne et la Belgique. Le réseau est relativement dense et les liaisons assez fréquentes.

Pour tout renseignement, demandez le guide régional des transports, où figurent l'ensemble du réseau et les horaires, auprès des offices du tourisme ou dans les gares. Dans les villes, des navettes conduisent de la gare SNCF jusqu'au centre.

### AUTO-STOP

Des associations comme **Allo-Stop** mettent en relation conducteurs et passagers, moyennant un droit d'inscription. L'auto-stoppeur doit une participation aux frais d'essence en fonction des kilomètres parcourus.

### CARNET D'ADRESSES

#### NUMÉROS UTILES

**Autoroute information**
📞 01 47 05 90 01.

**Centre régional d'information et de coordination routière de l'Ouest (CRIR)**
📞 02 99 32 33 33.

#### ALLO-STOP

**Paris**
📞 01 53 20 42 42.

**Rennes**
📞 02 99 67 34 67.

#### GARES ROUTIÈRES

**CÔTES-D'ARMOR
Saint-Brieuc**
📞 02 96 68 31 20.

**FINISTÈRE
Brest**
📞 02 98 44 46 73.

**Quimper**
📞 02 98 90 88 89.

**ILLE-ET-VILAINE
Rennes**
📞 02 99 30 87 80.

**LOIRE-ATLANTIQUE
Nantes**
📞 02 40 47 62 70.

**MORBIHAN
Vannes**
📞 02 97 01 22 10.

#### LOCATION DE VOITURES

**Avis**
📞 0820 05 05 05 (rés. centrale).

**Budget**
📞 0825 003 564 (rés. centrale).

**Europcar**
📞 0825 352 352 (rés. centrale).

**Hertz**
📞 0803 861 861 (rés. centrale).

**Rent-a-car**
📞 0836 69 46 95 (rés. centrale).

#### AUTOCARS INTERNATIONAUX

**Eurolines**
📞 0836 69 52 52
(rés. centrale).

# Le bateau

**Vedette bretonne**

Avec ses 62 ports, 26 000 places – dont 20 000 sur pontons –, la Bretagne réunit à elle seule 14 % de la capacité totale d'accueil des plaisanciers en France. Malgré ces chiffres, il est parfois difficile de trouver un anneau. C'est dire si le nautisme breton se porte bien. Belle-île, Ouessant, le golfe du Morbihan, la Bretagne s'explore aussi en bateau, et les possibilités d'excursions ne manquent pas. Qu'elles soient baignées par la Manche ou l'Atlantique, les îles bretonnes sont habitées toute l'année. Des liaisons maritimes régulières permettent de les visiter, à moins que l'on ne préfère opter pour une balade sur un vieux gréement. La navigation sur les rivières et les canaux de Bretagne, réservée à la plaisance, permet de découvrir agréablement la richesse et la variété du patrimoine breton.

Passagers débarquant à l'île de Sein

Vedette se dirigeant vers l'embarcadère de Roscoff

## EXCURSIONS EN BATEAU

Nombreuses sont les possibilités d'embarquer pour une journée ou une demi-journée sur un vieux gréement restauré. La compagnie **Cotre Corsaire Le Renard** propose ainsi des sorties en mer dans la baie de Saint-Malo pour une ou plusieurs journées, pouvant vous conduire jusqu'en Grande-Bretagne. Vous trouverez dans ce guide des suggestions de balade en mer en tête des rubriques consacrées aux localités. Adressez-vous également aux offices du tourisme afin de connaître les propositions de croisières de la région.

---

## CARNET D'ADRESSES

### LIAISONS MARITIMES

**Compagnie des Îles** (Arz)
02 97 46 18 19.
www.compagniedesiles.com

**Compagnie Navix** (Arz)
02 97 46 60 00.
www.navix.fr

**Vedettes de Bréhat** (Bréhat)
02 96 55 73 47.
www.vedettesdebrehat.com

**Armein** (Batz)
02 98 61 77 75.

**Finistérienne** (Batz)
02 98 61 78 87.

**Penn-Ar-Bed Brest** (Molène, Ouessant, Sein)
02 98 80 80 80.
www.pen-ar-bed.fr

**Vedette Biniou-II** (Sein)
02 98 70 21 15.

**SMNN** (Belle-Île, Groix, Hoëdic, Houat)
0820 056 000.
www.mn-les-iles.com

**Vedettes de l'Odet** (îles Glénan)
02 98 57 00 58.
www.vedettes-odet.com

**Izenah Croisière** (île aux Moines)
02 97 26 31 45.

### TOURISME FLUVIAL

**CÔTES-D'ARMOR**
**Vedettes de Guerlédan**
22530 Caurel.
02 96 28 52 64.

**Vedette Jaman 4**
22108 Dinan.
02 96 39 28 41.

**FINISTÈRE**
**Aulne Loisirs-Plaisance**
29520 Châteauneuf-du-Faou.
02 98 73 28 63.

**ILLE-ET-VILAINE**
**Péniche Saint-Christophe**
35600 Redon.
02 99 71 46 03.

**Cotre Corsaire Le Renard**
35408 Saint-Malo.
02 99 40 53 10.

**LOIRE-ATLANTIQUE**
**Bateaux Nantais**
44000 Nantes.
02 40 14 51 14.
www.bateaux-nantais.fr

**MORBIHAN**
**L'Étoile du Blavet**
56650 Inzinzac-Lochrist.
02 97 85 37 01.
www.etoile-du-blavet.com

### FERRY

**Brittany Ferries**
(Angleterre, Irlande)
0825 828 828.
www.brittany-ferries.fr

**Condor Ferries**
(îles Anglo-Normandes)
02 99 200 300.
www.condorferries.co.uk

## EXCURSIONS SUR LES CANAUX

La Bretagne dispose de 600 km de canaux et rivières navigables, qui se décomposent en plusieurs tronçons : une liaison Manche-Océan de Saint-Malo à La Roche-Bernard *via* le canal d'Ille-et-Rance (85 km) et la Vilaine ; le canal de Nantes à Brest, qui s'étire sur 360 km et emprunte notamment l'Erdre, l'Oust, et l'Aulne ; la vallée du Blavet, qui relie Lorient à Pontivy ; la section Saint-Nazaire-Nantes, qui, en remontant la Loire, fait la jonction avec le canal de Nantes à Brest.

Renseignez-vous auprès des compagnies de tourisme fluvial *(voir carnet d'adresses)*.

## LES FERRIES

Depuis les ports de Roscoff et de Saint-Malo, il est possible de rejoindre l'Angleterre en ferry *via* Plymouth et Portsmouth, et l'Irlande *via* Cork, sans oublier les îles Anglo-Normandes, Jersey et Guernesey, accessibles depuis la cité malouine. Contacter **Brittany Ferries** pour la Grande-Bretagne et l'Irlande, et **Condor Ferries** pour les îles Anglo-Normandes.

**Le petit port de Dinan, sur la Rance**

## NAVETTES POUR ÎLES

Les îles bretonnes bénéficient de liaisons avec les ports les plus proches : Arz depuis Vannes *(15 min)* ; Bréhat depuis la pointe de l'Arcouest *(15 min)* et Saint-Quay-Portrieux *(1 h 15)* ; Batz depuis Roscoff *(15 min)* ; Ouessant *(de 1 h à 2 h 30)* et Molène *(de 30 min à 1 h 45)* depuis Le Conquet et Brest ; Sein depuis Crozon et Audierne *(1 h)* ; Belle-Île depuis Lorient *(1 h 30 min)* et Quiberon *(45 min)* ; Groix depuis Lorient *(45 min)*, les Glénan depuis Concarneau *(1 h)*, Bénodet et Loctudy *(1 h 30)* ; Houat *(45 min)* et Hoëdic *(de 1 h 10 à 1 h 25)* depuis Quiberon ; l'île aux Moines depuis Port-Blanc *(5 min)*.

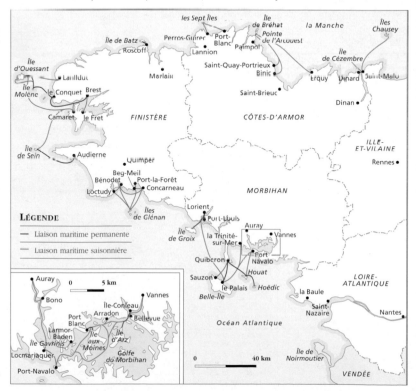

les Sept Îles · Île de Bréhat · la Manche · Îles Chausey

Île de Batz · Perros-Guirec · Port-Blanc · Pointe de l'Arcouest · Île de Cézembre

Roscoff · Lannion · Paimpol · Saint-Malo

Île d'Ouessant · Lanildut · Morlaix · Saint-Quay-Portrieux · Dinard

Île Molène · le Conquet · Brest · Binic · Erquy

Camaret · le Fret · FINISTÈRE · Saint-Brieuc · CÔTES-D'ARMOR · Dinan

ILLE-ET-VILAINE

Île de Sein · Audierne · Rennes

Quimper

Beg-Meil · Port-la-Forêt · MORBIHAN

Bénodet · Concarneau

Loctudy · Îles de Glénan · Lorient · Port-Louis · Auray · Vannes

Île de Groix · la Trinité-sur-Mer

**LÉGENDE**

— Liaison maritime permanente

-- Liaison maritime saisonnière

Quiberon · Port Navalo

Sauzon · Houat · LOIRE-ATLANTIQUE

le Palais · Hoëdic · la Baule

Auray · 0 — 5 km · Vannes · Belle-Île · Saint-Nazaire

Bono · Nantes

Île-Conleau

Port Blanc · Arradon · Bellevue · Océan Atlantique

Larmor-Baden · Île aux Moines · Île d'Arz

Île Gavrinis

Locmariaquer · Golfe du Morbihan

Port-Navalo · 0 — 40 km · Île de Noirmoutier · VENDÉE

# Index

# Remerciements

L'éditeur remercie les organismes, les institutions et les personnes suivantes pour leur contribution à la préparation de cet ouvrage.

## AUTEURS

### GAÉTAN DU CHATENET
Entomologiste, ornithologue, membre correspondant du Muséum national d'histoire naturelle de Paris, dessinateur et peintre de Vélins, Gaëtan du Chatenet est l'auteur de nombreux ouvrages parus chez Delachaux et Niestlé et chez Gallimard.

### JEAN-PHILIPPE FOLLET
Jean-Philippe Follet, originaire de la baie de Morlaix, est un ancien élève de la Faculté de Celtique de Rennes et du Centre de Recherches Bretonnes et Celtiques de Brest. Il est aujourd'hui auteur et traducteur.

### JEAN-YVES GENDILLARD
Né de parents bretons à Paris en 1960, Jean-Yves Gendillard est enseignant. Il se passionne très tôt pour la Bretagne et l'art religieux. Il profite de ses nombreux séjours dans le Finistère Sud pour découvrir chapelles et calvaires.

### ÉRIC GIBORY
Né à Saint-Malo, Éric Gibory passe son enfance et son adolescence dans la cité corsaire. Il participe à l'organisation de manifestations culturelles, signe quatre Guides Bleus chez Hachette et collabore à plusieurs magazines consacrés aux voyages.

### RENÉE GRIMAUD
Diplômée de tourisme, Renée Grimaud a collaboré à de nombreux guides de voyage et à la rédaction de beaux livres sur les régions de France, notamment les Châteaux de la Loire. Vendéenne d'origine, elle connaît bien les Pays de la Loire et la Bretagne, où elle séjourne régulièrement.

### GEORGES MINOIS
Agrégé d'histoire, Docteur ès lettres et professeur d'histoire au lycée Renan de Saint-Brieuc, Georges Minois est un historien des mentalités. Il est également l'auteur de trente ouvrages dont plusieurs sur la Bretagne parus chez Fayard : *Nouvelle Histoire de la Bretagne*, *Anne de Bretagne*, *Du Guesclin*.

## AUTRES COLLABORATEURS
Sophie Berger, Vanessa Besnard, Isabelle De Jaham, Marie-Christine Degos, Mathilde Huyghes-Despointes, Sonia Rocton, Sarah Thurin, Sébastien Tomasi.

## POUR DORLING KINDERSLEY
Douglas Amrine (direction de publication), Jane Ewart (direction éditoriale et artistique), Fay Franklin (éditeur), Casper Morris (cartographie), Jason Little (informatique).

## REPORTAGE PHOTOGRAPHIQUE
Philippe Giraud.

## PHOTOGRAPHIES EN STUDIO ET D'APPOINT
Anne Chopin.

## ICONOGRAPHIE
Marie-Christine Petit.

## CARTOGRAPHIE
Fabrice Le Goff.

## COLLABORATION CARTOGRAPHIQUE
Quadrature Créations.

## ILLUSTRATIONS

### FRANÇOIS BROSSE
Perspectives architecturales, plan pas à pas et dessins p. 56-57, 78-79, 108-109, 116-117, 158-159, 166-167, 184-185, 186-187.

### ANNE DELAUNAY-VERNHES
Perspectives architecturales p. 60-61, 104-105, 122-123, 162-163, 192-193, 208-209.

### ÉRIC GEOFFROY
Illustrations sur les cartes « À la découverte », « D'un coup d'œil », sur les petits plans des villes et les cartes d'excursion p. 50-51, 54-55, 59, 76, 81, 88-89, 98, 103, 114-115, 126-127, 133, 140-141, 144-145, 161, 172-173, 182-183, 189, 198-199, 202-203, 205.

### EMMANUEL GUILLON
Façades, perspectives et mises en couleur p. 16-17, 18-19, 104-105, 122-123, 151, 192-193, 208-209.

### GUÉNOLA DE SANDOL
Mises en couleur p. 60-61, 162-163.

## LECTURE ET CORRECTION
Élisabeth Guillon.

## INDEX
Joël Ambroggi, Sylvie Mascle.

## DOCUMENTATION ET RENSEIGNEMENTS DIVERS
M. Alexandre et M. Tournaire du service départemental de l'Architecture et du Patrimoine du Finistère ; Mme Delmotte, M. Charles-Tanguy Leroux et M. Christian Gerardot de la DRAC de Bretagne ; Marie Godicheau du service météorologique de Rennes ; M. Guillet, château des Ducs de Bretagne ; M. Job an Irien des éditions Minihi-Levenez ; M. le Curé Louis Le Bras et M. Paul Nemar de l'église de Crozon ; Henri Le Roux (caramels salés, Quiberon) ; Philippe Le Stum, conservateur du Musée départemental breton à Quimper ; Mathieu Lefèvre du festival *Étonnants Voyageurs*, Saint-Malo ; Monsieur le Maire de Saint-Malo ; Florent Patron des éditions Coop. Breizh ; M. Alain-Charles Perrot (Parlement de Bretagne) ; Mme Marie-Suzanne de Ponthaud (architecte en chef, cathédrale Saint-Tugdual à Tréguier). Océanopolis, Brest ; le service communication de la Banque de France ; le service documentation de *Bretagne Magazine* ; le service communication de La Poste ; le service communication de la ville de Saint-Malo pour le festival *Quai des Bulles* ; le service presse d'Air

France ; le service presse des *Transmusicales* de Rennes ; la société ADA ; le musée des Vieux Outils à Tinténiac ; le musée des Terre-Neuvas à Fécamp. Armor Lux (vêtements, Quimper)) ; Saint-James (vêtements, Saint-James) ; Phytomer (produits de beauté, Saint-Malo) ; Thalado (produits de beauté, Roscoff) ; Verreries de Bréhat ; boutique Quimper-Faïence de Paris ; Fisselier (liqueurs artisanales, Chantepie).

## AUTORISATIONS DE PHOTOGRAPHIER

L'éditeur remercie les personnes suivantes qui ont autorisé des prises de vues dans leur établissement : Mme Martine Abgrall pour les alignements de Carnac ; Mme Martine Becus du château des Rochers Sévigné à Vitré ; Florence et Marc Benoît de l'hôtel La Reine Hortense à Dinard ; Mme Burnot, conservateur du musée du Château de Dinan ; M. de Calbiac du manoir de Kerazan ; Mme Caprini et Lan Mafart de la librairie Caplan à Guimaec ; Mme Gaillot du musée de la Pêche à Concarneau ; M. et Mme Gautier de Plouezoc'h ; M. Bernard Guillet et Christelle Goldet du château des Ducs de Bretagne à Nantes ; M. Hommel du musée de l'Automobile à Lohéac ; M. Patrick Jourdan, conservateur du musée des Jacobins à Morlaix ; M. Le Goff du musée du Léon à Lesneven ; M. Bernard Lefloc'h du Musée bigouden à Pont-L'Abbé ; Mme Lilia Millier de l'hôtel Castel Marie Louise à La Baule ; Mme Françoise Louis pour le château de Suscinio ; M. Mézin, conservateur du musée de la Compagnie des Indes à Port-Louis ; Mme Quintin du musée de la Fraise à Plougastel-Daoulas ; Mme Riskine, conservateur du musée de la Préhistoire à Carnac ; Mme de Rohan du château de Josselin ; Mme de Sagazan du manoir de Traonjoly à Cléder ; Mme Michèle Sallé du château de la Hunaudaye ; M. Sanchez du Parlement de Bretagne à Rennes ; M. Jacques Thorel de l'Auberge Bretonne à la Roche-Bernard ; M. Bernard Verlingue, conservateur du musée de la Faïence à Quimper ; la Faïencerie H. B. Henriot de Quimper. Tout le personnel du château de Kerjean ; tout le personnel de la brasserie La Cigale à Nantes ; le directeur du parc animalier de Menez-Meur ; la société Camac Harps à Mouzeil ; les charmantes jeunes filles de la Maison de la Mariée de l'île de Fédrun ; la propriétaire du château de Goulaine, le magasin L'Épée de bois à Paris. L'éditeur remercie aussi tous les autres magasins, restaurants, cafés, hôtels, églises et services publics trop nombreux pour être tous cités.

## CRÉDIT PHOTOGRAPHIQUE

Malgré tout le soin que nous avons apporté à dresser la liste des auteurs et des photographies publiées dans ce guide, nous demandons à ceux qui auraient été involontairement omis de bien vouloir nous en excuser. Cette erreur serait corrigée à la prochaine édition de l'ouvrage.

Le numéro de la page figure en premier en gras, suivi de la position dans la page si nécessaire (h = haut ; hg = en haut à gauche ; hgm = en haut à gauche au milieu ; hm = en haut au milieu ; hdm = en haut à droite au milieu ; hd = en haut à droite ; mgh = au milieu à gauche en haut ; mh = au milieu en haut ; mdh = au milieu à droite en haut ; mg = au milieu à gauche ; m = au milieu ; md = au milieu à droite ; mgb = au milieu à gauche en bas ; mb = au milieu en bas ; mgb = au milieu à gauche en bas ; mb = au milieu en bas ; mdb = au milieu à droite en bas ; bg = en bas à gauche ; b = en bas ; bm = en bas au milieu ; bmg = en bas au milieu à gauche ; bmd = en bas au milieu à droite ; bd = en bas à droite), puis viennent le nom de l'agence et/ou du photographe, le nom de l'œuvre et/ou de l'artiste, la provenance.

L'éditeur exprime sa reconnaissance aux particuliers, sociétés et photothèques qui ont autorisé la reproduction de leurs photographies : **6-7** : RMN/R.-G. Ojeda. *Port breton,* Paul Bellanger-Adhémar. Château-Musée, Nemours. **7** : HACHETTE/ Dessin de F. Benoist et Sabatier. **11 h** : Coll. Musée départemental breton. *Souvenirs de la Bretagne,* Louis Caradec (1850). **12 m** : Béghin-Say. **13 m** : A. Chopin. **14 hg** : JACANA/ S. Chevalier. **14 hd** : JACANA/ S. Cordier. **14 mg** : JACANA/C. Bahr. **4 md** : JACANA/M. & A. Boet. **14 bmg** : JACANA/H. Brehm. **14 bmd** : JACANA/M. & A. Boet. **14 bg** : JACANA/S. Cordier. **14 bd** : JACANA/W. Wisniewski. **15 h** : JACANA/G. Ziesler. **15 mg** : JACANA/B. Coster. **15 mcg** : JACANA/P. Prigent. **15 mcd** : JACANA/C. Nardin. **15 md** : JACANA/S. Cordier. **15 bg** : JACANA/P. Prigent. **15 bd** : JACANA/P. Prigent. **20 hd** : R. VIOLLET. **20 bg** : M. Thersiquel. **20 bd** : R. VIOLLET/Coll. Viollet. **21 h** : Darnis. **21 m** : Darnis. **21 b** : ANDIA PRESSE/ Betermin. **22 hg** : A. Chopin. **22 hd** : Éditions Minihi Levenez/Y. Le Berre, B. Tanguy, Y. P. Castel. **22 m** : Éditions Coop. Breizh. **22 b** : Illustration KEYSTONE. **23 hg** : CORBIS/ SYGMA/S. Bassouls. **23 hd** : SCOPE/B. Galeron. **23 m** : J. L. CHARMET. *La Revue illustrée.* Bibliothèque des Arts décoratifs, Paris. **23 b** : Rue des Archives. **24 m** : J. L. CHARMET/M. Mehent. **24 bd** : J. L. Charmet. **24-25 c** : G. DAGLI ORTI/Louis Garneray. Musée des Beaux-Arts, Rouen. **25 hg** : ADAGP, Paris 2002/M. Dupuis. *Pardon des Terre-Neuvas,* P. Signac (1928). Musée d'Histoire, Saint-Malo. **25 hd** : RMN/G. Blot. *Combat naval,* Théodore Gudin (1802-1880). Château de Versailles et Trianon. **25 bg** : GAMMA/G. Philippot, T. Goisque. **25 bd** : CORBIS/SYGMA/D. Aubert. **26-27 c** : M. Thersiquel. Fête des Brodeuses, Pont-l'Abbé. **26 hd** : G. DAGLI ORTI. *Femmes de Plougastel au Pardon de Sainte-Anne,* C. Cottet. Musée des Beaux-Arts, Rennes. **26 mg** : P. Toulhoat. **26 md** : R. VIOLLET. **26 bg** : M. Thersiquel. **26 bc** : Éditions JOS LE DOARÉ. **26 bd** : Éditions JOS LE DOARÉ. **27 hg** : GERNOT. Brest. **27 hd** : Éditions JOS LE DOARÉ. **27 m** : Coll. Musée départemental breton, Quimper. **27 bg, bc, bd** : Éditions JOS LE DOARÉ. **28 b** : Festival des Étonnants voyageurs, Rennes. *Whales in the ice in the arctic,* William Bradford, Brandywine, Caligary, Canada. **29 h** : A.-L. Gac. **30 b** : G. Cazade, service communication, Saint-Malo. **31 b** : A.-L. Gac. **32 hd** : SCOPE/B. Galeron. **32 hg** : R. VIOLLET. **32 m** : HACHETTE/C. Boulanger. **32 bg** : SCOPE/B. Galeron. **32 bd** : ANDIA PRESSE/Le Coz. **33 hd** : SCOPE/B. Galeron. **33 bd** : Y. Boëlle. **34** : AKG Paris. *Chronique de Bretagne,* Pierre Le Beau. BN,

Paris. **37 h** : LEEMAGE/L. de Selva. Église de Morlaix. **37 m** : Archevêché de Rennes. Cartulaire de Redon n° 9, XIᵉ siècle. **38 h** : JOSSE. *Prise de Dinan et remise des clés.* Musée de la Tapisserie, Bayeux. **38 m** : JOSSE, BN, Paris. **38 b** : HACHETTE. **39 h** : LEEMAGE/L. de Selva. **39 m** : AKG Paris/J. P. Dumontier. Église Saint-Yves, La Roche Meurice. **40 h et m** : AKG Paris. *Chronique de Bretagne,* Pierre Le Beau. BN, Paris. **41 h** : G. DAGLI ORTI. *Chronique en prose de Bertrand Du Guesclin.* Bibliothèque municipale, Rouen. **41 m** : JOSSE. *Procès de Gilles de Rais.* BN, Paris. **41 bg** : G. DAGLI ORTI. Détail de la fresque de la danse des morts. Église de La Ferté Loupière. **41 bg** : HACHETTE. **42 hg** : RMN. Médaille Anne de Bretagne (1499). Musée de la Renaissance, Écouen. **42 hd** : LEEMAGE/ L. de Selva. Blason d'Anne de Bretagne (1514). Bibliothèque municipale, Rennes. **42-43 c** : G. DAGLI ORTI. *Mariage de Charles VIII et d'Anne de Bretagne,* Saint-Èvre. Château de Versailles. **43 hg** : JOSSE. *Louis XII et Anne de Bretagne.* Musée Condé, Chantilly. **43 hd** : G. DAGLI ORTI. *Vie des femmes célèbres,* A. du Four. Musée Dobrée, Nantes. **43 m** : BRIDGEMAN/ Giraudon. *Claude de France.* Musée Pouchkine, Moscou. **43 bg** : G. DAGLI ORTI. Bibliothèque Marcienne, Venise. **43 bd** : Ch. Hémon. Reliquaire en or du cœur d'Anne de Bretagne. Musée Dobrée, Nantes. **44 h** : Marine nationale, service historique de la Marine, Brest. *Carte Britanniae.* **44 m** : RMN/Gérard Blot. *François d'Argouges* (1669), J. Frosne. Château de Versailles et Trianon. **44 bg** : HACHETTE. Gravure de Rouargues frères. **45 h** : AKG Paris/S. Dominigie. *Campagne d'Henri IV, roi de France, contre les partisans de la Sainte-Ligue en Bretagne.* Galerie des Offices, Florence. **45 m** : G. DAGLI ORTI. Lollain, collection particulière, Paris. **45 b** : HACHETTE. **46 h** : AKG Paris. *Jean Cottereau,* A.F. Carrière. BN, Paris. **46 m** : G. DAGLI ORTI. Musée Dobrée, Nantes. **46 bg** : HACHETTE. Gravure par Berthault d'après Swebach-Desfontaines. **46 bd** : HACHETTE. Lithographie de Bernard-Romain Julien. **47 h** : RMN/Arnaudet. Inauguration du chemin de fer de Paris à Brest. Musée de la Voiture, château de Compiègne **47 b** : A. Chopin. **49** : HACHETTE. Gravure d'Y. M. Le Gouaz. BN, Paris. **51 bg** : ANDIA PRESSE/Diathem. **57 b** : Collection de Robien. *Tête d'ange,* Boticelli. Musée des Beaux-Arts, Rennes. **58 b** : RMN. *Effet de vagues,* Georges Lacombe. Musée des Beaux-Arts, Rennes. **61 m** : Inventaire Général-ADAGP/C. Arthur/Lambart, 1998. *La Félicité publique.* Centre de documentation du patrimoine, Rennes. **63 h** : G. DAGLI ORTI. *Le Roman de Tristan* (XIᵉ siècle). Musée Condé, Chantilly. **63 mg** : AKG Paris. *Histoire de Merlin,* R. de Boron. BN, Paris. **63 md** : HACHETTE. *L'Apparition du Saint-Graal aux chevaliers de la Table Ronde.* BN, Paris. **63 bg** : J. L. Charmet. *Le Roi Arthur et les chevaliers de la Table Ronde,* fresque de Viollet-Le-Duc. Bibliothèque des Arts décoratifs, Paris. **63 bd** : J. L. Charmet. *L'enchanteur Merlin et la fée Viviane,* G. Doré. Bibliothèque des Arts décoratifs, Paris. **67 b** : HACHETTE. **68 m** : D. Provost. Sabots Gohin, 1928. Musée de l'Outil et des Métiers, Tinténiac. **69 b** : HACHETTE. Lithographie de Lardereau. **72, 73, 74, 75** : Dorling Kindersley. **77 h** : JACANA/M. Willemeit. **82 h** : Lee Miller. **94 bd** : Village Gaulois,

Pleumeur Bodou. **95 b** : JACANA/J. T. Guillots. **97 b** : Coll. Bertrand Brelivet/carte-postale.com. **99 bd** : RMN/P. Bernard. *Rue à Bréhat,* Henri Dabadie. Musée des Beaux-Arts, Lille. **101 h** : G. DAGLI ORTI. Gravure extraite du *Petit Journal.* **102 bg** : Coll. privée Alain Grenier. **104 b** : Mairie de Quintin. Musée-atelier des Toiles de Lin. **105 m** : Musée Mathurin Méheut, Lamballe. **111 mh** : 🍎. **119 h** : P. Seitz/Café-librairie Caplan and Co., Morlaix. **121 h** : Office municipal de tourisme, Roscoff. Musée des Johnnies. **127 h** : Coll. Musée départemental breton/P. Sicard. *Le miroir du Monde,* Michel le Nobletz. Évêché de Quimper. **127 bd** : Écomusée des goémoniers et de l'algue/S. Allançon, Plouguerneau. **129 m** : JACANA/B. Coster. **133 h** : RMN. *La Mer jaune,* G. Lacombe. Musée des Beaux-Arts, Brest. **135 hg** : Georges Perrot, Brest. **135 hd** : Océanopolis/T. Joyeux. **147 b** : Abbaye de Landevennec. Frontispice de l'Évangéliaire de Landevennec (v. 870). **148-149** : Louis Le Bras, curé de la paroisse de Crozon. **153 b** : SCOPE/B. Galeron. **155 h** : KEYSTONE. **158 hd** : Coll. Musée départemental breton, Quimper. **158 hg** : Coll. Musée départemental breton, Quimper. **161 h** : RMN/M. Bellot. *Le génie à la guirlande,* Charles Filiger. **164 mg** : Coll. Musée départemental breton, Quimper. **164 mc** : Coll. Musée départemental breton, Quimper. **167 bd** : JOSSE. Musée du Château, Versailles. **168 b** : Conserverie Le Gonidec. **169 b** : JOSSE. *La Belle Angèle,* P. Gauguin. Musée d'Orsay, Paris. **177 h** : Illustration KEYSTONE. **181 hg** : GAMMA/ T. Rannou. **194 b** : Mairie de Pontivy. **205 h** : RMN/ M. Bellot. *Louis XII et Anne de Bretagne en prière.* Musée Dobrée, Nantes. **206 hg** : Musée du Château des Ducs de Bretagne. **206 b** : G. DAGLI ORTI. Musée Dobrée, Nantes. **207 hg** : ADAGP, Paris 2002/ RMN/ C. Jean. *Le Gaulage des pommes,* Émile Bernard. Musée des Beaux-Arts, Nantes. **207 hd** : HACHETTE. **208 bg** : Musée de Chantilly. *Duc de Mercoeur.* **211 b** : JOSSE/Anonyme. *D'Elbée libérant les prisonniers Bleus,* Cholet. **213** : J. L. CHARMET. *L'hôtel de France à Saint-Malo.* Musée Carnavalet, Paris. **217 h** : Logis de France. **228 h** : Coreff. Brasserie des Deux Rivières, Morlaix. **230** : L. Bianquis sauf **hg** : A. Chopin. **231** : L. Bianquis sauf **bd** : A. Chopin. **242 h** : Conserverie Le Gonidec. **242 mg** : J.P. Gratien. **243 h** : Martin Schulte-Kellinghaus. **244** : A. Chopin sauf almanach : Œuvre du Marin breton, et nautiles : Verreries de Bréhat. **245** : A. Chopin. **246 h** : A.-L. Gac. **246 b** : G. Saliou. **253** : HACHETTE. Vue du port de Brest. **255 mg** : TV Breizh. **255 md** : Coll. *Armen* ; coll. *Bretagne Magazine.* **255 b** : A. Chopin. **258 m** : Dorling Kindersley/M. Alexander. **259** : Banque de France. **260** : Dorling Kindersley/ M. Alexander. **261 h** : ANDIA PRESSE/Bigot. **261 b** : La Poste. **262 h** : Service presse d'Air France. **262 m** : Dorling Kindersley/P. Kenward. **264 h** : Dorling Kindersley/M. Alexander. **264 b** : SNCF-CAV/Fabro et Levêque. **266 hg** : Dorling Kindersley/M. Alexander. **267** : Dorling Kindersley/M. Alexander.

**Couverture** : photographies de Philippe Giraud à l'exception du fanion celte d'Anne Chopin, sur la première de couverture.

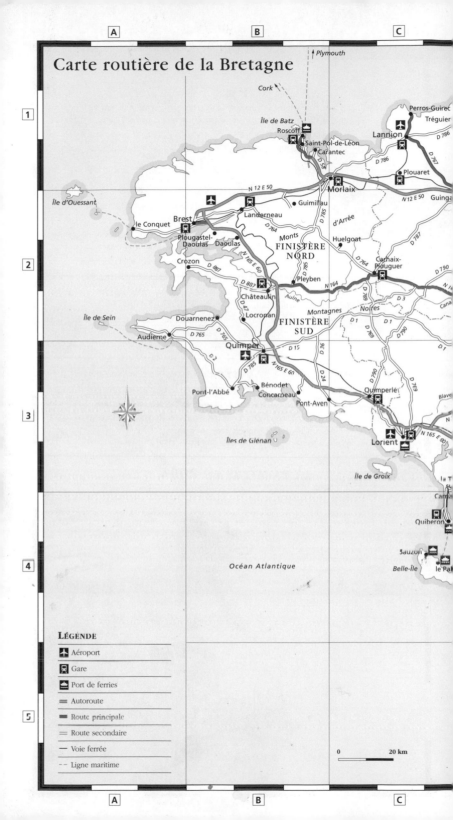

# GUIDES 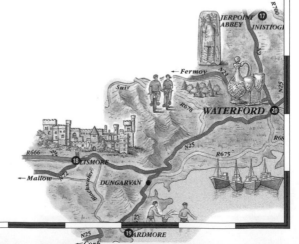 VOIR

## PAYS

AFRIQUE DU SUD • AUSTRALIE • CANADA • ÉGYPTE • ESPAGNE
FRANCE • GRANDE-BRETAGNE • IRLANDE • ITALIE • JAPON
MAROC • MEXIQUE • NOUVELLE-ZÉLANDE
PORTUGAL, MADÈRE ET AÇORES • SINGAPOUR • THAÏLANDE

## RÉGIONS

BALI ET LOMBOCK • BARCELONE ET LA CATALOGNE
BRETAGNE • CALIFORNIE
CHÂTEAUX DE LA LOIRE ET VALLÉE DE LA LOIRE
ÉCOSSE • FLORENCE ET LA TOSCANE • FLORIDE
GRÈCE CONTINENTALE • GUADELOUPE • HAWAÏ
ÎLES GRECQUES • JÉRUSALEM ET LA TERRE SAINTE
MARTINIQUE • NAPLES, POMPÉÏ ET LA CÔTE AMALFITAINE
NOUVELLE-ANGLETERRE • PROVENCE ET CÔTE D'AZUR
SARDAIGNE • SÉVILLE ET L'ANDALOUSIE • SICILE
VENISE ET LA VÉNÉTIE

## VILLES

AMSTERDAM • BERLIN • BRUXELLES, BRUGES, GAND ET ANVERS
BUDAPEST • DELHI, AGRA ET JAIPUR • ISTANBUL • LONDRES
MADRID • MOSCOU • NEW YORK • PARIS • PRAGUE • ROME
SAINT-PÉTERSBOURG • VIENNE

## À PARAÎTRE EN 2003

ALLEMAGNE • CUBA • NOUVELLE-ORLÉANS • STOCKHOLM

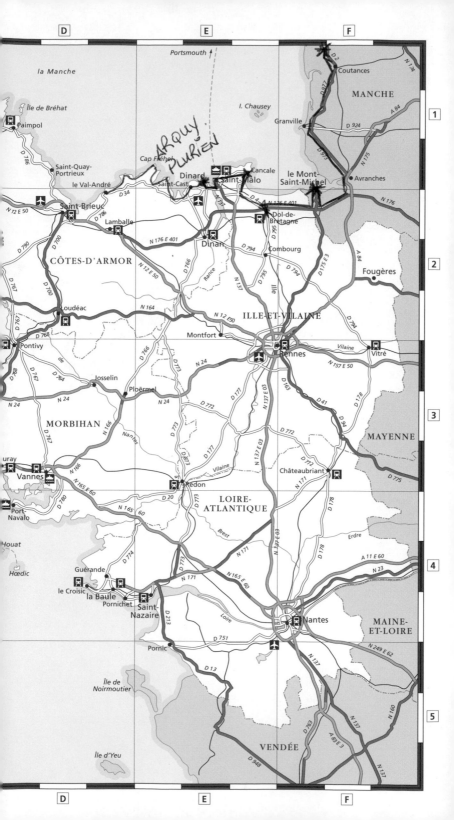

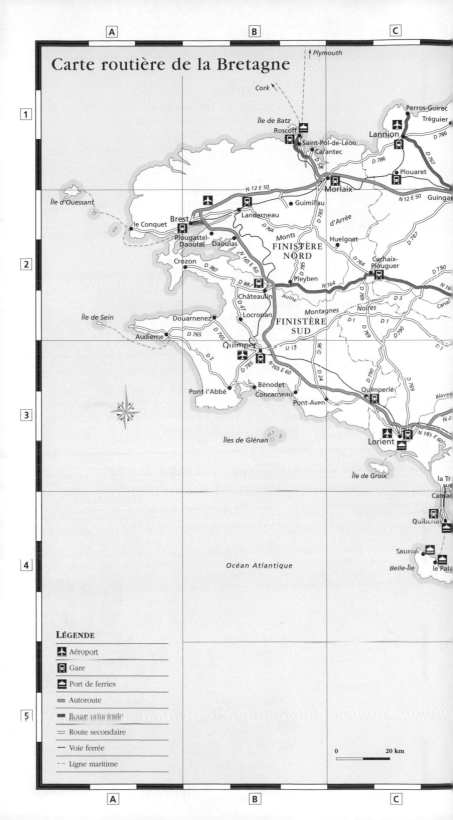

# GUIDES 👁 VOIR

## PAYS

AFRIQUE DU SUD • AUSTRALIE • CANADA • ÉGYPTE • ESPAGNE
FRANCE • GRANDE-BRETAGNE • IRLANDE • ITALIE • JAPON
MAROC • MEXIQUE • NOUVELLE-ZÉLANDE
PORTUGAL, MADÈRE ET AÇORES • SINGAPOUR • THAÏLANDE

## RÉGIONS

BALI ET LOMBOCK • BARCELONE ET LA CATALOGNE
BRETAGNE • CALIFORNIE
CHÂTEAUX DE LA LOIRE ET VALLÉE DE LA LOIRE
ÉCOSSE • FLORENCE ET LA TOSCANE • FLORIDE
GRÈCE CONTINENTALE • GUADELOUPE • HAWAÏ
ÎLES GRECQUES • JÉRUSALEM ET LA TERRE SAINTE
MARTINIQUE • NAPLES, POMPÉÏ ET LA CÔTE AMALFITAINE
NOUVELLE-ANGLETERRE • PROVENCE ET CÔTE D'AZUR
SARDAIGNE • SÉVILLE ET L'ANDALOUSIE • SICILE
VENISE ET LA VÉNÉTIE

## VILLES

AMSTERDAM • BERLIN • BRUXELLES, BRUGES, GAND ET ANVERS
BUDAPEST • DELHI, AGRA ET JAIPUR • ISTANBUL • LONDRES
MADRID • MOSCOU • NEW YORK • PARIS • PRAGUE • ROME
SAINT-PÉTERSBOURG • VIENNE

## À PARAÎTRE EN 2003

ALLEMAGNE • CUBA • NOUVELLE-ORLÉANS • STOCKHOLM

# La clef des noms bretons

En Basse-Bretagne, criques, champs, maisons, gros bourgs et hameaux portent des noms bretons. Voici un lexique de base qui vous permettra de comprendre le sens de milliers de noms de lieux, comme Beg-Hir, Botfao, Cleundrain, Créach-ar-Bleis, Douarnévez, Lanmeur, Lostengoat, Mezgouez, Milin-an-Aot, Pennanéac'h, Poulampry, Quilliou-Ménez, Run-an-Iliz, Ty-Soul, Talhoët, Tréboul…

**Aber** : estuaire, embouchure
**An** (ar, al) : le, la, les
**Aod** (aot, od, aut) : grève, falaise, rivage
**Arc'hant** (arhant, argant) : argent
**Aval** : pomme, pommier
**Balan** (valan, banal) : genêt ; balaneg (balanec, banalec) : genêtière
**Bali** (vali, valy) : avenue, esplanade
**Beg** : pointe, sommet, embouchure
**Beuz** : buis; beuzeg : lieu planté de buis
**Bihan** (vihan, bian, vian, bien) : petit
**Bleiz** (bleis, blais, blaye) : loup
**Bod** (bot) : buisson ; demeure, résidence
**Braz** (vraz, bras, vras) : grand
**Brein** (vrein) : pourri, en mauvais état, inculte
**Brug** : bruyère
**Dero** (derff, derf) : chêne
**Don** (doun, donn) : profond
**Douar** (zouar, thouar) : terre
**Dour** : eau
**Drein** (dreign) : épines ; draeneg (drennec) : lieu épineux, roncier
**Du** (duff) : noir
**Enez** (enes, énès, inis, ynis) : île
**Ero** (erf) : sillon, petit champ
**Faou** (fao, fo) : hêtre
**Feunteun** (feunten, fetan) : fontaine
**Foenn** (foen) : foin
**Foenneg** : prairie à foin
**Froud** (frout) : torrent
**Geun** (yeun) : marais, marécage

**Glaz** (glas, hlas, c'hlas) : vert, bleu
**Gorre** (gore) : le haut, la partie supérieure
**Gouez** : sauvage
**Gwaz** (voas, hoas, goaz) : ruisseau
**Gwenn** (guen, wen) : blanc, sacré
**Gwern** (wern, guern, vern) : aulne ; marais
**Gwi-** (guic-) : le centre de la paroisse
**Hent** : chemin
**Heol** (héol, iol) : soleil
**Hir** : long
**Iliz** (ilis, illis) : église
**Izel** : bas ; izella : le plus bas
**Kastell** (c'hastel, castel) : château
**Kelen** (quélen, guélen, hélen) : houx
**Ker** (quer, guer) : village, hameau, maison, lieu habité
**Killi** (quilly, guilly, gilly) : bosquet
**Kleger** (cléguer, léguer) : amas rocheux
**Kleuz** (c'hleuz, cleuz, cleus, cleun) : talus creusé
**Koad** (coad, coat, c'hoat, koed, couët, houët, gouët) : bois, forêt
**Koz** (coz, cos, coh) : vieux
**Kreac'h** (creac'h, creac, cré) : hauteur, tertre, colline
**Kreiz** (kreis, creiz, greis) : le milieu
**Kroaz** (groaz, croas, croaz) : croix
**Kroashent** (croissant) : carrefour
**Lann** (lan) : lande
**Lann-** (lan-) : lieu sacré, enclos religieux, grande paroisse
**Lec'h** (leh, léac'h) : lieu, endroit
**Ledan** (lédan) : large, étendu
**Lenn** (len) : étang, lac
**Les** (lez) : cour seigneuriale
**Leur** : aire, sol
**Liorz** (liors) : courtil, jardin potager
**Log** (lok, loc) : ermitage, lieu de saint
**Lost** (lostenn) : bout, extrémité, queue
**Louarn** (luern) : renard
**Loued** (louet) : gris
**Maez** (maes, meas, mes, mez, méjou) : champ ouvert

**Maner** : manoir
**Marc'h** (varc'h, march) : cheval
**Melin** (milin, vilin, meil, veil) : moulin
**Men** (méan, méen, mein, meign) : pierre
**Menez** (menes) : montagne, colline
**Mengleuz** (vengleuz) : carrière
**Meur** (-veur) : grand, important
**Minic'hi** (minihy) : ermitage, monastère, lieu de refuge
**Nec'h** (néac'h, néah) : tertre, colline, hauteur
**Nevez** (neve) : nouveau, neuf
**Noz** (nos) : nuit
**Park** (parc) : champ clos
**Penn** (pen) : tête, bout, extrémité, pointe
**Plou-** (plo-, plu-, plé-) : paroisse primitive
**Porz** (pors) : port, anse, crique ; cour
**Poull** (poul, -foul) : mare, fosse, crique
**Prad** (prat) : pré
**Pri** (pry) : argile, boue, glaise
**Roc'h** (roch, roc, rohou) : roche, château fort
**Roz** (ros, rose, rouz) : tertre, colline
**Run** (rhun, reun, runiou) : colline, point élevé
**Ruz** (ru) : rouge
**Soul** (saoul, -zoul) : chaume
**Stank** (stang, stanc) : étang
**Stêr** (ster, steir) : cours d'eau, rivière
**Stred** (stréat) : rue
**Tal** : front, en face de
**Talar** (dalar, talarou) : extrémité de champ
**Tevenn** : dune
**Ti** (ty, -di, -dy) : maison, habitation
**Tosen** (dossen) : butte
**Toull** (toul, -doul) : trou, lieu
**Traez** (trez, tréaz) : sable
**Traoñ** (-draon, tro, trou, traou, tron) : vallée
**Treiz** : passage
**Trev-** (tré-, treff-, -dreff, -dréo) : lieu habité et cultivé, trêve
**Uhel** (huel) : haut, élevé; uhella (huella) : le plus haut, le plus élevé